# MonLab | L'apprentissage optimisé

W9-ATQ-471

**MonLab**, c'est l'environnement numérique de votre manuel. Il vous connecte aux exercices interactifs ainsi qu'aux documents complémentaires de l'ouvrage. **MonLab** vous accompagne vers l'atteinte de vos objectifs, tout simplement !

## INSCRIPTION de l'étudiant

**❶** Rendez-vous à l'adresse de connexion **http://mabiblio.pearsonerpi.com**

**❷** Suivez les instructions à l'écran. Lorsqu'on vous demandera votre code d'accès, utilisez le code fourni sous l'étiquette bleue.

**❸** Vous pouvez retourner en tout temps à l'adresse de connexion pour consulter MonLab.

**L'accès est valide pendant 12 MOIS à compter de la date de votre inscription.**

**AVERTISSEMENT :** Ce livre NE PEUT ÊTRE RETOURNÉ si la case ci-dessus est découverte.

1 800 263-3678  option 2
pearsonerpi.com/aide

2718

20782W (A38037)

ERPI ÉDUCATION

# MIEUX ENSEIGNER
# LA GRAMMAIRE

Pistes didactiques et activités pour la classe

Sous la direction de

**Suzanne-G. Chartrand**

Montréal  Toronto  Boston  Columbus  Indianapolis  New York  San Francisco  Upper Saddle River
Amsterdam  Le Cap  Dubaï  Londres  Madrid  Milan  Munich  Paris
Delhi  México  São Paulo  Sydney  Hong-Kong  Séoul  Singapour  Taipei  Tōkyō

**Développement éditorial**
Marie-Claude Côté

**Gestion de projet**
Yasmine Mazani

**Révision linguistique**
Emmanuel Dalmenesche

**Correction d'épreuves**
Odile Dallaserra

**Recherche iconographique**
Aude Maggiori

**Direction artistique**
Hélène Cousineau

**Coordination de la production**
Estelle Cuillerier

**Conception graphique**
Frédérique Bouvier

**Couverture**
Martin Tremblay

**Édition électronique**
Pige communication

**Images de la couverture et des ouvertures de chapitre**
Gurgen Bakhshetsyan/Shutterstock et shooarts/Shutterstock

L'éditeur remercie Dalia Mak de l'école
primaire Sans-Frontières et Clara Céré
de l'Académie Ste-Thérèse.

© ÉDITIONS DU RENOUVEAU PÉDAGOGIQUE INC. (ERPI), 2016
Membre du groupe Pearson Education depuis 1989

1611, boulevard Crémazie Est, 10e étage
Montréal (Québec) H2M 2P2
Canada
Téléphone : 514 334-2690
Télécopieur : 514 334-4720
information@pearsonerpi.com
pearsonerpi.com

Dépôt légal – Bibliothèque et Archives nationales du Québec, 2016
Dépôt légal – Bibliothèque et Archives Canada, 2016

Imprimé au Canada          23456789     SO     20 19 18 17
ISBN 978-2-7613-7870-3     20782 ABCD          SM9

Les textes rédigés pour le présent ouvrage appliquent les recti-
fications de l'orthographe approuvées par l'Académie française
et les instances francophones compétentes en 1990.

# Hommage à Éric Genevay (1929-2013)

L'adoption par les autorités scolaires de Suisse romande, à la fin des années 1970, de l'ouvrage *Maîtrise du français*, une méthodologie nouvelle pour l'enseignement du français, a permis à des équipes nombreuses et diverses d'enseignants vaudois et genevois de participer à une entreprise pédagogique que je crois unique : l'élaboration, sur une période de quinze ans, de moyens d'enseignement couvrant, pour l'ensemble de la scolarité obligatoire, tous les domaines de l'enseignement du français. Pour animer ces équipes, un petit groupe de didacticiens, dont Éric Genevay a été une figure particulièrement marquante.

Homme d'une grande culture – tout ce qui touchait aux arts l'intéressait –, Éric Genevay était habité par une insatiable curiosité, doublée d'une grande exigence. En témoignent les éditions successives, plusieurs fois amendées entre 1951 et 2006, de ses traductions de Théocrite et de Virgile, effectuées en collaboration avec un ami, poète comme lui.

Si Éric s'est réjoui des progrès réalisés dans l'après-guerre par les travaux en linguistique, c'est qu'ils éclairaient d'un jour nouveau sa propre réflexion sur le fonctionnement de la langue, mais aussi qu'ils apparaissaient propres à renouveler profondément la didactique de la langue. Aussi a-t-il, dès le début des années 1970, rejoint notre groupe de didacticiens, intervenant dans tous les domaines de l'enseignement du français, mais surtout ceux de la lecture, de la poésie, du lexique et de la grammaire.

Éric suivait avec grand intérêt les développements de la recherche en linguistique, très attentif à y repérer les éléments théoriques pédagogiquement exploitables, mais en se gardant toujours de toute inféodation doctrinale et en veillant à ce que les emprunts faits à des approches théoriques différentes ne conduisent pas à des incohérences dans la démarche pédagogique. Ce recours pragmatique à diverses données théoriques, pour faire comprendre aux élèves le fonctionnement de leur langue, est particulièrement bien illustré par *Ouvrir la grammaire*, ouvrage dont Éric a assumé la rédaction, au terme de notre entreprise, afin de présenter l'ensemble des notions abordées par les élèves durant leur scolarité obligatoire. Dans l'avant-propos de cet ouvrage, Josette Rey-Debove écrivait qu'il « était une grammaire entièrement repensée ». Vingt ans après sa publication, ce texte demeure une ressource inestimable.

**Bertrand Lipp** *(1929-2015)*

# Hommage à Francine Thyrion (1946-2012)

Enseignante et chercheuse passionnée et exigeante, Francine Thyrion s'est d'abord intéressée à la littérature avant de se tourner vers la linguistique et la didactique du français, à laquelle elle est venue en étant à l'écoute des besoins des étudiants auxquels elle enseignait la dissertation à l'Université Catholique de Louvain. Menant alors une recherche sur *L'écrit argumenté* (1997), elle soulève, en s'appuyant sur les acquis de la linguistique et de la pragmatique contemporaines, des questions liées à l'apprentissage de ce genre scolaire et universitaire fortement codifié. Loin de le réduire à l'acquisition d'outils techniques au service d'une rhétorique formelle, elle le considère comme une voie d'accès à la construction d'une pensée autonome, grâce à la maitrise progressive de ressources cognitives et langagières qu'elle s'attache à décrire. Ce faisant, elle inscrit son travail dans la voie ouverte par les linguistes et les didacticiens qui mettent en avant, à côté des aspects phrastiques, l'importance des aspects textuels, énonciatifs et discursifs en matière de fonctionnement de la langue.

Ces choix ont inspiré les cours qu'elle a créés à l'Université Catholique de Louvain, comme celui d'Analyse et pratique du discours universitaire, fréquenté par tous les étudiants de la Faculté de philosophie arts et lettres, ou celui de grammaire, destiné aux étudiants en études romanes – des cours qui ont marqué des générations d'étudiants et contribué, avec ses écrits, à la faire reconnaitre comme une didacticienne de premier plan et une grammairienne hors pair.

C'est avec la volonté de présenter de manière didactique les outils « qu'offre la langue française […] pour communiquer le plus efficacement possible » qu'elle écrit ensuite avec Laurence Rosier le référentiel *Langue* (2003) destiné aux élèves du secondaire (3e à 6e année) de la Communauté française de Belgique et dirige la collection « Couleurs Français » (1re et 2e année du secondaire, 2010 et 2011), dans laquelle la grammaire a toute sa place.

Je ne peux terminer cet hommage sans dire l'engagement de cette scientifique de renommée internationale dans la diffusion du français dans le monde, engagement qui lui valut en 2009 le titre de docteur *honoris causa* de l'université de Fukuoka, au Japon, ni, plus marquant encore, sans évoquer le sens de l'éthique qui guidait tout son travail, ainsi que son extraordinaire capacité d'écoute, qu'elle a gardée jusqu'au bout de la maladie qui l'a emportée. Avoir la chance de mettre ses pas dans ceux de Francine, c'était jouir d'un appui pour tracer sa propre voie intellectuelle ; c'était et cela reste un chemin d'humanité.

**Jacqueline Lafont-Terranova**, *Université d'Orléans*

# Liste des contributeurs

## Les auteurs :

**Bain, Daniel** — Chercheur associé au GRAFE de l'Université de Genève

**Brissaud, Catherine** — Professeure à l'Université Grenoble Alpes

**Bronckart, Jean-Paul** — Professeur honoraire de l'Université de Genève

**Bulea Bronckart, Ecaterina** — Chargée de cours à l'Université de Genève

**Chartrand, Suzanne-G.** — Professeure titulaire associée à l'Université Laval

**Cogis, Danièle** — Maitre de conférences à l'Université Paris-Sorbonne, jusqu'en 2012

**Colin, Didier** — Maitre de conférences à l'Université Paris-Est Créteil Val de Marne

**Dufour, Marie-Pierre** — Enseignante au secondaire québécois, chargée de cours de grammaire à l'Université Laval

**Elalouf, Marie-Laure** — Professeure à l'Université de Cergy-Pontoise

**Fisher, Carole** — Professeure titulaire à l'Université du Québec à Chicoutimi

**Gagnon, Roxane** — Professeure à la Haute École Pédagogique du canton de Vaud

**Gourdet, Patrice** — Maitre de conférences à l'Université de Cergy-Pontoise et à l'École Supérieure du Professorat et de l'Éducation (ESPE) de l'académie de Versailles

**Grossmann, Francis** — Professeur à l'Université Grenoble Alpes

**Lecavalier, Jacques** — Chargé de cours à l'Université de Sherbrooke

**Lépine, François** — Coordonnateur retraité du Centre de développement des compétences langagières de la Faculté des sciences de l'éducation de l'Université Laval

**Lord, Marie-Andrée** — Professeure à l'Université Laval

**Nadeau, Marie** — Professeure titulaire à l'Université du Québec à Montréal

**Paolacci, Véronique** — Maitre de conférences à l'École Supérieure du Professorat et de l'Éducation (ESPE) Toulouse Midi-Pyrénées (Université Toulouse - Jean Jaurès)

**Paret, Marie-Christine** — Professeure titulaire retraitée de l'Université de Montréal

**Péret, Claudie** — Maitre de conférences à l'Université de Cergy-Pontoise

**Richard, Suzanne** — Chargée de cours à l'Université de Sherbrooke, à l'Université de Montréal et à l'Université du Québec à Montréal

**Rosier, Laurence** — Professeure à l'Université libre de Bruxelles

**Roubaud, Marie-Noëlle** — Maitre de conférences HDR à Aix-Marseille Université et à l'École Supérieure du Professorat et de l'Éducation (ESPE) d'Aix-Marseille

**Roy-Mercier, Sandra** — Enseignante de français au secondaire québécois, chargée de cours à l'Université du Québec à Rimouski

## Les membres du comité scientifique:

Bain, Daniel, membre du GRAFE, Université de Genève

Canela-Trevisi, Sandra, maitre de conférences retraitée de l'Université de Grenoble

Chartrand, Suzanne-G., professeure titulaire associée à l'Université Laval (Québec)

Colin, Didier, maitre de conférences à l'Université Paris-Est Créteil Val de Marne

David, Jacques, maitre de conférences à l'Université de Cergy-Pontoise

Lépine, François, coordonnateur retraité du Centre de développement des compétences langagières de la Faculté des sciences de l'éducation de l'Université Laval

Legros, Georges, professeur retraité de l'Université de Namur

Paret, Marie-Christine, professeure titulaire retraitée de l'Université de Montréal

Schneuwly, Bernard, professeur à l'Université de Genève

## Les membres du comité de lecture du terrain:

### DE BELGIQUE

Damar, Marie-Ève, formatrice à l'Université libre de Bruxelles et à la Haute école Francisco Ferrer (HEFF)

Darimont, Jean-Pierre, conseiller pédagogique pour la Fédération de l'Enseignement Secondaire Catholique en Fédération Wallonie-Bruxelles

de Burges, Françoise, agrégée de l'enseignement supérieur, ex-directrice de l'Académie Royale des Beaux-Arts de Bruxelles

de Walque, Renaud, enseignant de français langue étrangère et maternelle, responsable des départements de français des sections maternelle et primaire à l'Ecole Internationale de Bruxelles

Dumortier, Jean-Louis, professeur ordinaire honoraire à l'Université de Liège

Gosseye, Éric, enseignant de français dans le secondaire inférieur et d'informatique dans le secondaire inférieur et supérieur à l'Athénée royal de Woluwe-Saint-Lambert (Bruxelles)

Van Beveren, Julien, didacticien du français, formateur à la Haute École de la Ville de Liège

### DE FRANCE

Coutellier-Morhange, Stéphane, enseignant du premier degré, maitre formateur depuis 2004, enseignant à l'École Supérieure du Professorat et de l'Éducation (ESPE) de Paris

Jarno-El Hilali, Guénola, professeur de lettres dans le second degré et chercheur associé à l'Université Toulouse – Jean Jaurès

Portelette, Annie, ex-professeure agrégée de français, enseignante au collège, retraitée depuis septembre 2013

Rioux, Jérôme, professeur des écoles depuis 1995 et formateur d'enseignants depuis 2001

Zimmerman, Isabelle, professeure agrégée de français, enseignante au collège, formatrice en formation continue des enseignants du secondaire

### DU QUÉBEC ET DE L'ONTARIO

Brunet, Nicole, enseignante au secondaire (francisation des élèves allophones) à la Commission scolaire de Montréal

Desrosiers, Sylvie, enseignante au primaire, directrice de l'école Montessori de Magog au Québec

Dufour, Marie-Pierre, enseignante de français au secondaire québécois, chargée de cours de grammaire à l'Université Laval de Québec

Elghazi, Lahcen, maitre de langue à l'Université du Québec à Montréal

Forget, Patricia, conseillère pédagogique de français à la Commission scolaire des Samares

Fradette, Mélanie, conseillère pédagogique des enseignants du primaire et du secondaire de français à la Commission scolaire Beauce-Etchemin

Lachance, Guylaine, ex-enseignante de français au secondaire, agente d'éducation à l'Unité des politiques relatives au curriculum, Ministère de l'Éducation de l'Ontario

Lefebvre, Danièle, chargée de cours en didactique du français à l'Université du Québec à Trois-Rivières et à l'Université de Montréal

Lépine, Martin, professeur à l'Université de Sherbrooke

Lord, Sophie, enseignante de français au secondaire québécois

Melançon, Julie, enseignante de français au secondaire au Collège catholique Franco-Ouest d'Ottawa

Paradis, Hélène, enseignante de français au secondaire québécois

Pellerin, Line, chargée de cours de grammaire à l'Université de Sherbrooke

Riverin, Pascal, conseiller pédagogique à la valorisation de la langue au Collège Limoilou à Québec

Robitaille, Anne, enseignante de français au secondaire québécois

Roy-Mercier, Sandra, enseignante de français, chargée de cours à l'Université du Québec à Rimouski

Sénéchal, Kathleen, doctorante en didactique du français et chargée de cours à l'Université du Québec à Rimouski

St-Pierre, Annie, conseillère pédagogique de français à la Commission scolaire du Haut-Richelieu

## DE SUISSE ROMANDE

Boillat, Patrick, enseignant de français et d'expression orale dans un collège de Genève

Érard, Serge, chargé d'enseignement en didactique du français à l'Institut Universitaire de Formation des Enseignants du secondaire (IUFE) de l'Université de Genève

Laenzlinger, Christopher, maitre d'enseignement et de recherche à l'Institut universitaire de formation des enseignants de l'Université de Genève

Marmy, Véronique, ex-enseignante au primaire, professeure à la Haute École Pédagogique de Fribourg

Salzmann, Nadège, enseignante de français et latin au Cycle d'orientation à Genève

Ticon, José, enseignant de français dans une école secondaire lausannoise et de didactique du français à la Haute École pédagogique du canton de Vaud

# Table des matières

# Donner un second souffle à la rénovation de l'enseignement grammatical

**SUZANNE-G. CHARTRAND**

L'enseignement grammatical demeure une composante importante de l'enseignement du français. Des enquêtes montrent que de très nombreuses heures y sont encore consacrées dans les classes du primaire comme du secondaire. La grammaire enseignée à l'école s'est construite au cours des XIXᵉ et XXᵉ siècles. À la fin des années 1960, des tentatives de rénovation des contenus et des méthodes d'enseignement de la grammaire dite *traditionnelle* ont vu le jour. Elles se poursuivent ; cet ouvrage en est le témoin et un véhicule. Ses auteurs – des didacticiens belges, français, québécois et suisses chevronnés aidés par des enseignants et des formateurs du terrain – travaillent à l'amélioration de l'enseignement de la grammaire afin que celui-ci réalise mieux ses finalités : permettre aux élèves de comprendre les grandes régularités du fonctionnement de la langue appréhendée comme un système et améliorer leurs compétences langagières, en écriture principalement, grâce au travail grammatical.

Cet ouvrage constitue un tout, chaque chapitre faisant écho à d'autres ; ceux de la première partie constituent la toile de fond pour comprendre la rénovation et ses exigences ; ceux de la deuxième illustrent comment il serait possible de **mieux enseigner la grammaire**. Cet ouvrage allie souci didactique et rigueur scientifique ; il veut être utile *hic et nunc* aux praticiens du terrain, aux étudiants qui se destinent à l'enseignement du français ainsi qu'à ceux qui doivent les former ou les accompagner dans cinq pays ou régions où le français est enseigné comme la langue première : la Fédération Wallonie-Bruxelles, la France, le Québec, le secteur francophone de la province d'Ontario au Canada et la Suisse romande, ensemble francophone présentant une grande diversité, notamment sur le plan des structures, des prescriptions curriculaires et de la terminologie grammaticale.

**Mieux enseigner la grammaire** propose des pistes didactiques éprouvées et testées en classe pour doter les élèves de 8 à 15 ans de savoirs et de savoir-faire grammaticaux fondamentaux opératoires. Si nous avons fait le choix de proposer des pistes didactiques et des activités pour cette tranche d'âge, c'est parce que nous considérons qu'à 8 ans, ce qui correspond généralement au début de la troisième année de scolarisation, les élèves ont déjà fait leur entrée dans l'écrit : ils ont acquis une certaine habileté à lire et à écrire. C'est en partie sur ces acquis que se fonde l'enseignement grammatical. Quant à l'âge de 15 ans, il correspond souvent à la fin du premier cycle du secondaire ou à la fin de la scolarité obligatoire, et à une plus grande diversification de la formation. C'est donc entre ces deux âges que l'essentiel de la culture grammaticale scolaire s'acquiert dans nos systèmes scolaires[1], bien que nous déplorions que cet apprentissage ne se prolonge pas au-delà. En effet, des élèves plus âgés seraient plus à même de saisir les interactions des différents plans d'analyse des énoncés (pragmatique, énonciatif, lexical, syntaxique, morphologique), ce qui contribuerait au développement des compétences langagières.

## Qu'entendons-nous par grammaire ?

Le mot *grammaire* étant polysémique, il convient de préciser ce que nous entendons ici par *la grammaire du français*. Il s'agit de la description des règles du système de la langue et des normes d'usage dans sa variété standard, description historiquement située et faisant largement consensus dans la communauté des chercheurs en didactique du français. Les termes *règle* et *norme* sont ambigus, aussi faut-il les définir. Le mot *règle* renvoie ici à la description d'une régularité dans le système de la langue à un moment de son évolution. Par exemple, en français, le déterminant se place avant le nom : c'est une règle descriptive qui fait partie d'un ensemble de règles qui font système quant à la place des mots en français. Le mot *norme* renvoie à l'usage jugé correct par l'institution sociale qui en a le contrôle politique et ceux qui l'actualisent (les auteurs de dictionnaires et de grammaires, par exemple). L'usager devrait se conformer à la norme, même si elle est discutable du point de vue de l'intelligibilité du système de la langue décrit ou de l'usage courant. Ainsi, pour qu'un texte corresponde à la norme orthographique, le scripteur doit appliquer la « règle » d'accord du participe passé employé avec l'auxiliaire *avoir* – qui n'a de règle que le nom, car c'est en fait une norme arbitraire imposée par l'institution politique au XVIᵉ siècle et critiquée depuis par la plupart des grammairiens. Alors que les règles d'une langue ne changent que sur une très longue période, la norme est plus fluctuante dans le temps et l'espace linguistique (par exemple, l'emploi du verbe *débuter* suivi d'un complément direct est de plus en plus courant dans l'usage oral et deviendra peut-être un jour la norme). Conformément à notre définition du terme *grammaire*, en font partie les sous-systèmes de la langue suivants : la syntaxe ; la ponctuation, dans sa dimension syntaxique ; la morphologie lexicale et grammaticale ; la combinatoire lexicale[2] ainsi que les aspects régulés de la reprise de l'information (système anaphorique) ; autant d'objets qui seront traités dans ce livre.

## L'épineux problème de la terminologie grammaticale

Étant donné les nombreux contextes nationaux, culturels et scolaires concernés par **les *pistes didactiques et activités*** proposées ici s'est posé le choix de la terminologie grammaticale à utiliser. Nous en avons adopté une pour tout l'ouvrage, privilégiant dans la description de la langue le maximum de rigueur et de cohérence possible.

---

**1.** L'annexe 3 présente la correspondance âge-degré scolaire des élèves dans ces systèmes scolaires.

**2.** À ce sujet, voir le chapitre 41 de la *Grammaire pédagogique du français d'aujourd'hui*.

Les termes issus de la rénovation (*connecteur, groupe, manipulation syntaxique, prédicat, subordonnant*, etc.) seront explicités en contexte et suivis, à la première occurrence dans chaque chapitre, d'un équivalent dans la tradition grammaticale depuis 1925, moment où commence la deuxième grammaire scolaire, selon l'historien André Chervel. Aussi, peu importe la terminologie qu'il emploie, chaque lecteur pourra s'y retrouver; il trouvera en outre, à l'annexe 1, un glossaire de la métalangue employée ici et dans les principaux ouvrages de grammaire qui ont servi de référence aux auteurs de **Mieux enseigner la grammaire**.

## L'organisation de l'ouvrage

Les cinq chapitres de la première partie portent sur l'*enseignement de la grammaire rénovée*. À travers son histoire, ses fondements, ses acquis et ses difficultés, les auteurs expliquent la pertinence didactique d'un enseignement renouvelé de la grammaire. Parmi les chapitres de la deuxième partie (*Des dispositifs d'enseignement de la grammaire*), six traitent d'un objet d'enseignement incontournable: le verbe (chapitre 8), la conjugaison (chapitre 9), la phrase subordonnée relative (chapitre 10), la virgule (chapitre 11), les procédés de reprise de l'information (chapitre 12), les discours rapportés (chapitre 13). Les deux autres traitent d'un domaine plus large: le chapitre 6 présente des démarches probantes pour l'apprentissage de la syntaxe par des élèves dits *en difficulté* et le chapitre 7 expose des démarches en orthographe grammaticale pour des élèves du primaire et du début du secondaire. Enfin, nous ne pouvions consacrer un ouvrage à l'enseignement grammatical sans proposer une réflexion et des dispositifs pour aider les élèves à réviser et à corriger leurs écrits, car nous considérons que cette activité essentielle à la compétence scripturale constitue un moment fort de l'activité grammaticale en classe, comme nous l'expliquons au chapitre 14.

Cette publication aura demandé deux ans d'un intense travail collectif impliquant une soixantaine de personnes. Que tous, auteurs des chapitres, membres du comité scientifique, membres du comité de lecture, adjoints à l'édition et artisanes et artisans de Pearson ERPI, soient chaleureusement remerciés pour leur travail remarquable et leur dévouement.

**Suzanne-G. Chartrand,** *directrice de l'ouvrage*

# L'enseignement de la grammaire rénovée : son histoire, ses fondements et ses perspectives

**PARTIE 1**

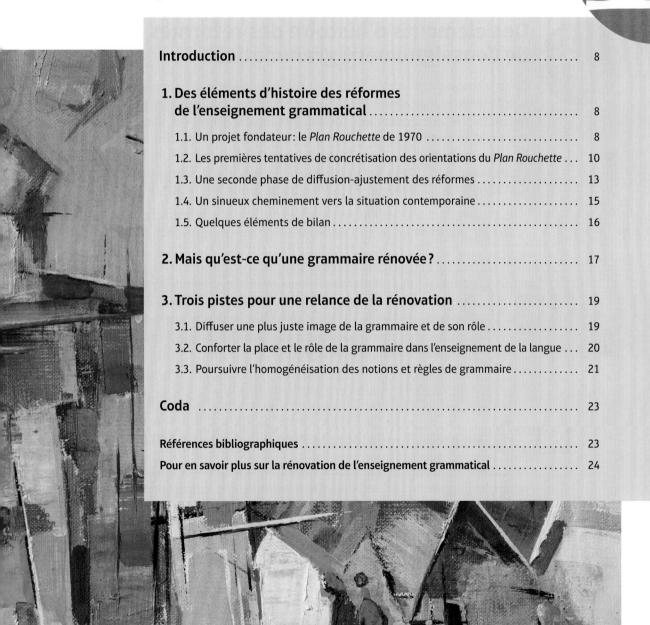

# Éléments d'histoire des réformes de l'enseignement grammatical depuis un demi-siècle

**CHAPITRE 1**

**JEAN-PAUL BRONCKART**

# Introduction

Dans ce chapitre initial, nous analysons d'abord les phases successives du mouvement de réforme de l'enseignement grammatical qui s'est déployé des années 1970 à nos jours dans le cadre de la modernisation des programmes et méthodes de l'enseignement du français. Sur cette base, nous discutons ensuite du statut même d'une grammaire rénovée et des grandes orientations de son enseignement. Nous formulons enfin quelques propositions concrètes pour une poursuite efficace du processus de rénovation.

# 1. Des éléments d'histoire des réformes de l'enseignement grammatical

Dans le courant des années 1950-1960 s'était manifestée en Europe francophone la volonté de rendre effective la *démocratisation* de l'enseignement obligatoire, en combattant l'échec scolaire qui affectait alors massivement les classes «défavorisées» et dont on pensait qu'il était surtout imputable à une insuffisante maitrise de la langue orale et écrite. Par ailleurs, chez nombre de linguistes et de pédagogues avaient resurgi les critiques depuis longtemps adressées à l'enseignement grammatical, du type de celles formulées par Ferdinand Brunot dès les débuts du xxᵉ siècle :

> «[…] ce que beaucoup se demandent, c'est si l'enseignement de la grammaire, tel qu'il est, mène au but que l'on se propose, et je crois qu'ils ont tout à fait raison de s'interroger et de douter, car […] ce n'est pas qu'on enseigne trop peu la grammaire, c'est qu'on l'enseigne mal : abstractions incompréhensibles, définitions prétentieuses et néanmoins plus souvent vides, règles fausses, énumérations indigestes, il n'y a qu'à feuilleter quelques pages d'un manuel pour trouver des spécimens variés de ces fautes contre la raison, la vérité et la pédagogie. »
>
> F. Brunot, *L'enseignement de la langue française, ce qu'il est – ce qu'il devrait être dans l'enseignement primaire*, 1908, p. 3.

## 1.1. Un projet fondateur : le *Plan Rouchette* de 1970

La combinaison de ces deux facteurs a provoqué l'émergence de projets de modernisation des programmes et méthodes d'enseignement des langues, dont l'un, préparé par des recherches de terrain conduites à l'Institut national de la documentation pédagogique (INRDP)[1], allait aboutir en 1970 au texte symboliquement fondateur des réformes subséquentes, le *Plan de rénovation de l'enseignement du français à l'école élémentaire*, plus connu sous l'appellation de *Plan Rouchette*[2].

---

1. Devenu Institut national de la recherche pédagogique (INRP) en 1976, puis dissout en 2010 et remplacé par l'Institut français de l'éducation (IFÉ).

2. Ce *Plan* avait été adopté en octobre 1970 par une commission dont le président était l'inspecteur général Marcel Rouchette.

Outre le souci de démocratisation évoqué plus haut, ce texte organisait remarquablement deux aspects des préoccupations de la décennie naissante. Tout d'abord, la présentation argumentée d'une *démarche pédagogique* articulant des activités créatives visant à l'enrichissement des capacités d'expression orale et écrite des élèves, et des activités de réflexion guidée visant à la construction de connaissances relatives aux régularités d'organisation de la langue (articulation désignée par le couple de processus *libération* de la parole *et structuration* des connaissances de la langue). Ensuite, la prise d'appui sur deux cadres scientifiques alors mondialement célébrés : d'un côté la psychologie développementale de J. Piaget et B. Inhelder (1966), qui mettait en évidence les capacités réflexives des enfants-élèves et les étapes de leur organisation ; d'un autre côté les approches de linguistique structurale et de linguistique générative, dont divers universitaires francophones préoccupés par l'enseignement du français, comme É. Genouvrier et J. Peytard (1970), avaient montré qu'elles pouvaient fournir d'efficaces méthodes d'analyse grammaticale ainsi qu'un corpus de concepts susceptibles de rendre compte des propriétés effectives de la syntaxe de la langue française.

Dans le *Plan Rouchette*, un important chapitre était consacré à la grammaire, en tant qu'activité de structuration articulée à deux principes méthodologiques et à un schéma de progression des contenus. Le premier principe méthodologique était d'introduire d'abord une phase de *grammaire implicite*, dans laquelle le maitre propose des *exercices structuraux* permettant aux élèves de réaliser pratiquement (sans conceptualisation) des améliorations ou des corrections de leurs énoncés. Le second principe, relevant de la phase suivante de *grammaire explicite*, était d'introduire une « manipulation organisée » d'énoncés sur la base de laquelle les élèves devaient progressivement « découvrir puis codifier les règles de base » de la syntaxe ; H. Romian, qui avait dirigé les recherches de terrain préparatoires au *Plan*, décrivait comme suit cette phase de manipulation :

> « […] cette manipulation procède de plusieurs opérations : la distribution des divers éléments d'un énoncé, les transformations qui peuvent le modifier, dans sa forme orale et écrite, la possibilité ou l'impossibilité pour tel élément de se déplacer (permutation) ou de s'échanger avec d'autres (commutation), l'attention portée aux variations conséquentes de l'information transmise […] »
>
> H. Romian, *La recherche-innovation : une problématique complexe*, 1973, p. 13.

Quant au schéma de progression des contenus, il se caractérisait par une *inversion* de l'ordre des unités langagières à traiter ; alors que dans la quasi-totalité des manuels antérieurs la progression s'effectuait des plus petites unités aux plus grandes (des phonèmes aux mots, puis aux phrases et parfois aux textes), le *Plan Rouchette* proposait l'ordre inverse suivant :

1. La phrase, définie comme « unité de discours », avec les transformations qu'elle est susceptible de subir (négative, interrogative, exclamative), et avec la distinction entre phrase simple et phrase complexe (par subordination et par coordination).

2. Les groupes qui composent la phrase, avec les éléments qui y sont mis en relation (par exemple, pour le groupe nominal : déterminant, nom, adjectifs éventuels).

3. Les unités singulières, dont certaines peuvent se substituer aux groupes (les pronoms).

4. Les fonctions grammaticales pouvant être attribuées aux groupes ou aux unités.

Divers membres de la commission en charge du *Plan* avaient cependant plaidé pour le maintien d'aspects de la terminologie antérieure, ce qui explique qu'en dépit des avancées relevées plus haut, le texte comportait des traces de compromis fâcheux, dont le maintien de notions telles que *complément circonstanciel* ou la non-distinction relative entre groupes et fonctions syntaxiques, dont attestait l'expression de *groupe sujet*, par exemple.

## 1.2. Les premières tentatives de concrétisation des orientations du *Plan Rouchette*

S'il énonçait des principes novateurs en matière de méthodologie d'enseignement ainsi qu'un schéma de progression pédagogique dans les différentes rubriques de la langue, le *Plan Rouchette* demeurait essentiellement un document politico-éducatif d'injonction, sur la base duquel il convenait, pour ce qui concerne le domaine grammatical, d'une part de compléter l'appareil notionnel rénové qui y était ébauché, d'autre part d'élaborer le nécessaire arsenal d'activités et/ou d'exercices et d'organiser ces éléments en de nouveaux manuels ou moyens d'enseignement. La publication du *Plan* avait donc créé une situation d'appel ou d'ouverture, qui a alors été exploitée de manière contrastée dans l'Europe francophone.

### En France et en Belgique : la genèse du désordre notionnel

En France et en Belgique, ce sont des couples constitués d'une maison d'édition et de spécialistes (souvent universitaires) qui, ayant saisi l'ouverture évoquée, ont élaboré de nouvelles séries de manuels, mais sans concertation et *de facto* dans une situation de concurrence commerciale, de sorte que, dès l'origine du mouvement de rénovation s'est instaurée une sourde *dissonance* affectant tout particulièrement la terminologie ainsi que les statuts et rôles à accorder aux manipulations syntaxiques (dissonance dont les effets se font encore sentir de nos jours).

En France ont notamment été diffusées dès 1977 deux séries concurrentes, les manuels *Bâtir une grammaire*, dirigés par Combettes, Fresson et Tomassone, et la série intitulée *Nouvel itinéraire grammatical*, dirigée par Grunenwald et Mitterand. Toutes deux explicitement modernistes, ces séries commençaient par des réflexions sur les situations de communication et les actes de langage, et proposaient des exemples de textes authentiques, à titre d'encadrement ou de préalable aux activités proprement grammaticales. Mais s'agissant de ces dernières, les auteurs introduisaient une terminologie différente, non explicitement justifiée, et résultant manifestement d'un souci commun d'introduire des notions modernes sans rompre complètement avec la tradition grammaticale. En voici un exemple concernant les fonctions de complément.

**TABLEAU 1.1  La nomenclature des compléments dans deux séries de manuels français**

| Bâtir une grammaire | Nouvel itinéraire grammatical |
|---|---|
| Compléments **essentiels**, ne peuvent être déplacés librement<br><br>• l'*attribut du sujet*<br><br>• le *complément essentiel direct* (ou complément d'objet direct)<br><br>• le *complément essentiel indirect* (ou complément d'objet indirect)<br><br>Compléments **non essentiels** ou **circonstants** (on peut les séparer du verbe par une virgule ou les déplacer en début de phrase) | Compléments **d'objet**<br><br>• *direct* non déplaçable ; devient le sujet de la phrase au passif<br><br>• *indirect* non déplaçable ; exclut toute possibilité de tourner la phrase au passif<br><br>• *second* (ou complément d'attribution) ; indique le destinataire de l'action<br><br>L'*attribut du sujet* fait partie du groupe verbal comme les compléments du verbe<br><br>Compléments **circonstanciels**<br><br>• déplaçables et restent compléments quand la phrase est tournée au passif<br><br>• certains compléments qui indiquent une circonstance sont *essentiels* (*j'irai à Paris*) |

En Belgique, on a observé une situation semblable de concurrence entre séries de manuels, avec néanmoins un facteur spécifique constitué par l'entreprise de Grevisse, dont le *Précis de grammaire française* (1939) et surtout le *Bon usage* (1936) avaient eu l'impact historique que l'on sait. Sensible au vent de modernisation, Grevisse a entrepris avec Goosse de rédiger une version adaptée de son approche, la *Nouvelle grammaire française* publiée en 1980 par Duculot, éditeur qui, l'année précédente, avait publié une série plus résolument moderniste, les manuels *Français* dirigés par Cherdon, Demols et Mottoul. Et ces séries proposaient encore d'autres organisations terminologiques, notamment pour les compléments.

**TABLEAU 1.2  La nomenclature des compléments dans des ouvrages belges**

| Manuel *Français* | Nouvelle grammaire française de M. Grevisse |
|---|---|
| Compléments **de phrase** ; SN auxquels peuvent s'appliquer les critères de<br>• mobilité<br>• dédoublement<br>• effacement<br><br>Compléments **de verbe**, prépositionnels ou non prépositionnels ; SN auxquels peuvent s'appliquer les critères de<br>• non-mobilité<br>• non-dédoublement<br>• non-effacement | Compléments **du verbe**, avec trois critères d'analyse<br><br>• *essentiels* ou *non essentiels* (nécessité ou non d'un complément)<br><br>• *directs* ou *indirects* (construction avec ou sans préposition)<br><br>• *adverbiaux* ou *non adverbiaux* (possibilité ou non de commutation avec un adverbe)<br><br>Le **complément d'objet** est un complément essentiel non adverbial. Il peut être direct ou indirect. |

| Manuel *Français* | *Nouvelle grammaire française* de M. Grevisse |
|---|---|
| **Les *expansions du verbe « être »*** <br><br> • expansion adjectivale ou nominale non prépositionnelle <br><br> • expansion adverbiale ou nominale prépositionnelle <br><br> • l'*attribut du sujet* est l'expansion non déplaçable, non effaçable, pronominalisable en *le* | Le ***complément adverbial*** peut être essentiel ou non essentiel. <br><br> Le ***complément d'agent*** n'est ni essentiel ni adverbial ; il correspond, dans la phrase passive, au sujet de la phrase active. |

Alors que dans les États centralisés de France et de Belgique se développaient des séries de manuels hétérogènes générant, comme le montrent les exemples ci-dessus, un vif désordre terminologique, c'est paradoxalement dans la situation décentralisée de la Suisse (romande) qu'allait se mettre en place une démarche de coordination/régulation des innovations en matière grammaticale.

## En Suisse romande : la visée d'homogénéisation de *Maîtrise du français*

En Suisse, le mouvement de rénovation de l'enseignement de la langue a coïncidé avec la nécessité ressentie d'homogénéiser les structures et les programmes d'enseignement qui étaient (et demeurent toujours) juridiquement de l'autorité de chaque canton. En même temps qu'était créée, en 1970, la première institution pédagogique commune (l'IRDP[3]), était mise en place une *Commission intercantonale* qui avait à élaborer des *Plans d'études* communs pour les degrés de la scolarité obligatoire. Les acteurs en charge de la conception des programmes de français confièrent alors à quatre pédagogues de trois cantons (Genève, Valais et Vaud) la tâche de rédiger un ouvrage qui constituerait l'unique référence globale de l'enseignement de la langue, sous l'intitulé *Maîtrise du français* (1979).

Cet imposant ouvrage avait pour objectif explicite de concrétiser les propositions du *Plan Rouchette* et il se caractérisait par une triple visée d'intégration. Tout d'abord, il abordait la totalité des rubriques de l'enseignement du français, qui étaient présentées, décrites et conceptualisées en puisant aux nouvelles théories linguistiques. Ensuite, il endossait à la fois le statut de manuel didactique, avec la présentation (sur 200 pages) d'« ateliers » décrivant des activités concrètes à réaliser en classe, et le statut de document de référence, les parties de l'ouvrage étant précédées d'un dense chapitre d'« introduction théorique ». Enfin, sur ce plan proprement théorique, il tentait d'extraire la quintessence de propositions émanant d'œuvres aussi diverses que celles de Benveniste, Chomsky, Martinet, Roulet, Saussure, Weinrich et d'autres encore, et d'en proposer une synthèse cohérente. En comparaison avec les manuels évoqués plus haut, *Maîtrise du français* se caractérisait cependant par une extrême prudence en matière d'étiquetage, en raison sans doute des rudes négociations dont cet ouvrage a été le produit. La problématique des compléments y était en effet présentée comme suit :

---

**3.** Institut romand de recherche et de documentation pédagogique dont le premier directeur fut Samuel Roller.

> [Les] *suites du verbe* sont au même titre des *constituants du groupe verbal*. Elles ne peuvent être ni supprimées, ni déplacées en tête de phrase […]
>
> Les *groupes facultatifs* […] peuvent s'intégrer à la structure de la phrase sans pour autant la définir comme telle […].
>
> Nous utilisons deux critères pour distinguer un constituant facultatif de phrase d'un constituant du groupe verbal : le critère de **nécessité** et le critère de **déplacement**. (p. 347-348)

Dès le début des années 1980, les cantons romands procédèrent alors à l'expérimentation de démarches didactiques inspirées de cet ouvrage, puis à l'introduction de la rénovation à l'école primaire, et plus tard à l'école secondaire, dans des conditions analysées plus loin.

### Le cas singulier du Québec : une grammaire « à l'occasion »

La situation se présentait à l'époque de manière différente au Québec, pour des raisons analysées notamment par Chartrand (2011). Le système d'éducation généralisé et gratuit y avait été introduit au cours de la « Révolution tranquille » des années 1960, ce qui avait provoqué une immédiate et considérable massification de la population scolaire. Dans la décennie qui a suivi, le ministère de l'Éducation (MÉQ) a instauré des programmes-cadres très généraux, mais ce n'est qu'en 1980 que le premier programme de français de la modernité a été édicté. Celui-ci était clairement inspiré des approches fonctionnalistes et communicationnelles alors en plein essor en pédagogie des langues secondes, et l'enseignement grammatical n'y avait guère de place, si ce n'est comme ressource de dépannage en cas de problèmes de communication ; les propositions du *Plan Rouchette* s'étant perdues dans l'Atlantique, cette grammaire était toujours conçue dans une perspective traditionnelle, et de ce fait critiquée pour son formalisme, sa lourdeur et son inefficacité.

## 1.3. | Une seconde phase de diffusion-ajustement des réformes

Au cours de la décennie 1970 la situation de l'enseignement grammatical était pour le moins confuse : les enseignants (et leurs élèves) étaient ballotés entre restes de terminologie ancienne et ébauches divergentes de terminologie moderne, et cette indécision notionnelle faisait obstacle au traitement effectif de questions plus fondamentales ayant trait au statut même de la grammaire, à la méthodologie de son enseignement et à la place que celui-ci devait prendre dans le cadre général de l'enseignement de la langue. En réaction à cette situation, le pédagogue et linguiste belge R. Gobbe a effectué une tentative de rationalisation terminologique et méthodologique, en créant chez Duculot en 1979 la collection *Langages nouveaux, pratiques nouvelles pour la classe de langue française* (1979, 1980) qui proposait une terminologie grammaticale exhaustive et une méthodologie spécifique de structuration grammaticale. Par ailleurs, les autorités éducatives ont entrepris d'élaborer des appareils notionnels stables et officiels, ce qui s'est traduit en France par la publication de documents ministériels successifs et en Belgique par la publication en 1984 d'un *code de terminologie grammaticale* pour les Écoles de l'État, et en 1985 d'un code destiné à l'enseignement libre, suivi en 1986 par une tentative de constitution d'un code interréseaux (Pierrard, 1988).

En Suisse romande, l'IRDP avait été chargé de coordonner l'instauration de programmes et de méthodes d'enseignement fondés sur l'ouvrage *Maîtrise du français* et d'en évaluer les résultats. Cette démarche s'est concrétisée par une série de documents qui montraient que si la rénovation était justifiée dans son principe, le projet émanant de l'ouvrage de référence était trop ambitieux ou prématuré, en ce qu'il requérait de la part des enseignants un ensemble de capacités pratiques et théoriques bien supérieures à ce à quoi leur formation les avait préparés, et de la part des instances de la politique éducative de chaque canton, l'adoption de Plans d'études plus précis. Il a donc paru indispensable de procéder à cette adaptation générale des textes-cadres, et surtout d'élaborer des moyens d'enseignement à la fois plus modestes et plus maniables par les enseignants. Par ailleurs, la démarche de rénovation en Suisse romande avait suscité des oppositions politiques parfois virulentes, fondées pour l'essentiel sur l'argument selon lequel le processus en cours visait à dénaturer la langue française elle-même, et ce faisant à rompre avec l'histoire dont cette langue était porteuse, et à rompre également avec les valeurs que véhiculaient, directement ou indirectement, les modalités traditionnelles de son enseignement.

Dans ce contexte, a été mis sur pied un groupe de réflexion composé de divers chercheurs en sciences du langage et en didactique des langues chargé de fournir des éléments d'explication et de justification de la rénovation en cours et d'élaborer des propositions de solution pour les divers problèmes théoriques, méthodologiques et techniques qui avaient été identifiés. Au terme de six années de travail (1982/1988), ce groupe, intitulé *Groupe Bally* (Bronckart, 1988 ; 2014), produisit un rapport dont on peut relever quatre aspects.

1. Sur le plan des objectifs, l'affirmation du caractère *utilitaire* des activités de structuration, qui devaient être au service de trois développements fonctionnels : l'enrichissement des capacités d'expression en général, la maitrise des principales règles de l'orthographie grammaticale et l'acquisition des langues secondes ou étrangères.

2. Sur le plan terminologique, la validation d'un corpus de notions de la grammaire de phrase avec des recommandations d'ajustement des aspects des documents en usage qui n'étaient pas conformes à ce cadre.

3. Sur le plan des démarches pédagogiques, le principe d'une *dissociation entre les démarches de structuration et les démarches d'expression/compréhension* ; ces deux types d'approche devaient s'effectuer en *des temps didactiques différents*, en particulier pour éviter que les exigences de la structuration (l'inévitable tri des exemples et des corpus mobilisés) n'engendrent limitation et rigidification des activités d'expression.

4. S'agissant enfin de la formation des enseignants, d'abord la nécessité d'œuvrer à la *transformation des représentations* que se font ces derniers de ce qu'est la langue et de ce qu'est la grammaire, ensuite la priorité accordée à un objectif

a priori simple et modeste : *faire en sorte que les enseignants maitrisent la logique d'organisation des notions grammaticales élémentaires* et soient aptes ce faisant à distinguer les quatre niveaux notionnels majeurs (sortes de phrases, catégorie ou classe, groupe, fonction syntaxique) ; nous y reviendrons.

## 1.4. Un sinueux cheminement vers la situation contemporaine

Dès la fin des années 1980, s'est manifestée une nouvelle demande sociale, ayant trait aux programmes relatifs à l'expression écrite et orale, en l'occurrence à la nécessité de *diversifier* les sortes de textes à ériger en objets d'enseignement : ne plus s'en tenir aux seuls textes à caractère narratif ou argumentatif, mais proposer un éventail de textes qui soient adaptés aux situations de communication qu'un apprenant peut rencontrer dans sa vie scolaire et sociale. Le mouvement de réforme s'est alors centré sur la dimension textuelle, avec des démarches d'emprunt aux travaux d'analyse de discours (ou de linguistique textuelle) qui se développaient alors. Sur la base de diverses propositions théoriques[4], ont été élaborés des classements de textes destinés à orienter le travail des enseignants et à servir de critères à la nécessaire réorganisation des programmes d'expression écrite.

Dans ce contexte, en Europe francophone la rénovation grammaticale est alors passée au second plan. En Suisse romande, les recommandations du Groupe Bally furent poliment reçues par les autorités politiques… qui s'empressèrent de les oublier ; et bien que fût entreprise une importante démarche de création coordonnée de moyens d'enseignement de la langue pour le secondaire, dont la série *Pratique de la langue* (Besson et coll., 1990) et le remarquable ouvrage *Ouvrir la grammaire* (Genevay, 1994), ces documents jugés trop complexes par les autorités scolaires ont rapidement été remplacés par une succession de séries de manuels empruntées au marché français, ce qui introduisit une considérable confusion sur les plans de la terminologie et des méthodes, les recommandations des textes officiels ayant bien moins d'impact que les propositions désordonnées des vagues successives de manuels.

Au Québec, la situation était fort différente dans la mesure où ce n'est que dans le cadre du *Programme de français* de 1995 qu'intervint officiellement la rénovation grammaticale. Celle-ci était motivée par les piètres résultats des démarches en vigueur ainsi que par la demande du corps enseignant de disposer d'un programme clair en matière de grammaire. Articulé à une approche des textes inspirée des travaux de J.-M. Adam, le programme de 1995 introduisait un nouveau corpus de notions (groupes, manipulations syntaxiques, etc.) et préconisait un « nouvel esprit grammatical » fait d'observations, de jugements et de conceptualisation de la part des élèves. Comme le relève cependant Chartrand :

---

**4.** Il s'est agi surtout des travaux d'Adam (1999) qui distinguaient divers « types de textes » (narratif, argumentatif, descriptif, etc.) en se fondant sur leurs modalités spécifiques d'organisation séquentielle. Il s'est agi aussi des travaux de Roulet *et al.* (1985), centrés sur les modes de structuration des échanges oraux, et de nos propres travaux (Bronckart, 1997) qui proposaient un modèle de l'architecture textuelle différenciant les genres de textes en tant qu'unités communicatives, et les « types de discours » en tant que formes linguistiquement marquées entrant dans la composition des genres (types interactif, théorique, narratif, etc.).

« [...] ce programme fut instrumentalisé par les manuels de français produits par des auteurs qui, de rédacteurs d'exercices traditionnels de grammaire, s'étaient métamorphosés en quelques mois en producteurs d'activités de "nouvelle grammaire". Les éditeurs ont peut-être respecté la lettre, la métalangue (et encore !), mais pas l'esprit de ce programme novateur. »

S.-G. Chartrand, *Prescriptions pour l'enseignement de la grammaire au Québec : Quels effets sur les pratiques ?* 2011, p. 49.

## 1.5. Quelques éléments de bilan

Au-delà des différences locales, la situation d'ensemble de l'enseignement grammatical est aujourd'hui problématique. Sur le plan des moyens d'enseignement, la tendance de la dernière décennie est, en Europe, à la production de documents témoignant de replis largement opportunistes, dont la logique-cohérence est souvent introuvable, et dont certains font fi de l'ensemble des travaux réalisés par les didacticiens, comme Vargas (2009) l'a montré s'agissant des programmes français de 2008. Sur le plan des manuels, la variété des systèmes notionnels est quasi infinie, et l'opportunisme ci-dessus évoqué prend parfois des proportions saisissantes, comme en atteste, dans certains documents récemment adoptés en Suisse romande, le traitement infligé aux prépositions, qui se voient de fait dépouillées de leur statut de catégorie grammaticale[5], ce qui aurait fait rugir Grevisse lui-même !

Sur le terrain scolaire, les études réalisées font apparaitre une situation tout aussi problématique : sur le plan des notions, Canelas-Trevisi et Bain (2009) ont montré que les élèves témoignaient d'une très médiocre maitrise des termes de grammaire des phrases, et que les enseignants aussi bien que les élèves n'exploitaient quasiment pas ces termes dans le cadre d'activités portant sur les textes. S'agissant des démarches, Chartrand (2011) a relevé que les techniques de manipulation demeurent très peu utilisées, ce qu'ont confirmé Canelas-Trevisi et Schneuwly (2009), dont l'analyse des pratiques d'enseignement ayant trait à l'objet « subordonnée relative » montre que les procédures de manipulations formelles et systématiques inspirées de la linguistique font place à des intuitions plus ou moins partagées concernant les conditions de fonctionnement et le rôle (l'utilité) de ces structures. Dans cette situation, que nous pourrions illustrer par bien d'autres exemples encore, la plupart des enseignants peinent à maitriser eux-mêmes les notions qu'ils ont à enseigner, et sont en conséquence dans l'impossibilité de mettre en œuvre des démarches d'enseignement de type actif et inductif, ce qui génère une insatisfaction de plus en plus explicite de certains d'entre eux, insatisfaction exploitée comme on le sait par les divers courants qui prônent un retour à la tradition.

Pourtant diverses initiatives ont été entreprises, au Québec en particulier, pour dépasser cette situation (voir les grammaires sous la direction de Chartrand, 1999, 2001/2006),

---

**5.** Dans certains de ces documents, la préposition n'apparait plus dans la liste des catégories grammaticales du français, et le terme même de *préposition* disparait parfois au profit de la notion particulièrement floue de « mot-outil ».

et si elles n'ont pas été suivies d'effets importants à ce jour, elles ont néanmoins suscité un renouveau d'intérêt pour l'enseignement de la grammaire chez bon nombre d'enseignants, leurs formateurs et des didacticiens, ce dont cet ouvrage constitue un évident témoin.

## 2. Mais qu'est-ce qu'une grammaire rénovée ?

Le chaotique processus de rénovation ci-dessus évoqué avait son origine – rappelons-le – dans une critique de l'enseignement grammatical qui avait été formulée depuis les débuts du XX^e siècle par la plupart des spécialistes. Cette critique portait d'un côté sur les notions et définitions qui saisissaient les phénomènes langagiers par leur seule dimension sémantique («le sujet est l'être animé qui fait l'action»; «la phrase exprime une idée complète») et non par les propriétés syntaxiques observables en surface des phrases («le sujet est le groupe nominal qui régit l'accord du verbe en genre et en nombre»). Cette critique portait d'un autre côté sur une méthodologie d'enseignement qui demeurait inspirée de la scolastique médiévale (énoncer des règles → en donner des exemples → les faire mémoriser → les faire appliquer dans des exercices mécaniques).

Si, dès les années 1920, des propositions de méthodologie alternative avaient été formulées et testées avec succès par les courants de pédagogie active et de pédagogie nouvelle, le problème du corpus notionnel n'avait pu être réglé parce que les propositions de la linguistique francophone moderne étaient à la fois trop peu argumentées et trop complexes pour parvenir à supplanter les approches traditionnelles. Comme nous l'avons indiqué au début de ce chapitre, c'est la conjonction d'une urgence politico-économique (permettre à plus d'élèves d'accomplir des formations longues) et de l'accès à la célébrité mondiale du linguiste N. Chomsky qui a constitué le détonateur des entreprises de rénovation de l'enseignement grammatical.

Mais qu'est-ce qu'une grammaire, en définitive? Chartrand en propose une définition qui servira de base à notre discussion :

> «[…] par **grammaire** (d'une langue), nous entendons la description historiquement située et faisant largement consensus dans la communauté des chercheurs dans les sciences du langage des **règles** du système d'une langue et les **normes** d'usage de la variété standard de cette langue écrite. […] Le mot *règle* renvoie ici à la description d'une régularité dans le système d'une langue à un moment de son évolution. […] Le mot *norme* renvoie à l'usage jugé correct par l'institution sociale qui régit la langue auquel l'usager devrait se conformer, même si cette norme est discutable du point de vue de l'intelligibilité du système de la langue décrit ou de l'usage courant.»
>
> S.-G. Chartrand, *Quelles finalités pour l'enseignement grammatical à l'école? Une analyse des points de vue des didacticiens du français depuis 25 ans*, 2013a, p. 78.

Notons d'abord que dès que l'on adhère à ce type de définition, le problème n'est plus de savoir si une grammaire est « ancienne », « traditionnelle », « moderne » ou « nouvelle », mais de savoir si cette grammaire propose – ou non – une description correcte, homogène et intelligible de ce qui fait système dans la langue naturelle concernée.

Notons ensuite que les premières grammaires scolaires rénovées (et la plupart de celles qui ont suivi) ont été élaborées par emprunt à deux courants linguistiques qui divergeaient sur des points fondamentaux, et portent encore des traces de cet emprunt contradictoire[6]. Avec le recul, on s'aperçoit que les tentatives d'exploitation didactique de la distinction profondeur/surface ont été en permanence sources de confusion, et ont en outre entravé le développement de la nécessaire réflexion sur le statut et les conditions d'emploi des manipulations syntaxiques. On notera encore que les démarches initialement préconisées requéraient une nette dissociation entre raisonnements syntaxiques et sémantiques ; « faire abstraction du sens » était la formule-choc des années 1970, qui, par son excessive concision (les productions langagières servent quand même à produire du sens) a été source de graves malentendus. Ce qui aurait dû être préconisé, c'était en fait de procéder *d'abord* à une étude strictement syntaxique activant les manipulations et d'épuiser les ressources et les résultats possibles de ce type d'analyse pour, *ensuite*, éventuellement procéder à l'examen de questions d'ordre sémantique. Dans cette démarche, le recours à des raisonnements ayant trait au statut des actants ou des états/évènements auxquels renvoie une phrase sont à proscrire, parce que ces considérations sont à la fois inutiles et sources de permanentes confusions. Mais une telle approche peut aussi être introduite *par ailleurs*, à condition d'être dissociée de la précédente, ne fût-ce que pour mieux mettre en évidence l'indépendance des modalités de structuration syntaxique à l'égard des questions de crédibilité ou d'acceptabilité sémantique (montrer, par exemple, que si elle pose d'éventuels problèmes d'interprétation, une phrase comme « La délicieuse inconstance de la brouette sifflait un verre de Chablis » est parfaitement grammaticale).

On relèvera enfin que le programme de grammaire se limitait au départ à l'examen de quatre ensembles de notions de statuts différents :

· les sortes de phrases (phrases de base, phrases dérivées simples, phrases dérivées complexes) ;

· les catégories (ou classes) grammaticales ou parties du discours (nom, verbe, déterminant, etc.) ;

· les groupes ou syntagmes en lesquels s'organisent localement ces catégories (groupe nominal, groupe prépositionnel, groupe adverbial, etc.) ;

---

**6.** La référence affichée par les rénovateurs était la *Grammaire générative* de Chomsky (1971), qui distinguait un niveau de *structures profondes* communes à toutes les langues et un niveau de *structures de surface* propres à une langue particulière. Mais le courant de fait le plus exploité a été le distributionnisme de Bloomfield (1933/1970) qui s'en tenait à l'analyse des unités, structures et autres propriétés d'une seule langue, sans se préoccuper d'éventuelles dimensions universelles, et qui visait à décrire et à conceptualiser ces entités en analysant leur comportement observable, c'est-à-dire en examinant comment une unité ou une structure donnée réagit à des manipulations de déplacement, d'effacement, de substitution, etc.

- les fonctions syntaxiques assurées par les catégories et/ou les groupes dans l'organisation syntaxique des phrases (sujet, complément de phrase, modificateur, etc.).

La structure de ce programme témoignait de ce que la démarche de rénovation n'avait pas rompu avec la conception selon laquelle la phrase est l'unité d'analyse majeure de l'analyse syntaxique. Dans les approches traditionnelles, ce statut privilégié tenait à ce que la phrase (ou proposition) était considérée comme la traduction verbale de l'opération cognitive de « jugement » ; mais dans les approches modernes, et en regard de la définition de Chartrand citée plus haut, cette justification n'était plus pertinente, et s'est donc posé le problème de l'extension possible du champ grammatical à des règles ou normes d'empan supérieur à celui de la phrase.

Certains auteurs ont alors soutenu qu'à la grammaire de phrase pouvait être adjointe une « grammaire de texte » et d'autres ont considéré plus généralement que « la grammaire inclut l'ensemble des activités réflexives conduites à propos du texte, de la phrase, du mot, voire des opérations et des stratégies mises en œuvre lors de la lecture et de l'écriture » (de Pietro, 2009, p. 26). Sur cette question, nous soutenons que les modes de structuration des textes sont d'une tout autre nature que l'organisation syntaxique des phrases : alors que cette dernière se présente sous la forme de classements d'unités et de groupes ainsi que de règles stables de distribution de ces entités, l'organisation des textes relève de *fonctions* générales (connexion, cohésion nominale, modalisation, etc.) qui sont réalisées par des *ensembles d'unités linguistiques hétérogènes* dont les conditions d'emploi relèvent d'autres types de règles. Il existe donc une différence de statut entre ces deux formes d'organisation, et si l'on accorde historiquement à la première le statut de « grammaire », il parait inutile, voire néfaste, de surgénéraliser cette notion et de parler de « grammaire de texte » ou de « grammaire en contexte », et il nous parait symétriquement aussi inapproprié d'introduire, dans le système notionnel proprement grammatical, des notions issues des approches fonctionnelles, transphrastiques ou discursives.

# 3. Trois pistes pour une relance de la rénovation

## 3.1. | Diffuser une plus juste image de la grammaire et de son rôle

Bien qu'admise par la quasi-totalité des spécialistes, la définition de la grammaire présentée à la section 2.1 est loin d'être connue ou acceptée par l'ensemble des autorités politico-scolaires, des enseignants et des parents, en raison surtout de la persistance, dans les représentations collectives, d'une conception traditionnelle concevant les mots comme de simples étiquettes verbales apposées aux choses, et les structures linguistiques comme de simples reflets des structures de l'esprit ou de celles des évènements extérieurs. Pour relancer le mouvement de rénovation, il parait dès lors nécessaire d'entreprendre, à destination des autorités éducatives et du public concerné ou intéressé par l'École, un travail visant notamment à mettre en évidence trois caractéristiques des grammaires rénovées.

- Faire comprendre d'abord qu'une grammaire propose *une image de l'organisation d'une langue naturelle*, et non des propriétés du langage en général, ni de celles de l'intelligence humaine, ni de celles des évènements externes. Une grammaire vise, *plus modestement*, à décrire et à conceptualiser les règles effectives d'organisation d'un idiome (le français pour ce qui nous concerne), règles dont certaines sont immédiatement apparentes et dont d'autres ne peuvent être mises en évidence qu'en mobilisant les manipulations déjà évoquées et qui seront décrites et exploitées dans les chapitres 2, 3, 8 et 10, entre autres.

- Faire accepter ensuite que l'analyse des propriétés d'une langue relève d'*un travail de constitution de savoir* qui, comme tout travail de cet ordre, doit nécessairement dépasser le niveau des apparences et déboucher sur l'élaboration de notions et de règles formulées en termes scientifiques. Certes, cette terminologie peut et doit être simplifiée pour l'enseignement, mais même ainsi didactiquement transposée son statut demeure différent de celui des terminologies de sens commun, et l'enseignement de la grammaire exige en conséquence *un réel effort de ré-analyse et de re-conceptualisation* de divers aspects de la langue qui paraissaient simples et familiers.

- Faire comprendre enfin que si le travail de ré-analyse ci-dessus évoqué peut paraitre compliqué, ce à quoi il peut et doit aboutir, c'est une *conception clarifiée, voire simplifiée*, de l'organisation de la langue, essentiellement due au fait que les structures d'une langue font système : dès que la logique d'ensemble de ce système est saisie, la compréhension et l'apprentissage de chaque règle s'en trouvent grandement facilités.

# 3.2. | Conforter la place et le rôle de la grammaire dans l'enseignement de la langue

Au début du processus de rénovation, l'accent était mis surtout sur *le développement de la maitrise pratique* de la langue par les élèves (la capacité de communiquer efficacement dans diverses situations), et la construction de savoirs grammaticaux relevait dès lors d'un *objectif second* ; l'enseignement en ce domaine visait à *outiller* la mise en œuvre de quatre capacités praxéologiques : savoir parler, savoir écrire, savoir écouter, savoir lire. Ce point de vue utilitariste est encore défendu aujourd'hui par quelques didacticiens qui soutiennent que la place et l'ampleur des enseignements proprement grammaticaux doivent être évaluées à l'aune de leur « utilité réelle », c'est-à-dire de leur contribution effective au développement des capacités d'expression et de compréhension.

Un accord semble néanmoins s'établir aujourd'hui selon lequel la grammaire scolaire constitue un appareil notionnel ayant pour fonction de *compléter et de (ré-)organiser les connaissances* dont disposent déjà les apprenants, et de tendre ce faisant à rendre ces connaissances plus conformes aux savoirs scientifiques à propos du langage et des langues. Sous cet angle, la formation grammaticale est *en soi utile*, en tant qu'elle développe des capacités d'analyse de l'objet-langue et qu'elle devrait aboutir à la construction du savoir évoqué plus haut, qui est cognitivement et culturellement important. Mais d'un autre côté, ce qui n'est nullement contradictoire, la grammaire scolaire fournit également des *instruments à réexploiter au service de trois finalités pratiques*: la maitrise des formes d'organisation textuelle, en tant que gage du développement des capacités d'expression orale et écrite ainsi que des capacités de réception-interprétation; la maitrise des règles de l'orthographie grammaticale de la langue en usage; l'élaboration de processus transversaux facilitant l'acquisition de langues secondes ou étrangères.

Dans la perspective de ce consensus, il convient d'adopter une position équilibrée qui, comme l'a soutenu en particulier Bulea Bronckart (2014), plutôt que de hiérarchiser les objectifs, conçoit ces derniers de manière *interactionnelle et intégrée*. Or, pour qu'une interaction s'avère effective et efficace, il convient d'abord que les objets à mettre en rapport soient clairement distingués dans un premier temps. Nous soutenons en conséquence qu'il est nécessaire de conserver un système notionnel grammatical relevant d'*une linguistique des phrases pleinement assumée*, et nous soutenons également qu'il y a place dans les programmes d'enseignement du français pour des activités visant spécifiquement et «gratuitement» à la maitrise de certaines notions ou règles. Pour autant toutefois que ces ateliers soient mis en rapport avec les démarches dans lesquelles les connaissances grammaticales ainsi acquises sont réexploitées au service des finalités pratiques évoquées plus haut, en particulier au service du développement des capacités d'expression. Dans son évolution actuelle, la démarche genevoise des séquences didactiques s'inscrit résolument dans cette perspective (Dolz, Noverraz et Schneuwly, 2001) et fournit de nombreux exemples de réexploitation et de recatégorisation des notions phrastiques au service de la maitrise des divers procédés textuels. Des didacticiens québécois ont fait un pas de plus dans cette direction, en proposant une intégration immédiate de la perspective textuelle dans le cadre de l'enseignement proprement grammatical (Chartrand et Émery-Bruneau, 2013). Présentée notamment dans la *Grammaire pédagogique du français d'aujourd'hui* (Chartrand, Aubin, Blain et Simard, 1999), cette démarche présente les caractéristiques suivantes: tout d'abord, un réinvestissement de l'appareil notionnel phrastique, visant à parachever la réforme qui y a été introduite, en montrant notamment la nécessité de définitivement distinguer les structures et les fonctions des groupes, ou à clarifier les conditions d'identification des compléments de phrase; ensuite, une pratique pédagogique dans laquelle l'identification des phénomènes grammaticaux s'effectue simultanément sur des exemples de phrases et de textes et où la codification de ces phénomènes est assortie d'un examen de leur statut ou de leur rôle, au sein des phrases d'une part, au sein du texte d'autre part; enfin, l'élaboration d'un programme intégrant étroitement les domaines de l'orthographe, de la ponctuation, du lexique, de la conjugaison et de la syntaxe.

## 3.3. | Poursuivre l'homogénéisation des notions et règles de grammaire

Dans les phases antérieures de la rénovation, divers ensembles de notions nouvelles ont été introduits avec succès, dont trois nous paraissent particulièrement significatifs.

- Il s'agit tout d'abord de la distinction des sortes de phrases (phrases de base, phrases dérivées simples, phrases dérivées complexes) qui repose sur la distinction des deux acceptions possibles de cette notion de phrase : la phrase « graphique » constituée d'une séquence de mots qui, à l'écrit, débute par une majuscule et se termine par un point ; la phrase « syntaxique » qui correspond à la traditionnelle « proposition » et qui est la structure organisée autour d'une – et une seule – forme verbale conjuguée à un mode personnel.

- Il s'agit ensuite de la réorganisation et du réétiquetage de certaines catégories grammaticales, dont l'exemple le plus net est le regroupement de diverses unités autrefois qualifiées d'« article », d'« adjectif possessif », d'« adjectif démonstratif », etc., dans la classe générale des « déterminants » du nom.

- Il s'agit encore de l'introduction réussie de la notion générale de « groupe » (groupe nominal, groupe verbal, groupe adjectival, etc.) rendant possible la mise en évidence des règles spécifiques de composition interne de chacune de ces ministructures.

En dépit de ces réelles avancées, diverses zones d'indécision subsistent, dont nous ne mentionnerons que les deux nous paraissant les plus problématiques. La première tient à ce que la réorganisation et le réétiquetage des catégories grammaticales sur la base de leur distribution objective sont demeurés partiaux ou incomplets : à titre d'exemple, la distinction essentielle entre les adverbes « déictiques » (*ici, maintenant*, etc.) et les autres adverbes (*très, lentement*, etc.) est toujours éludée, ce qui empêche la mise en évidence de leurs différences de comportement syntaxique, et notamment le fait que les premiers assurent toujours la fonction de *complément* (de phrase ou de verbe) et les seconds toujours la fonction de *modificateur* (de verbe, d'adjectif, d'adverbe) ; en outre, diverses entités linguistiques demeurent non catégorisées et non étiquetées, dont celles apparaissant régulièrement à la jointure des phrases et celles marquant les transformations constitutives des phrases dérivées simples (le « c'est… que » des phrases emphatiques par exemple), ce qui conduit la plupart des enseignants et des élèves à désigner ces entités par des termes « joker » (selon l'expression de Canelas-Trevisi et Bain, 2009) dont la variabilité est évidemment garantie.

La seconde zone problématique tient à la confusion qui subsiste entre l'analyse structurelle (portant sur les groupes et les modalités d'organisation de leurs constituants) et l'analyse fonctionnelle (portant sur le rôle que jouent ces mêmes groupes dans l'organisation syntaxique). À titre d'exemple, l'analyse de l'organisation d'ensemble de la phrase de base implique d'un côté l'identification de ses deux fonctions nécessaires (sujet et prédicat) et de ses fonctions facultatives (dont le complément de phrase), et d'un autre côté l'identification des groupes (nominaux, verbaux, prépositionnels, adjectivaux ou adverbiaux) susceptibles d'assurer chacune de ces fonctions ; mais en réalité le statut des groupes et leurs fonctions sont très souvent confondus, comme en témoigne l'usage d'appellations hybrides comme « groupe sujet », « groupe complément de phrase », voire « groupe permutable » ; et cette difficulté est évidemment encore accrue lorsque les appareils notionnels mélangent l'approche des fonctions fondée sur des critères syntaxiques (« complément du verbe » ; « complément du nom ») et celle fondée sur des critères sémantico-référentiels (« complément circonstanciel » ; « complément d'objet »).

En ce domaine notionnel, il parait donc nécessaire et urgent que les spécialistes reprennent le dossier de l'harmonisation terminologique et se donnent les moyens d'aboutir enfin à un compromis général, même si l'on doit admettre que subsisteront toujours des variantes découlant de ce que l'histoire de la pensée grammaticale et celle la rénovation ont plus ou moins varié dans les différentes communautés de la francophonie.

# Coda

L'ensemble des propositions didactiques formulées dans le présent ouvrage constituent des éléments en appui et au service des trois directions de redynamisation de la rénovation qui viennent d'être évoquées. Mais au-delà de leurs apports théoriques, techniques ou méthodologiques, il nous parait impératif que les didacticiens et les linguistes concernés par l'enseignement grammatical reprennent pied dans les organes politico-éducatifs, pour tenter de mettre fin aux décisions à caractère hasardeux ou opportuniste qui ont été prises dans la dernière décennie, et que l'enseignement de la grammaire puisse se redéployer dans un cadre stable et raisonnable.

## Références bibliographiques

Adam, J.-M. (1999). *Linguistique textuelle. Des genres de discours aux textes.* Paris : Nathan.

Besson, M.-J., Genoud, R.-M., Lipp, B. et Nussbaum, R. (1979). *Maîtrise du français.* Lausanne : Office romand des éditions et du matériel scolaire.

Besson, M.-J., Canelas-Trevisi, S., Nicolazzi-Turian, I. et Bronckart, J.-P. (1990). *Français 7e. Pratique de la langue.* Genève : Département de l'Instruction Publique.

Bloomfield, L. (1970). *Le langage.* Paris : Payot [Édition originale : 1933].

Bronckart, J.-P. (1997). *Activité langagière, textes et discours. Pour un interactionisme socio-discursif.* Paris : Delachaux et Niestlé.

Bronckart, J.-P. (2014). Le rapport du Groupe Bally. Le projet de rénovation de l'enseignement du français en Suisse romande. *Recherches en Didactiques. Les Cahiers Théodile, 17,* 67-91.

Brunot, F. (1908). *L'enseignement de la langue française, ce qu'il est – ce qu'il devrait être dans l'enseignement primaire. Cours de Méthodologie.* Paris : Armand Colin.

Bulea Bronckart, E. (2014). Quels repères pour l'enseignement grammatical ? Examen de quelques références actuelles en Suisse romande. *Babylonia, 2 « La leçon de grammaire revisitée »,* 36-40.

Canelas-Trevisi, S. et Bain, D. (2009). La grammaire scolaire au service de l'enseignement-apprentissage du texte argumentatif. Analyse critique de quelques pratiques en classe du secondaire. Dans J. Dolz et C. Simard (dir.), *Pratiques d'enseignement grammatical* (p. 155-176). Québec : PUL/AIRDF.

Canelas-Trevisi, S. et Schneuwly, B. (2009). Les objets grammaticaux enseignés. Analyse critique de quelques pratiques en classe. L'exemple de la subordonnée relative dans l'école secondaire inférieure en Suisse romande. *Repères, 39,* 143-161.

Chartrand, S.-G. et Simard, C. (2001/2006). *Grammaire de base.* St-Laurent : ERPI – Bruxelles : De Boeck.

Chartrand, S.-G. (2011). Prescriptions pour l'enseignement de la grammaire au Québec : Quels effets sur les pratiques ? *Le Français aujourd'hui, 173*, 45-54.

Chartrand, S.-G. (2012a). Prescriptions pour l'enseignement de la grammaire au Québec : quels effets sur les pratiques ? *Le Français aujourd'hui, 173*, 45-54.

Chartrand, S.-G. (2012b). *Les manipulations syntaxiques : de précieux outils pour comprendre le fonctionnement de la langue et corriger un texte*. Montréal : CCDMD.

Chartrand, S.-G., Aubin, D., Blain, R. et Simard, Cl. (1999). *Grammaire pédagogique du français d'aujourd'hui*. Boucherville : GRAFICOR.

Chartrand, S.-G. et Émery-Bruneau, J. (2013). *Caractéristiques de 50 genres pour développer les compétences langagières au secondaire*. [En ligne] www.enseignementdufrancais.fse.ulaval.ca

Cherdon, Ch., Demols, Cl. et Mottoul, J. (1979). *Français 1A*. Gembloux : Duculot.

Chomsky, N. (1971). *Aspects de la théorie de la syntaxe*. Paris : Seuil.

Combettes, B., Fresson, J. et Tomassone, R. (1977). *Bâtir une grammaire, 6e*. Paris : Delagrave.

de Pietro, J.-F. (2009). Pratiques langagières et posture « grammaticale ». Dans J. Dolz et Cl. Simard (dir.), *Pratiques d'enseignement grammatical* (p. 15-47). Québec : PUL/AIRDF.

Dolz, J., Noverraz, M. et Schneuwly, B. (2001). *S'exprimer en français. Séquences didactiques à l'oral et à l'écrit*. Bruxelles : De Boeck.

Genevay, E. (1994). *Ouvrir la grammaire*. Lausanne : LEP.

Genouvrier, E. et Peytard, J. (1970). *Linguistique et enseignement du français*. Paris : Larousse.

Gobbe, R. (1979). *Propositions de terminologie grammaticale. Grammaire de la phrase*. Bruxelles : De Boeck-Duculot.

Gobbe, R. (1980). *Pour appliquer la grammaire nouvelle 1*. Bruxelles : De Boeck-Duculot.

Grevisse, M. (1934). *Le bon usage*. Gembloux : Duculot.

Grevisse, M. (1939). *Précis de Grammaire française*. Gembloux : Duculot.

Grevisse, M. et Goosse, A. (1980). *Nouvelle grammaire française*. Gembloux : Duculot.

Grunenwald, J. et Mitterand, H. (1977). *Nouvel itinéraire grammatical, 6e*. Paris : Nathan.

Piaget, J. et Inhelder, B. (1966). *La psychologie de l'enfant*. Paris : PUF.

Pierrard, M. (1988). Le Nouveau Code de terminologie grammaticale du Ministère de l'Education Nationale : les avatars d'une codification. *Enjeux, 15*, 112-124.

*Plan de rénovation de l'enseignement du français à l'école élémentaire* (1971). Paris : Cahiers de la Fédération de l'Education Nationale.

Romian, H. (1973). La recherche-innovation : une problématique complexe. Dans *L'enseignement du français à l'école élémentaire. Plan de rénovation. Hypothèses d'action pédagogique* (p. 11-28). Paris : INRDP.

Vargas, C. (2009). Peut-on inventer une grammaire pour la réussite scolaire ? *Repères, 39*, 17-39.

## Pour en savoir plus sur la rénovation de l'enseignement grammatical

Besson, M.-J., Genoud, R.-M., Lipp, B. et Nussbaum, R. (1979). *Maîtrise du français*. Lausanne : Office romand des éditions et du matériel scolaire.

Brunot, F. (1908). *L'enseignement de la langue française, ce qu'il est – ce qu'il devrait être dans l'enseignement primaire. Cours de Méthodologie*. Paris : Armand Colin.

Bronckart, J.-P. (2001). *Enseigner la grammaire dans le cadre de l'enseignement rénové de la langue.* Genève : DIP, Cahier du secteur des langues, n° 75, 85 p.

Bronckart, J.-P. (2014). Le rapport du Groupe Bally. Le projet de rénovation de l'enseignement du français en Suisse romande. *Recherches en Didactiques. Les Cahiers Théodile, 17,* 67-91.

Bulea Bronckart, E. (2014). Quels repères pour l'enseignement grammatical ? Examen de quelques références actuelles en Suisse romande. *Babylonia, 2 « La leçon de grammaire revisitée »,* 36-40.

Canelas-Trevisi, S. et Bain, D. (2009). La grammaire scolaire au service de l'enseignement-apprentissage du texte argumentatif. Analyse critique de quelques pratiques en classe du secondaire. Dans J. Dolz & C. Simard (dir.), *Pratiques d'enseignement grammatical* (p. 155-176). Québec : PUL/AIRDF.

Chartrand, S.-G. (2011). Prescriptions pour l'enseignement de la grammaire au Québec : Quels effets sur les pratiques ? *Le Français aujourd'hui, 173,* 45-54.

Chartrand, S.-G. (2013, 2e éd). *Les manipulations syntaxiques : de précieux outils pour comprendre le fonctionnement de la langue et corriger un texte.* Montréal : CCDMD.

Chartrand, S.-G. et Émery-Bruneau, J. (2013). *Caractéristiques de 50 genres pour développer les compétences langagières au secondaire.* [En ligne] www.enseignementdufrancais.fse.ulaval.ca

Chartrand, S.-G., Aubin, D., Blain, R. et Simard, Cl. (1999). *Grammaire pédagogique du français d'aujourd'hui.* Boucherville : GRAFICOR / (2011, 2e éd.). Montréal : La Chenelière.

de Pietro, J.-F. (2009). Pratiques langagières et posture « grammaticale ». Dans J. Dolz et Cl. Simard (dir.), *Pratiques d'enseignement grammatical* (p. 15-47). Québec : PUL/AIRDF.

Dolz, J., Noverraz, M. et Schneuwly, B. (2001). *S'exprimer en français. Séquences didactiques à l'oral et à l'écrit.* Bruxelles : De Boeck.

Genevay, E. (1994). *Ouvrir la grammaire.* Lausanne : LEP.

Romian, H. (1973). La recherche-innovation : une problématique complexe. Dans *L'enseignement du français à l'école élémentaire. Plan de rénovation. Hypothèses d'action pédagogique* (p. 11-28). Paris : INRDP.

# Sens et pertinence de la rénovation de l'enseignement grammatical

CHAPITRE 2

**SUZANNE-G. CHARTRAND, MARIE-ANDRÉE LORD ET FRANÇOIS LÉPINE**

# Introduction

Le premier chapitre de cet ouvrage a dégagé les éléments principaux de l'histoire de la rénovation de l'enseignement grammatical depuis la fin des années 1960 dans différents pays et régions francophones et a montré que le bilan de l'implantation dans les classes des changements proposés ou imposés n'était guère satisfaisant. Plusieurs raisons expliquent le peu de succès des tentatives d'améliorer l'enseignement grammatical dans nos pays. Voici les plus importantes :

- la prégnance culturelle de l'enseignement grammatical traditionnel, encore vu comme intemporel et indiscutable, presque sacré ;
- la transposition didactique incomplète et quelquefois maladroite de concepts et de théories linguistiques ;
- les lacunes dans les explications relatives au sens et à la pertinence des changements imposés ;
- le manque de considération des prescripteurs pour les contraintes auxquelles font face les enseignants dans leur pratique (changements de programmes trop fréquents, trop ambitieux, peu argumentés et souvent peu étayés par la recherche) ;
- le traitement disparate et souvent contradictoire des contenus grammaticaux dans le matériel didactique et les moyens d'enseignement disponibles.

Ces limites ont amené nombre d'enseignants et de formateurs à refuser de s'engager dans la remise en cause de leur enseignement de la grammaire ou à ne se conformer aux nouvelles prescriptions que d'une façon superficielle. Plusieurs d'entre eux se disent encore aujourd'hui : « Ça change tout le temps, attendons que les choses se stabilisent avant de nous y mettre vraiment. » Nous répondons à cela que la grammaire scolaire n'a jamais cessé d'innover, souvent avec bonheur, parfois en errant : il faut lire la passionnante histoire des deux siècles de sa constitution telle que la raconte son éminent historien, A. Chervel (1977), pour le constater et comprendre les raisons des changements opérés au fil du temps. La grammaire est une création humaine, donc historique ; elle sera encore appelée à changer pour rendre la description de la langue plus cohérente, ce qui en facilitera l'apprentissage.

Depuis les débuts de la rénovation de l'enseignement grammatical – dans les années 1960 en France, dans les années 1980 en Suisse et en Belgique francophone et à la fin des années 1990 au Québec –, une nouvelle notion s'est imposée pour l'étude de la syntaxe, c'est-à-dire la construction des phrases : la notion de groupe syntaxique (ou groupe), qui renvoie à une unité construite à partir d'un mot issu d'une classe (ou partie du discours) et remplissant une fonction syntaxique. Son introduction a quelque peu modifié le sens de la notion de fonction syntaxique et a obligé à revoir le classement des mots sur des bases plus rigoureuses. Aussi nous apparait-il important de revisiter ces notions de classe et de fonction syntaxique dans le but de *mieux enseigner la grammaire*.

Dans la première partie de ce chapitre, nous clarifions d'abord les critères de classement des mots, puis expliquons en quoi la notion de groupe syntaxique est pertinente, ce qui nous amène à préciser la notion de fonction syntaxique. La rénovation de l'enseignement grammatical ne s'est toutefois pas arrêtée là. Pour l'étude de la grammaire, au sens adopté ici[1], les didacticiens du français ont proposé de nouveaux outils d'analyse des phrases qui se sont transformés au cours des dernières décennies. Dans la deuxième partie de ce chapitre, nous montrons que ces outils sont fructueux pour les élèves – même et surtout ceux pour qui le français de l'école est en partie étranger –, à condition qu'ils soient utilisés adéquatement. Enfin, et il faut le redire encore et encore, on n'améliorera pas l'apprentissage de la grammaire sans modifier la façon de l'enseigner et de la faire apprendre. Pourtant, cette impérieuse nécessité de changer les démarches d'enseignement et les activités d'apprentissage est restée dans l'ombre. Aussi est-il justifié d'adopter une nouvelle façon de « faire de la grammaire » en classe, comme nous le verrons dans la partie qui clôt ce chapitre.

# 1. Les notions de classe et de fonction à revisiter pour mieux comprendre la syntaxe

La plupart des ouvrages scolaires de grammaire donnent plus ou moins la même définition de la notion de groupe syntaxique. Ayant perçu son potentiel explicatif, bon nombre d'enseignants et de formateurs se sont approprié cette notion avec succès, mais certains l'utilisent sans vraiment savoir ce qu'elle apporte à l'arsenal déjà très fourni de la métalangue[2], tandis que d'autres, réfractaires au changement lorsqu'il ne leur semble pas justifié, se demandent si les élèves en ont besoin. Afin de surmonter ces réticences, il convient d'expliquer pourquoi la notion de groupe syntaxique est fondamentale[3] pour comprendre le fonctionnement de la syntaxe du français. Comme le groupe repose sur une unité lexicale (par exemple, le nom) ou grammaticale (par exemple, la préposition), il est essentiel de revenir sur la classification des mots.

## 1.1. De la *nature des mots* ou des *parties du discours* aux classes

L'esprit humain a besoin de mettre de l'ordre dans le foisonnement de son environnement physique et humain. Très tôt, les enfants distinguent ce qui est chaud de ce qui est froid, ce qui est rouge de ce qui est bleu, les différentes figures (mère, père, sœur, frère…) qui l'entourent, etc. Les premiers qui se sont intéressés au langage ont fait de même pour comprendre son fonctionnement. Ils ont tenté de classer les mots de leur langue en regroupant ceux qui avaient des caractéristiques (ou propriétés) communes. Les Grecs du IVe siècle avant notre ère ont ainsi institué la classe du nom

---

1. Par *grammaire*, nous entendons la description des règles et des normes de la langue dans sa variété standard, ce qui comprend la syntaxe ; la ponctuation, dans sa dimension syntaxique ; la morphologie lexicale et grammaticale ; la combinatoire lexicale (voir le chapitre 41 de la *Grammaire pédagogique du français d'aujourd'hui*) ainsi que les aspects régulés de la reprise de l'information (système anaphorique).

2. La métalangue grammaticale est l'ensemble des termes qui servent à nommer les unités, les structures et les mécanismes d'une langue décrite dans un ouvrage de grammaire (voir le chapitre 4).

3. C'est une notion-clé en ce sens qu'elle est au centre d'un réseau notionnel dont elle permet de faire émerger le sens ; elle ouvre une porte sur le savoir.

et celle du verbe. La première grammaire scolaire du français, celle de Lhomond, publiée à partir de 1780, opère la distinction du nom et de l'adjectif, qui ne formaient qu'une classe en latin. Puis, les grammaires savantes comme scolaires ont peu à peu arrêté neuf « espèces de mots » ou « parties du discours » : le nom, le pronom, l'article, l'adjectif et le verbe, qui sont variables, et l'adverbe, la préposition, la conjonction et l'interjection, qui sont invariables, comme l'indiquent la très célèbre *Grammaire française des lycées et des collèges* d'H. Bonnard, publiée en 1950 en France, et le non moins célèbre *Précis de grammaire française* de M. Grevisse, édité de son vivant de 1939 à 1980. Cette liste perdura jusqu'aux années 1970, au moins.

Le mouvement de rénovation a proposé deux modifications à cette liste. La première est mineure : on a retiré de la nomenclature l'interjection, parce que c'est un élément prosodique de modalisation du discours réunissant des mots et des groupes de mots de différentes classes (*Ouf ! Tiens tiens… Flute ! Formidable ! Bonté divine…*). La seconde est majeure : on a reclassé les adjectifs, ce qui a permis de faire émerger une nouvelle classe, celle des déterminants[4]. Mais l'apport du mouvement de rénovation ne se limite pas à ces deux changements dans la classification des mots. Il a aussi accompli une chose essentielle : proposer des critères de classement plus rigoureux et plus homogènes – bien qu'il reste encore du travail à faire à cet égard.

Un souci de rigueur obligeait à écarter le terme *nature*, car le mot renvoie à l'essence d'un être ou d'une chose, presque à son caractère inné. Mieux vaut adopter un terme neutre comme celui de *classe*, couramment utilisé en science, qui sert à ranger une unité dans un ensemble selon ses caractéristiques. On note le déplacement opéré : on passe d'un « ensemble de caractères » (nature) à un « ensemble d'objets défini en fonction de caractéristiques partagées » (classe). Il en résulte un changement de représentation de la grammaire dont on a pu sous-estimer la difficulté.

Dans les grammaires contemporaines, on classe les mots en fonction des caractéristiques qu'elles présentent selon trois angles d'analyse :

- l'angle syntaxique, c'est-à-dire la construction des groupes et de la phrase, et la place qu'occupent les groupes au sein de celle-ci ;

- l'angle morphologique, à savoir les potentialités de variation de la forme du mot selon les trois principales catégories que sont le genre, le nombre et la personne, auxquelles s'ajoute pour le verbe le mode-temps[5] ;

- l'angle sémantique, qui ne permet pas de distinguer les classes de façon univoque ; par exemple, le verbe peut avoir différentes valeurs sémantiques, comme une « action », mais c'est aussi le cas de nombreux noms (*interrompre/interruption*, *voler/ vol*, *arroser/arrosage*) ou un « état », ainsi que le font également les adjectifs (*dormir/ endormi* ; *souffrir/souffrant*). Néanmoins, la prise en compte du sens permet d'établir des distinctions à l'intérieur de chacune des classes (nom abstrait/concret ; adjectif qualifiant/classifiant, etc.). Rappelons-le, il est essentiel de tenir compte du sens quand on travaille sur la langue, car c'est par le sens que les humains appréhendent le langage et c'est du sens qu'ils créent au moyen de la langue. Aussi,

---

4. Pour l'explication de ce regroupement en une seule classe des adjectifs déterminatifs et des articles, voir le chapitre 3 ; pour leur identification, grâce aux manipulations syntaxiques, voir Chartrand (2013b).

5. Pour comprendre cette nouvelle notion, voir le chapitre 9.

quand on analyse une phrase, on fait nécessairement appel au sens (par exemple, pour distinguer un complément direct du verbe d'un complément de phrase). Affirmer que le sens n'a pas d'importance – un point de vue longtemps véhiculé en grammaire rénovée – est absurde.

Ces critères doivent être utilisés conjointement. S'ils n'ont pas tous la même efficacité, pris ensemble, ils sont assez performants pour identifier les noms, les verbes, les adjectifs, les prépositions et les conjonctions. Cependant, certaines unités regroupées dans la classe du déterminant ne font toujours pas l'unanimité chez les grammairiens, et les classes du pronom et de l'adverbe, héritées de la grammaire traditionnelle, regroupent encore des unités très disparates et devraient être revues[6]. Ce détour par les classes était nécessaire pour clarifier la notion de groupe syntaxique.

## 1.2. ❙ Le sens et la pertinence de la notion de groupe syntaxique

Pas plus qu'on ne pense un mot à la fois, on ne communique au moyen de mots seuls : on le fait au moyen d'énoncés qui, le plus souvent, comportent plusieurs mots. Même pour le lecteur débutant, la compréhension n'est possible que s'il associe intuitivement plusieurs mots. Ce ne sont pas les mots *le* ni *petit* ni *chien* qui auront un sens pour le jeune lecteur, c'est le groupe *Le petit chien* qui lui permettra de se construire une image mentale d'une réalité. Le découpage normal de l'énoncé *Le petit chien est mort* sera donc *Le petit chien / est mort*, et non *Le petit / chien est / mort*. Cela tient à ce que les énoncés d'une langue sont construits d'une certaine façon et que les mots y entretiennent des liens sémantiques, morphologiques et syntaxiques entre eux, formant ainsi une unité communicative de niveau supérieur. Ce fait, que les linguistes ont théorisé dans les années 1950, a donné naissance au concept de syntagme. « En linguistique structurale, on appelle *syntagme* un groupe d'éléments linguistiques formant une unité dans une organisation hiérarchisée » (Dubois et coll., 1973, p. 479). Dans la grammaire scolaire actuelle, le concept de syntagme a été remplacé par la notion de groupe syntaxique, qui, dans la pratique courante, est malheureusement appelé tout simplement *groupe*, ce qui a fait perdre la référence explicite à la syntaxe, notamment à l'idée d'« organisation hiérarchisée », et revient à utiliser un terme du langage courant en lui donnant un sens différent. On peut définir un groupe (syntaxique) comme suit :

> Un **groupe** est une unité syntaxique non autonome organisée à partir d'un noyau qui en constitue la base, c'est-à-dire l'élément fondamental. Le **noyau** d'un groupe est le mot qui donne au groupe le nom de sa classe et qui commande, sur le plan syntaxique, les autres unités du groupe appelées **expansion**.
>
> Chartrand, Aubin, Blais et coll., 2011, p. 78.

Peu importe le nombre de mots que contient un groupe, on peut montrer, grâce aux manipulations syntaxiques, que ce dernier constitue une unité syntaxique et en

---

6. Pour une analyse critique de l'adverbe, voir le chapitre 3, ainsi que Genevay (1994) et Tomassone (1996) ; pour celle du pronom, voir Tomassone (1996).

dégager le noyau[7] (Chartrand, 2013a). De plus, dans la structure qu'est une phrase, tout groupe (fût-il formé d'un seul mot) occupe une place relativement déterminée par le «rôle» qu'il y remplit, c'est-à-dire sa *fonction syntaxique* (Chartrand, 2015). C'est le groupe qui remplit une fonction syntaxique dans une P, et non un mot seul (hormis le pronom, comme nous le verrons)[8]. Ainsi, ce n'est pas *fleurs* qui est le sujet dans ***Les fleurs de mon jardin*** *n'ont jamais été aussi magnifiques!*, mais l'ensemble du groupe nominal (en gras) dont *fleurs* est le noyau. À cet égard, la manipulation de pronominalisation est décisive, car tout le groupe nominal peut être remplacé par le pronom *elles* : ***Elles*** *n'ont jamais été aussi magnifiques!*

Dans les ouvrages scolaires, on distingue différents groupes, dont les plus courants sont les groupes nominal, verbal, adjectival, prépositionnel et adverbial[9]. Soulignons toutefois que le bienfondé d'instaurer un groupe prépositionnel ne fait pas consensus. Cela tient à certaines caractéristiques sémantiques et syntaxiques de la préposition. En effet, les prépositions les plus courantes (à et *de*) ont un sens très abstrait et, même pour celles qui ont une valeur sémantique concrète, comme *chez* ou *devant*, il est plus difficile de les voir comme le noyau d'une unité, d'autant plus que, sur le plan syntaxique, la préposition est commandée par l'unité qui la précède ou la suit (*voyager* ***en*** *avion/voyager* ***à*** *pied*). Néanmoins, on peut montrer que le groupe prépositionnel est une unité syntaxique, car c'est tout le groupe qui se déplace ou s'efface. Enfin, par les manipulations syntaxiques, on peut aussi montrer que c'est le groupe qui remplit une fonction syntaxique dans une P. Le groupe prépositionnel correspond donc bien à la définition de la notion de groupe présentée ici.

On constate que la conjonction, le déterminant et le pronom ne peuvent pas constituer le noyau d'un groupe. Pourquoi?

- Le déterminant est une unité obligatoire dans le groupe nominal, en particulier quand ce dernier remplit la fonction de sujet ou de complément direct du verbe; il n'a pas d'autonomie syntaxique (il dépend du nom), il joue le rôle d'introducteur du nom dans le groupe nominal.

- La conjonction, elle, sert à lier des unités (mots, groupes, phrases) ou à enchâsser une phrase dans une autre, mais ne remplit aucune fonction syntaxique. Par contre, les conjonctions de coordination jouent un rôle textuel de connexion (on parle alors de connecteur) et un rôle syntaxique de coordination (ce sont des coordonnants), et celles de subordination jouent le rôle de marqueur d'enchâssement (ce sont des subordonnants).

- Enfin, exclure que le pronom puisse être le noyau d'un groupe pronominal est un choix didactique plus que linguistique : en effet, le pronom est une unité qui

---

**7.** Le terme *noyau* est malheureusement ambigu, car il peut laisser croire que le noyau est au centre du groupe syntaxique comme l'est le noyau dans une pêche, mais il semble qu'enseignants comme élèves aient bien compris que le noyau est l'élément fondamental, et non central.

**8.** Le symbole P désigne une phrase définie essentiellement du point de vue syntaxique.

**9.** Le nombre de groupes syntaxiques varie considérablement d'un ouvrage à un autre. Certains ajoutent le groupe verbal à l'infinitif et le groupe verbal au participe présent, puisqu'un verbe à l'infinitif ou au participe présent peut constituer le noyau d'un groupe, remplir une fonction syntaxique et avoir des expansions : ***Dessiner*** *me plaît.* / *J'aime* ***dessiner des arbres****.* / *Prenez le corridor* ***menant au deuxième étage****.*

remplit une fonction syntaxique, et certains pronoms peuvent avoir une expansion. Ce choix, fait par la plupart des auteurs d'ouvrages scolaires, s'explique par deux raisons principales. La première tient à une spécificité du pronom: la plupart des pronoms sont des éléments de reprise d'une autre unité (groupe ou phrase); il est donc plus pertinent d'amener les élèves à constater ce fait et à trouver l'unité que reprend un pronom, son antécédent, pour comprendre son sens, sa forme et sa fonction, que d'étiqueter le pronom *il*, par exemple, comme un groupe pronominal. La seconde raison renvoie à une régularité des unités de la classe des pronoms en français: la plupart ne peuvent avoir d'expansions, même si certains pronoms démonstratifs et relatifs peuvent en avoir une.

Ainsi, dans une P, chaque groupe occupe une place et remplit une fonction syntaxique, comme le montre l'analyse des groupes nominaux (GN) dans la P qui suit. La syntaxe du français repose sur une structure hiérarchique de plusieurs niveaux, à la manière d'une poupée gigogne, où un même groupe, par exemple un groupe nominal (GN), peut se trouver à différents niveaux de la structure d'une P; c'est ce qu'on appelle le principe de la récursivité. La figure 2.1 illustre la récursivité d'un GN dans un énoncé (il ne s'agit pas de l'analyse syntaxique complète de l'énoncé en question).

**FIGURE 2.1** **La récursivité d'un groupe syntaxique dans une P**

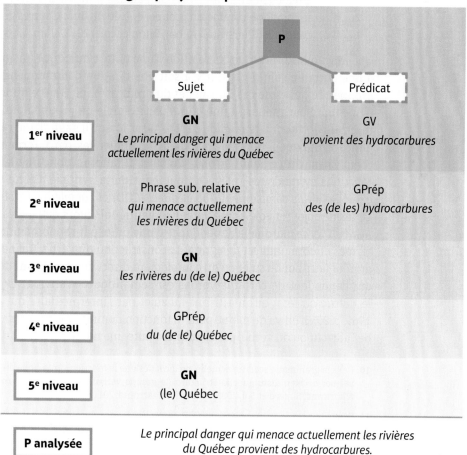

**P**

Sujet | Prédicat

**1er niveau**
**GN**
*Le principal danger qui menace actuellement les rivières du Québec*

GV
*provient des hydrocarbures*

**2e niveau**
Phrase sub. relative
*qui menace actuellement les rivières du Québec*

GPrép
*des (de les) hydrocarbures*

**3e niveau**
**GN**
*les rivières du (de le) Québec*

**4e niveau**
GPrép
*du (de le) Québec*

**5e niveau**
**GN**
(le) Québec

**P analysée**
*Le principal danger qui menace actuellement les rivières du Québec provient des hydrocarbures.*

# 1.3. | Le groupe syntaxique remplit une fonction syntaxique, qu'est-ce à dire?

Tout au long du xxᵉ siècle, les maitres se sont arraché les cheveux pour amener les élèves à distinguer la «nature des mots» de leur «fonction». Cette dernière notion ne s'est imposée dans la grammaire scolaire que tardivement, vers 1850. Se sont ainsi progressivement installées les fonctions de sujet, de complément et d'attribut, essentielles à l'analyse «logique» de la phrase conçue comme une structure Sujet-Verbe-Attribut, puis Sujet-Verbe-Objet, enfin Sujet-Verbe-Complément. D'autres se sont imposées plus tardivement, tels le complément circonstanciel à la fin du xixᵉ siècle et le complément d'agent vers 1930. Rome ne s'est pas faite en un jour!

Des fonctions définies du point de vue de la logique où le sujet, par exemple, est défini comme «ce dont on parle (dans la proposition)», on est passé à des fonctions définies du point de vue syntaxique: on identifie ces dernières au moyen des manipulations syntaxiques. Et comme on a conservé les mêmes termes (*sujet*, *prédicat*, *complément*...), c'est souvent la conception logique ou sémantique de ces termes qui s'impose (par exemple, le complément est ce qui complète l'idée exprimée par le verbe). On peut définir la notion de fonction syntaxique ainsi:

> On appelle fonction syntaxique la relation grammaticale qu'un groupe (ou un mot [le pronom] ou une phrase subordonnée qui se comporte comme un groupe) entretient avec d'autres groupes dans la P (Chartrand, Aubin, Blain et coll., 2011, chap. 13, p. 108).

Une fonction exprime donc la relation d'une unité syntaxique (un groupe ou un mot) à une autre au sein de la P. Il y a soit une relation d'interdépendance entre deux groupes, ce qui est le cas du sujet et du prédicat[10], soit une relation de dépendance d'une unité par rapport à une autre, par exemple un groupe nominal complément direct du verbe, qui dépend du verbe. Aussi, lorsqu'il s'agit d'une relation de dépendance syntaxique, devrait-on toujours nommer les deux termes de la relation: *complément* **du** *verbe* ou *attribut* **du** *sujet*. Il faudrait donc que la désignation des fonctions syntaxiques relève uniquement de la syntaxe. Ce n'est pas le cas, par exemple, dans *complément d'objet direct* (COD) et *complément d'objet indirect* (COI). Le terme *objet* renvoie à une valeur sémantique[11], alors que la désignation *complément du verbe* marque la dépendance d'une unité par rapport à une autre, et que les termes *direct* et *indirect* désignent la construction du verbe. De même, l'appellation *attribut* (attribut du sujet ou du complément direct du verbe) pour désigner les unités qui dépendent de certains verbes est sémantique: «l'attribut exprime la qualité, la nature ou l'état qu'on attribue au sujet par l'intermédiaire du verbe» (Grevisse, 1969, p. 29). Il en va de même pour la fonction nommée *modificateur*. Un modificateur de l'adjectif ou du verbe, par exemple, ajoute une nuance quantitative ou qualitative

---

10. Dans la grammaire scolaire actuelle, *prédicat* désigne la fonction syntaxique du groupe verbal, ce qui permet de bien distinguer la structure (le groupe verbal) et sa fonction syntaxique (le prédicat) (Chartrand, Simard et Sol, 2006; Simard et Chartrand, 2011).

11. Pour Grevisse, le terme *objet* dans COD «complète le sens du verbe en marquant sur qui ou sur quoi passe l'action» (*Précis de grammaire française*, 28ᵉ éd., 1969, p. 34). Ce n'est pas absurde, mais, pour l'étude de la syntaxe, l'essentiel est de faire comprendre que cette unité dépend du verbe, car tel est le sens du mot *complément* lorsqu'il désigne une fonction syntaxique (Chartrand, 2010).

au sens de l'unité modifiée (**très** gentil, chanter **mal**) : c'est encore du sens qu'il s'agit. Il faudrait mettre de l'ordre dans ces désignations. Le problème n'est pas qu'on s'intéresse au sens des rapports entre les unités – c'est essentiel, bien entendu –, mais qu'on utilise des désignations sémantiques pour des fonctions syntaxiques.

Un autre problème vient d'une compréhension incomplète des changements opérés par la rénovation : la confusion règne dans les désignations des fonctions et on constate une tendance à les amalgamer au groupe. Par exemple, les désignations du type GNs (groupe nominal sujet) ou GS (groupe sujet), qu'on trouve dans certains manuels, grammaires ou sites, même si elles semblent commodes parce que plus courtes, sont erronées et devraient être abandonnées. Elles nuisent en effet à la compréhension du système : un groupe n'est pas sujet, il est nominal ou verbal à l'infinitif, par exemple, et dans une P, il peut remplir la fonction syntaxique de sujet. Recourir à de telles étiquettes revient à amalgamer deux points de vue, celui de la classification du groupe et celui de sa fonction dans tel ou tel énoncé. Pour un groupe nominal qui remplit la fonction de sujet dans tel ou tel énoncé, on devrait parler d'un « groupe nominal, qui est sujet », plutôt que d'un GNs ou d'un GS. De même, on devrait éviter les sigles du type GCP ou GFCP pour désigner, par exemple, le GN *Ce matin* qui remplit la fonction syntaxique de complément de phrase dans la P **Ce matin**, *je suis allée au marché*, et plutôt parler du « groupe nominal, qui est complément de P ». La formulation est plus longue, mais claire et rigoureuse. Si les prescripteurs, les éditeurs de moyens d'enseignement, les formateurs d'enseignants et les enseignants faisaient preuve de plus de rigueur et de cohérence dans l'emploi de la métalangue, ils aideraient les élèves à comprendre la syntaxe comme un système fait de grandes régularités. Quel pas en avant ce serait !

# 2. Les outils d'analyse de la phrase en grammaire rénovée

En grammaire scolaire, la notion de phrase est relativement récente, on a longtemps parlé de *proposition* (ce qui perdure dans certaines nomenclatures). La phrase, définie d'abord d'un point de vue sémantique (ensemble de mots ayant un sens complet, expression de la pensée), puis graphique (unité bornée par une majuscule et un point[12]), est devenue, dans le cadre de la rénovation de l'enseignement grammatical, une notion strictement syntaxique[13]. À des fins didactiques, on peut définir la phrase comme une unité syntaxique autonome composée de mots organisés en groupes syntaxiques[14], lesquels ont des places relativement fixes et remplissent une fonction (Chartrand, 2015). Pour analyser la phrase, deux outils sont essentiels : un modèle théorique de la phrase et un ensemble de manipulations syntaxiques.

---

**12.** Ou un équivalent : point d'interrogation, point d'exclamation ou points de suspension.

**13.** Pour désigner la dimension communicationnelle d'une phrase, on emploiera plutôt le terme *énoncé*.

**14.** Sauf pour le pronom, comme nous l'avons montré en 1.2.

## 2.1. | La nécessité d'un modèle d'analyse des phrases

Le modèle d'analyse des phrases adopté au début de la rénovation de l'enseignement grammatical a été emprunté à des théories linguistiques, dont celle de la grammaire générative-transformationnelle ; il a ensuite été peu à peu modifié par le processus de la transposition didactique. Précisons que le terme *modèle* désigne une représentation théorique d'une réalité abstraite (une structure) : il ne doit pas être associé à un idéal à atteindre ou à imiter. Au fil du temps, cet outil d'analyse a été nommé de plusieurs façons : *modèle de base*, *modèle phrase P*, *phrase de base*, *structure de base*, etc. Nous préférons la dénomination MODÈLE P pour plusieurs raisons : 1) elle évoque quelque chose d'abstrait, un outil technique comme tout analyseur ; 2) le symbole P indique qu'il ne s'agit pas d'une phrase contextualisée, contrairement à ce qu'implique le mot *phrase* ; 3) le retrait des mots *de base* empêche d'associer P à une phrase minimale (ou simple) : selon notre modèle, une P peut comprendre des enchâssements, des coordinations, des juxtapositions.

Dans le MODÈLE P, les mots sont réunis en groupes syntaxiques, lesquels composent les constituants de premier niveau de la P. Deux constituants sont obligatoires : le sujet et le prédicat (dans cet ordre), qui sont dans une relation d'interdépendance syntaxique. Le sujet se réalise généralement (mais pas toujours) par un groupe nominal et le prédicat se réalise toujours par un groupe verbal. Ce modèle comporte également un constituant facultatif et mobile (et souvent plus d'un), qui remplit une fonction de complément de phrase, car ce constituant de premier niveau est dépendant de la phrase définie comme sujet + prédicat. Le modèle peut être illustré comme suit :

Sujet + prédicat + [(complément de P)][15].

Dans les différents ouvrages didactiques, le modèle et sa représentation varient considérablement, d'où un risque de confusion. La formule GNs + GV + CP (complément de phrase) en est un exemple. Non seulement elle ne fait pas la nécessaire distinction entre un *groupe syntaxique* et la *fonction syntaxique* qu'il remplit, mais elle associe le groupe nominal (GN) à la fonction sujet, alors que le GN peut occuper d'autres fonctions syntaxiques (entre autres, celles de complément direct du verbe et de complément de P).

Le MODÈLE P est d'une grande utilité didactique : il permet de révéler la systématicité de la syntaxe française et certaines de ses régularités, et d'analyser la plupart des phrases écrites en français. Les phrases non conformes à ce modèle, celles dites transformées par le type (la phrase déclarative, interrogative, exclamative et impérative) ou par la forme (la phrase active/passive, neutre/emphatique, affirmative/négative ou personnelle/impersonnelle), peuvent être analysées en rendant visibles leurs transformations par rapport au modèle[16]. Cependant, l'utilisation du MODÈLE P ne saurait suffire pour étudier et comprendre la syntaxe ; un autre type d'outil doit être utilisé conjointement, les manipulations syntaxiques.

---

15. Les parenthèses indiquent que ce constituant est facultatif et les crochets, qu'il est mobile.

16. Il reste un petit nombre de phrases dont ce modèle ne rend pas compte : la phrase à présentatif, la phrase non verbale, ou nominale, la phrase avec un verbe toujours impersonnel et la phrase à l'infinitif.

## 2.2. | Les manipulations syntaxiques : un outil essentiel pour analyser les phrases

Les manipulations syntaxiques peuvent être définies comme « des opérations (ou des tests) menées de manière volontaire et consciente sur une unité de langue : un mot, un groupe de mots, une phrase subordonnée ou une phrase définie du point de vue syntaxique (P) » (Chartrand, 2013a, p. 2). Il s'agit de l'ajout (nommé aussi *addition*, *adjonction*, *insertion*), du dédoublement, du déplacement (dont la *permutation* est un cas particulier), de l'effacement (ou *suppression*), de l'encadrement et du remplacement (ou *substitution*, la *pronominalisation* étant un cas particulier de remplacement)[17].

Issues de la linguistique, les manipulations syntaxiques ont été transposées dans le cadre de l'enseignement de la grammaire. Plus particulièrement, elles servent à résoudre les problèmes suivants :

- déterminer la classe d'un mot ;
- trouver la fonction syntaxique d'un groupe ou d'une subordonnée ;
- délimiter un groupe ;
- vérifier la structure d'une P, la ponctuation syntaxique dans une P ou encore l'accord d'un verbe ;
- corriger une erreur d'orthographe due à l'homophonie.

Elles ne doivent pas être considérées comme de nouveaux « trucs » ni comme une fin en soi, mais plutôt comme de puissants outils d'analyse, ce qui exige de les utiliser selon une procédure rigoureuse. Prenons le cas simple de l'identification du sujet dans un énoncé qui est présenté par l'enseignant comme un problème à résoudre.

1. L'élève devra cerner le problème à résoudre (quel est le sujet de cet énoncé ?), puis poser une ou des hypothèses pour le résoudre. Par exemple, il pourra dire qu'il a posé l'hypothèse que telle unité est le sujet parce que cela lui semble crédible sur le plan sémantique (c'est ce dont on parle dans la P) et que cette unité occupe la première place dans la P, ce qui est la place normale du sujet dans une P déclarative, et, enfin, qu'elle est essentielle pour que la P soit bien construite.

2. Ce n'est qu'une fois l'hypothèse verbalisée et justifiée que le maitre peut solliciter les manipulations syntaxiques, qui donnent des indices sur les lois du système. La justification ne sera pas nécessairement valable au départ, il conviendra de la mettre en débat et, au besoin, de la compléter.

3. Se pose alors le choix de la ou des manipulations : il ne peut être aléatoire ; il doit permettre de confirmer ou non l'hypothèse formulée, et être justifié. Si, pour le problème à traiter, l'une de ces manipulations est concluante, c'est celle-là, et uniquement celle-là, qui doit être utilisée. Sinon, chacune doit être justifiée par un raisonnement acceptable. En ce qui concerne le sujet, grâce à un enseignement systématique joint à l'observation de nombreux cas, l'élève sait qu'il n'y a qu'une manipulation qui répond à cette exigence : l'encadrement par *c'est... qui*,

---

**17.** Certains auteurs considèrent le dédoublement et l'encadrement comme des cas d'ajout. Nous préférons employer deux termes distincts, puisqu'ils rendent compte de manière plus précise des opérations effectuées. Pour plus d'explications sur les manipulations syntaxiques et la pertinence de leur emploi, voir Chartrand (2013b).

car cette extraction avec *qui* (pronom sujet et uniquement sujet – s'il n'est pas précédé d'une préposition) ne peut délimiter qu'une unité sujet dans une P (Chartrand, 2013b).

4. Il ne suffit pas de choisir la manipulation pertinente, on doit faire subir à tout l'énoncé la transformation nécessaire. Par exemple, dans le cas de l'utilisation de *c'est… qui*, il est essentiel de construire une nouvelle phrase qui soit grammaticalement acceptable.

5. Il faut ensuite poser un jugement de grammaticalité sur la nouvelle phrase et le justifier par l'analyse de cette nouvelle P dans le but de vérifier la validité de l'hypothèse posée. Si l'on procède ainsi, les notions de fonction syntaxique et de sujet cessent d'être des étiquettes vides de sens.

Chaque fonction syntaxique peut être identifiée grâce à une ou plusieurs manipulations, mais si l'on veut que l'élève les utilise correctement de façon autonome, il doit d'abord être initié à leur emploi, c'est-à-dire savoir pourquoi les utiliser (pour résoudre quel problème), comment les utiliser (rôle essentiel de l'hypothèse à valider), laquelle ou lesquelles utiliser à partir de la connaissance du potentiel euristique de chacune, puis opérer les transformations nécessaires dans la phrase et juger de la nouvelle structure réalisée pour, enfin, valider l'hypothèse de départ. Il est nécessaire aussi, faut-il le rappeler, que la phrase obtenue à la suite du recours à une manipulation conserve le sens initial. Dans le cas contraire, on doit pouvoir interpréter les changements qui s'ensuivent.

Certains enseignants hésitent à utiliser les manipulations syntaxiques, car ils constatent que leurs élèves ne les utilisent pas de façon pertinente, notamment parce qu'ils ont du mal à poser des jugements de grammaticalité acceptables[18]. Comme nous le verrons, il est motivant pour les élèves de s'engager dans des tâches cognitives complexes et signifiantes. De plus, non seulement le recours aux manipulations syntaxiques, sous le guidage du maitre, joue un rôle formateur dans leur compréhension du fonctionnement de la syntaxe, il leur est également nécessaire pour analyser leurs phrases.

# La grammaire en classe, une nécessité

« Aujourd'hui, nous allons faire de la grammaire ! » Maintes fois répétée par les enseignants du primaire et du secondaire, cette phrase suscite rarement l'enthousiasme des élèves. Pour nombre d'entre eux, faire de la grammaire, c'est pénible, ennuyeux, difficile, et ça ne sert à rien. À la sempiternelle question « À quoi sert la grammaire ? », enseignants, conseillers pédagogiques, formateurs d'enseignants et didacticiens

---

18. En effet, poser un jugement de grammaticalité acceptable est un défi de taille pour les apprenants, francophones comme non francophones : cela exige de connaitre la langue dans sa variété standard. Mais les manipulations syntaxiques sont justement l'occasion de leur faire verbaliser l'état de leurs connaissances de la langue et, pour le maitre, de montrer ce qui est acceptable et ce qui ne l'est pas – et, lorsque c'est possible, d'expliquer pourquoi. Peu à peu, les apprenants développeront leur capacité à poser des jugements adéquats et amélioreront leur connaissance du français standard. Si l'on ne mène pas ces activités, oralement en classe, comment peuvent-ils savoir qu'ils utilisent des formulations erronées ?

répondent tant bien que mal qu'elle vise à développer les compétences des élèves en lecture et en écriture. Toutefois, les «leçons» de grammaire ne semblent pas porter leurs fruits dans leurs écrits – du moins, pas de façon probante.

Si l'on considérait la grammaire comme un objet d'étude à part entière, digne de connaissance, de la même manière qu'on enseigne le fonctionnement du cycle de l'eau en sciences, celui du *système reproducteur* en biologie ou encore celui du *système politique* d'un pays dans un cours d'histoire, on pourrait dire aux élèves que l'étude de la grammaire consiste à connaitre, voire comprendre, le fonctionnement du français ; qu'elle vise à développer leurs capacités cognitives (attention, abstraction, généralisation…) tout en contribuant au développement de leurs habiletés à communiquer, y compris en classe, par exemple dans les discussions sur un texte lu. Cette clarification des finalités de l'enseignement grammatical permettrait sans doute d'envisager son enseignement de manière plus positive et de susciter davantage la motivation des élèves[19]. Compte tenu de l'importance de la motivation, nous exposerons dans un premier temps les principes généraux à appliquer pour la favoriser, en nous appuyant sur des recherches en psychologie de l'apprentissage, avant de présenter les orientations sous-jacentes à la mise en œuvre de démarches d'enseignement efficaces.

# 3.1. | Des tâches et des activités pour motiver à apprendre

Pour susciter la motivation des élèves, il est deux qualités qu'un enseignant doit posséder : être convaincu de la pertinence des contenus à enseigner (notions, procédures et stratégies) et faire preuve de respect envers les capacités des élèves. À cela s'ajoutent de grands principes à appliquer lors de l'élaboration de démarches. Nous présentons ci-dessous les trois plus importants (Viau, 2009).

## 1) Proposer des activités signifiantes et stimulantes qui engagent cognitivement les élèves

Un élève engagé intellectuellement a plus de chances d'être motivé et, conséquemment, de réussir. Pour favoriser cet engagement, les activités doivent permettre de mobiliser les capacités intellectuelles et affectives des élèves ; elles ne doivent être ni trop faciles ni trop difficiles[20].

Les tâches consistant à observer un phénomène grammatical dans des textes, à manipuler des énoncés en les transformant, à formuler des constats, à les commenter, etc., sont intéressantes pour les élèves parce qu'elles sont exigeantes cognitivement et leur permettent de découvrir des aspects du fonctionnement de la langue, alors qu'appliquer une règle d'accord du participe passé dans un exercice ne constitue pas une activité stimulante sur le plan cognitif.

---

**19.** Pour une discussion sur les finalités de l'enseignement grammatical aujourd'hui, voir Chartrand, 2016.

**20.** Il ne faut pas sous-estimer le potentiel des élèves. Des tâches plus complexes pourront d'abord être réalisées avec l'aide de l'enseignant ; puis, progressivement, les élèves réussiront à les accomplir seuls, ce qui consiste à tenir compte de la *zone de développement proche*, théorisée par Vygotski (1997/1934).

## 2) Diversifier les tâches proposées et les intégrer à une séquence d'activités

Le caractère répétitif des tâches semble une source de démotivation pour les élèves. Il faut donc varier les tâches à l'intérieur d'une même séquence, tout en les reliant. En outre, les activités doivent être organisées de manière à montrer aux élèves qu'elles sont orientées vers un but explicite précis, afin qu'ils perçoivent plus facilement leur valeur : il existe une corrélation entre la valeur attribuée à une activité par l'élève et son engagement.

Par ailleurs, on l'a maintes fois observé, les élèves s'investissent davantage dans des activités qui ressemblent à ce qu'ils pourraient accomplir en situation non scolaire, par exemple écrire une lettre au directeur de l'école pour le convaincre de revenir sur sa décision au sujet de l'utilisation de l'iPhone en classe, préparer un salon du livre ou confectionner des affiches pour une exposciences. Plusieurs enseignants réalisent déjà de tels projets où sont liées lecture, écriture et communication orale, et dans lesquels des ressources de langue ciblées sont exploitées, et ce, consciemment.

## 3) Proposer des activités qui obligent les élèves à interagir avec leurs condisciples

L'importance des interactions sociales dans l'apprentissage n'est plus à démontrer. Le travail entre pairs, s'il est bien mené, permet de mettre à profit les forces des uns et des autres – tous en sont valorisés, et non uniquement les plus forts – en plus de développer les habiletés de communication orale des élèves et leurs aptitudes sociales[21].

# 3.2. | Les orientations sous-jacentes aux démarches d'enseignement efficaces

Les démarches de la grammaire rénovée sont loin d'être « nouvelles », contrairement à ce qu'on pourrait penser : elles sont prônées, voire expérimentées, depuis près de trois siècles[22]. Déjà, au XVIIᵉ siècle, le pédagogue Comenius les jugeait essentielles au développement de l'intelligence des élèves, puis, au XVIIIᵉ siècle, les philosophes Rousseau et Kant les préconisèrent à leur façon (Bronckart, Bulea Bronckart et Pouliot, 2003). Elles constituent aussi les fondements de deux courants pédagogiques certes minoritaires, mais influents au début du XXᵉ siècle, l'Éducation nouvelle et l'École active. Ces réflexions et ces expérimentations ont inspiré les initiateurs de la rénovation de l'enseignement du français.

Parmi les démarches recommandées, lesquelles sont les plus susceptibles d'atteindre les finalités assignées à l'enseignement grammatical et en quoi sont-elles pertinentes pour favoriser la motivation des élèves à étudier la grammaire ? Leur efficacité dépend avant tout des deux orientations suivantes.

---

21. Comme le font nombre d'activités présentées dans la deuxième partie de cet ouvrage.

22. Nous utilisons le terme *démarche* au sens d'un ensemble d'interventions menées consciemment par l'enseignant dans le but de favoriser l'apprentissage des élèves.

## 1) Tenir compte des conceptions des élèves

Pour que l'enseignement de nouveaux contenus soit efficace, il faut partir de ce que les élèves connaissent et s'assurer d'un cadre de référence commun à la classe. Au cours des deux dernières décennies, nombre de didacticiens et de spécialistes de l'apprentissage ont insisté sur l'importance qu'il y a à tenir compte des conceptions des élèves pour les faire cheminer dans le processus de conceptualisation, par exemple des notions grammaticales[23]. Comment avoir accès à ces conceptions? Poser des questions aux élèves dans le cadre d'un cours magistral dialogué et leur demander d'exemplifier leurs propos est un bon point de départ, mais ce n'est pas suffisant, car, habituellement, seuls quelques élèves prennent la parole, et tous ne comprennent pas forcément ce qui est dit. Cette façon de faire ne saurait donc aider l'enseignant à évaluer les acquis de chaque élève et, surtout, à susciter l'engagement intellectuel et affectif de chacun. Il faut plus que cela, et on peut faire autrement en procédant de la manière suivante:

- donner aux élèves une situation-problème à résoudre;
- leur proposer des tâches qui permettent de manipuler des ressources langagières: observer des faits de langue, émettre des hypothèses explicatives sur leur fonctionnement, classer des unités de langue et leur faire subir diverses manipulations syntaxiques ciblées pour, par exemple, identifier la fonction syntaxique d'une unité dans un énoncé;
- ne pas leur donner l'impression que la bonne réponse doit venir rapidement, mais leur laisser du temps pour réfléchir: ce qui compte le plus n'est pas tant la réponse que le raisonnement suivi pour arriver à une réponse. Ainsi, on pourra leur poser des questions telles que:
  - *Comment êtes-vous arrivés à cette réponse?*
  - *Quelles hypothèses avez-vous émises au départ?*
  - *Lesquelles avez-vous rejetées? Pourquoi?*
  - *Avez-vous des doutes au sujet de la réponse que vous avez trouvée?*
  - *Si oui, pourquoi?*
  - *Quels ouvrages de référence ou qui avez-vous consultés pour vous aider?*
- leur demander le plus souvent possible des justifications écrites afin de leur montrer l'importance qu'a l'écriture pour penser (fonction épistémique de l'écriture) et de les amener à travailler la justification de leur propos; on exploite de telles occasions pour travailler ce genre de discours;
- exiger des élèves qu'ils exposent, à l'aide d'exemples et de contrexemples, les connaissances, les procédures et les stratégies mises en œuvre pour justifier leur analyse;
- demander aux élèves de confronter leurs positions en équipe: ils constateront alors qu'un exposé peut avoir une réelle portée communicative;
- proposer une discussion, en équipe, sur les erreurs soulignées par l'enseignant dans les travaux qu'il a corrigés;
- au moment de l'évaluation, tenir compte autant de la démarche que de la réponse, comme on le fait en mathématiques.

---

23. Pour une explication du processus de conceptualisation, voir le chapitre 4.

Ces interventions sont des moments privilégiés pour les enseignants : en circulant d'une équipe à l'autre, en observant les discussions, en écoutant les justifications des élèves, ils peuvent se faire une idée plus précise de leurs conceptions. De plus, tout au long du travail, les enseignants veilleront à ce que les élèves utilisent la métalangue grammaticale aussi rigoureusement que possible, en les amenant à reformuler la désignation de telle ou telle notion, à expliciter les sigles utilisés et à expliquer le sens des termes employés.

## 2) Rendre l'élève conscient de ses savoirs pour qu'il puisse les redéployer dans d'autres situations de communication

Faire verbaliser les élèves dans le but de connaitre leurs conceptions est nécessaire, mais cela ne suffit pas. On doit aussi leur faire prendre conscience de leurs savoirs et savoir-faire : autrement dit, on doit effectuer avec eux un travail de métacognition afin de les rendre capables de redéployer leurs connaissances dans d'autres contextes (ce qu'on nomme souvent le « transfert »). À la suite de l'activité, on invitera les élèves à se poser les questions suivantes : « Qu'ai-je appris ? À quoi me serviront ces connaissances ? Dans quels contextes pourrai-je les réutiliser ? Quelles difficultés ai-je rencontrées ? Comment ai-je réussi à les surmonter ? »

L'enseignant doit aussi montrer aux élèves que leurs nouveaux savoirs s'ajoutent à un réseau de connaissances déjà présentes et que ces nouveaux savoirs devront être réutilisés ultérieurement dans divers contextes de production. Il procède donc à l'institutionnalisation des contenus, c'est-à-dire qu'il fixe leur statut dans le système de la langue et montre la pertinence de cet apprentissage[24].

## 3) Réaliser des démarches pour faire appréhender la langue comme un système

Leur faire découvrir certains éléments du système de la langue ne signifie nullement qu'on livre les élèves à eux-mêmes. Bien au contraire, ces démarches doivent être structurées pour leur permettre de progresser. Pour éviter que les élèves ne se dispersent, l'enseignant doit, à des moments-clés de la démarche, clarifier les contenus à l'étude dans le cadre de sa planification. En outre, à des moments précis de l'apprentissage, il est toujours pertinent de faire faire aux élèves de bons exercices, car ceux-ci sont essentiels pour automatiser raisonnements et procédures[25].

Les démarches dites de découverte ou inductives ont fait leurs preuves[26]. Grâce à elles, les élèves sont plus motivés à travailler la grammaire et ils s'investissent davantage dans les activités demandées ; cette motivation n'est pas étrangère à leurs

---

**24.** La deuxième partie de cet ouvrage illustre éloquemment des démarches et des activités menées selon ces orientations.

**25.** Par *exercice*, nous entendons la réalisation d'une tâche répétitive portant sur un objet précis et poursuivant l'objectif d'automatisation d'un savoir-faire. Il existe divers types d'exercice : repérage, identification, transformation, correction, production. Sur le processus d'exercisation, voir M. Minder (1999, 8e éd.), *Didactique fonctionnelle. Objectifs, stratégies et évaluation*, Bruxelles : De Boeck.

**26.** Voir, entre autres, Jarno-El Hilali (2014). Pour des exemples de telles démarches, voir celles sur le *Portail pour l'enseignement du français* dans la section *matériel didactique*.

progrès. Toutefois, nous savons que réaliser de telles activités est très exigeant tant pour les élèves que pour les enseignants. Ces derniers doivent en effet approfondir leurs connaissances en grammaire en plus de bâtir les activités et de les conduire, mais des apprentissages réussis sont à ce prix.

# Conclusion

Au cours de son histoire, l'enseignement de la grammaire a été l'objet de nombreuses luttes entre conservateurs et progressistes. Il a souvent été critiqué parce qu'il constituait un instrument de sélection, donc de discrimination sociale. La rénovation grammaticale doit se comprendre dans cette perspective : elle s'est opposée à la tradition élitiste en proposant des outils et des démarches visant à rendre l'apprentissage de la grammaire française accessible à tous, francophones ou non, socialisés au français normé ou pas. Il est donc nécessaire que les formateurs s'emploient sans relâche à doter les enseignants actuels et futurs des savoirs et savoir-faire qui leur permettront d'enseigner les contenus renouvelés en mettant en place des démarches efficientes. Aussi toute forme de passivité à l'égard de l'amélioration de l'enseignement grammatical est-elle inacceptable. Certes, il reste du travail à faire pour clarifier les notions, les démarches et les enjeux, tâche qui incombe aux didacticiens du français, en collaboration avec les acteurs du terrain, mais il est aussi nécessaire que les prescripteurs et les éditeurs, tout comme les formateurs et les enseignants, comprennent mieux les conséquences de leurs choix.

## Références bibliographiques de base

Bronckart, J.-P., Bulea, E. et Pouliot, M. (2003). Pourquoi et comment repenser l'enseignement des langues ? Dans Bronckart, J.-P., Bulea, B. et Pouliot, M. (dir.), *Repenser l'enseignement des langues : comment identifier et exploiter les compétences* (p. 7-40). Lille : Presses universitaires du Septentrion.

Chartrand, S.-G. (2016). Le nécessaire rapport dialectique entre faire comprendre le fonctionnement de la langue et développer des compétences scripturales dans l'enseignement grammatical. Dans E. Bulea Bronckart et R. Gagnon (dir.), *Former à l'enseignement de la grammaire*. Lille : Presses universitaires du Septentrion.

Chartrand, S.-G. (2015). Des outils didactiques pour amener les apprenants à penser la langue française comme un ensemble organisé fait de régularités. *Enjeux. Revue de formation continuée et de didactique du français*, n° 89, p. 3-20.

Chartrand, S.-G. (2013a, 2e éd.). *Les manipulations syntaxiques : de précieux outils pour étudier la langue et corriger ses textes*. Montréal : CCDMD.

Chartrand, S.-G. (1995). Enseigner la grammaire autrement. Animer une démarche active de découverte. *Québec français*, n° 99. En ligne : www.enseignementdufrancais.fse.ulaval.ca/document/?no_document=857

Chartrand, S.-G., Aubin, D., Blain, R. et Simard, Cl. (1999/2011, 2e éd.). *Grammaire pédagogique du français d'aujourd'hui*. Boucherville : GRAFICOR/Montréal : La Chenelière.

Chervel, A. (1977). *Histoire de la grammaire scolaire… et il fallut apprendre à écrire à tous les petits Français*. Paris : Payot.

Genevay, É. (1996). « S'il vous plait… invente-moi une grammaire ! » Dans Chartrand, S.-G. (dir.), *Pour un nouvel enseignement de la grammaire. Propositions didactiques* (p. 53-85). Montréal : Logiques. En ligne : www.enseignementdufrancais.fse.ulaval.ca

Genevay, É. (1996). *Ouvrir la grammaire*. Lausanne/Montréal : LEP/La Chenelière.

Jarno-El Hilali, G. (2014). Un dispositif d'enseignement de la ponctuation pour apprendre à mieux écrire. *Le français aujourd'hui*, n° 187, p. 101-113.

Portail pour l'enseignement du français : www.enseignementdufrancais.fse.ulaval.ca/

Tomassone, G. (1996). *Pour enseigner la grammaire*. Paris : Delagrave.

Viau, R. (2009). *La motivation en contexte scolaire*. Bruxelles : De Boeck.

## Autres références

Dubois, J., Giacomo, M., Guespin, L., Marcellesi, C., Marcellesi, J.-B. et Mével, J.-P. (1973). *Dictionnaire de linguistique*. Paris : Larousse.

Chartrand, S.-G. (2013b). Enseigner à justifier ses propos de l'école à l'université. *Correspondance*. En ligne : www.enseignementdufrancais.fse.ulaval.ca/document/?no_document=2348

Chartrand, S.-G. (2010). Un complément complète. Oui, mais… *Correspondance*, n° 15, vol. 3. En ligne : www.enseignementdufrancais.fse.ulaval.ca/document/?no_document=979

Dubois, J., Giacomo, M., Guespin, L., Marcellesi, C., Marcellesi, J.-B. et Mével, J.-P. (1973). *Dictionnaire de linguistique*. Paris : Larousse.

Vygotski, L. (1997/1934). *Pensée et langage*. Paris : La Dispute.

# Contenus et démarches de la grammaire rénovée

**ECATERINA BULEA BRONCKART
ET MARIE-LAURE ELALOUF**

**CHAPITRE 3**

# Introduction

Par-delà la diversité des contextes dans lesquels ont émergé les questionnements sur les contenus et les modalités de l'enseignement de la grammaire, des constantes peuvent être dégagées dans la conception de la rénovation qu'ils appelaient. Dans ce chapitre, nous caractérisons les fondements de ce que nous nommons *grammaire rénovée* : non pas un corps de doctrine qui viendrait se substituer à un autre mais un ensemble d'approches, reposant sur des choix théoriques en linguistique, en pédagogie et en didactique des langues, dont plusieurs ont été expérimentées auprès de publics scolaires (Besson *et al.*, 1979, Combettes et Lagarde, 1982, Genevay, 1994, Chartrand *et al.*, 2006, 2011). Bien que ces différentes approches aient leurs spécificités, elles ont aussi suffisamment de points communs pour qu'on puisse parler de « grammaire rénovée ». La nouvelle configuration repose sur une solidarité étroite entre les finalités de l'enseignement grammatical, les contenus à enseigner et les outils d'analyse des énoncés (section 1) ainsi que les démarches d'enseignement (section 2) : nous montrerons les relations qu'ils entretiennent.

# 1. Les fondements de la rénovation de l'enseignement grammatical sur le plan des contenus

Les finalités assignées à l'enseignement de la grammaire au cours de l'histoire ont modelé le corps de notions (concepts) et les démarches qui lui ont été associés. Conçue tendanciellement comme une discipline au service de l'apprentissage du latin, puis de l'orthographe et, plus récemment, de la « maitrise de la langue[1] », la grammaire a longtemps été réduite à une technique dont les résultats se mesuraient à la capacité d'appliquer des règles dans des énoncés décontextualisés. Or, cette configuration a atteint ses limites. La rénovation de l'enseignement grammatical a permis une réévaluation des finalités de l'étude de la langue qui est considérée comme un objet d'étude à part entière. Il s'agit maintenant de permettre aux élèves d'accéder à une représentation opératoire du fonctionnement de la langue tout en développant leurs compétences langagières, orales et écrites, dans une relation dynamique, sans subordonner un aspect à l'autre, ni postuler des liens de causalité directe[2].

La rénovation de l'enseignement grammatical exige que soient fixées les priorités suivantes : déterminer les besoins langagiers des élèves, en fonction des types de discours et genres d'écrits qu'ils ont à pratiquer au fil de leur scolarité ; dégager les régularités du système de la langue ; privilégier l'enrichissement des concepts plutôt que la multiplication des termes[3]. Néanmoins, la « grammaire rénovée » ne fait pas

---

1. Pour une critique de l'expression *maitrise de la langue*, voir Chartrand, 2011.

2. Pour une analyse des points de vue des didacticiens du français sur la question des finalités, voir Chartrand, 2013a ; 2016 ; pour une analyse des finalités inscrites dans les prescriptions et de leur actualisation dans des manuels en Suisse romande, voir Bulea Bronckart, 2014.

3. Voir le chapitre 4 sur l'importance de la rigueur dans l'emploi de la métalangue pour le processus de conceptualisation.

table rase de la tradition grammaticale, avec laquelle elle entretient des rapports complexes, mais en signale les limites pour se donner les moyens de les dépasser[4]. L'enseignement rénové de la grammaire invite ainsi enseignants, didacticiens et prescripteurs à travailler dans une perspective théoriquement et didactiquement renouvelée, dans « un nouvel esprit grammatical » (Combettes et Lagarde, 1982).

## 1.1. ▌ Rendre compte des grandes régularités du système de la langue

Le défaut majeur de la grammaire dite traditionnelle est l'attention trop grande qu'elle accorde aux exceptions et aux irrégularités du fonctionnement de la langue[5]. Cette centration est associée à une perspective normative, voire à une conception conservatrice de l'identité de la langue française, conçue d'une manière anhistorique, et à une exaltation de sa beauté, comme en témoigne le choix d'exemples et d'illustrations de phénomènes grammaticaux issus d'œuvres littéraires plutôt que de productions quotidiennes effectives.

Certes, l'enseignement de la norme est une mission de l'école, mais y subordonner la description des contenus grammaticaux en les présentant de manière isolée ne répond guère à la finalité d'amener les élèves à se construire progressivement une représentation opératoire du fonctionnement de la langue. Par exemple, consacrer un chapitre entier d'un ouvrage à *tout* adverbe pour des considérations orthographiques, c'est minorer une caractéristique morphologique qui est un des critères de reconnaissance des mots fonctionnant comme adverbes, l'invariabilité (*il chante bien/fort/haut/à tue-tête*), et introduire une conception erronée de l'accord[6]. Comment faire comprendre les régularités du fonctionnement de la langue, l'étendue des règles syntaxiques et le système des accords orthographiques, ou encore les rapports de dépendance et d'interdépendance qui organisent les niveaux de structuration (mots, classes de mots, groupes, fonctions syntaxiques) du système de la langue ? Comme cela a été écrit au chapitre précédent, c'est précisément pour rendre compte du caractère systémique, et donc organisé et hiérarchisé, de la langue que la grammaire rénovée introduit un ensemble de notions nouvelles, telles que *complément de phrase, groupe, manipulation syntaxique, transformation*, que nous présenterons dans les sections suivantes. C'est pour permettre aux élèves la prise de conscience de ce caractère systémique (et, partant, la compréhension de la place et du statut des irrégularités) que sont privilégiées les démarches d'observation, de repérage, de

---

4. Les rapports qu'entretiennent grammaire traditionnelle et rénovée se caractérisent à la fois par des phénomènes ou des zones de rupture (par exemple l'introduction de la notion de groupe ou le reclassement de certaines « parties du discours ») et de reprise-continuité (plusieurs classes et fonctions), selon Huot (1988).

5. Pour une présentation plus générale des limites et errements de la grammaire traditionnelle, voir les textes de Chartrand, Genevay et Paret dans Chartrand (dir., 1996).

6. En effet, on peut lire que « cet adverbe s'accorde en genre et en nombre avec l'adjectif féminin qui le suit et commençant par une consonne ou un h aspiré » (Jouette, A., *Dictionnaire d'orthographe*, Le Robert, 1995). Or, d'une part, l'adjectif n'est pas donneur d'accord ; d'autre part, aucun autre mot ne prend des marques d'accord qu'au féminin dans certains contextes. Il s'agit d'une règle phonologique du même ordre que la liaison, non d'un accord. Pour une présentation du système des accords, voir Chartrand et coll. (1999, chap. 27).

comparaison, de classement, faisant appel à la réflexion et à la verbalisation des constats, et conduisant progressivement à la conceptualisation, puis au réinvestissement des connaissances construites dans leurs productions propres[7].

# 1.2. | Distinguer les différents plans d'analyse de la langue

La seconde faiblesse de la grammaire traditionnelle réside dans le caractère peu opératoire et potentiellement contradictoire de la définition de certaines notions fondamentales, en raison de la confusion des critères définitoires qui les constituent. Ainsi en va-t-il de la notion traditionnelle de «complément d'objet direct» (COD), dont la définition, extraite de Grevisse (1939, p. 32), mais qui s'est transmise telle quelle jusqu'à aujourd'hui, peut se décomposer de la manière suivante selon le critère utilisé :

> «Le complément d'objet direct est le mot ou groupe de mots qui se joint au verbe sans préposition [critère syntaxique]

> «pour en compléter le sens [critère sémantique]

> «en marquant sur qui ou sur quoi passe l'action [critère référentiel-logique] ;

> «il désigne la personne ou la chose auxquelles aboutit, comme en ligne droite, l'action du sujet [critère référentiel-logique].

> «Pour reconnaître le complément d'objet direct, on place après le verbe la question qui ? ou quoi ? Procédure de reconnaissance : J'aime ma mère : J'aime qui ? ma mère. Je récite ma leçon : Je récite quoi ? ma leçon.»

Trois critiques peuvent être faites à cette définition. Remarquons en premier lieu l'absence de tout élément signalant ce qui est concerné par cette notion : désigne-t-elle une classe (catégorie ou partie du discours), une structure syntaxique ou une fonction syntaxique ? L'expression *mot ou groupe de mots* peut en effet indistinctement renvoyer à l'un ou l'autre. Ensuite, pour définir ce complément, on fait appel à des critères de divers types tout en occultant un élément définitoire fondamental, à savoir la relation de dépendance syntaxique de ce complément par rapport au verbe[8]. Remarquons également le caractère limité et problématique de cette procédure de reconnaissance qui n'empêche pas, par exemple, d'accorder le statut de COD (ou de «complément direct du verbe», selon la terminologie rénovée) à un attribut du sujet : *Marie est une bonne vendeuse : Marie est quoi ? une bonne vendeuse.* La définition passe aussi sous silence les constructions possibles de ce type de complément : par exemple, à la question *Marie demande quoi ?* on peut répondre *le silence*, mais aussi **de** *passer à table* ou encore **que** *l'on passe à table…* Dans ces deux cas, le complément

---

**7.** Concernant le processus de conceptualisation, voir le chapitre 4. Au chapitre 14, nous montrons que la révision-correction de textes est un des moments-clés de l'apprentissage grammatical.

**8.** C'est précisément pour cette raison que la grammaire rénovée introduit l'appellation *complément direct du verbe.*

est bien disjoint du verbe par les mots grammaticaux *de* et *que*. En outre, contrairement à ce que dit la définition, les expansions du verbe *demander* ne désignent dans ces derniers exemples ni une personne ni une chose, comme le stipule le critère référentiel-logique ; pourtant, il s'agit bien de compléments directs du verbe.

De ce point de vue, la grammaire rénovée préconise d'abord de clairement différencier les caractéristiques syntaxiques, morphologiques et sémantiques des unités de la langue[9], et d'utiliser cette distinction lors des activités proposées aux élèves. Elle préconise ensuite de recourir pour l'étude des unités de la langue à des outils spécifiques d'analyse d'ordre linguistique, et non à des explications faisant appel à des facteurs externes, comme l'organisation des choses dans le monde (critère référentiel) ou celle des processus de la pensée humaine (critère dit « logique »). Le critère morphosyntaxique permet en effet de rendre compte de la solidarité des unités grammaticales qui forment des groupes syntaxiques et des rapports de dépendance entre ces groupes. Le réexamen de ces mêmes unités sous un angle sémantique correspond à un autre moment de l'analyse. Ainsi, la grammaire rénovée évite que ne soient confondus les éléments suivants :

- les classes grammaticales (nom, verbe, adjectif, préposition, etc.) ;
- les groupes qui organisent les rapports de dépendance et d'interdépendance entre ces classes[10] (groupe nominal, groupe verbal, groupe adjectival, groupe prépositionnel, etc.) ;
- les fonctions syntaxiques que les classes et les groupes remplissent : sujet, prédicat, complément de phrase (complément de P), complément du nom, etc. ;
- les valeurs sémantiques, là où cette question est pertinente[11] ;
- et, fait nouveau et notable, les rôles textuels/discursifs que ces mêmes classes ou groupes peuvent assurer (anaphores, modalisations, organisateurs textuels, etc.).

# 1.3. | Recourir à des outils spécifiques d'analyse de la langue

La grammaire rénovée se caractérise aussi par un ensemble d'outils[12] et de procédures d'analyse qui sont des innovations et peuvent être considérés comme des lieux de rupture par rapport à la grammaire traditionnelle. Ces outils, ce sont un modèle

---

**9.** Voir à ce sujet le chapitre 2.

**10.** Sauf pour le pronom, qui sans être le noyau d'un groupe remplit différentes fonctions syntaxiques dans une P.

**11.** Les valeurs de temps, lieu, cause, conséquence, etc., mais aussi le sens des relations syntaxiques (par exemple, la différence entre *je coupe une pomme* et *le couteau coupe bien*) ou les propriétés sémantiques des sous-classes d'unités lexicales (par exemple, nom commun/nom propre) ou grammaticales (par exemple, déterminants identifiants/quantifiants).

**12.** Le terme *outil* est polysémique, même dans le domaine de la didactique. Selon les contextes ce terme peut désigner aussi bien la modélisation du fonctionnement des phrases (le MODÈLE PHRASE P) et les manipulations syntaxiques, que les divers instruments utilisés par les enseignants lors de la préparation et la conduite de leurs activités didactiques (matériel pédagogique, documents de référence, logiciels, etc.).

théorique de la phrase, le **MODÈLE PHRASE P**[13], et les **manipulations syntaxiques** (aussi appelées *tests*) que l'on applique aux unités de la langue pour les analyser. Ces manipulations servent à mettre en évidence l'équivalence des diverses unités de la langue qui constituent une même classe, à délimiter un groupe et à analyser la fonction syntaxique des groupes (et du pronom) dans une P.

Tout en opérant la distinction traditionnelle entre phrase graphique (dont les limites sont marquées par une majuscule et une ponctuation forte) et phrase syntaxique (symbolisée par P et définie par la présence d'une relation d'interdépendance syntaxique entre un sujet et un prédicat), la grammaire rénovée se dote d'un modèle théorique de la phrase. Ce modèle est un outil qui permet d'analyser la très grande majorité des phrases du français, que leur structure soit simple ou non[14]. Il constitue un cadre de référence pour la compréhension des différentes transformations qu'une phrase a pu subir, qu'elle soit de type interrogatif, impératif ou exclamatif, ou encore de forme négative, passive, emphatique et impersonnelle (ces dernières peuvent se combiner). Grâce aux manipulations syntaxiques (ajout, dédoublement, déplacement, effacement, encadrement, remplacement ou commutation), ce modèle permet de mettre en lumière les relations syntaxiques et les niveaux de dépendance des unités dans la structure d'une P.

Soit l'exemple de phrase *Le matin, les enfants donnent du pain aux oiseaux*. Une analyse utilisant le MODÈLE PHRASE P ne procède pas par le repérage successif des mots selon leur classe (ou par focalisation isolée et successive des «parties du discours»). Elle permet de faire apparaitre plusieurs phénomènes interdépendants (la relation sujet-prédicat par exemple). On pourra ainsi conduire les élèves à mener les activités suivantes:

- **observer** la présence des **constituants obligatoires** de la phrase (*les enfants* et *donnent du pain aux oiseaux*), ayant les fonctions de **sujet** et de **prédicat**[15], compte tenu de la construction du verbe *donner quelque chose à quelqu'un*;

- **observer** la présence d'un **constituant facultatif** (*le matin*) dont la suppression et le déplacement en début de P ne rend pas la phrase agrammaticale ni asémantique, ayant la fonction de **complément de phrase** (complément de P);

- **utiliser** les **manipulations syntaxiques** concluantes[16] pour comprendre les fonctions des groupes de mots, en procédant à des effacements, des ajouts, des déplacements, des pronominalisations pour constater, par exemple, que le sujet précède le prédicat, qu'ils ne sont ni déplaçables ni permutables (on ne peut pas

---

**13.** Il faut prendre le mot *modèle*, non pas comme ce qu'il faut suivre, mais comme une représentation théorique abstraite, à l'aune de laquelle on peut analyser une multitude de phrases françaises. Ce modèle est nommé différemment dans les ouvrages de référence en grammaire rénovée (voir le glossaire à l'annexe 1).

**14.** Ce modèle ne s'applique pas aux phrases dites *à construction particulière*, qui ne comportent ni sujet ni prédicat, comme *Interdiction de fumer* (phrase non verbale), *Ne pas utiliser de flash* (phrase infinitive) ou *C'est l'été* (phrase à présentatif).

**15.** Cette désignation, qui n'est pas adoptée partout, présente l'avantage de distinguer la structure du groupe verbal de sa fonction syntaxique.

**16.** Voir le chapitre 2 et Chartrand, 2013b et 2015, pour l'intérêt et la méthode d'utilisation des manipulations syntaxiques comme révélateurs du fonctionnement du français.

dire/écrire *Donnent du pain aux oiseaux les enfants*), que le groupe ayant la fonction de sujet peut être pronominalisé, à la différence du prédicat (*Les enfants/Ils donnent du pain aux oiseaux*), tandis que le complément de P marque son autonomie par rapport au verbe de la phrase par l'absence de pronominalisation, par sa mobilité, son effacement possible et son dédoublement en deux phrases coordonnées (*Les enfants donnent du pain aux oiseaux et cela se passe le matin.*) ;

- **observer** que deux **fonctions** différentes, le sujet et le complément de P, peuvent être réalisées par le même type de **structure**, en l'occurrence un nom précédé d'un déterminant (*les enfants, le matin*) ;

- **comparer** la phrase de base, soit la phrase conforme au MODÈLE PHRASE P, avec des phrases comme les suivantes :

  1. *Est-ce que les enfants donnent du pain aux oiseaux le matin ?*

  2. *Le matin, ce sont les enfants qui donnent du pain aux oiseaux.*

  3. *Les enfants ne donnent pas de pain aux oiseaux.*

  4. *Le matin, les enfants ne donnent pas de pain aux oiseaux.*

  Cela permet de comprendre les opérations de transformation de cette phrase en une P d'un autre type (interrogatif pour 1) ou d'une autre forme (emphatique pour 2, négative pour 3 et 4).

En poursuivant l'analyse interne de la phrase, on pourra faire observer les rapports d'interdépendance (ou de solidarité) entre les mots dans les groupes et dégager leurs caractéristiques :

- contrairement à la phrase, les groupes ne fonctionnent pas de manière autonome (*les enfants, le matin, donnent du pain aux oiseaux* ou encore *aux oiseaux* ne peuvent fonctionner seuls) ;

- ces groupes sont structurés autour d'un noyau, qui donne son appellation au groupe selon sa classe (groupe nominal, groupe verbal, groupe adjectival, groupe prépositionnel, groupe adverbial) ;

- les groupes sont plus ou moins complexes, comportant à leur tour des constituants obligatoires (en l'occurrence *Les* et *enfants* pour le groupe nominal de cet exemple) et facultatifs (*de ma voisine, joyeux, qui vont à l'école*, etc.), ces derniers ayant des fonctions spécifiques, en l'occurrence la fonction de complément du nom, comme le montrent ces exemples d'ajouts ou de substitution (remplacement)[17] :

  1. *Le matin, les enfants*                         *donnent du pain aux oiseaux.*

  2. *Le matin, les enfants de ma voisine*     *donnent du pain aux oiseaux.*

  3. *Le matin, les enfants joyeux*               *donnent du pain aux oiseaux.*

  4. *Le matin, les enfants fort sympathiques*  *donnent du pain aux oiseaux.*

  5. *Le matin, les enfants qui vont à l'école*  *donnent du pain aux oiseaux.*

---

**17.** Par rapport à la grammaire traditionnelle, on observe ici une extension de la notion de complément du nom sur la base d'une régularité de fonctionnement. Qu'une classe de mots variables, les adjectifs, s'accorde avec le nom noyau du groupe ne justifie pas une fonction spécifique : la relation entre le nom noyau et ce qui en dépend est la même ; l'épithète n'est qu'une variété de complément du nom. D'ailleurs, la grammaire ne dispose pas d'une terminologie spécifique pour les adjectifs qui auraient la fonction attribut ou apposition.

- la pronominalisation (ou remplacement par un pronom) aide notamment à identifier et différencier ces fonctions. Par exemple, la pronominalisation des compléments du verbe : *Les enfants donnent du pain aux oiseaux.* → *Les enfants leur donnent du pain. / Les enfants leur en donnent.* permet d'identifier ces compléments et de les différencier du complément de P *le matin*, non pronominalisable.

Les manipulations syntaxiques permettent ainsi de mettre en évidence certaines régularités qui caractérisent la construction des phrases, d'en saisir la portée et de procéder à des généralisations de plus en plus importantes. Elles ne sont pas sans incidence sur l'étiquetage et le reclassement des classes ou fonctions, ce qui constitue un autre lieu d'innovation du contenu de la grammaire rénovée. En poursuivant les illustrations sur la base du même exemple, on constate que, par-delà les dénominations différentes qu'elles reçoivent en grammaire traditionnelle, certaines unités ont un comportement syntaxique similaire, étant de ce fait syntaxiquement équivalentes. Plutôt que de multiplier les étiquettes, il s'agit de saisir un principe unique, par exemple avec la manipulation de commutation (substitution ou remplacement).

L'unité *Les* du groupe nominal *Les enfants* peut en effet être remplacée par diverses autres unités : *Le matin,* **les / nos / certains / ces / plusieurs / quelques / deux** *enfants donnent du pain aux oiseaux.* Cette possibilité de substitution se vérifie lorsqu'on procède de manière analogue à l'analyse du groupe *aux oiseaux : Le matin, les enfants donnent du pain* **aux / à nos / à certains / à plusieurs / à quelques / à deux** *oiseaux.* Les observations syntaxiques de ce type effectuées au sein du groupe nominal montrent que les unités comme *les, nos, certains, plusieurs,* etc., précèdent toujours le nom et ne peuvent être déplacées à la droite de celui-ci ; ce qui a conduit à l'introduction de la classe du *déterminant*, qui regroupe sur la base d'analyses effectives les anciens articles définis, indéfinis et partitifs, adjectifs démonstratifs, possessifs, indéfinis, etc. Plus généralement, les tests de cet ordre ont abouti à redistribuer les termes selon des classes grammaticales conçues comme des classes d'équivalence, à observer, en regard des régularités constatées, les situations particulières[18] et à produire sur cette double base des définitions plus rigoureuses et plus nuancées des classes grammaticales.

## 1.4. | Rendre compte de la continuité apparente et de la rupture effective entre la grammaire dite traditionnelle et la grammaire rénovée

La manière dont les appellations et les définitions des classes, des groupes et des fonctions se présentent aujourd'hui doit donc être analysée sous l'angle de deux aspects interdépendants.

Il y a, en premier lieu, une indéniable zone d'innovation ouverte par la grammaire rénovée, comme il ressort des considérations qui précèdent. Néanmoins, elle n'est pas toujours pleinement assumée par les prescriptions, les manuels et les grammaires

---

**18.** En constatant, par exemple, que l'équivalence entre les déterminants *ce* et *un* ne se vérifie pas dans le cas de *Ce livre, je l'ai lu / *Un livre, je l'ai lu*, on n'en conclura pas que *un* n'est pas un déterminant, mais que cette construction syntaxique ne détermine pas le nom de la même façon.

scolaires ; la situation actuelle nous confrontant de fait à un ensemble d'hybridations parfois très problématiques[19]. Ainsi, et pour rester dans le domaine du nom, et s'agissant toujours de la classe du déterminant, certains étiquetages des sous-classes ramènent l'appellation d'*article* pour les déterminants indéfinis, définis et partitifs, alors qu'ils utilisent l'appellation *déterminant* à la fois pour désigner la classe générale et certaines autres sous-classes, comme celles des déterminants possessifs, démonstratifs, interrogatifs (voir par exemple l'édition de 2012 du *Bescherelle*).

Mais il y a aussi une forme de continuité sur le plan terminologique entre la grammaire traditionnelle et la grammaire rénovée : un certain nombre d'appellations de classes et de fonctions subsistent, comme c'est le cas des appellations de *nom*, de *verbe*, d'*adjectif*, d'*adverbe*, de *sujet*, de *complément*, d'*attribut du sujet*, etc., classes et fonctions qui ont néanmoins reçu en grammaire rénovée des définitions assez différentes (par exemple complément du nom qui a reçu une extension par rapport à la définition traditionnelle, plus restrictive).

Ces nouvelles définitions sont parfois portées par des expressions désignatives à mi-chemin entre tradition et approche rénovée, comme c'est le cas des *déterminants définis, indéfinis, partitifs…* La présence de ce type d'expressions, qui évite une perte de repères lors du passage de l'approche traditionnelle à l'approche rénovée, peut trouver une forme de justification, mais elle a l'inconvénient d'engendrer potentiellement une forme d'incompréhension, de masquage, voire d'évacuation des choix théoriques de la grammaire rénovée.

# 1.5. ▌ Poursuivre le travail de rénovation de l'appareil notionnel à enseigner

Il y a donc lieu de concevoir la grammaire rénovée comme un travail toujours en cours, qui doit se poursuivre en tant que processus d'affinement vigilant des distinctions, notamment entre classes et sous-classes, et des définitions. Il serait aussi nécessaire de généraliser l'emploi au secondaire comme au primaire de la notion de *prédicat*, encore trop timidement (voire pas du tout) utilisée dans certains systèmes scolaires. En logique philosophique, le couple sujet–prédicat forme l'unité de jugement. En grammaire rénovée, ces deux termes désignent les deux fonctions syntaxiques correspondant à la relation entre les deux constituants obligatoires de la phrase P. Ce choix terminologique permet d'éviter de désigner par un même terme une structure (le groupe verbal) et sa fonction syntaxique.

Disposer ainsi d'une métalangue mettant explicitement en réseau, d'une part, des entités structurelles de la langue (groupe nominal, groupe verbal, groupe adjectival, etc.), d'autre part, les fonctions que ces entités assurent dans l'organisation des phrases (sujet, prédicat, complément de P) contribuerait aussi à lever d'autres confusions, dont témoignent les expressions totalement impropres de *groupe sujet* ou *groupe complément*, comme cela a été vu aussi au chapitre 2.

---

**19.** Voir le chapitre 2.

Le travail sur le contenu grammatical devrait également permettre de redéfinir sur des bases syntaxiques la fonction de modificateur, ou encore de dégrouper certaines classes hétéroclites, comme celle de l'adverbe[20].

Enfin, on gagnerait à examiner de manière critique le statut de la définition des contenus grammaticaux en termes de compétences. La doxa scolaire veut que l'activité grammaticale ne soit légitimée que par sa contribution au développement des compétences en réception et production des discours oraux et écrits (lire, dire, écrire). Elle fait trop souvent l'impasse sur la façon dont s'articulent les différents niveaux d'analyse (lexique, morphologie, syntaxe, orthographe), sur le rôle de la sémantique qui traverse tous les niveaux d'analyse et sur l'appréhension des textes et des discours qui relèvent d'un autre ordre de régularité. Chaque niveau d'analyse a sa cohérence propre et les élèves peuvent en découvrir progressivement la spécificité à condition qu'ils ne soient pas confondus dans une approche globalisante.

## 2. Des démarches et des activités pour faire appréhender le système de la langue

La grammaire rénovée ne se réduit pas à inculquer l'adhésion à la norme linguistique ; elle permet aux élèves de développer un rapport à la langue qui leur donne les moyens de comprendre cette norme en la comparant à différents usages, oraux et écrits, pour construire progressivement une posture réflexive sur la langue. Cela suppose que des occasions soient données d'observer et de manipuler des productions langagières variées, orales ou écrites, normées ou non, en français ou dans d'autres langues, en s'appuyant sur les connaissances implicites qui se développent avec l'acquisition du langage et que les apprentissages scolaires de l'écrit contribuent à rendre explicites.

## 2.1. | Les démarches d'observation

Beaucoup de manuels adoptent une démarche qui n'a d'inductive que le nom[21]. À une courte phase d'observation succèdent une leçon et une série d'exercices d'application. L'observation se réduit alors à apposer une étiquette grammaticale sur les éléments d'une phrase ou d'une suite de phrases forgées à cet effet, voire d'un court texte, ce qui suppose le concept déjà acquis : elle n'est qu'une illustration anticipée de la leçon et une amorce des exercices. Le modèle d'apprentissage qui prévaut est la répétition ; il ignore les conceptions des élèves qui peuvent faire obstacle et laisse peu de place au raisonnement. L'absence de transfert en production écrite est la limite majeure de ce cadre faussement rassurant (Elalouf et Péret, 2009).

---

**20.** D'une part, certains adverbes modifient uniquement l'adjectif et l'adverbe (**très** heureux, **fort** heureusement), alors que d'autres modifient le groupe verbal ou même la phrase. D'autre part, on peut distinguer les adverbes déictiques (Elle travaille **ici/là**), qui ont la fonction de complément et non de modificateur, et les autres (Bronckart, 2001). Sur la question de l'adverbe, voir aussi les chapitres 1 et 12.

**21.** Voir la critique dans Genevay, 1996.

Prenons un exemple dans le système français. Les programmes actuels exigent qu'en fin de CE1 un élève de sept ou huit ans identifie le « pronom personnel sujet ». Cette dénomination complexe agrège trois éléments : une classe grammaticale (le pronom), une catégorie morphologique (la personne), et une fonction syntaxique (le sujet). Si un élève répond, à propos d'un court extrait, à la question *Pour chacun des pronoms en bleu, indique de qui ou de quoi il s'agit.*, s'il mémorise que « Les pronoms personnels sujets remplacent des noms ou des groupes nominaux sujets[22] » et remplit des phrases à trous, qu'aura-t-il appris du fonctionnement des pronoms, de la catégorie de la personne et de la fonction sujet ? Peut-être aura-t-il retenu la liste des formes étudiées. Mais la question *de qui ou de quoi s'agit-il ?* – certes facile à reconduire à l'occasion d'une lecture ou d'une production d'écrit – ne lui permettra pas de savoir pourquoi tel pronom est difficile à interpréter. Quant à la définition qu'il aura ou non mémorisée, elle est source de malentendus en raison de la polysémie du verbe *remplacer* et de l'absence de distinction entre le pronom de troisième personne et les autres : le pronom de troisième personne assume les mêmes fonctions que le groupe nominal (**les oiseaux** chantent/ **ils** chantent) mais la relation qu'il établit avec le segment textuel qui permet son interprétation est d'un autre ordre : elle n'exige pas le parallélisme des fonctions comme le laisse penser la définition du manuel, mais fait intervenir d'autres facteurs, notamment sémantiques (*Tu entends* **les oiseaux**. **Ils** *chantent* ; **les oiseaux** *sont de retour.* **Ils** *chantent*). Que vaut une règle quand elle se heurte à l'épreuve des faits ?

Plus modeste, une démarche active de découverte et d'observation réfléchie ne prétend pas à une description exhaustive d'un phénomène et à une généralisation immédiate d'une régularité ; elle vise à faire appréhender progressivement les caractéristiques formelles des unités linguistiques par la confrontation d'énoncés pouvant être comparés sur un plan donné. S'il s'agit de construire la classe du pronom et de comprendre son fonctionnement dans la phrase[23], la manipulation de commutation (remplacement) peut être utilisée pour mettre en évidence le fonctionnement différent des pronoms de première et deuxième personne et celui des pronoms de troisième personne :

> La communication téléphonique est mauvaise, je demande à mon interlocuteur de répéter : ............ *doivent arriver à 8 heures.*

Quel est le segment manquant ? Les élèves pourront proposer *nos amis, les journalistes, papa et maman.* On observera que tous ces groupes nominaux peuvent être remplacés par le pronom *ils* mais aussi par *quelques-uns, certains, d'autres.*

> Autre situation, j'entends ............ *devons arriver à 8 heures :* ai-je besoin de faire répéter ?

Inutile, c'est forcément *nous*, c'est-à-dire l'interlocuteur et des personnes dont il a déjà parlé. Avec la désinence verbale *-ons*, le sujet ne peut être que *nous*, pronom qui ne commute avec aucun autre pronom ou groupe nominal.

---

**22.** *L'île aux mots, CE1*, sous la direction d'A. Bentolila, 2008, Paris, Nathan.

**23.** Voir, au chapitre 5, le tableau 1 : « Progression des apprentissages grammaticaux essentiels, cycle primaire 10-12 ans ».

Pour que cette conclusion soit partagée par l'ensemble de la classe, et notamment par les élèves les plus éloignés de la culture scolaire, il importe que la situation-problème posée les oblige à passer du point de vue d'utilisateur à celui d'observateur de la langue, en exigeant d'eux des tâches de manipulation : ici, la commutation et la comparaison des unités susceptibles d'apparaitre dans le même contexte. Cela suppose aussi que les élèves disposent d'un temps suffisant pour formuler ces observations et justifier la procédure suivie. En demandant un passage par l'écrit, l'enseignant sensibilise les élèves à la fonction cognitive de l'écriture tout en se donnant les moyens d'observer les cheminements différenciés de ses élèves. Il peut constater que ceux qui proposent de remplacer *nous* par *papa et maman* sont dans l'utilisation de la langue, non dans l'observation de ses marques formelles, puisque la phrase *\*Papa et maman devons arriver à 8 heures* est agrammaticale. L'enseignant peut ainsi préparer la confrontation entre les différentes propositions des élèves. Il s'agit moins d'obtenir la bonne réponse rapidement que de permettre aux élèves de tenir un raisonnement rigoureux et de plus en plus autonome, ce que peuvent favoriser des questions telles que : *Comment êtes-vous arrivés à cette réponse ? Quels outils de référence avez-vous consultés pour vous aider ?* Et avec des élèves plus âgés : *Quelles hypothèses avez-vous émises au départ ? Quelles sont celles que vous avez rejetées et pourquoi ? Avez-vous des doutes au sujet de la réponse que vous avez trouvée ? Si oui, pourquoi ?*

Mais avant de généraliser, les élèves auront besoin de vérifier leurs hypothèses sur d'autres énoncés, comportant d'autres verbes à d'autres temps, de s'approprier les termes grammaticaux nécessaires pour formuler les résultats de leurs observations.

## 2.2. | Le guidage des élèves pour l'observation de la langue

Comme ces démarches prennent du temps, elles exigent de sélectionner des concepts-clés, ceux dont on ne peut se dispenser pour décrire les grandes régularités du français. Mais outre l'objection du temps, qui incite à s'affranchir de la juxtaposition entre lexique, syntaxe, orthographe, conjugaison pour gagner en cohérence, les enseignants expriment souvent la crainte d'être déstabilisés par des réponses imprévues et de ne pas pouvoir intervenir de façon pertinente. En effet, entre une conception erronée et un début de conceptualisation à enrichir, la différence est parfois mince. Que dire à un élève qui soulève à la fin d'une séance sur l'homophonie *se/ce* la question : « Pourquoi est-ce qu'on met *sa* devant un nom et pas *ça*, puisqu'on écrit *se* devant un verbe et *ce* devant un nom ?[24] » On pourrait lui répondre qu'il confond un pronom démonstratif et un déterminant possessif, mais ces sous-classes sont les catégories de l'adulte qui a une représentation organisée du système de la langue : il est peu probable que cette distinction suffise à lever l'obstacle cognitif. On pourrait aussi soumettre le problème à tous les élèves pour se laisser le temps de comprendre l'intuition qui se cache derrière cette objection inattendue : l'élève a le sentiment que deux séries s'opposent par un morphogramme *s* vs *c*, mais il fait, à partir des corpus observés, une généralisation indue : *s* se rencontre devant un nom et *c*, devant un verbe, alors que, sous l'étiquette *démonstratif* comme sous celle de *personnel*, on trouve à la fois

---

**24.** Cogis, 2005, p. 407.

des déterminants (*ces/ses*) et des pronoms en position préverbale (*c'est bien/ il s'est lavé*). L'enseignant peut alors soumettre à l'observation des élèves un corpus qu'il a préalablement analysé pour anticiper leurs procédures et les analyses possibles.

Il peut ainsi faire l'hypothèse que l'approche des verbes pronominaux à travers la seule homophonie *se/ce* ne permet pas aux élèves de conceptualiser cette notion complexe et que pour en observer les caractéristiques la confrontation entre la construction du verbe pronominal à la forme déclarative et impérative est intéressante. Pour engager les élèves dans cette activité, il leur propose de réfléchir à une situation de communication dans laquelle une injonction est formulée par une phrase à la forme impérative ou déclarative en leur demandant dans quelles situations de communication on peut entendre les énoncés suivants :

1. *Éloignez-vous de la bordure du quai.* (une annonce au moment où un train entre en gare)

2. *Il faut que vous vous éloigniez de la bordure du quai.* (Un contrôleur à un voyageur qui se trouve près de la bordure du quai, un professeur à un groupe d'élèves qu'il accompagne, etc.)

3. *Il faut s'éloigner de la bordure du quai.* (Un voyageur qui se trouve près de la bordure du quai à un autre voyageur près de lui, un précepte, etc.)

Ces trois énoncés sont contextualisés. Il s'agit de trois formes différentes d'injonctions dans lesquelles les emplois du verbe *s'éloigner* peuvent être comparés. Pour comprendre le fonctionnement de ce verbe pronominal, une comparaison avec d'autres verbes fait apparaitre des régularités. Les élèves sont alors invités à s'intéresser à la façon dont les phrases suivantes sont construites, à leurs points communs et à leurs différences :

1. *Approchez-vous/rapprochez-vous de la bordure du quai.*

2. *Approchons-nous/rapprochons-nous de la bordure du quai.*

3. *Il faut que vous vous approchiez/rapprochiez de la bordure du quai.*

4. *Il faut que nous nous approchions/rapprochions de la bordure du quai.*

5. *Il faut s'approcher/se rapprocher de la bordure du quai.*

Les phrases ainsi obtenues sont moins plausibles dans la situation de communication initiale, mais tout aussi grammaticales et intelligibles. Ce mouvement de décontextualisation permet d'attirer l'attention des élèves sur des marques formelles : 1) la postposition du pronom réfléchi (*nous* et *vous*) à l'impératif en 1 et en 2 ; 2) son antéposition à l'indicatif (en 3, en 4 et en 5) ; 3) l'identité formelle entre le pronom qui est sujet (*nous* et *vous*) et le pronom réfléchi aux quatrième et cinquième personnes (en 3 et en 4), la non-identité du pronom qui est sujet (*il*) et du pronom réfléchi à la troisième personne (en 5)[25]. Pour que les élèves puissent verbaliser ce type d'observations, il importe de créer des espaces où une parole même tâtonnante puisse advenir : temps de réflexion au brouillon, confrontation de plusieurs formulations, demandes de justifications orales, cheminement progressif vers une formulation qui recueille l'accord de tous. Cela prend plus de temps que de corriger un exercice en vrai ou faux, ce qui explique que

---

**25.** Voir à ce sujet le chapitre 9.

les corpus d'observation soient d'ampleur limitée, mais plusieurs recherches ont montré que les élèves développent par le passage à l'écrit et la discussion en petits groupes ou en groupe-classe leurs capacités langagières et cognitives tout en clarifiant leur compréhension des fonctionnements linguistiques[26]. Il est enfin possible de revenir à des situations d'usage du langage après avoir éprouvé les contraintes et les possibles de la langue, par exemple en s'appuyant sur l'antonymie *s'éloigner/s'approcher*:

1. *Ne vous approchez pas de la bordure du quai.*
2. *Il ne faut pas que vous vous approchiez de la bordure du quai.*
3. *Il ne faut pas s'approcher de la bordure du quai.*

En comparant ces trois nouvelles formes d'injonction avec les premières, il apparait que ces dernières s'adressent à des voyageurs qui se tiendraient loin de la bordure du quai et qui seraient tentés de s'en approcher. Un mouvement de décontextualisation et de recontextualisation permet donc aux élèves de construire des connaissances sur les verbes pronominaux et d'enrichir leurs capacités d'expression, en comprenant qu'une phrase négative n'est pas l'équivalent d'une phrase positive comportant un verbe antonyme. C'est certes insuffisant pour appréhender le concept de verbe pronominal, mais cela en amorce la construction. Il sera possible ensuite d'engager les élèves dans des collectes d'exemples à l'oral ou dans les textes lus dans différentes disciplines, de les confronter aux classements des dictionnaires, de leur faire souligner les verbes pronominaux qu'ils ont employés en répondant à une consigne.

## 2.3. | Le tri de mots : une aide à la conceptualisation

Les activités de tri de mots sont un autre moyen permettant aux élèves d'adopter une posture métalinguistique par la décontextualisation du matériau langagier d'une séquence verbale. En demandant aux élèves à intervalles réguliers, tout au long de la scolarité primaire, de mettre ensemble les mots d'un énoncé ayant des caractéristiques communes, et de justifier leur choix, on leur permet d'accéder progressivement à un raisonnement grammatical[27]. Confrontés à l'énoncé *Quand Ali vit que son frère avait une nouvelle voiture, il la cacha sous son lit*, certains élèves de quatrième année du primaire sont capables de constituer des classes d'équivalences en convoquant des termes déjà connus[28]. Après une recherche individuelle par écrit, les élèves échangent par petits groupes :

**Élève 1 :** Dans *nom propre et nom commun* y a quoi encore ?

**Élève 2 :** Y a *frère* parce qu'on peut dire *le frère, les frères, des frères.*

L'élève 2 décontextualise le nom *frère* en procédant à une commutation du déterminant et en jouant sur la variation singulier/pluriel. Cette preuve satisfait l'élève 1 qui a déjà classé *frère* comme nom, mais non un autre élève qui hésite sur ce nom de relation qui ne fonctionne pas comme un nom plus prototypique, par exemple

---

26. Voir notamment Tisset, 2005, et Cogis, 2005.

27. Tisset, 2005.

28. Beaumanoir-Secq, Cogis, Elalouf, 2010.

*garçon*[29]. L'étayage de l'enseignant est alors nécessaire : en effet, *son* ne commute pas avec *un* dans ce contexte en raison des propriétés sémantiques de *frère*, qui doit être repéré par rapport au nom *Ali*. D'autres combinaisons possibles font apparaitre les mêmes marques morphologiques (*un frère/un garçon* ; *des frères/des garçons*) et un même comportement syntaxique des deux sous-classes de noms : *frère* fonctionne comme *sœur*, *père*, *mère* dans la phrase *Le frère d'Ali avait une nouvelle voiture*, tandis que *garçon* fonctionne comme *fille*, *homme*, *femme* dans la phrase *Le garçon avait une nouvelle voiture*.

Pour intervenir au moment voulu, lorsqu'un obstacle ne peut être franchi par le seul échange, l'enseignant doit avoir analysé les difficultés potentielles : ici la reconnaissance du verbe *voir*, dont le passé simple n'est pas la forme la plus courante, l'homophonie entre le pronom *la* et le déterminant *la* qui exige un retour à la phrase P pour les distinguer. Il doit accepter aussi que *quand* soit provisoirement mis dans la colonne *je ne sais pas* avant l'étude de la phrase subordonnée. Les tâches d'observation, de tri, de classement, à l'aide de manipulations, et la verbalisation de leurs constats permettent aux élèves d'accéder en tâtonnant à un raisonnement grammatical.

Adopter un questionnement plus ouvert et faire face à l'imprévu est source d'insécurité ; aussi les enseignants doivent-ils pouvoir s'appuyer sur des outils cohérents avec leurs objectifs et mis à l'épreuve de la pratique pour proposer des corpus dont les difficultés ont été répertoriées et graduées[30]. Les constructions atypiques de la langue standard ou non standard y ont leur place car l'enseignant doit pouvoir les identifier et les analyser dans les productions de ses élèves pour intervenir de façon explicite[31]. Après avoir fait verbaliser les élèves dans le but de connaitre leurs conceptions, il est nécessaire d'institutionnaliser le savoir grammatical, c'est-à-dire de fixer de façon explicite les connaissances, procédures et stratégies pour les rendre disponibles dans d'autres situations. L'institutionnalisation peut s'appuyer sur la rédaction par les élèves de bilans ou constats, soutenue par des questions telles que : *À la suite de cette activité, qu'ai-je appris ? À quoi me serviront ces connaissances ? Dans quels contextes pourrai-je les réutiliser ? Quelles difficultés ai-je rencontrées ? Comment ai-je réussi à les surmonter ?*

## Remarques conclusives

La rénovation de l'enseignement grammatical permet de mettre en évidence les grandes régularités du fonctionnement du français écrit normé, au moyen d'un nombre limité d'outils : le MODÈLE PHRASE P et des manipulations syntaxiques concluantes. Sur le plan didactique, l'organisation des contenus autour des notions-clés de nom, de verbe, de groupe et de phrase est de nature à favoriser les articulations entre les différents domaines de l'étude de la langue (nom, verbe, phrase et texte), comme l'illustre la progression des contenus par domaines dans le chapitre 5. Il s'agit

---

**29.** Bonnet, 2013.

**30.** Pour des exemples de démarches au primaire, voir Brissaud et Cogis (2011), et pour des exemples au secondaire, voir le portail d'enseignement du français : *www.enseignementdufrancais.fse.ulaval.ca*.

**31.** Béguelin, 2000.

de permettre aux élèves de s'approprier le français en en comprenant suffisamment le fonctionnement, pour ainsi développer leurs capacités langagières. Cela suppose que les enseignants expérimentent des démarches d'exploration dans une relative sécurité et qu'ils puissent confronter leur expérience en étant associés plus largement à des travaux de recherche en didactique du français. On mesure donc l'intérêt d'une littérature professionnelle ouverte sur des recherches en didactique, mais répondant aux besoins spécifiques de la profession, comme le dossier proposé par la revue québécoise *Vivre le primaire* ou le site français *Scolagram* et le site québécois *Portail pour l'enseignement du français* pour continuer d'apporter des réponses concrètes aux questions posées par la pratique de la grammaire rénovée.

## Références bibliographiques de base

Beaumanoir-Secq, M., Cogis, D., et Elalouf, M.-L. (2010). Pour un usage raisonné et progressif de la commutation en classe, *Repères*, n° 41, p. 47-70.

Béguelin, M.-J. (dir. 2000). *De la phrase aux énoncés : grammaire scolaire et descriptions linguistiques*. Bruxelles : De Boeck-Duculot.

Besson, M.-J., Genoud, R.-M., Lipp, B. et Nussbaum, R. (1979). *Maîtrise du français*. Lausanne : Office romand des éditions et du matériel scolaires.

Bronckart, J.-P. (2001). *Enseigner la grammaire dans le cadre de l'enseignement rénové de la langue*. Genève : DIP, Cahier du secteur des langues, n° 75.

Bulea Bronckart, E. (2014). Quels repères pour l'enseignement grammatical ? Examen de quelques références actuelles en Suisse romande. *Babylonia*, n° 2, p. 34-38.

Chartrand, S.-G. (2016). Le nécessaire rapport dialectique entre faire comprendre le fonctionnement de la langue et développer des compétences scripturales dans l'enseignement grammatical. Dans Bulea Bronckart, E. et Gagnon, R. (dir.). *Former à l'enseignement de la grammaire*. Lille : Presses universitaires du Septentrion.

Chartrand, S.-G. (2015). Des outils didactiques pour amener les apprenants à penser la langue française. *Enjeux*, n° 89, p. 3-20.

Chartrand, S.-G. (2013a). Quelles finalités pour l'enseignement grammatical à l'école ? Une analyse des points de vue des didacticiens du français depuis 25 ans. *Formation et profession*, vol. 20, n° 3. En ligne : http://www.enseignementdufrancais.fse.ulaval.ca/fichiers/site_ens_francais/modules/document_section_fichier/fichier__6beb18e32d1c__Art_finalites_grammaire_2c_revu_23_juin_2015.pdf

Chartrand, S.-G. (2013b, 2ᵉ éd.). Les manipulations syntaxiques, de précieux outils pour comprendre le fonctionnement de la langue et corriger un texte. Montréal : CCDMD. En ligne : http://www.ccdmd.qc.ca/catalogue/manipulations-syntaxiques-les

Chartrand, S.-G. (dir., 1996). *Pour un nouvel enseignement de la grammaire. Propositions didactiques*. Montréal : Logiques. En ligne : *Portail pour l'enseignement du français* : www.enseignementdufrancais.fse.ulaval.ca

Chartrand, S.-G., Simard, C. et Sol, C. (2006). *Grammaire de base*. Bruxelles : De Boeck.

Chartrand, S.-G., Aubin, D., Blain, R. et Simard, Cl. (1999/2011 pour la 2ᵉ édition). *Grammaire pédagogique du français d'aujourd'hui*. Boucherville : GRAFICOR/Montréal : La Chenelière.

Genevay, E. (1994). *Ouvrir la grammaire*. Lausanne : Éditions LEP.

*Portail pour l'enseignement du français* : www.enseignementdufrancais.fse.ulaval.ca

Simard, C. et Chartrand, S.-G. (2011, 2ᵉ éd.). *Grammaire de base*. Montréal : ERPI.

Site Scolagram : *http://scolagram.u-cergy.fr*

Tisset, C. (2005). *Observer, manipuler, enseigner la langue au cycle 3*. Paris : Hachette.

*Vivre le primaire* (2013). Dossier grammaire dirigé par S.-G. Chartrand, vol. 26, n° 1, hiver.

## Autres références

Bonnet, C., Dumareix, M., Ticon, J. et Zutter, I. (2013). *Mots en scène, cinq expériences didactiques en classes primaires et secondaires*. Paris : L'Harmattan.

Chartrand, S.-G. (2011). Prescriptions pour l'enseignement de la grammaire au Québec : Quels effets sur les pratiques ? *Le Français aujourd'hui*, n° 173, p. 45-54.

Cogis, D. (2005). *Pour enseigner et apprendre l'orthographe*. Paris : Delagrave.

Combettes, B. et Lagarde, J.-P. (1982). Un nouvel esprit grammatical. *Pratiques*, n° 33, p. 13-49.

Elalouf, M.-L., et Péret, C. (2009). «Pratiques d'observation de la langue en France : quelles évolutions ? quels obstacles ?» Dans *Pratiques d'enseignement grammatical. Points de vue de l'enseignant et de l'élève* (p. 49-72), sous la direction de J. Dolz et de C. Simard. Québec : Presses de l'Université Laval.

Grevisse, M. (1939). *Précis de grammaire française*. Gembloux : Duculot.

Huot, H. (1988). Organisation du contenu et progression. L'enseignement de la langue française à l'école élémentaire à travers cent ans de textes officiels. Dans H. Huot (dir.). *De la grammaire scientifique à la grammaire scolaire*. UFRL, Collection ERA 642 : Université Paris 7.

# Enjeux de l'utilisation de la métalangue en classe de français

**MARIE-ANDRÉE LORD** ET **MARIE-LAURE ELALOUF**

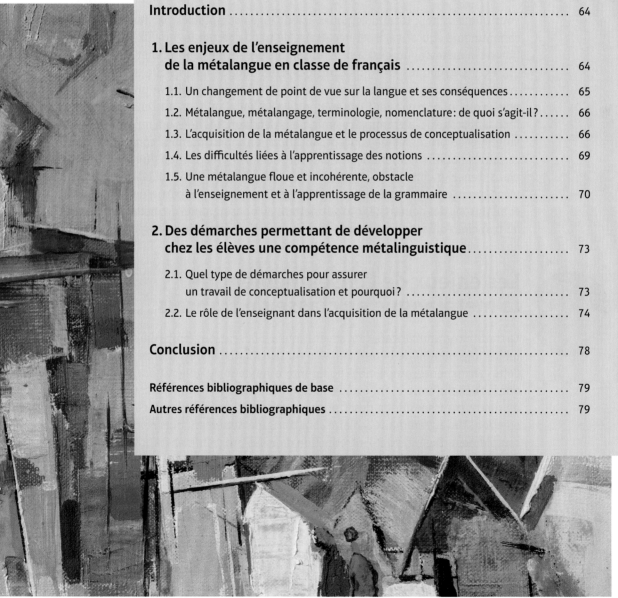

# Introduction

Les modifications terminologiques qui ont accompagné les tentatives de rénovation de l'enseignement de la grammaire dans la francophonie du Nord ont suscité des polémiques. Dans les pays où des changements de dénomination ont été prescrits, de récentes études (Canelas-Trevisi, 2009 ; Lord, 2012) montrent que – dans les rares cas où ils le sont – les termes métalinguistiques sont utilisés de façon peu rigoureuse autant par les enseignants que par les élèves. Par ailleurs, nombre de termes et d'expressions issus de la tradition grammaticale jugés parfaitement intelligibles par les enseignants, tant ils leur sont familiers, donnent lieu à des interprétations diverses et souvent fausses de la part des élèves, par exemple le mot *complément* ou l'expression *se rapporte à…*

Pour que les choix terminologiques soient jugés acceptables par l'ensemble de la communauté éducative, il est nécessaire de mieux cerner les enjeux liés à l'utilisation de la métalangue, c'est-à-dire l'ensemble des termes qui servent à nommer les unités, les structures et les mécanismes d'une langue telle qu'elle est décrite, par exemple, dans un ouvrage de grammaire. Pour ce faire, dans la première partie, nous expliquons d'où vient l'intérêt porté à la métalangue pour l'enseignement et l'apprentissage de la grammaire ; puis, nous décrivons les liens qui unissent la métalangue et le processus de conceptualisation ; enfin, en prenant comme exemples certaines notions grammaticales figurant dans les prescriptions (programmes ou plans d'enseignement), nous montrons en quoi l'emploi d'une métalangue floue et incohérente est un obstacle à l'apprentissage. Dans la seconde partie, nous présentons et analysons des démarches qui permettent aux enseignants de mettre en pratique les principes didactiques exposés dans la première partie de ce chapitre.

# 1. Les enjeux de l'enseignement de la métalangue en classe de français

La tradition grammaticale, tant savante que scolaire, a longtemps été conçue comme un héritage garant de la transmission du patrimoine et de la norme linguistiques. Cette permanence, qui semble apparente à hauteur de génération, occulte le fait que les dénominations ont évolué au cours de l'histoire, comme la liste des « parties du discours » issues de la description du grec ancien et du latin, et que certaines créations de la grammaire scolaire sont d'origine nettement plus récente, comme le complément d'agent, dont l'introduction dans les programmes français ne date que de 1930, ou encore celle de *déterminant*.

# 1.1. | Un changement de point de vue sur la langue et ses conséquences

Un «nouvel esprit grammatical» (Combettes et Lagarde, 1982), en référence à l'ouvrage du philosophe épistémologue Gaston Bachelard qui préconisait un *nouvel esprit scientifique* fait d'ouvertures et de remises en question des évidences, caractérisait le mouvement de rénovation[1]. Il appelait à un changement de point de vue sur la langue, désormais considérée comme un objet de savoir sur lequel on peut et doit réfléchir. Dans cet esprit, les élèves sont amenés à développer une attitude réflexive, analytique et critique sur cet objet de savoir afin de prendre du recul vis-à-vis de la langue, pour la comprendre et se l'approprier (Chiss, 2013).

C'est à l'école, plus précisément dans les heures accordées à la discipline *français*, qu'incombe cette responsabilité. C'est aux enseignants que revient le rôle de concevoir et de mettre en œuvre des dispositifs permettant de développer une telle capacité. Ne pas le faire nuit aux élèves pour qui la variété standard, normée, de la langue orale et écrite – qui est celle que l'école doit promouvoir et enseigner – est en bonne partie étrangère à leur usage de la langue, comme ont pu le montrer les travaux du sociologue B. Lahire (1993). En outre, les difficultés importantes des élèves de milieux populaires à entrer dans des usages *méta*, nécessaires à une certaine objectivation de la langue, expliquent en partie leur difficile acculturation à l'école, voire leur échec scolaire. L'enjeu est donc à la fois cognitif, social et culturel.

En menant des activités d'observation et de réflexion dans des contextes significatifs d'utilisation de l'oral et de l'écrit, enseignants et élèves sont confrontés au besoin de dénommer, mais ils se heurtent à de multiples difficultés, et cela pour diverses raisons :

- les manipulations qu'ils effectuent, comme le remplacement, n'ont pas de nom dans la grammaire traditionnelle ;
- des étiquettes hétérogènes masquent des régularités du système (le parallélisme entre temps simples et temps composés ou, au contraire, un même terme regroupant des unités fort différentes, par exemple l'adverbe) ;
- le sens des termes est souvent flou et trompeur : pensons à *complément*, qui désigne une fonction syntaxique, mais qui peut être définie aussi d'un point de vue sémantique (ce qui complète, enrichit un groupe, une phrase), car ce terme est aussi employé dans le sens commun ;
- l'absence dans plusieurs terminologies d'un terme spécifique pour nommer la fonction du groupe verbal, le prédicat[2].

Cela explique que le mouvement de rénovation ait, dès le début, porté un intérêt aux contenus grammaticaux et à la métalangue[3]. Mais, avant d'aller plus loin, précisons le sens des termes utilisés, souvent perçus comme synonymes.

---

**1.** G. Bachelard (1934). *Le nouvel esprit scientifique.* Paris : PUF.

**2.** Dans la grammaire scolaire actuelle, terme désignant la fonction syntaxique du groupe verbal. Son adoption pour l'enseignement et l'apprentissage de la grammaire permet d'éviter de désigner par un même terme une structure (le groupe verbal) et sa fonction syntaxique (Chartrand, Simard et Sol, 2006 ; Simard et Chartrand, 2011).

**3.** Les chapitres 1, 2 et 3 présentent l'histoire et les fondements de cette rénovation.

## 1.2. | Métalangue, métalangage, terminologie, nomenclature : de quoi s'agit-il ?

Pour désigner l'ensemble des termes qui correspondent à un système de notions dans un même domaine scientifique, on parle généralement de *terminologie*. Une terminologie répond à des critères :

- d'univocité (un terme a une acception et une seule, définie avec précision),
- de non-redondance (deux termes différents ne désignent pas la même réalité),
- de cohérence (les termes entretiennent entre eux des relations précises).

Des terminologies différentes peuvent coexister au sein d'un même domaine scientifique étant donné le nombre d'approches théoriques différentes qui peuvent le constituer. Les terminologies scolaires se réclament en principe de cette définition. Par exemple, au Québec, les acteurs du réseau scolaire font souvent référence à la *Terminologie grammaticale officielle du Programme d'études* de 1995, laquelle renvoie à l'ensemble des termes grammaticaux utilisés à la suite de l'implantation de la grammaire rénovée dans le programme d'études du secondaire ; c'est aussi le cas en Belgique pour le *Code terminologique* de 1985, en France avec la *Terminologie* de 1997 pour l'enseignement secondaire ou en Suisse romande avec le *Plan d'études romand* (PER) de 2006.

Quant au mot *nomenclature*, il renvoie à l'ensemble des termes employés dans une science, lesquels sont organisés selon les classes d'objets qu'ils désignent. Le terme *nomenclature* est donc fortement lié à l'idée de classement de termes (nomenclature des espèces animales, par exemple). Il est donc moins pertinent dans le cadre de l'enseignement de la grammaire. En effet, les seuls classements des différents termes ne suffisent pas à rendre compte du système de la langue : leurs niveaux dans le système et les relations à d'autres notions sont aussi à prendre en considération.

Depuis quelques années, on utilise de plus en plus fréquemment *métalangue* et *métalangage* pour désigner l'ensemble des termes qui servent à parler de la langue, et plus spécifiquement de la grammaire[4] : non seulement des noms qui servent à désigner des notions grammaticales, tels *adjectif*, *verbe*, *complément*, *phrase*, mais aussi des verbes pour décrire des fonctionnements, tels *désigne*, *caractérise*, *dépend de*. À ces mots s'ajoutent des structures syntaxiques caractéristiques du discours grammatical comme les énoncés comportant un emploi autonymique, c'est-à-dire se référant à un mot en tant que signe linguistique : « **chevaux** est le pluriel de **cheval** ». Certains distinguent métalangue et métalangage, d'autres pas. Nous réservons le mot *métalangage* pour désigner les termes qui renvoient à la fonction constitutive du langage de produire des énoncés et utilisons le mot *métalangue* pour désigner le système des termes qui servent à nommer les unités, les structures et les mécanismes d'une langue.

## 1.3. | L'acquisition de la métalangue et le processus de conceptualisation

Les recherches des trente dernières années, notamment en sciences cognitives, en psycholinguistique et en didactique du français, ont mis en lumière la pertinence

---

4. Pour la définition du terme *grammaire*, voir l'Introduction de cet ouvrage.

de l'utilisation rigoureuse de la métalangue pour l'étude de la grammaire, et cela pour deux raisons :

- le développement des connaissances grammaticales passe par l'utilisation de ces termes ;
- leur emploi systématique en classe pendant les activités aurait un effet sur les apprentissages puisqu'il faciliterait la **conceptualisation**, c'est-à-dire ce mouvement progressif vers l'abstraction qui passe par des analogies, des généralisations partielles, des réorganisations du savoir antérieur[5].

L'étude des différentes étapes du processus de conceptualisation permet d'affirmer qu'il ne suffit pas de connaitre un terme, d'apprendre sa définition et de faire des exercices pour pouvoir ensuite utiliser dans une tâche de lecture ou d'écriture les connaissances apparemment acquises[6].

Alors, que signifie construire une notion ou, comme l'explique B.-M. Barth (2013/1987), un concept ? C'est apprendre non seulement à reconnaitre et à distinguer les propriétés qui le caractérisent, mais également à comprendre les relations ou les rapports qu'il entretient avec d'autres concepts. Pour nommer cette combinaison de propriétés, on utilise un mot (ou un groupe de mots) qui regroupe tous les exemples qui possèdent les mêmes attributs. Prenons comme exemple le terme *phrase subordonnée* utilisé au Québec et en Suisse romande, alors que les programmes français conservent deux dénominations, *phrase* et *proposition subordonnée*, et voyons pourquoi nous jugeons que le terme *phrase subordonnée* rend mieux compte de la notion de phrase subordonnée et qu'il est plus apte à une conceptualisation adéquate de cette structure syntaxique. Cette notion grammaticale possède plusieurs propriétés, dont voici les principales :

- il s'agit d'une phrase, entendue comme une unité syntaxique autonome ayant une structure qui comprend deux constituants obligatoires, l'un assumant la fonction de sujet et l'autre celle de prédicat, et, éventuellement, un ou des constituants facultatifs, compléments de phrase (ou de P) ; cette structure est souvent symbolisée par P ;
- cette phrase a perdu son autonomie syntaxique, un des critères définitoires de la phrase, en raison de la présence d'un terme de subordination (un subordonnant) comme *que*, *qui*, *lequel*, *puisque*, *quand*, etc. ;
- elle fonctionne comme un groupe à l'intérieur d'une autre phrase où elle exerce une fonction syntaxique (par exemple, complément direct du verbe, complément du nom, complément de P) ;

---

**5.** Nous faisons référence aux notions grammaticales enseignées à l'école obligatoire (adjectif, sujet, phrase, accord, etc.). À ce propos, certains distinguent *notions* de *concepts* (Chartrand et De Koninck, 2009). Le terme *concept* renvoie au processus de conceptualisation dont nous traitons dans ce chapitre ; le concept grammatical utilisé en classe n'a toutefois pas la consistance du concept scientifique et ne ferait pas nécessairement unanimité dans la communauté scientifique. C'est pourquoi le terme *notion* est plus fréquemment usité quand il s'agit des contenus grammaticaux enseignés à l'école. Ce mot provient en effet du latin *notum* (dérivé de *noscere*) qui signifie « objet donné à connaitre » et, plus précisément, en didactique « objet donné à apprendre » (donc un objet à enseigner).

**6.** Nous ne remettons pas en question la pertinence de bons exercices pour permettre l'automatisation de procédures à un moment spécifique de la démarche didactique.

- la phrase subordonnée n'est donc pas au même niveau syntaxique que la phrase où elle s'enchâsse[7].

En quoi la dénomination de *phrase subordonnée* est-elle plus satisfaisante que celle de *proposition subordonnée* pour la construction de cette notion ? Prenons la *Nouvelle grammaire du collège*, un manuel souvent utilisé en France dans la formation des professeurs d'école[8]. La proposition y est définie comme « un groupe de mots organisés autour d'un verbe conjugué[9] :

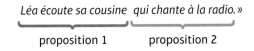

*Léa écoute sa cousine   qui chante à la radio.* »

proposition 1         proposition 2

Cette définition nomme *groupe de mots* une construction de phrase, alors que dans le chapitre sur les groupes de mots, ils sont présentés comme des composants de la phrase. Autrement dit, *groupe de mots* renvoie tantôt à une unité syntaxique autonome (une P, appelée dans la tradition une *proposition principale* : *Léa écoute sa cousine*), tantôt à une unité syntaxique non autonome, soit un groupe de mots ou une *proposition subordonnée* (une phrase subordonnée).

La proposition principale est obtenue par soustraction de la subordonnée dans un découpage linéaire qui masque les niveaux d'organisation (le fait que la subordonnée soit enchâssée dans un groupe nominal).

Le maintien de deux termes concurrents *phrase* et *proposition* entraine des doublons, la phrase simple étant aussi appelée *proposition indépendante*.

Donc, la construction par les apprenants de cette notion est mise à mal par des entorses

- au principe d'univocité d'une terminologie : *groupe de mots* est employé dans deux acceptions radicalement différentes ;
- au principe de non-redondance : un même fait de langue a deux désignations.

La représentation que peut se faire un élève de l'organisation hiérarchique de la phrase est conditionnée en partie par des choix terminologiques, qui, en outre, peuvent être une aide ou un obstacle à l'apprentissage d'autres langues. Par exemple, le document d'accompagnement des programmes de France de 1996 (Ministère de l'Éducation nationale) le signale, mais n'en tire pas les conséquences :

> « À l'analyse : phrase comportant deux propositions : une proposition principale (*Aujourd'hui, en dépit du beau temps, je préfèrerais*), et une proposition subordonnée (*que nous restions à la maison*), on préfère dans ces langues [allemand, arabe] celle de : phrase comportant un élément subordonné (*que nous restions à la maison*), dépendant du verbe (*préfèrerais*). »

---

**7.** Voir le chapitre 10 pour l'étude de la phrase subordonnée relative.

**8.** *Nouvelle grammaire du collège* (2007), sous la direction de Claire Stolz, maitre de conférences à Paris-Sorbonne, Paris : Magnard.

**9.** Soulignons qu'un verbe est toujours conjugué, soit à un mode personnel, soit à un mode impersonnel (voir le chapitre 9).

En France, notamment, le maintien de la dénomination traditionnelle de *proposition* l'emporte sur la mise en évidence de fonctionnements comparables entre différentes langues.

Un choix terminologique est indissociable de l'ensemble des propriétés qui permettent d'appréhender la notion pour elle-même et dans ses relations aux autres. Il est clair qu'il ne suffit pas de mémoriser la dénomination *phrase subordonnée* et sa définition pour comprendre ce qu'est une phrase subordonnée. Il faut avoir la capacité de mener les activités suivantes :

1. connaitre et comprendre ses caractéristiques ;
2. saisir comment elles sont liées à d'autres notions, dont celles de phrase, de fonction, de groupe (voir le réseau notionnel, au chapitre 10) ;
3. être en mesure non seulement d'en produire, mais également d'en repérer dans un texte et de justifier son analyse.

C'est notamment pour cette raison que l'on peut affirmer que l'acquisition de la métalangue accompagne le travail de conceptualisation. Elle n'est pas un préalable à l'activité de grammaire ; elle se construit – et se déconstruit – dans et par l'activité[10].

# 1.4. Les difficultés liées à l'apprentissage des notions

Contrairement à ce que certains (enseignants, parents, élèves, administrateurs scolaires et journalistes) peuvent penser, ce qui est difficile, ce n'est pas la métalangue en soi – beaucoup de termes grammaticaux relèvent d'ailleurs du langage courant –, mais le *processus de conceptualisation* et la complexité de la notion qui est représentée par cette dénomination. Le niveau de complexité de la notion est déterminé par deux critères : le nombre de propriétés qui la constituent et le type de relations entre ces propriétés. Plus une notion possède d'attributs, plus il est difficile de la comprendre et de la maitriser. Ajoutons à cela que ces attributs peuvent également être des notions d'une certaine complexité.

Reprenons l'exemple de la phrase subordonnée pour illustrer ce fait. Cette notion possède de nombreuses propriétés qui impliquent aussi d'autres notions qu'il faut comprendre (phrase, sujet, prédicat, subordonnant, etc.). Elle constitue donc une notion d'un niveau de complexité élevé. En plus de connaitre et de comprendre ses propriétés, il faut aussi être capable d'établir les relations qui les unissent, ce qui ajoute à sa complexité. Ces types de relations sont regroupés sous trois catégories : les concepts conjonctifs, les concepts disjonctifs et les concepts de relation (Barth, 2013).

## Les concepts conjonctifs

Les concepts conjonctifs sont définis par un ensemble de propriétés qui doivent être toutes présentes dans chaque exemple. Prenons la notion de phrase (ou de P). Elle peut être définie comme une unité syntaxique autonome qui possède une unité ayant la fonction syntaxique de sujet ET une autre ayant la fonction de prédicat, ET, facultativement, une ou plusieurs unités ayant la fonction de complément de P.

---

10. Pour plus d'information, voir Le Bouffant, 1994, et Chartrand et de Pietro, 2012.

## Les concepts disjonctifs

On a un concept disjonctif lorsque les caractéristiques qui le constituent ne sont pas nécessairement présentes dans chaque exemple (type de relation soit/soit) ; par exemple, lorsque nous voulons déterminer les caractéristiques du verbe, nous sommes devant ce type de relations. Sur le plan du sens, un verbe peut avoir différentes valeurs : nous sommes en présence d'un verbe d'action, de connaissance, d'opinion ou encore de parole ; sur le plan morphologique, il est ou bien à un temps simple ou bien à un temps composé ; sur le plan syntaxique, il se construit avec des compléments direct ou indirect du verbe, etc. ; de plus, selon son sens, il peut avoir différentes constructions, comme les verbes *jouer* ou *parler*, par exemple. Toutefois, pour définir le verbe, ce type de relations (concept disjonctif) ne suffit pas. Il faut considérer qu'il y a aussi un ensemble de propriétés qui sont présentes pour chaque cas. Par exemple, le verbe porte généralement des marques de personne et de mode-temps[11].

## Les concepts de relation

Enfin, un autre type de relations peut caractériser les liens qui unissent les propriétés d'un concept : les *concepts de relation*. Ils ont «la spécificité de ne pouvoir se définir que par rapport à un autre élément» (Barth, 2013, p. 41). La relation entre les deux constituants obligatoires (sujet et prédicat) d'une P en est un bon exemple. Ces constituants étant obligatoires dans le modèle théorique de la phrase (MODÈLE DE BASE), la fonction sujet implique la fonction prédicat et réciproquement. En utilisant le concept de prédicat, la métalangue prescrite au Québec et en Suisse évite la formule utilisée dans d'autres terminologies en vigueur dans l'espace francophone : P = sujet + GV, où sont mis sur le même plan une fonction syntaxique, le sujet, et un groupe fonctionnel, le groupe verbal, comme si ce dernier ne remplissait pas une fonction syntaxique et donc qu'il n'y avait pas de terme pour nommer la fonction du GV[12].

Donc, acquérir une notion ne se résume pas à l'apprentissage du terme qui le désigne et de sa définition : il faut comprendre ses propriétés et les liens qui l'unissent à d'autres. C'est dire à quel point il est essentiel pour les enseignants d'avoir fait eux-mêmes ce travail préalablement à leur enseignement de telle ou telle notion, car la façon dont ils structureront le contenu enseigné influencera la compréhension des élèves et la capacité de ces derniers à construire une notion qui soit opératoire.

## 1.5. | Une métalangue floue et incohérente, obstacle à l'enseignement et à l'apprentissage de la grammaire

La métalangue scolaire a reçu nombre de critiques de la part des linguistes et didacticiens depuis les années 1960, notamment, et a été qualifiée de floue et d'incohérente (voir entre autres É. Genouvrier et J. Peytard, 1972, l'ouvrage collectif de 1996 sous la direction de S.-G. Chartrand, sans oublier les critiques fort anciennes de Ferdinand Brunot). Son principal défaut est de ne pas permettre aux élèves de tenir un raisonnement cohérent. Par exemple, l'expérience de l'école a conduit les élèves à se

---

**11.** Voir le chapitre 8 sur le verbe et le chapitre 9 sur la conjugaison.

**12.** Voir le glossaire de l'annexe 1 pour les différentes dénominations de ces notions-clés.

forger une représentation prototypique du nom et du verbe, l'un désignant des êtres et des choses, l'autre des actions. Pour leur permettre d'accéder à une représentation plus opératoire et plus rigoureuse du fonctionnement de la langue, l'enseignement grammatical ne peut privilégier des définitions essentiellement sémantiques, comme a pu le faire la tradition grammaticale, mais doit leur donner les moyens de comprendre comment le critère sémantique s'articule à d'autres critères dans un faisceau singulier de propriétés dont toutes les dimensions sont à prendre en considération pour la compréhension de la notion. Ainsi, il est difficile pour des élèves de classer *tremblement de terre* parmi les noms sur la base du seul critère sémantique. En revanche, la comparaison de phrases telles que *La terre a tremblé au Japon* et *Un tremblement de terre est survenu au Japon* fait apparaitre des parallélismes et des contrastes : la relation entre le fait de trembler et ce qui tremble est commune aux deux énoncés (critère sémantique), mais dans un cas le verbe conjugué à un mode personnel constitue le noyau du GV exerçant la fonction de prédicat, tandis que le nom est la tête d'un groupe nominal (critère syntaxique). Enfin, le verbe a une morphologie spécifique (ici temps composé) ; le nom aussi (suffixation en *-ment*). Le tableau 1.1 cartographie les caractéristiques du nom commun, nécessaires à sa conceptualisation dans le cadre d'une progression spiralaire[13].

**TABLEAU 1.1 Caractéristiques de la classe du nom commun**

| Critère sémantique | Critère morphologique | Critère syntaxique |
|---|---|---|
| - désigne des objets de discours directement, par opposition au verbe et à l'adjectif qui désignent par l'intermédiaire de la relation qu'ils établissent avec un nom ou son équivalent ;<br><br>- possède des traits sémantiques qui s'opposent par paire : animé/non animé ; humain/non humain ; comptable/non comptable ; individuel/collectif ; concret/abstrait. | - a un genre propre : masculin ou féminin[14] ;<br><br>- a un nombre qui dépend du choix de l'énonciateur : singulier ou pluriel ;<br><br>- est simple (p. ex., *paix*) ou complexe (p. ex., *tremblement de terre*). | - est le noyau du GN, lequel remplit différentes fonctions syntaxiques ;<br><br>- donne ses traits de genre et de nombre aux mots variables de la classe du déterminant et de celle de l'adjectif ;<br><br>- donne la marque de troisième ou de sixième personne au verbe lorsqu'il est le noyau d'un GN remplissant la fonction sujet ainsi qu'au pronom. |

On soulignera que, contrairement à ce qu'on peut trouver dans la plupart des ouvrages de grammaire et à ce qui se répète dans bien des classes, le nom ne varie pas en genre et en nombre. En fait, les mots de la classe du nom ont généralement un seul genre, qui est arbitraire : il est féminin ou masculin. On dit *une forêt* et non pas *\*un forêt* ; *un livre* désigne un volume imprimé, *une livre*, une unité de mesure. Si les êtres sexués sont plus fréquemment désignés par des noms masculins ou féminins selon qu'ils sont mâles ou femelles, il ne s'agit pas d'une règle générale : rien ne permet d'inférer

---

13. Voir le chapitre 5.

14. Une infime quantité de noms peuvent varier en genre ; cette variation n'est en rien une régularité morphologique du nom.

le sexe des êtres désignés par les expressions *une sentinelle, une girafe, une hirondelle*. Si l'enseignant laisse s'installer la représentation du genre du nom comme un attribut sexué, il empêche ses élèves de construire de façon opératoire la notion de nom et de la distinguer de la notion d'adjectif. De fausses conceptions s'installent, lesquelles constituent un obstacle aux apprentissages ultérieurs, puisque les nouvelles connaissances se construisent toujours sur la base des conceptions acquises, lesquelles sont difficiles à déconstruire.

D'autres difficultés sont soulevées par une approche exclusivement sémantique de la classe de l'adjectif, définie comme *un mot qui qualifie le nom*. Ainsi, on pourrait considérer, à tort, que le nom *beauté* est un mot qui qualifie le nom *paysage* dans la phrase *La beauté de ce paysage est indescriptible*. Ce n'est pourtant pas un adjectif, mais un nom construit sur la base d'un adjectif. Pour être en mesure d'identifier tous les adjectifs dans un texte, par exemple lors d'une relecture à visée orthographique, cette information ne suffit pas. Certains adjectifs expriment en effet des qualités (objectives ou subjectives) des réalités désignées par les noms ou les pronoms avec lesquels ils sont en relation : *Cette pomme **juteuse** et **croquante** est **délicieuse*** ou *Cette pièce de théâtre est **exceptionnelle*** – ce sont des adjectifs qualifiants. D'autres servent plutôt à classer des réalités en catégories, comme dans *le règne **animal*** ou dans *l'espèce **humaine*** – ce sont des adjectifs classifiants (relationnels). Ainsi, l'étiquette *adjectif qualificatif* et sa définition sont-elles trop restrictives : en excluant une sous-classe importante, elles ne permettent pas de délimiter la classe des adjectifs. Pourquoi s'étonner de la difficulté – voire de l'incapacité – des élèves à repérer tous les adjectifs dans leur texte ? À ce propos, nous entendons souvent dire que les élèves ne transfèrent pas les apprentissages faits en grammaire en situation d'écriture. Et s'ils n'avaient tout simplement pas conceptualisé correctement l'adjectif pour pouvoir le reconnaitre et alors être en mesure d'accorder tous les adjectifs de leur texte ?

C'est un des paradoxes de l'histoire de la grammaire que les termes flous s'implantent aisément, convenant à une multitude de contextes changeants. Ainsi, le terme *complément* a remplacé au XVIIIe siècle le terme *rection* qui, surtout dans les langues flexionnelles, décrit une relation morphosyntaxique entre un terme régissant et un terme régi. La grammaire scolaire s'est emparée du terme pour composer des étiquettes syncrétiques sur des bases tantôt morphosémantiques (*complément d'objet direct*, *indirect*), tantôt syntaxicosémantiques (*complément d'objet second*), tantôt seulement sémantiques (*complément circonstanciel*) ou syntaxiques (*complément du nom*). Cette hétérogénéité ne permet pas de construire la notion de complément. Et pourtant une nostalgie reste attachée à ces dénominations : leur disparition de la terminologie grammaticale de certains systèmes scolaires est vécue comme une perte, comme en témoigne l'extrait qui suit :

> Dans le temps, quand j'étais jeune, on appelait ça un complément circonstanciel de temps, de durée. Un complément circonstanciel de durée, c'était plus simple à expliquer dans ce temps-là. Quand t'as une durée, quand t'as un temps, ça demeure invariable parce que ce n'est pas un complément direct[15].

---

15. Commentaire d'un enseignant de français du secondaire (élèves de 16-17 ans) filmé dans sa classe dans le cadre d'une recherche (Lord, 2012). On notera le glissement d'une description sémantique à la justification orthographique.

Bien que nombre de concepts grammaticaux aient été précisés en grammaire rénovée, cette dernière est loin d'être parfaitement cohérente et satisfaisante; de plus, elle diffère trop d'un système scolaire à un autre.

Ajoutons à cela que l'introduction de nouvelles étiquettes inventées par des auteurs de moyens d'enseignement (ou par des enseignants) jugées plus commodes fait surgir de nouveaux problèmes. Prenons la dénomination *groupe sujet* ou encore GNs (ou GNS). Cette façon de nommer et de concevoir la fonction syntaxique de sujet conduit à construire une conception erronée non seulement de la notion de sujet, qui désigne une relation syntaxique et non un constituant, mais aussi de celle de groupe nominal (GN), qui n'assume pas toujours la fonction sujet. Devant un choix de dénomination, l'examen des enjeux d'apprentissage est nécessaire. Pourquoi les élèves ont-ils besoin de construire la notion de sujet? Dans quelles situations peuvent-ils y avoir recours? Pour comprendre l'organisation syntaxique de la phrase, il leur faut mettre en relation les fonctions sujet et prédicat. Pour mettre au verbe les marques de personne adéquates, il leur faut identifier le noyau du GN ou le pronom qui remplit la fonction sujet, et affecter aux autres cas (GVInf ou une phrase) la marque de la troisième personne du singulier (trait morphologique «par défaut» comme le sont le masculin et le singulier). Pour identifier une chaine de désignations dans un texte, il leur faut délimiter l'entièreté du GN assumant la fonction sujet et ses reprises anaphoriques. Dans chacun de ces cas, le raccourci *groupe sujet* ou *GNs* empêche de comprendre les concepts de groupe, de groupe nominal et de sujet.

Il faut donc être extrêmement critique à l'égard de la métalangue utilisée dans le matériel didactique et rendre les élèves conscients que la grammaire n'est pas la langue, mais une description de la langue, description qu'on tente de rendre la plus rigoureuse possible, tout en la simplifiant pour qu'elle soit accessible. C'est pourquoi la métalangue, qui sert à décrire la langue, doit être critiquée, voire remise en question, et il faut accepter qu'elle puisse évoluer et changer.

# 2. Des démarches permettant de développer chez les élèves une compétence métalinguistique

Il est essentiel que les démarches proposées soient cohérentes avec le processus de conceptualisation, qui nécessite la formulation d'hypothèses, la mise en œuvre de stratégies pour les tester et les valider (ou les invalider) et la révision des hypothèses et des stratégies pour construire les notions.

## 2.1. Quel type de démarches pour assurer un travail de conceptualisation et pourquoi?

Il s'agit de mettre en œuvre des démarches qui permettent de faire réfléchir les élèves sur la langue en leur faisant manipuler des structures, classer des mots, comparer des notions, verbaliser et justifier leur raisonnement à propos d'un problème de grammaire, pour ne donner que quelques exemples. L'intérêt de ces démarches réside dans le fait qu'elles permettent le développement de l'esprit d'analyse et celui de la capacité d'abstraction, fonction psychique supérieure selon Vygotski, lesquels sont essentiellement sous la responsabilité sociale de l'école[16]. C'est en étant attentif à l'utilisation de la métalangue par les élèves – autant les termes que les énoncés dans lesquels ils sont employés – qu'on peut avoir accès à leurs conceptions (justes ou erronées), ce qui est fondamental étant donné que c'est sur la base des connaissances acquises que se construiront les nouveaux savoirs. Contrairement à ce qu'on pourrait penser, ce type de démarches peut être exploré très tôt dans la scolarité, et ce, même si les élèves ne possèdent pas encore la métalangue requise pour verbaliser et justifier leurs raisonnements. En fait, bien avant d'entrer à l'école, les enfants apprennent à parler en soumettant le flux de discours entendu à une intense activité qui reste invisible. Ils développent une conscience du langage qui se manifeste par un discours métalinguistique qui accompagne leur développement du langage oral en interaction (Bonnet et Gardes-Tamine, 1984).

La mise en œuvre de démarches d'observation et de réflexion sur certains faits de la langue implique de concevoir le fonctionnement de la classe de façon à permettre des prises de parole construites, comme nous le verrons. Pour guider graduellement les élèves dans la découverte des propriétés de la notion à leur étude, il est possible de proposer de nombreux exemples et contrexemples, en offrant le temps de réflexion nécessaire aux élèves pour répondre oralement ou par écrit aux questions qui guident la recherche. Des études montrent que les enseignants laissent généralement une seconde aux élèves pour répondre. Or, comment en si peu de temps réfléchir et donner une justification un tant soit peu détaillée? Au cours de ces démarches, le statut de l'erreur doit être reconsidéré, car celle-ci fait indéniablement partie du processus d'apprentissage. Elle révèle les conceptions erronées des élèves et permet à l'enseignant de réajuster ses interventions. Il ne s'agit donc pas de chercher à tout prix à obtenir la réponse attendue au moment de corriger une activité avec les élèves. C'est en verbalisant la démarche qui les a conduits à donner cette réponse que l'élaboration collective progresse, car une bonne réponse n'est pas toujours un gage de compréhension[17].

# 2.2. ▎ Le rôle de l'enseignant dans l'acquisition de la métalangue

Comme l'acquisition de la métalangue est liée à la construction des notions, les différents acteurs scolaires – enseignants, didacticiens, concepteurs de moyens d'enseignement (manuels, cahiers d'activités, didacticiels), concepteurs de programmes

---

16. Par capacité d'abstraction, Barth (2010) entend la capacité qu'a un individu « de distinguer des exemples de contrexemples du concept (réaliser une extension du concept), de justifier cette distinction (compréhension du concept qui passe par le fait d'utiliser ses attributs) et d'associer ces attributs à la dénomination du concept (maitriser l'idée générale abstraite) ».

17. Précisons qu'il ne s'agit pas de mener uniquement des démarches de ce type; rien n'exclut de mener d'autres démarches plus déductives. Par exemple, on ne fera pas découvrir la « règle » d'accord du participe passé employé avec *avoir*, car elle ne repose pas sur une régularité du système de la langue : c'est une norme orthographique (Chartrand, dir., 1996).

d'études ou d'instructions officielles – ont un rôle fondamental à jouer pour rendre cet apprentissage clair, cohérent, explicite. Un relatif consensus serait nécessaire, mais il est loin d'être atteint.

Que peut l'enseignant devant ces discordances ? Nous retenons deux principes pour orienter l'action didactique de l'enseignant à propos de l'acquisition de la métalangue : la justesse des termes utilisés avec les élèves et leur utilisation fréquente en classe. Vu la nécessité de nommer les phénomènes grammaticaux étudiés, les élèves ont besoin d'utiliser, dès les premières années, une métalangue. Mais l'enseignant ne peut ignorer que les élèves qu'il reçoit ont fréquenté d'autres termes, dans les classes antérieures, les manuels, les sites internet, etc. Il doit souvent répondre à des imprévus pour ne pas entraver le processus de conceptualisation. Voici un extrait d'interactions en fin de scolarité primaire en France. Les élèves, par binômes, ont analysé une phrase extraite d'un roman dont la lecture est en cours : *Il tendit la main pour me caresser*. Au moment de la mise en commun, un élève interrogé au tableau a souligné *pour me caresser* en indiquant *complément de phrase*. Les élèves qui n'ont pas fait cette analyse sont invités à s'exprimer :

ÉLÈVE 21[18] (ALEXANDRE) : complément non essentiel

MAITRE 25 : précise ta pensée

E22 (ALEXANDRE) : bah normalement + complément non essentiel + XXX et complément de phrase c'est la même chose

M26 : alors + complément de phrase est-ce que c'est la même chose que complément non essentiel ?

E24 : oui

M27 : pardon + *sauf* + j'ai entendu *sauf*

E25 : sauf qu'on n'a pas encore découvert ce mot

M28 : oui quel mot tu as pas encore découvert ?

E26 : essentiel

M29 : complément essentiel + voilà + il y a des maitresses avant qui ont dit *essentiel* + *non essentiel* ++ *non essentiel* + en français + qu'est-ce que ça peut bien vouloir dire ?

E27 : facultatif

M30 : facultatif + qu'est-ce que ça veut dire *facultatif ?*

E28 : qui sert à rien

M31 : qui sert à rien

E29 : pas nécessaire

M32 : pas nécessaire + il sert à quoi alors ?

E30 : à ajouter des choses

---

18. Conventions de transcription : E pour élève, M pour maitre, +, ++ ou +++ pour une pause, selon sa longueur, et XXX pour un passage inaudible.

E31 : à enjoliver

E32 : à compléter la phrase

M33 : compléter la phrase (*à l'élève qui est intervenue en E31*) tu as dit un mot que j'aime bien

E33 : à enjoliver

M34 : enjoliver + oui

E34 : à préciser des choses + là + là *pour le caresser* + bah ça précise ce qu'il fait

M34 : ça donne des précisions + d'accord + dans ce cas ça donne des précisions sur la **phrase** + donc non essentiel + complément de phrase + complément facultatif ++ on va mettre cela ensemble + c'est le même langage + on va dire +++ c'est plus clair pour tout le monde ?

Vu les manipulations utilisées dans cette classe, l'équivalence entre complément de phrase et complément non essentiel[19] est recevable. On note toutefois que l'appel de l'enseignante à des synonymes conduit à des approximations, voire des contresens, qui auraient pu être évités par l'adjonction d'un complément de l'adjectif : *essentiel à la construction du verbe/non essentiel à la construction du verbe*.

L'utilisation de métaphores ou de périphrases descriptives pour désigner un fait de langue est souvent conçue comme une aide à la conceptualisation. Mais tout dépend qui l'emploie et comment. Voici un exemple : des élèves en deuxième année du primaire ont conçu ensemble la phrase du jour : *Ce matin, les élèves ont écouté l'histoire d'une drôle de sorcière et ils ont beaucoup rigolé.* Une élève au tableau cherche le verbe après avoir procédé à un changement de temps (*rigolaient beaucoup*). Elle souligne d'abord *rigolé*, puis étend le trait à *ont* et à *beaucoup* avant de l'effacer sous *ont*. La maitresse demande à une autre élève de lui expliquer sans corriger à sa place :

É : en fait *beaucoup* c'est un mot invariable et ça peut pas être +++ ça peut pas être un bout de verbe +++ enfin ça peut pas être un verbe puisque c'est un mot invariable

M : alors il est où le +++ est-ce qu'il y a un autre bout de verbe comme tu dis ?

É : oui (Élisa souligne *ont*)

M : comment tu sais que c'est un verbe ?

É : puisque euh…

M : Agatha comment on sait que *ont* c'est un verbe ?

A : ben on peut s'aider aussi un petit peu du verbe *ont écouté* parce qu'on souligne aussi le *ont*

M : d'accord[20]

---

**19.** L'opposition complément *essentiel/non essentiel* a été introduite par B. Combettes, J. Fresson et R. Tomassone dans le livre du maitre du manuel *Bâtir une grammaire* 6e-5e (1977), après avoir constaté l'impossibilité de régler le problème des fonctions grammaticales avec quelques étiquettes vu la diversité des comportements syntaxiques mis en évidence par différents tests ou manipulations (déplacement, pronominalisation, question, remplacement par *le faire*, relativisation, passif, effacement).

**20.** Nous remercions les enseignantes qui nous ont communiqué ces séquences.

On voit ici l'enseignante reprendre la périphrase naïve de l'élève *bout de verbe* pour l'encourager dans sa découverte des propriétés des formes verbales composées[21]. Le terme *auxiliaire* n'a pas encore été introduit dans la classe, mais ces verbalisations montrent que certains sont prêts à en comprendre le rôle et à l'utiliser. Chez des élèves du secondaire, qui disposent déjà de termes grammaticaux sans que la notion correspondante soit véritablement construite, on observe des raisonnements analogiques qui peuvent surprendre l'enseignant: interrogé sur le découpage morphologique du verbe, un élève va parler d'antécédent au lieu de radical. Il convoque un terme grammatical connu pour désigner un segment qui précède la terminaison, comme l'antécédent précède le pronom relatif…

En revanche, des métaphores anthropomorphiques, comme «le nom et ses amis», ne facilitent pas la distinction entre le linguistique et l'extralinguistique, tandis que des périphrases proposant une description partielle induisent souvent en erreur. Par exemple, de jeunes élèves peuvent refuser de classer le verbe *être* ou le verbe *dormir* dans la catégorie *mots d'action* puisque aucun des deux n'évoque l'idée d'activité ou de mouvement. Trop restrictive, cette périphrase ne permet pas de construire la notion de verbe (Simard, 1995).

Utiliser le terme juste n'exclut pas toutefois qu'il y ait une «progression raisonnée» (Chartrand et de Pietro, 2012) dans l'enseignement de la métalangue[22], car la métalangue – et donc les concepts – s'acquièrent de manière progressive sur une longue durée (Bronckart et Sznicer, 1990; Chartrand, 2011). Ainsi, plutôt que de présenter d'emblée la variété des sous-classes, la mise en place de notions intégratrices comme *déterminant*, *complément (de)* ou *temps composé* permet un enrichissement progressif et raisonné de la métalangue à l'épreuve d'une confrontation régulière à des faits de langue variés.

Enfin, puisque l'acquisition de la métalangue s'effectue sur une longue période et qu'elle accompagne le travail de conceptualisation, il est d'autant plus important qu'elle soit non seulement employée avec justesse, mais de la même façon et régulièrement lors des activités de grammaire qui permettront de réfléchir sur la langue en favorisant la verbalisation. Par exemple, l'enseignant emploiera systématiquement le terme approprié pour désigner une fonction syntaxique en nommant les deux parties de la relation: il parlera d'un *complément du/de l'*… (nom, verbe, adjectif, pronom, etc.) et pas seulement d'un *complément*. De même pour la fonction d'attribut du sujet. Il exigera aussi que ses élèves emploient systématiquement les termes exacts et, s'ils ne le font pas, tentera de comprendre pourquoi il en est ainsi et les amènera à le faire. Par exemple, dans l'analyse d'une phrase subordonnée relative, il ne se contentera pas de parler du *qui* ou du *que*, mais du *pronom relatif qui* ou *que*. On pourra objecter que cela est plus long. Oui, c'est un fait, mais n'est-ce pas aussi à ce prix que s'acquièrent les notions, à force de répétitions du terme adéquat, chaque fois qu'on doit l'employer?

---

21. Notons que cette expression porte à confusion, car, pour l'élève, elle peut désigner la finale d'un verbe.

22. Nous ne traiterons pas ici de la progression dans l'enseignement de la métalangue; voir Chartrand et de Pietro (2012) à ce propos.

Introduire la métalangue demande du temps et une attention aux tâtonnements et aux tentatives d'explicitation des élèves, particulièrement ceux qui sont les plus éloignés de la culture scolaire. Ce constat peut être étendu à l'ensemble de la scolarité obligatoire : actuellement, à l'université, trop d'étudiants n'ont retenu que des bribes de terminologie qui n'ont aucune valeur opératoire.

## Conclusion

Dans cette contribution, nous avons tenté de faire ressortir les principales raisons qui plaident pour une utilisation fréquente, juste et cohérente des termes de la métalangue dans la classe de français :

1. la métalangue est nécessaire pour nommer et comprendre les propriétés d'une notion et les relations qu'elle entretient avec d'autres – autrement dit, elle accompagne le travail de conceptualisation ;
2. l'utilisation systématique de la métalangue :
   - permet à l'enseignant d'accéder aux conceptions de ses élèves et d'ajuster son enseignement en fonction de leur compréhension ou de leurs incompréhensions ;
   - amène progressivement les élèves à se distancier de leur usage de la langue, à considérer celle-ci comme un système qui peut être décrit et dont on peut comprendre les grandes règles, à appréhender ainsi la grammaire comme un objet de savoir, qui comme tous les autres (mathématiques, sciences, art…) possède un vocabulaire spécifique permettant d'en parler.

L'utilisation fréquente d'une métalangue cohérente, juste et précise est donc nécessaire à l'enseignement et à l'apprentissage de la grammaire. Mais la métalangue est un héritage culturel ; aussi toute modification suscite-t-elle des résistances chez les locuteurs qui identifient la langue à sa description. Il revient donc aux didacticiens du français de comprendre les représentations qui circulent dans l'école et hors de l'école et d'évaluer les enjeux de toute modification terminologique : en quoi sert-elle la construction d'une représentation plus cohérente du système de la langue, et quelles compétences langagières soutient-elle ? Pour répondre à ces questions, la collaboration des différents acteurs est nécessaire. Tant le milieu scolaire que celui de la recherche doivent offrir aux enseignants le soutien dont ceux-ci ont besoin pour mettre en œuvre des démarches qui permettent aux élèves de verbaliser leurs raisonnements grammaticaux et de se construire une représentation raisonnée du système de la langue. Intégrer de telles démarches en classe, c'est accepter de modifier ses pratiques et de voir s'opérer certains changements dans la dynamique de la classe. Au cours de la dernière décennie, bon nombre d'enseignants qui ont expérimenté de telles démarches dans leurs classes ont remarqué des progrès significatifs chez leurs élèves, et ce, autant du point de vue de l'acquisition des notions que de la motivation suscitée par ce genre d'activités. Le jeu en vaut donc la chandelle !

## Références bibliographiques de base

Bachelard, G. (1934). *Le nouvel esprit scientifique*. Paris : PUF.

Barth, B.-M. (2013/1987). *L'apprentissage de l'abstraction*. Montréal : Chenelière Éducation.

Bonnet, C. et Gardes-Tamine, J. (1984). *Quand l'enfant parle du langage, Connaissance et conscience du langage chez l'enfant*. Bruxelles : Pierre Mardaga.

Chartrand, S.-G. et de Pietro, J.-F. (2012). Vers une harmonisation des terminologies grammaticales scolaires de la francophonie : quels critères pour quelles finalités ? *Enjeux*, n° 84, p. 5-31.

de Pietro, J.-F. et Chartrand, S.-G. (2010). L'enseignement grammatical dans les pays francophones et perspective d'une harmonisation de la terminologie grammaticale. *La lettre de l'Association internationale de recherche en didactique du français*, n° 45-46, p. 34-42.

## Autres références bibliographiques

Bois-Masson, N. et Elalouf, M.-L. (2013). Entrer dans la grammaire avec la phrase du jour. *Vivre le primaire*, vol. 26, n° 1, p. 41-43.

Canelas-Trevisi, S. (2009). *La grammaire enseignée en classe. Le sens des objets et des manipulations*. Berlin : Peter Lang.

Chartrand, S.-G. (dir., 1996, 2ᵉ éd.). *Pour un nouvel enseignement de la grammaire*. Montréal : Les Éditions Logiques. En ligne sur www.enseignementdufrancais.fse.ulaval.ca

Chiss, J.-L. (2013). Terminologie grammaticale et métalangages de la classe de grammaire. Dans O. Bertrand et I. Schaffner (éd.). *Enseigner la grammaire* (p. 53-80). Palaiseau : Les Éditions de l'École polytechnique.

Combettes, B. et Lagarde, J.-P. (1982). Un nouvel enseignement grammatical, *Pratiques*, n° 33, p. 13-50.

Elalouf, M.-L. (2009). L'adjectif enseigné/l'adjectif employé en français langue première. Dans *Le groupe nominal et la construction de la référence. Approches linguistiques et didactiques* (p. 157-175). *Diptyque*, n° 16. Namur : Presses universitaires de Namur.

Elalouf, M.-L. (2009). L'enseignement/apprentissage des déterminants en français langue première. Dans *Le groupe nominal et la construction de la référence. Approches linguistiques et didactiques* (p. 83-101). *Diptyque*, n° 16. Namur : Presses universitaires de Namur.

Lahire, B. (1993). *Culture écrite et inégalités scolaires*. Lyon : PUL.

Le Bouffant, M. (1994). L'enseignement de la langue dans le cadre des cycles à l'école primaire. *Le français aujourd'hui*, n° 107, p. 16-23.

Lord, M.-A. (2012). *L'enseignement de la grammaire au secondaire québécois : pratiques et représentations d'enseignants de français*. Thèse de doctorat en didactique, Université Laval. En ligne sur http://theses.ulaval.ca.

Peytard, J. et Genouvrier, É. (1970). *Linguistique et enseignement du français*. Paris : Larousse.

Simard, C. (1995). Aspects normatifs de l'écriture : grammaire, orthographe et ponctuation, Dans L. St-Laurent, J. Giasson, C. Simard, J. Dionne, É. Royer et coll. *Programme d'intervention auprès des élèves à risque. Une nouvelle option éducative* (p. 171-187). Boucherville : Gaëtan Morin éditeur.

# Progression dans l'enseignement de la grammaire

**SUZANNE-G. CHARTRAND, DANIÈLE COGIS ET MARIE-LAURE ELALOUF**

# Introduction

L'idée d'une programmation pour les objets à enseigner relève de la nécessité – on ne peut tout enseigner en même temps – et du bon sens – on ne peut organiser un enseignement sans tenir compte des capacités des élèves, des caractéristiques des objets d'enseignement et des objectifs de leur enseignement. Aussi, depuis toujours, les prescriptions scolaires sélectionnent-elles et organisent-elles les objets grammaticaux[1] à enseigner selon une progression plus ou moins rigide. Au XVIIe siècle déjà, Comenius, l'auteur de la *Didactica Magna*, jugeait essentiel que le pédagogue organise son enseignement selon sa « matière » et la structuration interne de cette dernière, mais aussi selon les usages langagiers et capacités intellectuelles des élèves.

Pourtant, l'analyse des prescriptions des dernières décennies des systèmes scolaires des différents pays ou régions de la francophonie du Nord[2] débouche sur un même constat : bien qu'elles changent à un rythme assez (trop ?) rapide, elles ne sont guère adaptées à la réalité scolaire, notamment à l'hétérogénéité et aux capacités des élèves, et elles reposent sur une représentation morcelée du système de la langue qui fait obstacle à l'intelligibilité de celui-ci.

Dans les prescriptions analysées, il n'y a pas de réelle hiérarchisation des objets à enseigner en grammaire[3]. Certains contenus sont valorisés, telles les règles orthographiques qui ne s'appliquent qu'à un nombre limité de cas (appelés exceptions), alors que d'autres, essentiels pour comprendre le fonctionnement de la langue, sont sous-estimés, voire occultés, telles les règles syntaxiques, dont l'ordre des mots[4]. Cette analyse aboutit aux trois constats qui suivent.

1. On note une surcharge de contenus à enseigner au primaire et dans les premières années du secondaire. De plus, plusieurs contenus prescrits dépassent largement les capacités cognitives des élèves, comme le concept de détermination traité au début du secondaire avec les « relatives » dites déterminatives[5]. Le mot d'ordre de la rénovation, à savoir travailler d'abord et surtout sur les régularités

---

1. Les objets grammaticaux sont soit des concepts (ou notions), soit des procédures (par exemple de reconnaissance de mots ou d'une fonction syntaxique, de révision-correction de texte), soit des outils spécifiques d'analyse des énoncés (manipulations syntaxiques et modèle de phrase : voir le chapitre 2), soit l'utilisation d'ouvrages sur la langue (grammaires, dictionnaires, didacticiels).

2. Nous avons consulté les prescriptions en vigueur de la Belgique (2000 pour le réseau officiel de la Communauté française et 2005 pour le réseau d'enseignement catholique), de la France (2008), de la Suisse romande (2010), de l'Ontario, secteur francophone (1999-2003), et du Québec (2006/2011). Ces documents épousent des structures différentes, les intitulés des subdivisions et la taille des documents, notamment, varient beaucoup.

3. Dans cet ouvrage, par *grammaire*, nous entendons une description des aspects régulés et normés de la langue ; ils relèvent de l'orthographe (chapitre 7), de la conjugaison (chapitre 9), de la syntaxe (chapitre 10), de la ponctuation, dans sa dimension syntaxique (chapitre 11), et du choix des pronoms comme éléments de reprise de l'information (chapitre 12).

4. Nuançons : sous la pression des didacticiens, les autorités politiques scolaires du Québec et de l'Ontario ont récemment produit des documents prescriptifs d'accompagnement des programmes officiels qui présentent une réelle progression (MELS, 2009 et 2011, et CFORP, 2014). En France, des recommandations publiées au *Bulletin officiel* n°25 de juin 2014 dégagent des priorités pour l'école primaire en insistant sur l'étude des formes régulières.

5. Voir le chapitre 10.

du système de la langue et n'étudier que plus tard les cas particuliers, n'a pas été suivi. Sans doute parce qu'il heurtait les habitus tant des prescripteurs que des enseignants, comme l'illustrent des recherches sur les pratiques effectives en classe de français, tous niveaux et contextes confondus. Pensons à l'enseignement précoce de l'orthographe des adjectifs de couleur, des règles particulières d'accord du participe passé avec *avoir* ou des pronoms relatifs complexes (la construction préposition + *lequel* ou ses variantes) dans plusieurs prescriptions actuelles.

2. Comme on se sent tenu de traiter la totalité des contenus prescrits, on les « voit » rapidement et superficiellement, ce qui a pour conséquence qu'ils sont revus presque à l'identique au cours des années suivantes, car ils ne sont pas maitrisés par trop d'élèves. Ce rabâchage, qui démotive élèves comme enseignants, pourrait être évité par l'établissement d'une progression plus adaptée.

En revanche, on enseigne peu la grammaire à la fin du secondaire, moment où, pourtant, les élèves ont développé les capacités cognitives et langagières qui les rendraient plus aptes à comprendre des phénomènes complexes comme celui de la cohérence temporelle, par exemple[6].

3. Enfin, les réformes de l'enseignement de la grammaire à partir de 1970 ont eu pour effet d'ajouter de nouvelles dimensions à l'étude du français, proposant par exemple des éléments d'une *grammaire* dite *du texte*[7] et un travail sur l'oralité, sans en avoir supprimé d'autres, alors que le temps scolaire alloué à l'enseignement du français, lui, diminue partout[8].

Si l'on s'entend sur le fait que le corps enseignant est tenu de mettre en œuvre les prescriptions, il est nécessaire de s'interroger sur ce qu'il est en droit d'attendre des autorités scolaires. Globalement, un programme scolaire pour l'enseignement du français édicté par les autorités politiques devrait : 1) préciser les finalités de la discipline ; 2) fournir un outil qui oriente les pratiques enseignantes en prenant en considération la discipline et les conditions de travail de manière à éviter un trop grand écart entre les prescriptions et les contraintes des contextes d'enseignement ; 3) détailler les objets à enseigner à chaque cycle, les pratiques langagières à étudier et à développer, ainsi que les compétences impliquées dans l'appropriation de ces pratiques communicationnelles – et donc établir une progression dans l'enseignement des objets prescrits.

Il peut sembler contradictoire de proposer une progression, alors que les élèves sont confrontés d'emblée à la complexité du français et des discours et qu'ils maitrisent déjà une bonne partie des formes et des structures de la langue. Il n'en est rien, car on ne peut établir de lien causal direct entre l'emploi correct d'une forme dans un discours, sa compréhension grâce à une étude raisonnée en classe de français sous

---

6. Par cohérence temporelle, on entend l'ensemble des ressources de la langue qui concourent à créer un effet de cohérence de la temporalité dans un texte, notamment les connecteurs et les organisateurs textuels exprimant le temps, et les modes-temps verbaux.

7. Pour une critique de cette expression, voir le chapitre 1.

8. Au Québec, on estime que le temps officiellement consacré au *français* au primaire et au secondaire a diminué de 30 % de 1960 à 2000 (Simard et coll., 2010, p. 58). En France, le temps global consacré à l'enseignement du français est passé à l'école primaire de 14 heures 30 minutes par semaine en 1923 à 7 heures 15 minutes aujourd'hui, une diminution de moitié, donc (Gourdet, 2012) !

la gouverne du maitre et sa maitrise conceptuelle et fonctionnelle. Par exemple, la plupart des enfants francophones (que le français soit leur seule langue ou non) utilisent correctement des phrases subordonnées relatives en *qui*, mais ils ne seront capables d'en expliquer le mécanisme que par son étude. Cette étude les rendra plus conscients d'un fonctionnement linguistique sans avoir nécessairement d'effet direct sur leurs pratiques langagières.

Aussi, prenant en compte les caractéristiques des systèmes scolaires contemporains, la diversité sociologique, culturelle et linguistique des populations scolaires et les contraintes du travail enseignant, nous proposons, dans ce chapitre, une réflexion sur la nécessité d'une progression dans l'enseignement de la grammaire[9] à la fois plus adaptée et permettant la compréhension du fonctionnement de la langue et le développement des compétences discursives des élèves.

Dans la première partie, après avoir clarifié le sens du terme *progression*, nous justifions l'impérieuse nécessité d'une progression spiralaire afin de rendre effectifs les apprentissages grammaticaux dans le cadre de la discipline *français* au primaire et au cours des premières années du secondaire (élèves de 8-15 ans) et nous présentons les quatre critères qui servent de fondements à cette progression. Dans la seconde partie, nous soumettons une proposition de progression des contenus grammaticaux fondamentaux qui, si elle diffère des prescriptions officielles, les remet en question, du moins en partie. Notre proposition, qui s'appuie sur des progressions mises en œuvre par des enseignants associés à des recherches, vise avant tout à susciter une réflexion individuelle et collective de tous les acteurs de l'école ; elle n'a, bien entendu, aucune prétention prescriptive.

# 1. Une progression pour l'enseignement de la grammaire

Qu'entendons-nous par *progression* ? Le terme a différentes acceptions : il peut prendre le sens de planification, de programmation, d'organisation ou de répartition des contenus à enseigner dans le temps scolaire. La **progression**, pour nous, c'est **la planification raisonnée des objets d'enseignement dans le temps scolaire** (cycle, année, semestre, mois, etc.), chaque contenu étant travaillé en tenant compte de ceux déjà travaillés et de ceux à travailler.

Il est toutefois important de préciser que la progression projetée, que ce soit celle des prescripteurs, celle des manuels ou même celle des enseignants, est rarement réalisée en classe. Et si les élèves progressent, ce n'est pas nécessairement au rythme et selon le découpage temporel définis par les auteurs des manuels, l'enseignant ou les prescripteurs.

---

**9.** Rappelons que cet ouvrage ne couvre qu'une partie du primaire et les premières années du secondaire des systèmes scolaires de la francophonie du Nord où les élèves ont de 8 à 15 ans, environ.

# 1.1. | Les critères d'une progression valable

Pour fonder une progression réaliste et pertinente des contenus grammaticaux, il faut tenir compte de quatre critères d'ordres différents qui ne se conjuguent pas toujours facilement : 1) le système de la langue ; 2) la fréquence d'emploi des unités de la langue (mots, groupes, structures syntaxiques, signes de ponctuation, etc.) et l'enjeu de leur maitrise dans divers genres oraux et écrits ; 3) les capacités cognitives et langagières des élèves permettant, à un âge et à un degré scolaire donnés, de comprendre tel ou tel contenu grammatical ; 4) la culture de la discipline scolaire *français*, c'est-à-dire, d'une part, l'évolution des prescriptions et des manuels, sans oublier les contenus de la formation du corps enseignant, initiale et continue, et, de l'autre, les représentations sociales de cette discipline.

## Le système de la langue

La grammaire descriptive de la linguistique moderne appréhende la langue comme un système, soit un ensemble d'éléments structurés, interreliés et hiérarchisés. Aussi, dans l'étude du système de la langue, tout n'est pas sur le même plan, certains concepts sont plus importants que d'autres ; on parlera de concepts (notions)-clés. Par exemple, la syntaxe repose sur le concept de phrase, qui implique ceux de constituant, de place, de fonction syntaxique, de hiérarchie, de récursivité. De même, les classes (catégories) grammaticales du nom et du verbe sont plus importantes dans le système de la langue que celle de l'adverbe, tout comme les fonctions syntaxiques de sujet et de complément du verbe le sont par rapport à celles de complément du pronom ou d'attribut du complément direct du verbe. Une progression doit mettre l'accent sur les régularités du système de la langue et être organisée autour des concepts-clés permettant de comprendre sa structuration.

## La fréquence d'emploi des unités de la langue et l'enjeu de leur maitrise dans les genres oraux et écrits

Puisque la réflexion sur la langue doit s'appuyer sur des pratiques effectives, il est essentiel de prendre en considération la fréquence des unités, des structures et des mécanismes de la langue dans les genres de discours, mais aussi les écarts à la norme du français écrit observés dans les productions des élèves (emploi erroné de la préposition ou du pronom relatif, par exemple)[10].

## Le développement cognitif et langagier des élèves

Certes, il est nécessaire d'avoir un plus grand nombre d'études sur les connaissances des élèves à propos de tel ou tel contenu grammatical et sur leurs capacités de développement cognitif et langagier à chaque étape de leur vie scolaire, mais nous disposons déjà de suffisamment de balises pour orienter notre progression.

---

**10.** Pour la fréquence des verbes, voir le chapitre 9 ; pour l'orthographe lexicale, voir Catach (1984) ; pour l'orthographe grammaticale et le lexique, consulter par exemple : www.manulex.org/fr/home.html ; pour la syntaxe, Paret (1980) ; pour l'orthographe grammaticale, Cogis (2013) ; pour la ponctuation, Jarno-El Hilali (2011) ; pour l'emploi des modes-temps verbaux, Bronckart (1976).

Par exemple, certaines phrases subordonnées (que la tradition appelle *propositions subordonnées*) sont acquises avant d'autres, souvent sans avoir nécessité un enseignement explicite. C'est le cas des « relatives » compléments du nom en *qui* (*Donne-moi le livre qui est sur la table*) et des « conjonctives » compléments direct du verbe en *que* (*Je veux que mon ami vienne avec moi*). D'autres, plus complexes sur les plans morphosyntaxique (comme les « relatives » avec des pronoms relatifs complexes) ou sémantique (comme les phrases subordonnées ayant des valeurs de conséquence ou de concession), demandent une fréquentation des usages de l'écrit et des capacités d'abstraction et de généralisation plus assurées. En cela, l'apprentissage scolaire se distingue des acquisitions extrascolaires : à l'école, la langue est mise à distance, analysée, et ses principales structures et formes doivent être conceptualisées. Comme le disait déjà Vygotski (1934/1997, p. 345) : « l'enfant apprend à l'école, et en particulier grâce au langage écrit et à la grammaire, à prendre conscience de ce qu'il fait et, par conséquent, à utiliser volontairement ses propres savoir-faire » ; ce travail intellectuel constitue un enjeu fondamental de la scolarisation.

### La culture de la discipline scolaire *français*

Les prescripteurs comme les enseignants et, dans une certaine mesure, les élèves et leurs parents sont imprégnés par la culture de la discipline *français*, par les représentations qu'ils se sont construites inconsciemment ou consciemment à son propos. Par exemple, tous accordent une place primordiale à la maitrise de l'accord du participe passé, pièce emblématique de l'enseignement du français, et acceptent mal qu'on remette en question des règles qui, pourtant, ne correspondent plus aux usages courants ou que soit différé le moment où elles sont abordées. C'est un défi important de la formation des maitres et des élèves que de « dénaturaliser » cette culture de la langue en la mettant à distance pour que les enseignants comprennent mieux ce qui est en jeu dans le passage de la grammaire dite traditionnelle à la grammaire rénovée.

En outre, l'expérience montre qu'imposer au corps enseignant des changements majeurs se heurte à de sérieux obstacles. En éducation, plus qu'ailleurs, on ne peut pas faire table rase du passé.

# 1.2. | La pertinence d'une progression en spirale

Une **progression spiralaire** permet l'**enseignement planifié d'un objet repris à différents moments** de la scolarité, mais pas nécessairement de la même façon. Pour en favoriser l'apprentissage, l'objet pourra être étudié non seulement en adoptant d'**autres démarches d'enseignement**, mais surtout en **changeant de perspective d'analyse** : d'une première approche sémantique, à l'occasion de pratiques de lecture et de productions orales ou écrites, avec les plus jeunes, on passera à une perspective morphologique et syntaxique, puis énonciative, textuelle ou discursive. Plusieurs constats justifient le choix d'une telle progression, par rapport à une progression linéaire, par exemple.

L'apprentissage scolaire de la grammaire met en jeu de nombreux phénomènes, dont la distinction entre langue orale et langue écrite, la variation langagière selon les situations de communication, la maitrise de la langue dite standard autant à l'oral qu'à l'écrit, les genres de discours, etc. Aussi les démarches d'enseignement grammatical devraient-elles varier en fonction non seulement de l'âge de l'élève et du moment de la scolarité, mais aussi de l'objet d'enseignement et surtout de son enjeu pour la compréhension du système de la langue ou le développement des habiletés communicationnelles.

Dans certains cas, pour faire prendre conscience d'un phénomène qui ne présente pas d'enjeu important, par exemple la variation morphologique de l'adverbe *tout*, il suffit d'observations de cet usage quand on le rencontre. Dans d'autres cas, pour l'acquisition d'un concept-clé comme la phrase (P = sujet + prédicat)[11] et sa maitrise assurée dans différentes situations de communication ou pour le développement d'une compétence complexe comme ponctuer, en particulier virguler[12], une démarche d'enseignement systématique doit être mise en œuvre à un moment de la scolarité, même si l'on sait que l'acquisition de ces objets ou compétences ne sera pas terminée après ce moment fort d'apprentissage, qu'elle se fera sur plusieurs années et donc que d'autres activités d'apprentissage devront encore être menées à d'autres moments et sur d'autres corpus.

Pour l'acquisition d'un savoir nouveau, l'apprenant doit être à plusieurs reprises exposé à la rencontre d'un même objet dans différents contextes, ce qui provoque des réorganisations conceptuelles : c'est alors qu'il commence à percevoir les invariants, par-delà la diversité des faits de langue. Par exemple, l'enfant qui s'est construit une représentation prototypique du verbe comme action doit réorganiser ses connaissances lorsqu'il rencontre des verbes désignant des processus (*rougir*) ou des verbes de pensée (*réfléchir*, *espérer*) et lorsque, grâce à une démarche d'enseignement systématique du concept-clé de verbe, il est conduit à construire un concept rigoureux et opérationnel[13]. De même, pour construire le concept d'adjectif de façon qu'il soit opératoire dans les activités communicatives, l'élève devra remettre en cause sa conception initiale de l'adjectif (l'adjectif dit comment est la chose…), la complexifier, découvrir les sous-classes d'adjectifs (qualifiants et classifiants), saisir les contraintes de l'emploi des adjectifs, par exemple leur place dans une P et la fonction syntaxique qu'ils peuvent remplir, et appréhender leurs valeurs discursives.

Aussi, du fait des nombreux facteurs en jeu, l'enseignement de la grammaire ne peut se penser seulement comme une adjonction de contenus successifs ou une décomposition en parties d'un objet grammatical, traitées l'une après l'autre comme dans une progression linéaire, qui va du simple au complexe (ou prétend le faire).

---

**11.** Une phrase définie du point de vue syntaxique contient deux constituants obligatoires : le sujet et le prédicat (fonction du groupe verbal). Dans la grammaire scolaire actuelle, le terme *prédicat* désigne la fonction syntaxique du groupe verbal. Son adoption pour l'enseignement et l'apprentissage de la grammaire permet d'éviter de désigner par un même terme une structure (le groupe verbal) et sa fonction syntaxique (Chartrand, Simard et Sol, 2006 ; Simard et Chartrand, 2011). Sur ce concept syntaxique de phrase, voir les chapitres 2 et 3 ; voir aussi le chapitre 10 sur la phrase subordonnée relative qui propose une progression spiralaire à propos d'un même objet sur plusieurs années.

**12.** Voir le chapitre 11.

**13.** Voir le chapitre 8 sur le traitement didactique de la notion-clé de verbe.

# 2. Une proposition de progression spiralaire pour les élèves de 8 à 15 ans

En s'appuyant sur les programmes existants, en tenant compte aussi de la culture disciplinaire et des principes énoncés plus haut, notre proposition se traduit par les exigences suivantes :

1. réduire de façon radicale, pour chaque cycle, les objets à enseigner afin de rendre leur étude efficace dans le temps réduit aujourd'hui imparti à l'enseignement grammatical (aussi nommé *étude de la langue*) dans nos systèmes scolaires : on ne retrouvera donc pas certains éléments inscrits par la tradition dans cette portion du cursus scolaire[14] ; la recherche d'exhaustivité est non seulement mise à mal par la réalité (bon nombre de contenus enseignés ne sont pas appris, donc pas maitrisés), mais témoigne d'un point vue sur le processus d'apprentissage remis en question par les recherches en psychologie. Un apprentissage grammatical nécessite plus qu'un enseignement de type magistral pour avoir des chances d'être réinvesti dans les productions langagières ;

2. fonder l'ordre des contenus étudiés sur les capacités de conceptualisation des élèves, sachant que construire un concept consiste non seulement à reconnaitre et à distinguer les propriétés qui le caractérisent, mais également à comprendre les relations ou les rapports qu'il y a entre celles-ci. Aussi, dans l'étude d'un concept, on commencera par ce qui est le plus facilement perceptible et on reportera à plus tard l'étude de certaines caractéristiques du concept et les relations entre elles et avec d'autres concepts[15] ;

3. prendre en compte le processus d'apprentissage effectif : on présente les contenus à plusieurs reprises à travers différents corpus et on n'introduit des éléments nouveaux que progressivement. Pour un contenu donné, il y a d'abord une phase de **sensibilisation** ; puis, on procède à l'**étude systématique** du concept ou phénomène ; enfin, de nouveaux corpus et, souvent, un changement de perspective d'analyse ou de contexte d'apprentissage permettent une **consolidation de l'apprentissage**. Par exemple, les compléments de P sont d'abord relevés et commentés dans des textes, puis leur fonctionnement syntaxique est étudié ; ce n'est que plus tard qu'on ajoutera les aspects discursifs (place du complément de P selon l'effet recherché : progression du texte, mise en relief par sa place en début de phrase, etc.) ;

4. dégager, à chaque palier de la scolarité obligatoire, une dominante dans l'étude du système de la langue qui marque un changement de perspective sur les contenus :

   • aux deux derniers cycles du primaire, accent sur la morphologie grammaticale (étude des formes fléchies selon leur rapport à d'autres dans la phrase) ;

---

**14.** Nous avons éliminé ce qui peut être considéré comme marginal dans les règles ou normes de la langue, par exemple l'orthographe des adjectifs de couleur, les irrégularités morphologiques de cas rares des noms et des adjectifs, les règles particulières d'accord du participe passé avec *avoir* et ce qui peut être abordé de manière implicite en lecture et pour les besoins des productions écrites (l'aspect, la question de la détermination du nom…).

**15.** Voir le chapitre 4 sur le processus de conceptualisation.

il s'agit prioritairement de faire comprendre et maitriser les marques grammaticales pour alléger le cout cognitif de la lecture et de l'écriture[16];

- au début du secondaire (élèves de 12 ans), accent sur la syntaxe: il s'agit de faire prendre conscience des règles d'organisation des mots et des groupes dans la phrase et leurs relations (fonctions des groupes), tout en sensibilisant peu à peu, au cours des activités de lecture principalement, à certains phénomènes de cohérence textuelle et d'énonciation;

- à la fin du cycle (élèves de 14-15 ans), accent sur des phénomènes discursifs (par exemple, le système énonciatif ou la modalisation du discours) dans le contexte d'écriture principalement et sensibilisation aux règles orthographiques portant sur des cas irréguliers.

Notre choix de mieux répartir les contenus dans le temps présente deux avantages principaux: d'une part, les élèves abordent les concepts abstraits de classe de mots et de fonction syntaxique, qui sous-tendent le système des accords, par certaines caractéristiques visibles[17] des unités, à savoir les marques de nombre, de genre, de mode-temps, de personne; d'autre part, ils sont ainsi susceptibles d'acquérir et d'automatiser, dès la fin de l'école primaire, l'essentiel des accords nécessaires dans leurs textes, ce qui leur permettra de conserver un maximum de ressources cognitives pour penser/écrire/apprendre, en français mais aussi dans toutes les disciplines, au secondaire.

L'enjeu d'une telle progression est ainsi double: il s'agit, en cessant de vouloir tout couvrir dès l'école primaire, de donner le temps aux élèves d'apprendre réellement et d'éviter les redondances dénoncées tout au long du secondaire à la fois par les enseignants («Il faut tout refaire quand les élèves arrivent au secondaire») et par les élèves («En français, on fait tout le temps la même chose»). On entend ainsi préserver l'envie et la possibilité de découvrir et de faire découvrir quelque chose de nouveau dans la langue, comme dans les autres disciplines, tout au long de la scolarité.

## 2.1. ▌ L'explicitation des principaux termes du tableau

Toute progression s'inscrit dans le temps, en l'occurrence dans le temps scolaire, en lien avec l'âge des élèves, leur montée de classe en classe ou de cycle en cycle, et leur passage de l'école primaire à l'école secondaire. Par ses choix, cette progression prend position sur ce qui est estimé accessible aux élèves compte tenu de leurs capacités cognitives et langagières à un âge donné. Quatre composantes structurent le tableau qui présente notre proposition: les étapes de la scolarité, les dominantes du système de la langue travaillées, les domaines du savoir visés et les démarches d'enseignement.

---

**16.** Précisons que commencer l'enseignement de la grammaire par la morphosyntaxe ne signifie pas une subordination de cet enseignement à l'orthographe. Il s'agit d'établir des priorités pour chaque cycle. Ainsi l'orthographe ne sera plus l'enjeu de l'enseignement grammatical tout au long de la scolarité.

**17.** Pour une présentation du système des accords, voir le chapitre 27 dans Chartrand et coll. (1999/2011).

Le tableau est d'abord organisé en trois **étapes** de la scolarité obligatoire[18]. Sur le plan des contenus, à chaque étape correspond une **dominante** du système de la langue, à savoir la morphosyntaxe pour l'orthographe grammaticale (ou orthographe des accords) avec deux paliers correspondant au milieu et à la fin du primaire (8-10 ans et 10-12 ans), puis la syntaxe et les premiers éléments de l'organisation du texte durant les premières années du secondaire (12-15 ans).

Ensuite, les concepts grammaticaux dont la conceptualisation est nécessaire à la production consciente de genres de discours sont répartis dans des domaines. Pour les objectifs visés aux trois étapes de la scolarité, l'étude de la langue repose sur quatre **domaines** fondamentaux : le nom, le verbe, la phrase et le texte/discours. Ces domaines ne sont évidemment pas étanches, mais l'ordre dans lequel ils sont abordés procède néanmoins d'une progression spiralaire. Au primaire, on privilégie les contenus liés au nom, puis au verbe pour l'entrée dans l'étude de la langue ; l'étude de l'organisation du texte fait l'objet de remarques lors des activités de lecture et d'écriture, sans être pour autant formalisée. Au début du secondaire, un travail intensif est mené sur la phrase, et vers la fin du cycle, sur des aspects régulés du texte. Bien que l'étude de contenus relevant du domaine du texte implique une connaissance solide d'éléments travaillés d'abord dans d'autres domaines, ces contenus peuvent être abordés dans un ordre plus souple.

Enfin, le tableau présente une dernière structuration, essentielle. Comme on n'apprend pas tout d'un seul coup, pas plus qu'on ne comprend tout du premier coup, le tableau fait apparaitre trois types de **modalités d'enseignement** : 1) une sensibilisation à un phénomène ou concept grammatical ; 2) un enseignement systématique ; 3) une consolidation des apprentissages.

La **sensibilisation** correspond à une première appréhension d'un contenu grammatical, à partir de l'observation de données langagières. Il ne s'agit pas d'un enseignement grammatical stricto sensu, mais de la prise de conscience d'un phénomène de la langue. Dans bien des cas, la sensibilisation à un phénomène de la langue suffit aux besoins des élèves en production et en réception jusqu'à 15 ans. Par exemple, l'alternance entre *je* et *tu* dans les dialogues ou la compréhension de ce que représentent *nous* et *vous* dans une situation de communication et, plus généralement, tout ce qui relève de l'énonciation, dont l'étude systématique sera reportée à la fin de la scolarité secondaire (15-18 ans). Dans d'autres cas, la sensibilisation précèdera l'enseignement systématique pour en établir la pertinence, par exemple s'agissant du choix du déterminant dans tel ou tel contexte. À l'occasion de lectures en classe, on attirera l'attention des élèves sur le fait que les noms ne sont pas tous précédés par un déterminant, les sensibilisant ainsi à cette réalité qui va à l'encontre de ce qu'ils ont peut-être appris, tout en leur faisant observer que cela n'invalide pas la régularité. Ces observations seront reprises à un moment donné de l'étude systématique du nom ou du déterminant.

---

**18.** Nous parlons d'*étape* plutôt que de *cycle*, car les cycles diffèrent d'un système scolaire à un autre. Pour mieux se repérer, nous indiquons l'âge moyen des élèves au début et à la fin de chaque étape. Voir à l'annexe 3 le tableau de correspondance des âges et des degrés scolaires dans les différents systèmes scolaires.

Qu'entendons-nous par un **enseignement systématique**? Cela consiste en un travail de conceptualisation de la langue[19], réalisé par différentes démarches, dont l'observation guidée, la comparaison d'énoncés et leur classement, la découverte de régularités et leur formalisation, l'exercisation, le réinvestissement contrôlé dans des productions qui sollicitent des ressources cognitives (attention, conceptualisation, généralisation, etc.) et langagières (expliquer, justifier, synthétiser, résumer, etc.) nombreuses et complexes.

Enfin, un essentiel travail de **consolidation** est attendu dans un troisième temps. Par *consolidation*, on entend un travail mené plus tard dans l'année ou dans le cycle, voire au cycle supérieur, qui met en jeu le même contenu dans des contextes plus ou moins différents et potentiellement plus complexes et, souvent, à travers des activités différentes (réécriture ou interprétation de textes littéraires, par exemple).

Bien entendu, le détail de l'enseignement de la grammaire selon une progression fondée sur des critères explicites ne peut pas être précisé dans un tableau synthétique. Par exemple, les recherches ont révélé l'existence d'«obstacles» spécifiques en orthographe, tel le pluriel des noms ou adjectifs qui se terminent au singulier par *-ent* (*parent, content*)[20], et sur lesquels il est sans doute nécessaire de revenir ultérieurement; de même, la maitrise assurée de la variété des constructions verbales (notamment des verbes ayant différentes constructions prépositionnelles: *parler, jouer,* ou des oppositions entre des constructions prépositionnelles et absolues: *commencer/débuter*) demandera plusieurs moments d'étude.

Le principe sous-jacent est que, loin de leur faire perdre du temps, la reprise des mêmes contenus sous des angles plus ou moins différents et à des moments plus ou moins espacés au cours d'un cycle ou au suivant est l'appui dont les élèves ont besoin pour les maitriser.

C'est ainsi qu'on pourra parvenir à une adaptation des contenus au temps institutionnel imparti à l'enseignement de la langue, tout en se donnant quelque chance d'obtenir un apprentissage solide des grandes régularités.

## 2.2. | Les principes d'organisation de la progression dans l'enseignement des contenus grammaticaux essentiels

Le tableau synoptique qui suit illustre une proposition souple de progression spiralaire.

---

**19.** Voir le chapitre 4 sur le processus de conceptualisation.

**20.** Selon Cogis (2013), les élèves auraient moins tendance à mettre la marque du pluriel à ces mots, considérant peut-être que la finale *-nt* est déjà une marque de pluriel…

## Progression dans l'enseignement des contenus grammaticaux essentiels

| Niveau scolaire: primaire – élèves de 8-10 ans |
|---|
| **DOMINANTE MORPHOSYNTAXIQUE EN VUE DE L'ORTHOGRAPHE GRAMMATICALE** |

**Domaine du nom**

| Sensibilisation | Étude systématique |
|---|---|
| concept de classe: <br> • nom <br> • déterminant <br> • adjectif <br> • pronom (personnel) | critères sémantiques, morphologiques et syntaxiques de reconnaissance à l'aide des manipulations de remplacement (ou commutation) <br> • classe du nom <br> • classe du déterminant <br> • classe de l'adjectif |
| concept de groupe du nom (GN) dans la construction: détermi-nant + nom + adjectif(s) | manipulations syntaxiques pertinentes pour percevoir l'unité du GN: remplacement et effacement |
| concept de catégorie morphologique: genre et nombre <br><br> concept de système des accords | catégorie du nombre: nombre du nom, du déterminant et de l'adjectif <br><br> catégorie du genre: genre comme catégorie du nom (se reflétant dans le choix et la forme du déterminant et la forme de certains adjectifs) <br><br> système des accords: nom donneur de son genre et de son nombre au déterminant et à l'adjectif <br><br> marques de genre des adjectifs variables à l'oral et à l'écrit (*méchant*) ou à l'écrit (*arrivé*[21]) |

**Domaine du verbe**

| Sensibilisation | Étude systématique |
|---|---|
| concept de classe du verbe <br><br> comparaison des formes du verbe à l'oral et à l'écrit | critères de reconnaissance du verbe à l'aide de l'encadrement par *ne… pas* et de la variation en personne et en mode-temps <br><br> catégorie de la personne dont relèvent le nom et le pronom et qui est donnée au verbe <br><br> marque de la troisième et de la sixième personne <br><br> concept de pronom substitut (ou de reprise) de la troisième et de la sixième personne <br><br> variation morphologique comparée du nom, du déterminant, de l'adjectif et du verbe <br><br> concept de radical et de terminaison (cette dernière en deux parties: marque de mode-temps et marque de personne) du verbe <br><br> étude des 10 verbes les plus fréquents: *être, avoir, faire, pouvoir aller, voir, venir, vouloir, devoir* et des verbes réguliers en *–er*, aux mode-temps les plus usuels de l'indicatif: présent, passé composé, imparfait, plus-que-parfait, futur proche et conditionnel |

**21.** Ce qu'on appelle un «participe passé» utilisé sans auxiliaire a souvent les caractéristiques sémantiques, morphologiques et syntaxiques d'un adjectif. L'expression *participe passé employé seul* pose aussi pro-blème, car la forme verbale appelée *participe passé* n'existe que jointe à un auxiliaire pour former un mode-temps composé (voir le chapitre 9).

| Niveau scolaire : primaire – élèves de 8-10 ans | |
|---|---|
| **DOMINANTE MORPHOSYNTAXIQUE EN VUE DE L'ORTHOGRAPHE GRAMMATICALE** | |
| **Domaine de la phrase** | |
| Sensibilisation | Étude systématique |
| concept de phrase et de fonction syntaxique<br><br>distinction entre phrase graphique (point et majuscule) et phrase syntaxique (P = unité syntaxique)<br><br>structure de P : les deux constituants obligatoires : sujet et prédicat | manipulations de reconnaissance du sujet : encadrement par *c'est... qui*, remplacement par le pronom substitut : *il/ils* |
| **Domaine du texte** | |
| Sensibilisation | Étude systématique |
| cohérence et progression du propos, prise en compte du destinataire<br><br>découpage du texte en parties (alinéa et paragraphe) | |

| Niveau scolaire : primaire – élèves de 10-12 ans | | |
|---|---|---|
| **DOMINANTE MORPHOSYNTAXIQUE EN VUE DE L'ORTHOGRAPHE ET DE LA MORPHOLOGIE VERBALE** | | |
| **Domaine du nom** | | |
| Sensibilisation | Étude systématique | Consolidation |
| différentes places du GN dans une P<br><br>expansions du nom dans le GN | concept de pronom : distinction entre pronom de reprise (*il*) et de communication (*je*)<br><br>toutes les marques de pluriel dans le groupe du nom<br><br>marque du genre, selon les trois structures morphologiques :<br><br>• variable à l'oral et à l'écrit (*petit*)<br><br>• variable à l'écrit (*pointu*)<br><br>• invariable (*facile*)<br><br>doubles marques : genre et nombre<br><br>construction du GN : déterminant + nom + adjectif(s)/proposition + GN/phrase subordonnée relative en *qui + être* | concepts de nom, de déterminant, d'adjectif, de pronom, de groupe, de noyau du groupe<br><br>accord dans le groupe du nom : règle de base<br><br>concept de classe de mots, faisceau de critères de reconnaissance |

### Domaine du verbe

| Sensibilisation | Étude systématique | Consolidation |
|---|---|---|
| concept de groupe du verbe (GV)<br><br>constructions les plus fréquentes du GV:<br><br>• verbe seul<br><br>• verbe + complément(s)<br><br>• verbe + attribut du sujet | morphologie du verbe: un ou plusieurs radicaux et deux parties de la terminaison: marques de mode-temps (aux temps usuels de l'indicatif) et marque de personne<br><br>distinction des modes personnels et des modes non personnels<br><br>distinction entre l'indicatif (qui marque la temporalité, l'époque) et les autres modes<br><br>parallélisme entre temps simples et composés<br><br>formes des participes passés des verbes les plus fréquents: -é -i -u; les autres par cœur (-is: *prendre*, *mettre*; -it: *dire*, *écrire*; -t: *faire*, *ouvrir*)<br><br>accord du participe passé construit avec l'auxiliaire *être*<br><br>pronoms compléments du verbe: *il les voit/j'y pense* | accord du verbe selon la règle générale<br><br>conjugaison des 10 verbes les plus fréquents ayant entre 3 et 9 radicaux et des verbes en *-er* |

### Domaine de la phrase

| Sensibilisation | Étude systématique | Consolidation |
|---|---|---|
| troisième constituant de la P: complément de phrase<br><br>concept de P et modèle théorique d'analyse<br><br>rôle de segmentation de la virgule dans la P | critères de reconnaissance du sujet<br><br>reconnaissance du sujet avec deux types d'écran, par ex.: *ils la voient* et *le chat des voisins déchiquète les ordures* | constituants de P et critères de reconnaissance de chacun |

### Domaine du texte

| Sensibilisation | Étude systématique | Consolidation |
|---|---|---|
| division en paragraphes | segmentation du texte par le point de phrase<br><br>reprise pronominale de la troisième et de la sixième personne<br><br>reprise par un groupe du nom ayant un autre déterminant | |

## Domaine du nom

| Sensibilisation | Étude systématique | Consolidation |
|---|---|---|
| concept d'expansion du nom dans le GN | reprise du concept de groupe avec élargissement à toutes les expansions du nom, dont la phrase subordonnée relative<br><br>concept de complément du nom et ses réalisations | expansions dans le GN et leur fonction |

## Domaine du verbe

| Sensibilisation | Étude systématique | Consolidation |
|---|---|---|
| première approche du concept d'aspect | concept d'expansion du verbe dans le GV<br><br>compléments du verbe: GN, GPrép, groupe verbal à l'infinitif (GVInf) et phrases subordonnées<br><br>verbes entrant dans des constructions attributives: formes courantes des attributs du sujet: GAdj, GN GPrép<br><br>variation des radicaux et marques des modes-temps des verbes en -r<br><br>tous les verbes de grande et moyenne fréquence à tous les modes-temps<br><br>accord du participe passé avec le complément direct du verbe dans les formes composées avec *avoir* (à la toute fin du cycle seulement) | expansions dans le GV et leur fonction |

## Domaine de la phrase

| Sensibilisation | Étude systématique | Consolidation |
|---|---|---|
| | modèle d'analyse des P<br><br>transformation de phrases: type interrogatif, exclamatif et impératif, et ponctuation associée<br><br>mécanismes de juxtaposition/coordination, de subordination et d'insertion et ponctuation associée<br><br>concept de préposition et de groupe de la préposition (GPrép)<br><br>classe et sous-classes de l'adverbe: adverbes déictiques, de modalisation, connecteurs et organisateurs textuels<br><br>groupe de l'adverbe (GAdv)<br><br>reconnaissance par un faisceau de critères du GPrép et du GAdv<br><br>règles syntaxiques d'utilisation de la virgule (dans la juxtaposition/coordination, détachement, effacement) | critères de reconnaissance des fonctions syntaxiques<br><br>structures et sens des différentes phrases subordonnées |

| Niveau scolaire: secondaire – élèves de 12-15 ans | | |
|---|---|---|
| **DOMINANTE SYNTAXIQUE ET INTRODUCTION AUX PHÉNOMÈNES TEXTUELS NORMÉS ET RÉGULÉS** | | |
| **Domaine du texte** | | |
| Sensibilisation | Étude systématique | Consolidation |
| ordre des groupes dans la phrase en fonction de la communication: mise en relief, détachement, phrase passive, impersonnelle, présentatif… (à la fin du cycle seulement)<br><br>connecteurs et leur sens en contexte<br><br>concept de modalisation<br><br>concept de marques énonciatives<br><br>concepts de cohérence et de progression textuelles<br><br>emploi énonciatif de la ponctuation | marques d'organisation du texte: division en paragraphes, intitulé, organisateur textuel, mise en page<br><br>chaines de désignation et diversité des reprises, différentes formes de reprises nominales et pronominales, avec ou sans apport d'information<br><br>emplois des modes-temps verbaux en lien avec la cohérence temporelle<br><br>marques de modalisation: lexique et structures syntaxiques (à la fin du cycle, seulement) | critères d'acceptabilité d'un texte |

Ce tableau synthétise les apprentissages fondamentaux dans les quatre domaines fondateurs que sont le nom, le verbe, la phrase et le texte à chaque étape de deux ans en les recentrant autour d'une dominante différente. Nos choix tiennent compte du fait que la construction progressive d'un savoir grammatical implique des contenus abstraits que les élèves doivent s'approprier à travers différents types de démarches, ce qui demande du temps, beaucoup de temps. Aussi, pour donner le temps aux élèves d'apprendre et aux enseignants d'enseigner, il faut opérer des choix et s'y tenir.

## Conclusion

Partant de constats maintes fois faits par le corps enseignant quant à la surcharge des contenus prescrits par rapport au temps disponible, d'une part, et, de l'autre, du manque de hiérarchisation des contenus prescrits, nous avons voulu montrer qu'il était possible de recentrer l'enseignement grammatical sur des concepts-clés renvoyant aux grandes régularités du système de la langue sur les plans morphologique, syntaxique et textuel. L'approfondissement progressif et la mise en réseau de ces concepts peuvent ainsi s'inscrire dans le temps, à la faveur de tâches engageant les élèves sur les plans affectif, intellectuel et langagier, exigeant des interactions nombreuses, dont divers exemples sont présentés dans les chapitres suivants.

# Références bibliographiques de base

Canaveilles, C. (2001). La progression dans les apprentissages au collège. *Le français aujourd'hui*, n° 135, p. 72-76.

Chartrand, S.-G. (2012). Enfin une progression pour l'enseignement du français au secondaire. *Québec français*, n° 166, p. 56-58. En ligne : www.enseignementdufrancais.fse.ulaval.ca/document/?no_document=2440

Chartrand, S.-G. (2009). Proposition didactique d'une progression. des objets à enseigner en français langue première au secondaire québécois. Dans J. Dolz et C. Simard (dir.), *Pratiques d'enseignement grammatical* (p. 257-288). Québec : Presses de l'Université Laval.

Chartrand, S.-G. (2008). *Progression dans l'enseignement du français langue première. Répartition des genres textuels, des notions, des stratégies et des procédures à enseigner de la 1re à la 5e secondaire*. Les Publications Québec français. Numéro hors-série.

Chiss, J.-L. (2000). La progression : un problème typiquement didactique. Dans D. Coste et D. Véronique (éd.), *La notion de progression* (p. 67-70). Saint-Cloud : ENS Éditions.

Coste, D. et Véronique, D. (2000). *La notion de progression*. Notions en question, n° 3. Saint-Cloud : ENS Éditions.

de Pietro, J.-F. et Wirthner, M. (2004). Repenser l'articulation interne de l'enseignement du français en Suisse romande. Dans É. Falardeau, C. Fisher, Cl. Simard et N. Sorin (éd.), *Le français : discipline singulière, plurielle ou transversale ?* Actes du 9e Colloque international de l'AIRDF [CD-ROM]. Québec : AIRDF/PUL.

Garcia-Debanc, C., Paolacci, V., Benaïoun-Ramirez, N., Bessagnet, P., Gangneux, M. Beucher, C. et Dutrait, C. (2010). Penser la progressivité de l'enseignement grammatical au cycle 3 de l'école primaire : discours, programmations et préparations de formateurs et des professeurs des Écoles stagiaires. *Repères*, n° 41, p. 201-226.

Masseron, C. (1995). Bâtir et finaliser une progression grammaticale : des usages aux besoins langagiers. *Pratiques*, n° 87, p. 7-45.

MELS (2011). Progression des apprentissages au secondaire. Français. En ligne : www1.mels.gouv.qc.ca/progressionSecondaire/domaine_langues/FLE/index.asp

Nonnon, É. (2008). La maîtrise de la langue : comment définir un « minimum commun » ? Dans D. Dubois-Marcoin et C. Tauveron (dir.), *Français, langue et littérature, socle commun. Quelle culture pour les élèves ? Quelle professionnalité pour les enseignants ?* Actes du colloque, Lyon, 12-14 mars 2008. Lyon : INRP.

*Repères* (2010). La notion de progression dans la pratique et la réflexion sur la langue de l'école au collège (É. Nonnon et J. Dolz, coord.), n° 41.

# Autres références

Beaumanoir-Secq, M., Cogis, D. et Elalouf, M.-L. (2010). Pour un usage raisonné et progressif de la commutation en classe, *Repères*, n° 41, p. 47-70.

Cogis, D. (2005). *Pour enseigner et apprendre l'orthographe*. Paris : Delagrave.

Elalouf, M.-L., Cogis, D. et Gourdet, P. (2011). Maitrise de la langue à l'école et au collège. *Le français aujourd'hui*, n° 173, p. 33-44.

Ministère de l'Éducation de l'Ontario (2014). Le continuum des programmes-cadres de français de la 6e à la 10e année. Ottawa : Centre franco-ontarien des ressources pédagogiques.

Roubaux, M.-N. et Moussu, M.-J. (2002). Pour une modélisation de l'enseignement de la grammaire au CE1 : l'exemple du verbe. *Repères*, n° 41, p. 71-90.

## Pour en savoir plus sur les fréquences des unités de la langue et les acquis langagiers des élèves

Catach, N. avec la collaboration de Jejcic, F. (1984). *Les listes orthographiques de base du français. Les mots les plus fréquents et leurs formes fléchies les plus fréquentes*. Paris : Nathan.

Cogis, D. (2013). Du prescrit au réel en CM2 : l'accord sujet-verbe dans le corpus Grenouille. Dans C. Gunnarsson-Largy et E. Auriac-Slusarczyk (dir.), *Écriture et réécriture chez les élèves. Un corpus à la croisée de genres discursifs et des méthodologies d'analyse* (p. 61-84). Paris : Éd. Academia-Bruylant.

Jarno-El Hilali, G. (2011). *Enseigner et apprendre la grammaire. Le cas de la phrase et de la ponctuation au cycle II*. Volume I. Thèse de doctorat, université Toulouse 2 – Le Mirail. En ligne : http://tel.archives-ouvertes.fr/docs/00/62/54/51/PDF/JARNO-EL_-_HILALI_guenola_-_Vol_-_I. pdf.

Paret, M.-C. (1991). *La syntaxe écrite des élèves du secondaire*. Faculté des sciences de l'éducation. Coll. « Rapports de recherche ». Montréal : Université de Montréal.

Site www.manulex.org/fr/home.html

# Des dispositifs d'enseignement de la grammaire

# L'enseignement à des élèves en difficulté en français : approche de la syntaxe de l'écrit

**CLAUDIE PÉRET ET ROXANE GAGNON**

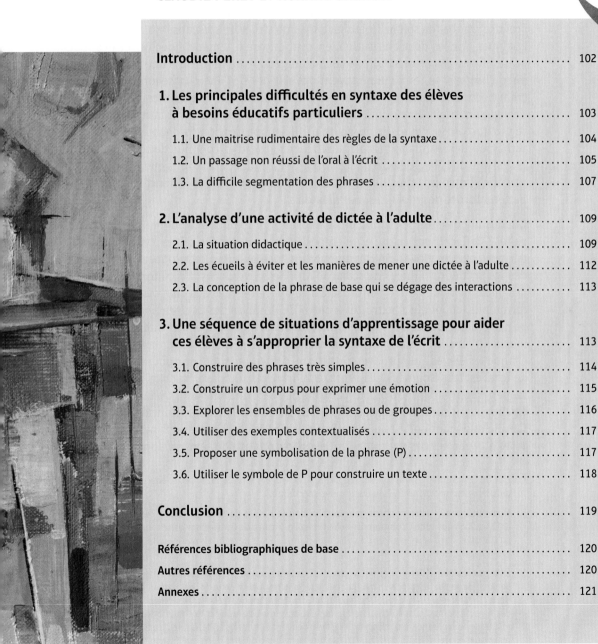

# Introduction

Comment accompagner les élèves qui, après quelques années de scolarisation, ont du mal à comprendre les textes, qui en sont encore à déchiffrer les mots et qui peinent à construire des phrases et à composer de courts textes, ces élèves dont on dit qu'ils ont *des besoins éducatifs particuliers*[1] ? Comment leur permettre de passer de l'oral de la maison à un oral standard et à un écrit normé ? Nous tentons ici de répondre à ces importantes questions.

Dans ce chapitre, nous nous intéressons aux élèves âgés de 8 à 15 ans qui ont un faible niveau de littératie[2], qui ont du mal à entrer dans l'écrit, qu'ils suivent un cursus scolaire régulier ou soient scolarisés dans une structure spécialisée ; à ceux qui, après quelques années de scolarisation, en sont encore à tenter de déchiffrer des mots et n'arrivent pas à construire le sens d'un groupe de mots ou d'une phrase courte lorsqu'ils lisent ; à ceux qui ne savent pas s'ils ont fini une phrase lorsqu'ils sont en train d'écrire ou qui ne perçoivent pas encore l'unité mot, ce qui entraine des erreurs de segmentation ; à ceux qui ne savent pas entre quels mots il faut appliquer les règles d'accord, qui oublient des mots, n'utilisent pas les bons pronoms, ne savent pas orthographier les finales verbales. Bref, ces élèves ont en commun de ne pas maitriser le système de la langue écrite, sa grammaire : ils n'ont pas compris que la langue n'est pas une simple juxtaposition de mots et ils n'ont pas pris conscience que, lorsqu'ils parlent, l'ordre des mots n'est pas aléatoire.

Quelles hypothèses pouvons-nous élaborer pour expliquer d'où viennent ces difficultés ? Réfléchir sur ce qui a pu empêcher la construction d'une compétence syntaxique chez ces élèves devrait amener les enseignants à développer une vigilance dès les premières années de scolarité afin de prévenir les difficultés et de trouver des pistes de remédiation pour la scolarité ultérieure. Les deux hypothèses que nous formulons ici ont été construites à partir de l'analyse des performances des élèves, de nos échanges avec des professionnels de l'enseignement et de visites sur le terrain menées à titre de formatrices dans l'enseignement spécialisé[3]. La première hypothèse est que les élèves qui éprouvent le plus de difficultés sont ceux pour qui la syntaxe de l'oral est très éloignée de la syntaxe du français standard, français qui est objet et moyen d'apprentissage à l'école. Certains peuvent ne s'exprimer qu'en mots-phrases en s'appuyant sur leur gestuelle. Ils ne font pas le lien entre leur français, celui de leur famille et de leur entourage, et le français de l'école, et n'ont donc pas entièrement accès aux paroles des enseignants. Ces élèves ont mis du temps à apprendre le code

---

1. L'OCDE les nomme élèves *à besoins éducatifs particuliers* (en anglais, *special educational needs*). Ces derniers peuvent ou non bénéficier d'aides spécifiques.

2. Nous utilisons ce terme dans le sens que lui donne l'OCDE dans *La littératie à l'ère de l'information* (2000, p. X) : « Aptitude à comprendre et à utiliser l'information écrite dans la vie courante, à la maison, au travail et dans la collectivité en vue d'atteindre des buts personnels et d'étendre ses connaissances et ses capacités. »

3. Le terme *spécialisé* désigne ce qui dépasse les cadres habituels, ce qui les complète, ce qui permet de s'en distinguer. Le réseau de l'enseignement spécialisé (appelé réseau de l'*adaptation scolaire* au Québec) dans le système scolaire est lié à une politique d'intégration des élèves qui implique une réorientation des objectifs ainsi qu'une actualisation des programmes d'études et des méthodes d'enseignement. En Suisse ou en France, par exemple, les élèves peuvent être intégrés dans une classe ordinaire et bénéficier de mesures d'appui dans une classe dite *spécialisée* ou être dans une institution spécialisée.

graphophonétique et à maitriser l'identification des mots. Ils ont alors bénéficié de renforcement dans ce domaine, heures pendant lesquelles ils ont construit la représentation que savoir lire, c'est trouver comment on prononce ce qui est écrit, et que savoir écrire, c'est transcrire les sons qu'on prononce. Le travail scolaire a pu se focaliser sur des mots isolés ou des phrases qui ne sont pas forcément celles qu'ils produisent spontanément. Ce temps de renforcement a pu être pris sur un temps d'apprentissage de la compréhension de textes, dont leurs camarades des classes ordinaires ont en revanche bénéficié. C'est souvent l'élève qui a appris plus rapidement qui a le temps d'exercer sa capacité à comprendre en explorant la bibliothèque de la classe. Or, l'élève acceptera d'autant plus volontiers les contraintes d'un apprentissage explicite qu'il aura compris ce que la lecture et l'écriture lui apportent.

La deuxième hypothèse, en lien avec la précédente, est que les élèves n'ont pas développé des capacités d'abstraction suffisantes pour suivre un enseignement qui fait manier trop rapidement des concepts. Aussi ne sont-ils pas en mesure de prendre de la distance vis-à-vis de l'objet d'étude qu'est la langue pour accepter les modifications sémantiques liées aux manipulations syntaxiques[4].

Dans un premier temps, nous nous proposons d'analyser les difficultés de ces élèves à partir de trois de leurs productions, puis, dans un deuxième temps, nous analysons les difficultés rencontrées dans la construction de la phrase de base (désormais nommée P[5]), cette phrase canonique qui sert de modèle d'analyse de tous les énoncés. Nous présentons, dans un troisième temps, des pistes didactiques pour aider les élèves en difficulté à comprendre les principales règles de la syntaxe entendue comme la description des règles de construction des phrases et des groupes qui les constituent, et des rapports entre eux au sein de la phrase.

# 1. Les principales difficultés en syntaxe des élèves à besoins éducatifs particuliers

Pour identifier les difficultés des élèves à besoins éducatifs particuliers, nous nous arrêtons sur trois productions d'élèves qui présentent des degrés différents de littératie. Ces écrits ont été produits dans le contexte de l'enseignement spécialisé avec des élèves d'âges et de degrés scolaires divers qui ont tous des besoins pédagogiques et didactiques nécessitant des interventions adaptées de la part d'un enseignant[6]. Notre démarche consiste à analyser ces textes d'apprentis scripteurs comme des cas problèmes. Les obstacles que rencontrent les élèves sont pour nous des sources

---

**4.** Par exemple, le verbe *fermer* change de sens selon qu'il est employé avec ou sans complément : *L'épicerie du quartier ferme / L'épicerie du quartier ferme à 20 heures* (Elalouf et Péret, 2009).

**5.** Le symbole P renvoie à une phrase définie du point de vue syntaxique, ce qu'on appelle souvent dans le milieu scolaire une « phrase de base », à savoir une structure formée, au minimum, d'un groupe du nom (ou un équivalent) ayant la fonction sujet et d'un groupe verbal qui remplit la fonction de prédicat (Paret, 1996 ; Chartrand, Simard et Sol, 2006 ; Simard et Chartrand, 2011).

**6.** Les données des parties 1 et 2 proviennent de comptes rendus d'expériences menées sur le terrain par des étudiants en formation dont nous avions la charge. Les étudiants, tous enseignants en exercice, ont eu la générosité de nous laisser les utiliser pour le présent texte. Afin de préserver leur anonymat, nous avons modifié les noms des élèves ; les textes originaux d'Anne et de Paul sont présentés en annexe. Dans la partie 2, nous désignons l'enseignant en utilisant le nom *enseignant* ou « E ».

d'informations sur leur appropriation progressive de l'écrit. Si notre regard pointe plus particulièrement vers les difficultés d'ordre syntaxique, étant donné l'interdépendance du sens et du code linguistique (l'ensemble des règles régissant la langue), nous ne pouvons faire abstraction des dimensions liées à l'acquisition de l'orthographe et à la situation de production, car l'entrée dans le monde de l'écrit implique de savoir reconstituer une situation dans tous ses détails pour la rendre intelligible à l'autre (Vygotski, 1934/1997, p. 342). Ces trois exemples mettent en évidence trois grands problèmes relatifs à la syntaxe écrite : 1) les règles de la syntaxe ; 2) la distinction entre l'énoncé oral et l'énoncé écrit ; 3) la segmentation des phrases.

# 1.1. | Une maitrise rudimentaire des règles de la syntaxe

Alexis, 9 ans, est scolarisé dans une classe d'inclusion scolaire en France (CLIS[7]). Le texte analysé ci-dessous a été produit lors d'un rituel d'écriture dans le « cahier d'écrivain », qui lui permet, deux ou trois fois par semaine, de s'exprimer librement. L'écrit ne donne pas lieu à une réécriture. Le titre (ou phrase de démarrage) a été donné par l'enseignant : *Quand je serai grand.*

**Texte d'Alexis**

| *Quand je serai grand* |
| --- |
| *je serai un nagend' e c'est curité parce que c'est ffasile.* |

L'écrit produit par Alexis pose d'abord un problème quant à l'angle d'analyse à adopter. Peut-on, en l'occurrence, parler de texte ? L'élève a rédigé une longue phrase qui démarre à partir du titre (raison pour laquelle, peut-être, il omet la majuscule à *je*). La phrase construite peut s'apparenter à un énoncé oral, formé de la répétition de *je serai* et d'un segment en *c'est* + adjectif. L'objectif communicatif de cette activité d'écriture dans le cahier d'écrivain a-t-il été cerné par Alexis ? Quel était-il ? Quel est le destinataire d'un tel écrit ? Alexis lui-même ? Il semblerait que ni le sujet ni la liberté offerte n'aient excité la verve d'Alexis… Des activités similaires au cahier d'écrivain sont courantes dans les classes de l'enseignement spécialisé ; elles permettent de faire écho au vécu des élèves, de les amener à écrire régulièrement, et ne demandent pas de préparation thématique particulière. Or, on le voit ici, avec des élèves à faible niveau de littératie, qui n'ont pas l'habitude d'écrire, l'absence de préparation préalable des contenus, de la structure du texte ou des caractéristiques de la situation de communication du récit de vie rend quasiment impossible l'activité de rédaction.

---

**7.** Ces classes accueillent des élèves présentant des troubles des fonctions cognitives. Les élèves sont inclus dans des classes ordinaires, où ils suivent les mêmes enseignements que leurs camarades du même âge, et bénéficient, au sein de la CLIS, d'enseignements adaptés.

Si nous nous en tenons à la dimension syntaxique de la phrase, l'analyse montre que l'élève a une maitrise rudimentaire des règles de la syntaxe : les règles de construction des groupes et des P sont partiellement acquises : les deux P de l'élève sont bien formées, car elles sont constituées d'un sujet (*je/c'*) et d'un prédicat (*serai un agent de sécurité/est facile*) placés dans l'ordre canonique, et l'ordre des mots dans chaque groupe est correct. Cependant, la segmentation des mots, certaines correspondances phonèmes-graphèmes et l'usage de l'apostrophe ne sont que partiellement maitrisés, ce qui rend la lecture de la phrase problématique (*agent' e' c'est*). L'élève connait quelques graphies fréquentes : *c'est, parce que*. Le *c'est* lui permet d'écrire les phonèmes [sE] et il associe systématiquement cette graphie au son (*c'est curité/sécurité*). Il ne semble pas connaitre la préposition *de* ou maitrise mal son usage. Alexis a demandé comment s'écrit le mot *agent* et l'enseignant l'a écrit pour lui au tableau. De manière à traduire les sons en lettres, ignorant que la liaison faite à l'oral entre le déterminant *un* et le nom *agent* ne se voit pas à l'écrit, il a ajouté un petit *n* devant *agent* et transformé le *t* final en lettre hybride *d + t*. Ici, des connaissances lacunaires des correspondances graphophonétiques, du lexique, et l'absence de conscience de la fonction des mots dans une P empêchent une juste segmentation des mots. Le fait qu'une phrase se matérialise à l'écrit n'est pas maitrisé par l'élève. Alexis écrit des suites de sons et non des suites de mots. Nous verrons dans la troisième partie des pistes de travail pouvant être mises en place pour remédier aux difficultés d'Alexis.

## 1.2. █ Un passage non réussi de l'oral à l'écrit

Le texte suivant, intitulé *Hier*, sert d'exemple pour illustrer un passage de l'oral à l'écrit non réussi. Le récit de vie d'Anne, âgée de 14 ans, en première année du secondaire, a été rédigé lors d'une séance de rédaction en classe.

**Texte d'Anne[8]**

| |
|---|
| *Hier* |
| *Hier matin je me suis leve et je me suis Habillés* |
| *et apré je suis allé dejeune et apré je me* |
| *suis suis allé me coifé apré de 9h jusqu'à 11 j'étais sur* |
| *MSN. Apré mon frére arrive et me dit Anne tu peux te* |
| *lever de MSN* |
| *Moi je dit oui attand.* |
| *Puis apre 5 minut plus tard je sorti de MSN et ma mere* |
| *me/dit Anne on y vas chez ta tente et moi je dis* |
| *d'accord j'arrive 5 minut plus tard on arriva et ma mere* |
| *ma la voitur dans le pargige ma resta 1h chez ma* |
| *tante et apre je dit maman Je veux resté dormir ici* |
| *et voila.* |

---

8. Par souci de lisibilité, le texte a été saisi en respectant les choix orthographiques et les retours à la ligne de l'élève. La reproduction du texte calligraphié par l'élève figure à l'annexe 1 de ce chapitre.

La lecture de ce récit, dans lequel l'élève raconte sa journée de la veille, donne l'impression d'une transcription écrite d'un texte oral, impression renforcée notamment par la rareté des signes de ponctuation et la présence d'une marque explicite de fin : *et voila*. Le récit atteste d'un problème typique des scripteurs en difficulté : une expression fortement dépendante du contexte (de Weck et Marro, 2010). L'élève confond discours en situation (normalement au présent) et récit au passé. Cela se répercute dans des difficultés à ancrer tout son récit dans une origine spatiotemporelle passée (on passe du passé composé au présent, puis au passé simple pour finir au présent). Dans la gestion des marques de prise en charge énonciatives utilisées, l'élève a fréquemment recours aux pronoms personnels, surtout au *je*. Cette utilisation accrue des pronoms personnels se fait au détriment de syntagmes nominaux. Anne n'arrive pas à insérer les paroles des autres dans son récit ; elle répète les tournures *je dit* ou *Moi je dit*. On le voit aussi dans l'enchainement des informations du récit : l'organisation du texte repose sur la répétition de la conjonction *et*, de l'adverbe *après*, ou de la combinaison *puis apre*. *Puis apre* est d'ailleurs utilisé comme procédé de segmentation et non comme connecteur temporel[9]. Les difficultés de l'élève sur le plan textuel pourraient sans doute être réduites si la consigne de production était plus précise, car lui demander de raconter le récit de sa journée de la veille n'est sans doute pas le meilleur moyen de l'amener à construire un récit. Si l'enseignant avait demandé à Anne de relater un évènement insolite qui lui était arrivé ou un évènement vécu qui lui semblait intéressant à raconter aux autres élèves de sa classe, cela l'aurait surement aidée à sortir d'un langage quasi spontané, à imaginer un récit, à prendre en compte des éléments de mise en intrigue et à donner des informations dignes d'être racontées. Cette réorganisation du réel exigeant un haut niveau d'abstraction et de mise à distance, il est nécessaire de reprendre ce type d'activités le plus souvent possible.

Du point de vue syntaxique, le texte d'Anne, même oralisé, montre une appropriation insuffisante de la syntaxe : beaucoup de marques de délimitation de la phrase sont manquantes ou utilisées de façon erronée (majuscules, points, virgules, retours à la ligne pour diviser le texte en paragraphes). Aussi, le texte n'est pas toujours segmenté en unités syntaxiques facilement repérables. Aucune phrase ne contient d'enchâssements : les phrases sont jointes par des coordonnants (*et*, *après*, *puis après*) et on note même une absence de coordonnant dans le segment *dans le pargige Ø ma mère resta*. Cette segmentation problématique apparait aussi dans l'absence de délimitation du discours rapporté direct. Par exemple, la suite *je dis d'accord j'arrive 5 minut plus tard on arriva* est ambiguë : le lecteur est obligé de choisir une interprétation (à l'oral, la prise en compte de l'intonation aiderait surement le destinataire du message à le faire). Des mots sont ajoutés : *je me suis suis allé* ; *on y va Chez ta tente* (présence du pronom *y*) ; *Puis apre 5 minut plus tard je sorti de MSN* ; *puis apre et ma mere* (dans ces deux extraits, si l'on supprime *puis apre*, le segment devient syntaxiquement correct). D'autres mots sont manquants : le mot *mère* dans *ma resta 1h chez ma tante*. On relève aussi des erreurs dans le marquage temporel dues au fait que la morphologie verbale du passé simple est non maitrisée : *ma* pour *mit*, *dit* pour *dis*. Dans la seconde partie, nous verrons comment intervenir avec un élève qui, comme Anne dans son récit de la veille, distingue mal encore le langage oral spontané et le langage écrit.

---

**9.** Voir le chapitre 11 au sujet des connecteurs à la place de signes de ponctuation.

# 1.3. | La difficile segmentation des phrases

Le troisième exemple est un conte produit par Paul, âgé de 13 ans, scolarisé en Suisse romande. Sur le plan syntaxique, sa production montre une plus grande maitrise des règles de construction de phrases. Les groupes aussi sont correctement formés, mis à part l'emploi de la préposition *à* qui est en trop dans *À dix kilomètres plus loin*. L'ordre des mots est correct. Ici, c'est la segmentation des phrases, les jonctions entre les P et la construction de la phrase complexe qui posent problème à l'élève.

**Texte de Paul**[10]

Il s'ennala pour trouvé le magicien des fleurs.
Sur sa rout il trouva une épes. Il la prent
et il poursuivie sa rout. 30 km plus loin un ours
grand et blond surgie de la montagne le garçon
ne savais plus quoi faire. lours avença ver luis (.?)
le garçon était terroriser de voire lours.

L'ours lui dit :
-«Vous faits quoi part ici jeun homme»

Le Garçon luis repondit :
- je vient chercher le magicien des fleurs.
- Ok mais si tu besoin d'aide soufle 3 foie dans ce tube
mais attention je pourais venir que 3 foie.
- «merci c'est gentill de ta pare lours.
(l /L?)e garçon poursuivi sa rout et 200 km plus loin,
il vue un ogre geon l'ogre luis dit :
«Si tu veuts poursuivre ta rout tu doit m'afronté.
le garçon se rappela l'ours et souffla trois fois dans
le tube. L'ours arriva et d'un coup de pied l'ogre
mouru. A 10 km plus loin il trouva un chateau
sur la maison il y avait un grand panneau
c'ettais ecrie «chateau-fleure»
il toca… et un lutin ouvri la porte

- «Ahahaha si tu veut entré tu dois me tuer.
AhAha.»
le garçon soufla 3 fois dans le tube
pour la dernnier foie.

l'ours arriva et le tua.

---

**10.** La reproduction du texte calligraphié par l'élève figure à l'annexe 2 de ce chapitre.

Lu à haute voix, le texte de l'élève est tout à fait compréhensible. D'un point de vue textuel, sa production respecte grosso modo les règles du conte écrit : suivant le schéma narratif classique, les évènements racontés ont lieu dans un univers passé lointain, sans lien avec le moment de l'énonciation ; cela se voit à l'emploi quasi systématique du passé simple (exception faite de *Il la prent*). Les reprises pronominales et nominales sont généralement adéquates, si ce n'est leur côté un peu répétitif (l'ours, le garçon, l'ogre). La structure narrative répond à l'objectif communicatif du conte qui est de divertir le lecteur. Si l'on s'intéresse aux phrases de Paul, il semble qu'il arrive à coordonner les groupes, mais pas toujours à marquer la juxtaposition ou la coordination des P :

1. <u>30 km plus loin</u> Ø[1] un ours grand et blond surgie de la montagne Ø[2] le garçon ne savais plus quoi faire.

2. Ok mais <u>si tu besoin d'aide</u> Ø[3] souffle 3 foie dans ce tube[4], mais attention je pourais venir que 3 foie.

3. <u>Si tu veuts poursuivre ta rout</u> Ø[5] tu doit m'afronté.

4. A 10 km plus loin Ø[6] il trouva un chateau Ø[7] <u>sur la maison</u> Ø[8] il y avait un grand panneau (Ø)[9] c'ettais ecrie Ø[10] « chateau-fleure »

5. Ahahaha Ø[11] <u>si tu veut entré</u> Ø[12] tu dois me tuer.

Paul maitrise la structure de la P : ses phrases possèdent bien les deux constituants obligatoires, mais il doit apprendre à ponctuer de manière à les joindre, à les séparer par un point ou par une virgule. Après un premier travail d'analyse des P dans son texte, consistant à vérifier leur construction et la présence de la majuscule initiale et du point, on pourrait entreprendre un travail portant sur l'emploi de la virgule, entre autres pour détacher le complément de P placé avant le sujet (éléments soulignés), pour juxtaposer deux P (en 2) ou coordonner deux P (en 4[11]). Par la suite, des connaissances sur la ponctuation des discours rapportés (en 12), notamment sur l'emploi du point d'exclamation après une onomatopée (en 11), pourraient permettre à Paul de vérifier et de revoir l'insertion des dialogues des personnages dans son texte.

Ces trois exemples mettent en évidence des écueils fréquents dans la conception et la production de P et la nécessité d'un apprentissage de la syntaxe. Ils montrent des degrés différents de maitrise des compétences linguistiques et langagières, des entrées progressives en littératie : d'une expression qui se détache progressivement du monde concret de l'ici et du maintenant, on tend de plus en plus vers un discours pour autrui.

---

**11.** Voir le chapitre 11 et ses activités pour enseigner la virgule.

# 2. L'analyse d'une activité de dictée à l'adulte

Dans cette partie, nous analysons une situation d'enseignement et les interactions entre maitre et élève lors d'une dictée à l'adulte[12]. Les constats de la partie précédente sont mobilisés en contexte, ce qui nous permet de proposer des pistes d'intervention. Nous procédons d'abord à l'analyse de la situation didactique en reconstituant le contexte de production, puis formulons des hypothèses sur les contenus visés et les difficultés de l'élève et de l'enseignant (section 2.1). Nous indiquons ensuite des écueils à éviter dans l'enseignement de la phrase et ciblons des modes de faire et de dire dans la conduite d'une dictée à l'adulte susceptible de mener à des apprentissages (section 2.2). Enfin, l'analyse de la situation nous permet de dégager la conception de P que révèlent les interactions observées (section 2.3).

## 2.1. | La situation didactique

La situation analysée se déroule dans un externat médicopédagogique à Genève[13]. Marco, un élève francophone[14] âgé de 11 ans, présente des troubles de la personnalité, mais aussi du langage (prononciation et syntaxe) : il prononce certains sons avec difficulté. Il se situe approximativement au niveau scolaire d'élèves de 7 ans. C'est d'ailleurs pour ces raisons que son enseignant a décidé de travailler la production écrite sous la forme de la dictée à l'adulte. L'enseignant, désirant « faire passer » les idées de son élève du statut d'idées à celui de phrases, lui a proposé l'activité de production suivante : utilise tes idées pour écrire la suite d'une histoire.

### Extrait 1 : L'histoire de Marco

Marco présente le dessin qu'il a fait d'une grotte, lieu de l'histoire qu'il a racontée à son enseignant la fois précédente. L'enseignant lui demande ensuite s'il a des idées pour la suite de son histoire.

ENSEIGNANT (E) :  on va faire la dictée à l'adulte, donc c'est toi qui me fais la dictée et moi je vais devoir écrire

MARCO (M) :  écrire monter…

E :  alors attends attends attends alors qu'est-ce que je dois écrire

M :  monter

E :  j'écris monter

M :  ouais à la groc

---

12. Sur la façon de mettre en place le dispositif et ses résultats, voir le chapitre 7.

13. Un externat médicopédagogique accueille des enfants présentant des troubles du développement du langage auxquels peuvent s'associer d'autres troubles de l'apprentissage, de la coordination, de la mémoire, de l'attention avec ou sans hyperactivité. Les enfants accueillis présentent des troubles sévères de la relation associés parfois avec une déficience mentale légère ; ils ont entre 3 et 14 ans.

14. Il est à noter que beaucoup des difficultés de l'élève peuvent se retrouver chez des élèves dont le français n'est pas la première langue.

E: monter à la grotte

M: oui y a un escalier dans

E: alors si j'écris monter à la grotte

M: ouais

E: mais moi je me pose un peu la question qui c'est qui monte à la grotte

M: Pumachaud Obiwan et Bezi et Cotemou

E: parce que tu sais, ce qu'on va écrire là, après on va pouvoir le lire à Stephano le lire à Mayssane et le but c'est qu'ils comprennent la suite de l'histoire

M: alors scalier en fait faut monter

E: alors moi j'sais pas comment commencer

M: veux dire j'ai monté au groc mais escalier là-bas

E: j'ai monté à la grotte

(Nous coupons le passage où l'élève est distrait par l'enregistreur.)

E: regarde la dernière phrase là c'était tout le monde sort de la grotte ça c'était la dernière phrase et maintenant on va inventer la suite

M: apès z'ai touvé des cates après// en au livère rivère/ ai touvé un carte bleu et un carte rouge au cas où

E: mais qu'est-ce que moi j'écris

M: faut dit ta la des : des tout touvé la cate rivère livère livère

E: alors dis-moi le premier mot que j'écris

M: j'ai… Obiwan touvé la cate

E: attends attends attends ça va beaucoup trop vite

M: Obiwan touvé la cate livère

E: Obiwan trouvé

M: trouvé

E: t'es sûr de ça

M: non trouvé

E: mais est-ce qu'on peut dire Obiwan trouvé

M: je sais pas

E: ben si j'te dis moi Obiwan trouvé

M: Obiwan c'est mon chat Obiwan c'est mon chat adoré

E: oui, sauf que dans l'histoire c'est le nom de ton personnage

M: oui

E: donc Obiwan trouvé une carte

| M: | ouais. |
|---|---|
| E: | si moi je te dis ça, ça t'semble pas bizarre |
| M: | quoi |
| E: | si moi j'te dis Obiwan trouvé carte |
| M: | touvé la cate/ non/ oui c'est bizarre |

(Nous reprenons un peu plus tard, vers la fin de la dictée.)

| E: | alors moi je te lis la phrase parce que tu viens de la dire Obiwan a mis son carte a robot |
|---|---|
| M: | oui |
| E: | ça veut dire quoi |
| M: | Obiwan il mis son carte à la robot |
| E: | mais ça veut dire qu'il a la carte dans la main ou/ qu'est-ce qu'il fait avec cette carte |
| M: | il mis dans le robot pour devir gentil |
| E: | ah/ là tu m'as dit il a mis dans le robot tu vois et là j'ai écrit à la robot |
| M: | dans le robot |
| E: | donc là je vais récrire ça… |
| M: | j'ai compend pas dé fançais jé déteste lé fançais /// |
| E: | c'est pour ça que c'est moi qui écris c'est parce que ça peut être difficile de faire les phrases tout seul // toi tu me dis et on réfléchit ensemble comment on pourrait faire pour que la phrase elle soit plus juste |

Dans cet extrait, plusieurs éléments viennent brouiller l'échange entre l'enseignant et Marco, et ce, malgré les efforts de reformulation effectués par l'enseignant. L'objectif de l'activité de dictée à l'adulte ne semble pas être perçu pas l'élève: transcrire, avec l'aide de l'enseignant, la suite de son récit dans un écrit normé. L'activité s'amorce difficilement et tourne à vide: *mais qu'est-ce que moi j'écris?* L'enseignant formule à deux reprises la consigne qui consiste à demander à l'élève de lui dicter ce qu'il doit écrire. Ensuite, celui-ci, par une reformulation et une question, corrige l'énoncé de Marco de manière à le rendre sémantiquement et syntaxiquement correct à l'écrit. Pris au dépourvu devant l'association faite par l'élève entre *monter* et *grotte*, il tente de l'amener à formuler une P, avec sujet et prédicat. L'élève, de son côté, veut donner les détails de cette grotte et il semble expliciter davantage son dessin: *veux dire j'ai monté au groc mais escalier là-bas.* Marco a envie de raconter son histoire à son enseignant, avec tous les détails (les différentes cartes, la carte rivière, l'origine du nom du personnage). Par la suite, les interventions de l'enseignant portent sur la cohérence avec les phrases énoncées la fois précédente, le débit auquel l'élève doit lui dicter l'histoire, la structure de la phrase, la distinction entre la réalité (*Obiwan* = le chat) et la fiction créée pour l'occasion (*Obiwan* = le personnage de l'histoire), la conjugaison du verbe *trouver* au passé composé, la prononciation du mot *carte* (par sa reformulation correcte), la présence du déterminant *une* avant *carte*, le choix de la préposition adéquate (*mettre la carte **à** robot / au robot / **dans** le robot*) et son sens. Devant l'impossibilité et l'incapacité de raconter ce qu'il a envie de raconter, l'élève se décourage et se conforte dans une aversion du *français*.

## 2.2. | Les écueils à éviter et les manières de mener une dictée à l'adulte

Comment favoriser la coformulation? Comment s'assurer de l'attention conjointe de l'enseignant et de l'élève sur la tâche à réaliser? Comment pourrait-on aider cet élève pour le rendre plus productif dans l'écriture de son récit?

Une clarification de la consigne et du contexte de production pourrait aider l'élève à mieux comprendre ce qui est attendu de lui et contribuer à mieux le guider dans ce qu'il doit dicter à son enseignant. Il pourrait s'agir, entre autres, d'un rappel des évènements de l'histoire relatés la fois précédente, de la mise en exergue des personnages principaux de l'histoire et du rappel de la trame narrative. Et, advenant le cas où l'histoire ne comporte ni évènement déclencheur ni conflit, l'enseignant pourrait amener l'élève à en inventer un, car la présence d'un conflit facilite la production d'un récit (Rabatel, 2002).

En outre, l'enseignant peut demander à l'élève de formuler à l'oral son récit, sans l'interrompre, de manière que son envie de raconter ne soit pas brimée. Ce passage par un oral spontané peut faciliter ensuite la formulation d'un oral plus intelligible. Si l'objectif est de travailler sur le texte, il est préférable d'aider l'élève à construire son texte pour ne pas qu'il perde le fil du récit.

Comme tout dispositif, la dictée à l'adulte doit reposer sur des objectifs didactiques clairs, circonscrits et, idéalement, limités. Ils doivent être mis en évidence par des rappels de l'enseignant. Dans le cadre d'une activité visant le développement de capacités en production écrite, le contexte de production doit être davantage explicité:

- Quel est l'objectif du texte à écrire ensemble?
- À qui le destine-t-on?
- Comment raconte-t-on une histoire?
- Par quoi commence-t-on?
- Quels sont les ingrédients d'une histoire?

Ce sont là autant d'outils que l'enseignant peut sélectionner afin d'organiser le travail avec l'élève de manière progressive. Par exemple, pour travailler l'organisation des contenus d'un genre narratif, il peut d'abord dresser avec lui une liste d'organisateurs textuels (mots ou groupes qui balisent le récit en rendant visibles ses grandes articulations) ou une liste de façons de désigner les personnages, pour reprendre ensuite le récit, munis de ces outils linguistiques. Ainsi, l'enseignant guide l'élève et filtre davantage les échanges en se focalisant sur un aspect du texte à produire – ici, la structure du récit. Réduire ainsi les objectifs évite toute surcharge cognitive de l'élève et permet de mieux canaliser les échanges. L'élan créatif de l'élève rencontre moins de freins.

L'histoire ainsi dictée peut donner lieu ensuite à un travail de révision, qui met l'accent sur les dimensions syntaxiques. L'enseignant sélectionne une série de points de langue sur lesquels il désire s'arrêter. Dans notre exemple, l'enseignant demande à Marco de former des phrases sans lui en fournir de modèle. Comment Marco peut-il y arriver?

## 2.3. | La conception de la phrase de base qui se dégage des interactions

La demande de formulation relevant de l'écrit dans une situation d'oralité «fais une phrase» est légitime en classe, puisque les élèves ne peuvent pas s'entrainer à formuler de l'écrit en dehors de l'école. Mais elle laisse supposer que c'est ainsi qu'on doit parler. L'implicite scolaire de situations dans lesquelles on apprend à construire des énoncés écrits à l'oral n'est productif que pour les élèves qui ont compris le travail scolaire d'apprendre à écrire en français standard (Delarue-Breton, 2012). Lorsqu'on s'adresse à un élève en difficulté, il est nécessaire de lui préciser qu'il peut se faire comprendre à l'oral, mais qu'il est à l'école pour s'entrainer à construire des phrases telles qu'on doit les écrire et telles qu'on les dit dans des situations formelles (Laparra et Margolinas, 2012). Aussi, le dispositif didactique doit mettre en évidence un genre – ici, un récit de fiction – aux caractéristiques, orales ou écrites, clairement délimitées.

## 3. Une séquence de situations d'apprentissage pour aider ces élèves à s'approprier la syntaxe de l'écrit

Comment aider les élèves en difficulté en français à s'approprier la syntaxe de l'écrit et, en particulier, la notion de P? Dans un premier temps, il est nécessaire de leur faire comprendre que les phrases sont nécessaires pour écrire, lire, se faire comprendre, et qu'ils les utilisent déjà sans en avoir conscience, aussi bien à l'oral qu'à l'écrit.

Les productions des élèves sont toujours des discours, alors qu'on les fait travailler le plus souvent sur des phrases, voire sur des groupes de mots, en se fondant sur des exemples décontextualisés tirés de manuels. À partir d'un écrit ou d'une production orale d'élève, il est possible de lui faire rechercher d'autres façons de dire la même chose, de lui en proposer d'autres auxquelles il n'aurait pas pensé ou n'aurait pas eu accès, et, de là, de lui faire trouver les P réalisées.

Avec un élève comme Marco, on peut simplifier l'accès aux P en reprenant un universel langagier, à savoir que toute phrase de base réalisée se construit à partir de deux éléments informationnels : «ce dont on parle» et «ce qu'on en dit». Une P, telle qu'elle est étudiée dans les manuels de grammaire, se construit conformément à cette structure. Il est possible de proposer à Marco un travail spécifique sur la construction de la phrase en lui disant :

> *Quand nous avons fait la dictée à l'adulte, j'ai dit qu'il valait mieux écrire Obiwan a trouvé une carte. Toi tu disais: Obiwan trouvé carte. J'avais compris à peu près, mais on peut confondre avec Obiwan va trouver une carte ou Obiwan a trouvé sa carte. On va chercher différentes façons d'écrire et les différences que cela apporte au récit.*

À un autre moment, le travail systématique peut porter sur les constructions du verbe *mettre* : *mettre la table, mettre un bijou dans le tiroir, mettre le couvert sur la table, mettre une lettre à la boite aux lettres…* L'enseignant peut ensuite demander à Marco : « Alors qu'est-ce que peut bien vouloir dire *mettre carte à robot* ? »

Une fois que l'enseignant a amené l'élève à réfléchir sur la P, soit lors de la dictée à l'adulte, soit durant l'aide à la réécriture, un travail systématique pourra être fait.

# 3.1. | Construire des phrases très simples

On demande d'abord à chaque élève de penser à une *phrase très simple*[15] commençant par ce dont il veut parler et se terminant par ce qu'il en dit. Pour reprendre l'exemple du texte produit par Marco, son enseignant pourra ainsi dire :

> *Comme dans le texte de Marco, il parlait d'Obiwan et il voulait dire qu'il avait trouvé une carte. Alors le début de la phrase très simple, c'est Obiwan et la fin, c'est a trouvé une carte, et la phrase très simple que tout le monde comprend, c'est Obiwan a trouvé une carte.*

Une fois que chaque élève a trouvé sa *phrase très simple*, il l'écrit (ou l'enseignant l'écrit pour lui) sur une bande de papier. Chaque bande est coupée en deux de façon à séparer le début de la fin. Ensuite, tous les débuts sont placés dans une boite et toutes les fins dans une autre boite. Procéder ainsi aide l'élève à construire le concept. Le jeu consiste alors à prendre au hasard un morceau de papier dans la boite des débuts et à l'associer avec un morceau de papier pris, lui aussi au hasard, dans la boite des fins. Les élèves sont amenés ensuite à porter un jugement sur les *phrases très simples* ainsi obtenues.

Trois cas de figure peuvent se présenter. Première possibilité, la phrase ressemble à une phrase habituelle du type *Le chat mange la souris*. Deuxième possibilité, le sens de la *phrase très simple* amène les élèves à construire un monde inhabituel, ce qui les rend perplexes. Par exemple, si la phrase est *La souris mange le chat*, ils peuvent avoir du mal à l'accepter. Il faut alors avoir recours à l'imagination :

> *Fermez les yeux, c'est un dessin animé. Il y a une souris. Vous voyez bien la souris ? Elle est magicienne et avec le bout de sa queue elle touche le chat qui devient tout petit tout petit. Et alors ? Que se passe-t-il ?*

Cette situation, inspirée du jeu surréaliste des *cadavres exquis*, fait prendre conscience aux élèves que c'est l'ordre des mots qui permet la construction du sens, que ceux qui écrivent peuvent s'amuser à créer des mondes imaginaires. C'est l'occasion pour eux d'apprécier des procédés littéraires.

Le troisième cas de figure survient quand certaines bandes de papier n'ont pas été coupées au bon endroit. Alors, les élèves n'arrivent même pas à construire un sens,

---

15. Dans un premier temps, on utilisera cette expression claire pour les élèves en difficulté. L'utilisation des termes *phrase de base* ou de *P* et de la métalangue pour nommer leurs constituants (sujet et prédicat) viendra plus tard.

même imaginaire. Prenons, par exemple, les phrases initiales suivantes : *Le chat mange la souris. Le gendarme attrape le voleur. Les oiseaux sont dans la forêt. La souris grignote du fromage.* Dans le cas où des bandes de papier ont été coupées après le verbe, et non avant le verbe, les phrases reconstruites peuvent soit avoir deux verbes (*La souris grignote / attrape le voleur*), soit n'en avoir aucun (*Le gendarme / du fromage*). Dans les deux cas, le résultat obtenu n'est pas une *phrase très simple*. Ces associations sont à conserver précieusement pour un travail ultérieur d'observation et de correction sur ce qui pourrait être fait pour retrouver une *phrase très simple*. Les phrases relevant du deuxième cas de figure sont également à conserver : elles trouveront leur place dans une boite à trouvailles qui pourra servir en poésie ou en arts plastiques.

## 3.2. | Construire un corpus pour exprimer une émotion

L'élève qui n'est pas encore acculturé à la langue écrite normée, qui ne possède que des formulations familières et n'a pas un vocabulaire très étendu ne peut exprimer sa pensée et ses émotions autrement qu'en utilisant la seule variante de langue qu'il connait. Si aucun lien n'est fait entre ses formulations et le français standard et qu'aucun apprentissage systématique n'est conduit, il ne peut répondre à l'injonction de parler et d'écrire correctement. Il est néanmoins important de reconnaitre sa pratique langagière comme une variante du français : l'élève doit comprendre qu'il peut très bien l'utiliser dans diverses situations, mais pas dans d'autres qui ne s'y prêtent pas. Par exemple, cette variante peut être considérée comme injurieuse par un agent de police, et elle peut lui porter préjudice s'il l'utilise avec des personnes qu'il ne connait pas. L'école est pour l'élève l'occasion d'apprendre d'autres variantes du français, particulièrement le français dit standard, qui est utilisé par les maitres dans toutes les disciplines. C'est aussi le français dont il devra se servir lors d'une recherche de stage et, plus généralement, lors de toute interaction sociale hors de son cercle intime. Comme la simple injonction ne suffit pas, la simple reformulation du type « tu veux dire que tu es contrarié, c'est ça ? » ne sera pas intégrée si une mise en équivalence des différentes façons de montrer sa contrariété, sa fatigue, sa colère, son énervement n'est pas clairement formulée.

Le moment de structuration se fait lorsque l'émotion est passée. On procède à une recherche collective de toutes les expressions que les élèves connaissent. Ne sont écrites au tableau que celles qui ne sont pas vulgaires. L'enseignant propose d'autres formulations et opère un classement en fonction du ressenti exprimé. Ce travail n'est pas seulement lexical, mais aussi syntaxique, car ce sont des tournures syntaxiques peu familières aux élèves qui vont être proposées. Apprendre uniquement un mot ne leur permet pas de savoir avec quels autres mots il peut être employé. Ce travail est encore insuffisant si les élèves ne sont pas mis en situation de réutiliser les formulations proposées. C'est alors que peuvent être proposés des jeux de rôles dans lesquels doivent être utilisées les expressions proposées par l'enseignant. Cet apprentissage peut se dérouler sur plusieurs semaines pour s'assurer de l'appropriation par les élèves d'un français standard.

Ce travail, urgent avec certains élèves, peut être mené même si, sans être incorrecte, la formulation utilisée par l'élève ne correspond pas au français standard attendu. Cela peut être le cas pour l'expression utilisée par le frère d'Anne, dont celle-ci rapporte les propos : *te lever de MSN*. L'expression est imagée : on se représente facilement l'adolescente rivée à l'écran de l'ordinateur. La tournure est-elle compréhensible immédiatement ? Ce n'est pas sûr. La recherche d'autres formulations peut permettre de clarifier le message.

D'autres situations de créations d'ensembles de phrases ou de groupes de mots peuvent être induites à partir d'une erreur de segmentation telle que *agent de c'est curité* (dans le texte d'Alexis, section 1.1). L'élève développera la capacité à remplacer un mot par un autre mot qui peut prendre la même place dans la phrase. Comme point de départ, l'enseignant peut choisir *c'est facile*, qui se trouve dans le même texte. Le travail de génération de phrases se fera à partir de ce terme. Les élèves chercheront ce qu'on peut écrire après *c'est* à la place de *facile*. Dans un premier temps, ils peuvent ne trouver que des adjectifs. L'enseignant peut alors leur proposer des groupes nominaux (introduits par une préposition ou non : *c'est un enfant*, *c'est ma sœur*, *c'est en bois*) ou des pronoms (*c'est moi*). Les élèves ne doivent pas écrire à ce stade, pour que la mise à l'écrit n'entrave pas la recherche, mais ils font leur proposition à l'oral à la manière d'un remue-méninge. L'enseignant écrit au tableau une grande partie des exemples proposés. Lorsque plus d'une vingtaine d'exemples ont été donnés, il peut demander si l'on peut ajouter *curité* à la liste. Si les élèves sont perplexes, il peut, dictionnaire à l'appui pour valider ses dires, préciser que le mot *curité* n'existe pas. L'expression *agent de sécurité* est alors prise pour effectuer le même travail de substitution, à la fois pour *sécurité* (*ceinture de sécurité*, *chaine de sécurité*, *verrou de sécurité*, *barrière de sécurité*…) et pour *agent* (*agent d'entretien*, *agent de police*, *agent de service*). Ces remplacements ne sont pas garantis, car ils font appel à des expressions que les élèves peuvent ne pas connaitre.

# 3.3. ▌ Explorer les ensembles de phrases ou de groupes

Les ensembles de phrases ou de groupes construits à partir d'une production langagière d'un ou de plusieurs élèves peuvent être l'occasion d'un travail d'observation et de manipulation d'énoncés. La langue devient plus facilement un objet d'étude après une première mise à distance de la production de l'élève. Si l'on reprend, par exemple, la séquence *c'est un enfant* produite lors du travail sur la segmentation de la phrase en mots, on peut remplacer *c'* par un prénom (autre que celui d'un élève ; ici, ce sera Paul). Ensuite, à partir de *Paul est un enfant*, on demande aux élèves de chercher tout ce qui peut être dit après *est*. Les différents cas d'emploi du verbe *être* vont apparaitre : *Paul est timide / Paul est avec son ami / Paul est devant le tableau / Paul est tombé*… L'enseignant les écrit, puis, dans un deuxième temps, fait classer les phrases produites. Les élèves apprennent ainsi les constructions possibles avec le verbe *être* et l'orthographe de *est* en contexte. Un travail du même ordre peut être fait à partir d'une phrase comportant un verbe au pluriel. Les élèves cherchent tout ce qu'on peut dire à propos d'un sujet dont le nom est au pluriel. Le point de départ peut être, par exemple, une observation faite en sciences : *Les têtards ont grandi / Ils sont encore petits / Ils nagent / Ils font des mouvements avec leur queue…* Les formes *sont, ont, font, vont* (qui correspondent à des verbes très fréquents[16]) doivent apparaitre dans les propositions des élèves, ainsi que des formes de verbes en -*er*, qui se terminent dans ce cas par -*nt*. Il est alors possible de dégager une règle d'orthographe qui ne connait aucune exception concernant l'accord du verbe lorsque le sujet est un nom ou un pronom au pluriel. Grâce à ce moyen d'apprentissage qui leur permet de se référer à des phrases repères, les élèves vont développer des connaissances sur la langue, notamment sur les verbes usuels, leurs emplois, leurs constructions possibles et leur orthographe en contexte.

Si ce travail est mené avec les verbes *avoir, être, aller*, on se gardera d'attirer l'attention des élèves sur les homophones *et, à, on, son*, lesquels seront abordés lors d'autres séances. On évitera ainsi de charger leur mémoire de moyens mnémotechniques qui exigeraient, pour être opératoires, que les élèves puissent mettre la langue à distance, pour changer la situation temporelle, par exemple. Dans le cas contraire, un élève pourrait faire une réflexion telle que: «Pour savoir si c'est *a* ou *à*, je sais qu'il y en a un qui peut se remplacer par *avec*, mais je ne sais pas lequel.» Cela traduirait le fait que l'élève en question n'a pas eu recours à un outil lui permettant de mieux écrire.

## 3.4. | Utiliser des exemples contextualisés

Un temps d'appropriation est nécessaire pour que les exemples produits lors de ces situations puissent être opératoires en écriture. La P qui a été proposée va donner lieu à la recherche d'une histoire ou d'une situation où elle peut être produite. Reprenons l'exemple de *La souris mange le chat*. Le travail de création, à l'oral, de l'histoire dans laquelle la souris va manger un chat peut aboutir à un énoncé du type *Et alors, la souris, elle le mange, le chat*. C'est la mise en discours qui produit la modification du noyau *la souris mange le chat* en *elle le mange*. Dans ce type d'énoncé, très courant à l'oral, le choix du pronom est souvent erroné. Si la mise en discours se fait dans un récit écrit, la P produite pourrait être *La souris saute sur le chat et elle le mange*. Le travail sur la pronominalisation se fait le plus souvent sur des exemples de ce type, ce qui ne correspond pas à la pratique langagière la plus courante des élèves. Travailler à partir de l'énoncé oral, c'est reconnaitre que cette construction est correcte, lui assigner son statut d'énoncé oral, faire une comparaison avec ce qu'il deviendrait à l'écrit et travailler sur le choix des pronoms.

## 3.5. | Proposer une symbolisation de la phrase (P)

Après avoir longtemps utilisé *phrase très simple* pour corriger des énoncés ou en créer, on peut dire aux élèves qu'on va désormais parler de *P*, pour éviter d'avoir à répéter *phrase très simple*, et que c'est d'ailleurs le nom qu'on lui donne dans beaucoup d'ouvrages de grammaire. Ainsi, une nouvelle situation de mise à distance de

---

**16.** Voir le chapitre 9 pour une liste de fréquence des verbes.

la langue va avoir lieu par la symbolisation. Il est alors possible de représenter la P par un schéma à deux branches :

FIGURE 6.1 **Représentation de P**

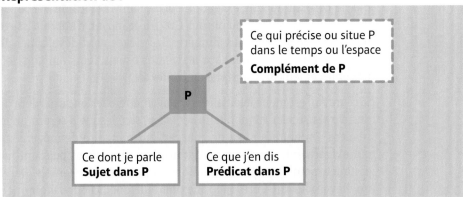

L'expérience faite avec des publics d'apprenants en difficulté prouve que l'image de la *phrase à 2 pattes* est opératoire. La phrase ne peut « marcher » que si elle a ses deux pattes. Au pied de chacune des pattes, on représente les boites qui ont servi lors des premières situations de découpage-création de *phrases très simples*. On peut alors dire aux élèves que la première patte est le sujet dans la P et la deuxième, le prédicat[17] dans la P. La représentation de P ainsi construite est accessible aux élèves en difficulté parce qu'elle n'a que deux éléments et permet de rendre compte de tous les types de *phrases très simples*, qu'elle s'inscrit dans un vécu en classe à partir de leurs exemples et qu'elle est dynamique – la *phrase très simple* qui marche est un pas qui s'inscrit dans le chemin de la maitrise de la syntaxe de l'écrit.

## 3.6. | Utiliser le symbole de P pour construire un texte

Travailler sur la P permet aux élèves de générer du texte en sachant le segmenter en phrases. L'accompagnement se fait pas à pas. Dans un premier temps, il faut les aider à passer d'une P à une P avec enchâssement (ou phrase complexe) et à une suite de P jointes par juxtaposition ou coordination, puis au texte. Les élèves peuvent enrichir le sujet, puis enrichir le prédicat. On leur fait prendre conscience que, dans ce qu'ils disent et écrivent, ils utilisent des groupes de mots qui ne sont ni sujet ni prédicat, qui peuvent se situer à plusieurs endroits dans la phrase, qui peuvent ne pas être écrits, qui complètent l'ensemble de la P. Le complément du nom se situe tout près du nom, le complément du verbe se situe tout près du verbe, et le complément de P, quelle que soit sa place, complète sémantiquement l'ensemble de la P dont il dépend syntaxiquement[18].

---

**17.** Dans la grammaire scolaire actuelle, terme désignant la fonction syntaxique du groupe verbal. Son adoption pour l'enseignement et l'apprentissage de la grammaire permet d'éviter de désigner par un même terme une structure (le groupe verbal) et sa fonction syntaxique (Chartrand, Simard et Sol, 2006 ; Simard et Chartrand, 2011).

**18.** Pour le sens grammatical du mot *complément*, voir Chartrand (2010).

Dans un deuxième temps, après leur avoir fait formuler à l'oral l'ensemble de ce qu'ils veulent écrire, notamment la façon dont ils pensent finir leur texte, on demande aux élèves d'écrire leur texte pas à pas. Lorsqu'une phrase est complète, selon le modèle d'une phrase de base, ils y mettent un point, puis cherchent une nouvelle phrase et construisent une nouvelle P pour continuer. Ensuite, ils cherchent quel est le moyen d'articuler les deux phrases. Ils cherchent leur point commun, une même référence va les amener à utiliser des pronoms, des anaphores (ou reprises) lexicales. Si ce qui est écrit se passe au même moment, cela va les amener à utiliser les temps verbaux qui permettent cette cohérence temporelle. Les élèves cherchent s'ils peuvent ajouter quelque chose qui explique comment on passe d'une phrase à l'autre et introduire un organisateur temporel ou spatial du type *pendant ce temps* ou *à l'autre bout de la maison*. L'analyse des bandes dessinées est sur ce point très productive. Lorsqu'il n'y a pas de point commun (ni personnage ni lieu) entre deux vignettes qui se suivent, l'auteur est obligé d'utiliser ces organisateurs. C'est ce travail qui peut être fait à partir du texte d'Anne (section 1.2) : d'abord, lui faire trouver quand elle a fini une phrase construite autour d'une seule P, et l'obliger à la ponctuer ; puis, aboutir ainsi à une nécessaire étape intermédiaire du texte, avant qu'elle puisse coordonner des verbes pour rendre son texte plus dynamique, ce qui sera l'objet d'une troisième étape. Ce travail, assez fastidieux pour les élèves, gagne à n'être mené que sur une petite partie du texte à la fois : cela évite qu'ils se découragent et trouvent l'acte d'écrire trop difficile, entre autres parce qu'ils craignent qu'il impose un travail de réécriture trop long.

## Conclusion

Comme il ressort de nos propositions, pour accompagner les élèves dans la compréhension du système de la langue, de sa grammaire, il est important de toujours conserver le lien entre les portions de texte sur lesquels on les fait travailler et leurs pratiques langagières. Le travail part de ce qu'ils savent déjà faire et enrichit leur expérience de la langue. Toute nouvelle pratique de la langue ne peut se construire qu'en s'appuyant sur une pratique déjà existante. Les situations proposées permettent alors de développer la compétence langagière par la possibilité de remplacer un mot par un autre, de modifier l'ordre des mots, puis celui des phrases. Ce sont ces compétences qui caractérisent le producteur de texte expert.

Partir des productions des élèves inquiète certains enseignants qui ne voient pas comment s'affranchir de la programmation de leur manuel et des impératifs des prescriptions. L'expérience prouve que si l'on fait écrire les élèves ils produiront des erreurs et poseront des questions qui justifieront un moment de structuration, comme nous l'avons décrit ci-dessus. Et le travail prendra alors un sens pour eux. Il est toujours possible, ensuite, d'utiliser le manuel pour reprendre les activités qu'il propose ou les exemples qui y figurent (notamment dans les exercices) afin d'augmenter le corpus d'éléments textuels à trier.

## Références bibliographiques de base

Chartrand, S.-G., Simard, C. et Sol., C. (2006). *Grammaire de base*. Bruxelles : De Boeck.

Delarue-Breton, C. (2012). Dispositif et logique dispositive : perception des enjeux et inégalités scolaires (p. 120-130). Dans M.-L. Elalouf, A. Robert, A. Belhadjin et M.-F. Bishop (éd.), *Les didactiques en question(s)*. Bruxelles : de Boeck.

De Weck, G. et Marro, P. (2010). *Les troubles du langage chez l'enfant. Description et évaluation*. Paris : Elsevier-Masson.

Elalouf, M.-L. et Péret, C. (2009). Pratiques d'observation de la langue en France. Quelles évolutions ? quels obstacles ? (p. 49-72). Dans J. Dolz et C. Simard, *Pratiques d'enseignement grammatical, point de vue de l'enseignant et de l'élève*. Québec : Presses universitaires de Laval.

Laparra, M. et Margolinas, Cl. (2012). Oralité, littératie et production des inégalités scolaires. *Le français aujourd'hui*, n⁰ 177, p. 55-64.

Paret, M.-C. (1996). De l'utilité de la phrase de base. *Québec français*, n⁰ 101, p. 55-56. En ligne : www.enseignementdufrancais.fse.ulaval.ca/fichiers/site_ens_francais/modules/document_section_fichier/fichier__90baed435dcf__phrase_de_base.pdf

Simard, C. et Chartrand, S.-G. (2011, 2ᵉ éd.). *Grammaire de base*. St-Laurent : ERPI.

## Autres références

Chartrand, S.-G. (2010). Un complément complète. Oui… mais qu'est-ce qu'un complément ? *Vivre le primaire*, vol. 23, n⁰ 3, p. 9. En ligne : www.enseignementdufrancais.fse.ulaval.ca/document/?no_document=979

Rabatel, A. (2002). Déficits herméneutiques lors de l'acquisition de la compétence narrative. La sous-exploitation des interactions orales aux cycles 1 et 2. *Repères*, n⁰ 24-25, p. 237-256.

Vygotski, L. S. (1934/1997). *Pensée et langage*. Paris : La Dispute.

## Annexe 1 | Texte d'Anne

Hier

Hier matin je me suis lavé et je me suis habillés
et apré je suis allé dejeune et apré je ~~je~~ ~~sui~~
suis allé me coifé apré de 9h jusqu'à 11 jétais sur
MSN. Apré mon frère arrive et me dit Anne tu peux te
lever de MSN.
moi je dis oui attand.
Puis apre 5 minut plus tard je sort de MSN et ma mere
me dit Anne on mange chez ta tente et moi je dis
d'accor j'arrive 5 minut plus tard on arriva et ma mere
va dans la voiture dans le garage pour allé chez ma
tente et apre je dit maman je veux resté dormir ici
et voila.

Il s'ennala pour trouvé le magicien des fleurs. Sur sa rout il trouva une épes. Il la prent et il poursuivit sa rout, 30 Km plus loin, un ours grand et blond surgie de la montagne le garçon ne savais plus quoi faire. l'ours avenga vers luis, le garçon était terroriser de voir l'ours.

L'ours lui dit :
- Vous faits quoi par ici jeun hommell

le garçon luis repondit :
- je vient chercher le magicien des fleurs.
- OK mais si ta besoin d'aide soufle 3 foie dans ce tube mais attention je pourais venir que 3 foie.
- merci c'est gentill de ta pare l'ours.
Le garçon poursuivi sa rout et 200 Km plus loin, il vue un ogre geon. l'ogre luis dit :
"Si tu veuts poursuivre ta rout tu doit m'afrenté.
le garçon, se rappela l'ours, et soufla 3 foie dans le tube.
L'ours arriva et d'un coup de pied l'ogre mouru. Et 10 Km plus loin il trouva un chateau sur la maison il y avait un grand panneau c'ettais ecrie chateaue-fleure. il toca.... et un lutin ouvri la porte

- "Ahahaha Si tu veut entré tu dois me tuer Ahaha."
le garçon souffla 3 foie dans le tube pour la dernnier foie.

l'ours arriva et le tua.

# L'enseignement de l'orthographe grammaticale

**DANIÈLE COGIS**, **CATHERINE BRISSAUD**, **CAROLE FISHER**
ET **MARIE NADEAU**

**CHAPITRE 7**

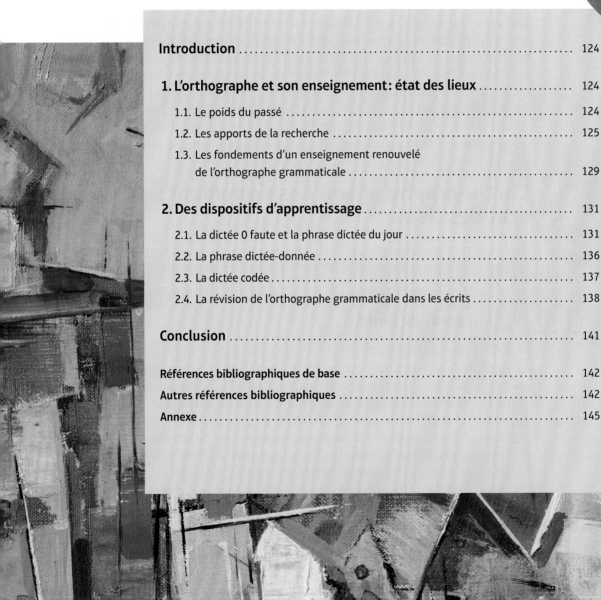

# Introduction

L'orthographe a tellement imprégné les systèmes scolaires francophones que langue française, orthographe et grammaire tendent à se confondre pour la plupart de nos contemporains. De ce fait, toute remise en cause de son enseignement apparait iconoclaste : toucher à l'orthographe, c'est toucher à la langue ; toucher à l'enseignement de l'orthographe, c'est toucher à l'école et à la société. Pourtant, tout y invite, à commencer par les plaintes relatives au niveau des élèves, de l'école primaire à l'université. La contradiction est sensible : rien ne va plus, rien ne doit changer !

Notre propos est évidemment différent, à l'heure où, justement, les recherches s'accumulent en linguistique, en psychologie, en sciences de l'éducation, en didactique, pour mieux appréhender l'apprentissage de l'orthographe grammaticale par les élèves et bâtir un nouvel enseignement plus efficace. La première partie de ce chapitre dresse un état des lieux des problèmes principaux de cet enseignement, des apports de la recherche et des fondements d'un enseignement renouvelé ; la deuxième présente des dispositifs didactiques qui visent à répondre aux problèmes existants et dont des recherches ont démontré les effets positifs. La conclusion évoque les conditions d'une transformation de l'enseignement de l'orthographe grammaticale.

# 1. L'orthographe et son enseignement : état des lieux

Pour comprendre la situation actuelle, ainsi que la nécessité d'une transformation des pratiques, de nombreux paramètres sont à prendre en compte.

## 1.1. ▌ Le poids du passé

En 2007 et 2008, deux enquêtes françaises sont venues corroborer le sentiment des enseignants : le niveau orthographique a baissé en vingt ans, surtout en orthographe grammaticale (Manesse et Cogis, 2007 ; Rocher, 2008). Il convient donc de s'interroger sur les causes, une fois écartée l'idée que maitres et élèves auraient cessé tout travail. Du côté institutionnel, les missions de l'école se diversifient et s'accroissent, tout comme les objectifs assignés à l'enseignement du français, de sorte que l'orthographe n'est plus la priorité. Paradoxalement, l'horaire imparti à l'étude du français a considérablement diminué au primaire et au secondaire dans tous les pays. Comme l'enseignement traditionnel de l'orthographe repose sur la mémoire et la répétition, le compte n'y est plus. Du côté de la société, on ne peut que souligner de profondes mutations. On mentionnera rapidement, d'une part, la place de l'enfant dans la famille et le rapport aux normes et à l'autorité, qui se sont radicalement modifiés au profit d'une valorisation de l'épanouissement affectif et de rapports plus « égalitaires », alors que l'orthographe est un ensemble de normes et de contraintes qui s'imposent à l'individu par héritage culturel ; d'autre part, le développement du numérique qui a élargi le cercle des scripteurs à des couches sociales qui n'écrivaient pas auparavant et qui se sont emparés d'un outil d'échanges moderne, en ne s'interdisant plus d'écrire en raison d'une orthographe qui serait défaillante. Les enfants et les adolescents font partie de ces nouveaux scripteurs.

Est-ce à dire que les élèves n'apprennent plus l'orthographe? Non, ils progressent, de façon régulière, mais avec un retard de deux ans par rapport à leurs prédécesseurs, selon les données de recherches françaises. Avec un temps d'enseignement diminué, mais une orthographe grammaticale toujours aussi complexe, l'apprentissage ne peut que s'étaler sur une plus longue durée.

La sacralisation de la dictée par l'enseignement traditionnel, sans que la preuve de son efficacité ait jamais été apportée, crée un climat de malaise, voire un sentiment de culpabilité de ne pas réussir aussi bien qu'avant, alors que les conditions dans lesquelles travaillaient les maitres d'autrefois ont disparu (Blais, Gauchet, Ottavi, 2008). Les marges de manœuvre des enseignants, souvent peu formés à la linguistique[1], sont faibles, et l'on comprend qu'ils se tournent vers les manuels, qui, eux aussi, ne peuvent guère se démarquer de ce que la société et l'institution semblent exiger. Telle est la situation à laquelle élèves et professeurs doivent faire face.

# 1.2. | Les apports de la recherche

Depuis un quart de siècle, les recherches sur l'orthographe, la grammaire et leur apprentissage ont connu un fort développement. Encore insuffisamment prises en compte, elles offrent pourtant de nouvelles perspectives.

## L'orthographe française: un «plurisystème»

Les linguistes ont mis de l'ordre dans ce qui apparaissait jusque-là comme un amas de règles et d'exceptions; ils ont montré que notre système d'écriture est composé de divers niveaux d'organisation reliés entre eux selon la fonction que les graphèmes remplissent, en particulier des graphèmes polyvalents comme *e*, *s* et *t* (Catach, 1980). Le tableau 7.1 l'illustre à travers les valeurs principales du graphème *t*.

**TABLEAU 7.1 Valeurs du graphème *t***

| Valeur phonographique | transcrit le phonème /t/ | *arrêter* |
|---|---|---|
| | transcrit le phonème /s/ (devant *i*) | *révolution* |
| | modifie la prononciation du *e* (tel un accent) | *poulet / poule* |
| Valeur morphographique | signe de l'appartenance à une famille lexicale | *fort / forte / fortement* |
| | élément de suffixe | *absolument, fatigant* |
| | marque grammaticale de la troisième ou sixième personne | *on court, ils couraient* |
| Valeur distinctive | distingue des homophones | *vert / ver* |

---

1. En France, selon une enquête du ministère de l'Éducation nationale et de la Direction de l'évaluation, de la prospective et de la performance (DEPP), 17 % seulement des enseignants de CM2 (cinquième année du primaire) déclarent avoir reçu une formation en langue française ou en linguistique ou en sciences du langage (2013).

Le graphème *t* est un bon exemple de cette relation étroite entre les deux principes de fonctionnement de l'orthographe française, la phonographie (ou transcription de la chaine sonore) et la sémiographie (ou notation de certains éléments d'ordre sémantique comme les marques de famille ou les marques grammaticales). Les élèves ont rapidement une intuition de ces principes, ce qui les conduit à des réussites, mais aussi à des erreurs, comme *un abrit, un charlatant,* ou encore *il a mit, il a finit, elle a vut.*

Ainsi, les facteurs de complexité de l'orthographe grammaticale sont nombreux :

- la présence de marques grammaticales qui correspondent ou non à un segment phonique : le *é* audible du participe passé *aimé* par rapport au *s* du pluriel *aimés* ;
- l'alternance entre une marque réelle et son absence (féminin : *e*, masculin : zéro, *claire/clair*) ;
- l'enchainement des marques, par exemple de féminin pluriel (*joli-e-s*) ou de temps-mode et personne (*chant-ai-ent*) ;
- la différenciation à l'écrit de ce qui se prononce, ou peut se prononcer dans certaines parties de la francophonie, de la même façon (*un travail/il travaille/ elles travaillent* ; *on a mangé/on va manger/on mangeait/on a été manger/on a été mangés*) ;
- l'extension des chaines d'accords et une redondance de marques importante (fém. plur. : *Arrivées au parc, les filles étaient tout émues d'être filmées*).

L'existence d'une multiplicité de fonctionnements qui n'obéissent pas à un principe unique dans un même domaine génère de l'incertitude (par exemple, le féminin des adjectifs *petit/petite, bossu/bossue, facile*) et oblige le scripteur à une grande activité d'analyse quand il écrit. Cette complexité de l'orthographe française entraine celle de son apprentissage.

L'orthographe lexicale et l'orthographe grammaticale ne sont cependant pas logées à la même enseigne. La première repose sur la mémoire en relation avec le vocabulaire et les connaissances du monde. La seconde implique la réflexion et une capacité de mise à distance par rapport à son propre langage : de solides outils d'analyse grammaticale sont nécessaires.

## La grammaire nouvelle

Par opposition à la grammaire « traditionnelle », aux définitions basées sur le sens (le verbe est un mot d'action), la grammaire nouvelle, appelée aussi rénovée, malgré certaines variations d'un pays à l'autre de la francophonie, repose principalement sur les caractéristiques syntaxiques et morphologiques de la langue. Ces caractéristiques donnent lieu à des manipulations qui s'avèrent des outils particulièrement utiles à l'élève pour valider ou invalider une analyse (voir tableau 7.2). L'usage des manipulations syntaxiques et du nécessaire jugement de grammaticalité qui en résulte est difficile pour certains élèves, mais, tout comme la conscience phonologique se développe par l'apprentissage de la lecture, leur conscience syntaxique s'affine en travaillant dans le cadre de cette grammaire rénovée.

**TABLEAU 7.2 Exemple d'utilisation d'une manipulation pour valider ou rejeter une analyse[2]**

| Identification du sujet dans la phrase dictée : *Une lampe de poche nous donne un avantage dans la noirceur* | Remarques à propos de l'hypothèse 1 |
|---|---|
| **Hypothèse 1 : le sujet est *nous*** <br><br> L'exécution de la manipulation d'encadrement donne : <br><br> *Une lampe de poche **c'est** nous **qui** donne un avantage dans la noirceur* <br><br> **Jugement :** La phrase est mal construite, elle ne se dit pas. <br><br> L'hypothèse 1 est rejetée. <br><br> **Hypothèse 2 : le sujet est *un avantage*** <br><br> L'exécution de la manipulation donne : <br><br> *Une lampe de poche nous donne **c'est** un avantage **qui** dans la noirceur* <br><br> **Jugement :** La phrase est mal construite, elle ne se dit pas. <br><br> L'hypothèse 2 est rejetée. <br><br> **Hypothèse 3 : le sujet est *une lampe de poche*** <br><br> L'exécution de la manipulation donne : <br><br> ***C'est** une lampe de poche **qui** nous donne un avantage dans la noirceur.* <br><br> **Jugement :** La phrase se dit bien, elle est bien construite. <br><br> L'hypothèse 3 est vérifiée : *une lampe de poche* est le sujet de la phrase. Pour réaliser l'accord, la discussion doit se poursuivre afin d'identifier le nom noyau du groupe qui donne ses caractéristiques de personne et de nombre au verbe *donne*. | • L'encadrement du sujet par *c'est... qui* mène à la formation d'une phrase avec emphase sur le sujet, une structure très courante à l'oral, donc connue des élèves. <br><br> • Il faut porter un jugement grammatical sur la phrase transformée afin de valider ou d'invalider l'hypothèse. <br><br> • Plusieurs caractéristiques peuvent souvent être utilisées ; ici, la référence à l'oral, *nous donnons*, aurait suffi à invalider l'hypothèse 1. |

Dans la résolution de problèmes d'orthographe grammaticale en écriture, les groupes et leurs constructions, la phrase de base et l'ordre de ses constituants, ainsi que les classes de mots (catégories), revêtent une importance cruciale (en plus des fonctions syntaxiques, bien sûr).

En grammaire rénovée, les classes de mots peuvent également être identifiées par des manipulations qui servent de preuves, comme le montre l'encadré qui suit, fournissant ainsi aux élèves des procédures rigoureuses qui n'existaient pas dans la grammaire traditionnelle. Cet ensemble d'outils permet de faire évoluer les conceptions des élèves.

---

2. Les hypothèses rapportées ici proviennent d'élèves de 9-10 ans (Nadeau et Fisher, 2013).

## Principales manipulations pour identifier une classe de mots

> *Les enfants gourmands apprécient le chocolat.*
>
> - **Le verbe** peut être identifié par:
>   - la négation (encadrement par *ne… pas*): *Les enfants gourmands n'apprécient pas…*
>   - le changement de temps: *Les enfants gourmands appréciaient / apprécieront…*
>   - le changement de personne: *Vous appréciez…*
> - **L'adjectif dans un GN**, en plus de décrire ou de préciser le nom (caractéristique sémantique), peut être identifié par:
>   - l'effacement: *Les enfants apprécient le chocolat.*
>   - le changement de genre (si la variation s'entend): *Les filles gourmandes…*
>   - le remplacement par un autre adjectif: *Les enfants sages…*

Précisons qu'il est nécessaire de connaitre plusieurs manipulations, parce qu'une manipulation à elle seule ne permet pas toujours d'aboutir à une solution juste.

## Les raisonnements des élèves

Dans un examen de mathématiques, des points sont généralement réservés à la démarche de résolution du problème, même si le résultat n'est pas le bon. Lors de la correction d'un texte, bien peu d'enseignants se soucient du raisonnement sous-jacent à l'erreur orthographique: seul le résultat compte. Pourtant, tout un monde se révèle lorsqu'on se penche sur le processus, c'est-à-dire sur le raisonnement qui a conduit un élève à produire une graphie. Ces élèves qu'on croyait distraits ou paresseux réfléchissent, ils réfléchissent même en se fondant sur ce qu'on leur a enseigné, du moins ce qu'ils en ont compris. En effet, si l'enseignant interroge ses élèves pour entendre *leurs* raisonnements en grammaire, il se rendra compte à quel point ce qui a été enseigné n'est que partiellement assimilé, et comprendra d'où viennent les obstacles qu'ils rencontrent. Derrière ce qu'écrivent les élèves se cachent des raisonnements souvent insoupçonnés (voir tableau 7.3). Sans accès à leurs conceptions erronées, il sera difficile de les faire évoluer vers une compréhension claire et approfondie des notions grammaticales.

**TABLEAU 7.3 Quelques exemples de raisonnements erronés, mais révélateurs**

| | |
|---|---|
| *J'aime<u>s</u> maman*: «s parce que maman, je l'aime beaucoup» (7 ans).<br><br>*On<u>s</u> nous avait mis de la musique*: «on met un s (à *on*) parce qu'on est beaucoup de monde» (8 ans).<br><br>*On<u>t</u> va la voir*: «c'est <u>o-n-t</u> parce que c'est *nous*, donc *on* est plusieurs» (9 ans).<br><br>*Les feuilles des arbres commen<u>ce</u> à tomber*: «les feuilles COMMENCENT à tomber, il y en a pas encore beaucoup de tombées» (10 ans).<br><br>*Donne<u>s</u>-lui les clés*: «J'ai mis s à *donne* parce qu'il y a plusieurs clés» (étudiant universitaire). | La notion du pluriel suscite un foisonnement de raisonnements à partir de l'opposition «beaucoup» / «pas beaucoup» ou encore «plusieurs» / «pas plusieurs», et pas seulement chez les plus jeunes, ce qui résulte souvent d'une absence de réflexion sur la classe du mot. |

| | |
|---|---|
| *Les feuilles colorées des arbres composent un merveilleux paysage* : « Je remplace le sujet par *ils* parce que quand on a un nom féminin (*feuilles*) et un nom masculin (*arbres*), le masculin l'emporte » (10 ans).<br><br>*Ils l'ont suivi et capturer* : « quand deux verbes se suivent, le deuxième se met à l'infinitif » (16 ans).<br><br>*je me suis dépêcher* : « le deuxième verbe au passé composé est toujours à l'infinitif » (9 ans). | Une règle enseignée est souvent appliquée dans un contexte inadéquat, des connaissances parfois s'entre-mêlent ; un raisonnement erroné peut conduire à une bonne graphie. |

Ces exemples illustrent le fait que l'apprentissage n'est pas un processus cumulatif, mais plutôt un processus de transformation. Comme l'ont bien montré, entre autres, les didacticiens des sciences, l'élève n'est pas une cire vierge (Giordan, 2002) ; il aborde toujours les contenus enseignés avec un « déjà-là » fait de conceptions et de parcelles de connaissances, acquises à l'école ou ailleurs, puisqu'il tend spontanément à donner du sens à ce qui lui est présenté. D'où la nécessité pour l'enseignant de partir de ce que les élèves comprennent afin, d'une part, de détecter les obstacles qu'ils rencontrent (par exemple, la contradiction entre l'idée de pluralité qu'évoque un nom collectif et le fait qu'il est grammaticalement singulier) et, d'autre part, de faire évoluer leur savoir dans le sens d'une conceptualisation de plus en plus précise et complète.

## 1.3. | Les fondements d'un enseignement renouvelé de l'orthographe grammaticale

Les apports de la recherche évoqués précédemment servent d'assises à des approches didactiques qui visent à faire comprendre et apprendre l'orthographe grammaticale *autrement*, de manière plus efficace que les traditionnelles leçons magistrales suivies d'exercices à trous. Ces approches ont en commun certains principes fondamentaux que nous résumons de la façon suivante.

- **Assurer un apprentissage explicite et progressif des connaissances grammaticales**. En raison des caractéristiques de l'orthographe du français, le scripteur ne peut échapper à la nécessité d'analyser ce qu'il écrit afin de marquer les catégories grammaticales (genre, nombre, mode, temps, personne) et de réussir les accords, le plus souvent silencieux, qui s'imposent. Des connaissances grammaticales sont indispensables et elles doivent faire l'objet d'un apprentissage explicite. En effet, si des apprentissages implicites jouent un rôle important dans l'appropriation de l'orthographe lexicale[3], il n'en va pas de même pour l'orthographe grammaticale. Dans ce dernier cas, l'exposition aux mots est de peu d'utilité, puisque leur finale, où se concentrent les marques, dépend du contexte syntaxique propre à chaque énoncé. S'il peut en résulter des accords conformes pour des séquences simples et fréquentes (marque de pluriel dans *les portes et les fenêtres*), cette imprégnation inconsciente peut être source d'erreur (*il les portes jusqu'à l'étage*) dès que la syntaxe se complexifie, par exemple dans le cas

---

**3.** De tels apprentissages ne sont pas délibérés, mais résultent de la perception inconsciente de régularités à la suite d'une exposition répétée à des configurations données (par exemple, les possibilités de doubles consonnes en français). Sur la distinction entre apprentissage implicite et explicite pour l'orthographe grammaticale, voir Nadeau et Fisher (2011).

de l'éloignement sujet-verbe. Il importe donc que les notions grammaticales et les procédures soient travaillées dès les premières années de la scolarité, selon une progression qui tient compte des capacités des élèves, tout en mettant l'accent sur la compréhension des grandes régularités du système. Cette entreprise demande du temps, car les savoirs grammaticaux ne se transmettent pas *tout faits* aux apprenants : les *découvrir* ne suffit pas, ils doivent ensuite servir abondamment dans des contextes variés pour être approfondis.

- **Reconnaitre le nécessaire travail de conceptualisation.** À l'instar des notions scientifiques, les savoirs grammaticaux sont autant de notions (nom, verbe, genre, ou encore accorder, conjuguer, etc.) que les élèves ont à (re)construire pour développer leur compétence à l'écrit. Les situations d'apprentissage doivent donc permettre ce travail fondamental, en donnant aux élèves l'occasion, par exemple, d'observer et de comprendre peu à peu les propriétés des diverses classes de mots. Les attributs d'une notion sont en effet intégrés graduellement par les apprenants : le verbe est d'abord associé à l'idée d'action, la possibilité de le conjuguer à différents temps venant plus tard[4]. De même, à l'intérieur d'une classe de mots, certains termes apparaissent prototypiques comparativement à d'autres et se trouvent ainsi plus aisément reconnus comme tels et plus surement accordés (*petit* plutôt que *malpoli* ou *municipal*). La discrimination étant à la base du processus de conceptualisation (Barth, 2013, et ici même le chapitre 4), diverses situations doivent amener les élèves à observer des phrases et des textes pour s'exercer à reconnaitre, à différencier, à comparer, et ainsi à construire les catégories indispensables au développement de leur savoir grammatical. Prêter attention à ce processus de conceptualisation de l'écrit est donc primordial.

- **Assurer la verbalisation des conceptions.** Exprimer ce qu'on sait, croit savoir ou ne sait pas témoigne de connaissances explicites. Puisque approfondir et clarifier des notions constitue un long processus, de nombreuses conceptions approximatives ou fausses (par rapport à la norme) sont générées en cours de route, et il est nécessaire qu'elles puissent être exprimées pour se transformer et évoluer. Tant que l'on ne fait pas parler les élèves, on ignore tout des logiques qui guident leurs choix graphiques, comme des obstacles cognitifs qu'ils rencontrent, dont bon nombre sont largement partagés. Il y a là une source précieuse d'informations pour l'enseignant : en fait, cela doit être son point de départ.

- **Articuler connaissances et procédures.** Les connaissances grammaticales servent à mieux comprendre le fonctionnement de la langue et à résoudre les problèmes rencontrés dans l'écriture, notamment sur le plan de l'orthographe. Il importe donc de penser des activités qui se rapprochent d'une situation d'écriture et dans lesquelles les élèves ont à articuler connaissances et procédures, ce qui est particulièrement exigeant. Les outils de la grammaire moderne deviennent alors de précieux alliés. Il s'agit en somme de créer des ponts entre

---

**4.** Voir le chapitre 8 sur le verbe. Il faut toutefois reconnaitre que cette conception est alimentée par l'enseignement reçu dès l'entrée à l'école. En fait, les élèves se servent des outils qu'on leur offre. Ainsi, dès le deuxième trimestre de la première année, ils sont en mesure de recourir à la manipulation d'encadrement par *ne… pas* pour reconnaitre le verbe dans une phrase.

des apprentissages ciblés (par exemple, l'accord verbal) et des contextes réels et variés qui demandent la mobilisation de plusieurs savoirs et savoir-faire, ce qui est bien éloigné des exercices traditionnels. De tels dispositifs rendent les élèves mentalement actifs, condition nécessaire à l'apprentissage, tout en favorisant le développement de leur capacité à gérer les diverses dimensions de l'activité d'écriture.

- **Favoriser les interactions et la résolution de problèmes.** Les situations qui amènent les élèves à se questionner sont porteuses d'apprentissage du fait qu'elles engagent à la fois le cognitif et l'affectif (Barth, 2013). Un problème posé, surtout lorsqu'il provient des élèves eux-mêmes, présente un défi qui suscite de l'intérêt. L'attention conjointe peut ainsi s'établir, condition nécessaire au partage des significations et à la négociation du sens qui se produit dans les interactions entre les élèves et avec l'enseignant. La coopération est importante pour résoudre un problème, qu'il s'agisse d'un tri de mots ou de la justification d'une graphie. L'apprentissage des raisonnements menant à la résolution des accords grammaticaux doit notamment s'appuyer sur un travail de groupe au cours duquel les procédures sont verbalisées à répétition. Accompagnés par l'enseignant qui modèle et guide le raisonnement, les élèves s'y entrainent en discutant un choix de graphie, par exemple. Apprendre à mener ces raisonnements avec les autres favorise une appropriation pour la révision de ses propres textes.

Nous avons clarifié les raisons de modifier les pratiques d'enseignement. Voyons à présent quelles activités mener en classe pour que le plus grand nombre d'élèves possible s'approprient l'orthographe dont ils ont besoin pour écrire et apprendre.

# Des dispositifs d'apprentissage

Les dispositifs présentés dans cette section sont avant tout liés à des objectifs d'entrainement et de consolidation de savoirs grammaticaux qui auront d'abord été introduits et précisés par d'autres moyens, tels l'observation de corpus, le tri de mots, l'analyse d'exemples contrastés, la démarche active de découverte. En effet, les marques grammaticales, qui sont en nombre réduit (marques de genre et de nombre pour le domaine du nom, marques de mode, de temps et de personne pour le domaine du verbe), ne constituent pas la principale difficulté de l'orthographe grammaticale : ce sont l'analyse de configurations lexicales et syntaxiques, toujours renouvelées en production écrite, et la vigilance requise dans l'activité de révision qui rendent leur apprentissage ardu.

## 2.1. La dictée 0 faute et la phrase dictée du jour

Malgré leur nom, ces deux activités sont bien éloignées de la dictée traditionnelle, puisqu'elles n'ont pas une fonction d'évaluation ou de correction, mais donnent plutôt aux élèves l'occasion de réfléchir sur ce qu'ils écrivent et d'exprimer des doutes orthographiques dans un climat de confiance. Le problème posé amène à discuter pour trouver une solution justifiée, particulièrement dans le cas des accords et des homophones, qui impliquent un ensemble de connaissances grammaticales que les élèves doivent apprendre à mobiliser et à articuler dans les contextes adéquats.

## La dictée 0 faute

Lors d'une dictée 0 faute, un court texte est d'abord lu, puis dicté par l'enseignant. Après chaque phrase, un temps de réflexion est accordé aux élèves. Ils peuvent ensuite poser toutes les questions qu'ils veulent sur l'orthographe des mots dont ils doutent. Le rôle de l'enseignant est d'amener les élèves à préciser leurs doutes et de faire en sorte que ce soit eux qui trouvent la manière d'y répondre. Toutes les questions sont permises. Toutefois, l'objectif est moins d'avoir 0 faute que de trouver les chemins de la réponse. Bien que cette activité se déroule principalement à l'oral, le tableau sera utilisé à l'occasion pour camper diverses positions discutées à propos d'un mot.

D'abord proposée par Arabyan (1990) sous le nom de «dictée dialoguée», cette forme de dictée a connu diverses variantes[5]. Dans la version expérimentée au Québec dans des classes du primaire et du secondaire, l'enseignant guide le raisonnement grammatical par des questions et l'utilisation de manipulations syntaxiques comme preuves d'analyse. Au départ, les questions des élèves sont peu nombreuses et prennent souvent une forme élémentaire: «*planté*, comment on l'écrit?» Progressivement, grâce aux interventions de l'enseignant – telles que «Sur quoi tu hésites?» ou «Ah! Tu doutes de la terminaison du verbe?» –, les élèves se questionnent davantage et de manière plus précise: «Est-ce que *trouve* va prendre *e- n- t*?» Ils apprennent peu à peu à utiliser le métalangage pour formuler leurs doutes[6]: par exemple, «Est-ce que *petits*, ça va être un nom ou un adjectif?» ou, à propos d'une phrase comportant une phrase subordonnée, «Est-ce qu'il y a deux sujets dans la phrase?». La dictée 0 faute amène les élèves à développer une vigilance orthographique (dont on déplore souvent l'absence chez les apprenants) et leur permet de s'entrainer à pratiquer un raisonnement grammatical complet en utilisant les ressources de la grammaire rénovée. Par exemple dans le cas d'un accord: reconnaissance de la classe de mot, rappel de la règle qui s'y associe, repérage du mot donneur[7] et de ses propriétés grammaticales (genre-nombre/personne-nombre) et choix des marques à porter sur le mot receveur. C'est ce que montre l'extrait pris sur le vif (élèves de 9-10 ans) présenté dans l'encadré qui suit.

---

5. Comme certaines vidéos en témoignent, cette dictée s'est parfois accompagnée de l'interdiction pour l'enseignant de répondre autrement que par «oui» ou «non», ce dont on n'a pas trouvé de traces dans des écrits didactiques. Par contre, Arabyan demandait que l'enseignant se fasse aussi discret que possible pour laisser aux élèves l'initiative de la discussion.

6. Par *métalangage*, on entend à la fois la terminologie grammaticale et la manière de parler des faits de langue.

7. Les notions de donneur et de receveur servent à décrire le système des accords du français: «Parmi les mots de classes variables, il y a ceux qui sont donneurs de leurs caractéristiques morphologiques de genre, de nombre et de personne et ceux qui en sont les receveurs» (Chartrand et coll., 1999/2011, chap. 27). Les receveurs *s'accordent* en prenant deux caractéristiques du mot donneur (nom ou pronom): le genre et le nombre dans le cas du déterminant, de l'adjectif ou du participe passé; la personne et le nombre dans le cas du verbe.

## Exemple de raisonnement grammatical guidé par l'enseignant

Phrase dictée: *Les enseignants et les élèves n'aiment pas les journées* orageuses.

**Max:** *Orageuses*, ça va prendre un *s*?

**Enseignant:** Tu veux savoir si *orageuses* va prendre un *s*. *Orageuses*, c'est quelle classe de mots?

**L'enseignant:**
- emploie un ton très neutre, évitant ainsi de signifier si l'hypothèse de l'élève est bonne ou mauvaise
- demande la classe du mot, première étape du raisonnement menant à compléter un accord

**Max:** C'est un adjectif.

**Enseignant:** Comment tu sais que c'est un adjectif?

**Max:** Parce qu'on peut dire: «les journées très orageuses».

**L'enseignant:**
- demande une preuve de l'analyse (une manipulation)

**Enseignant:** On peut placer le *très* devant. Tu as raison, *orageuses*, c'est un adjectif. Il accompagne quel nom?

**Max:** *Journées.*

**Enseignant:** *Journées*, c'est un nom quoi?

**Max:** Féminin… pluriel.

**L'enseignant:**
- nomme la manipulation exécutée par l'élève et la valide[8]
- poursuit en questionnant l'élève sur le donneur, ici le nom dans le GN

**Enseignant:** Pluriel. Donc, ton adjectif, il va être…

**Max:** Féminin pluriel.

**Enseignant:** Donc, ça va prendre quoi à la fin?

**Max:** Un *s*.

**Enseignant:** Un *s*. *Orageuses* prend un *s* à la fin.

**L'enseignant:**
- revient à l'adjectif receveur
- questionne l'élève sur la finale à écrire (la forme du féminin, qui s'entend, aurait pu être relevée)
- valide la graphie

## La phrase dictée du jour

Il s'agit d'un dispositif qui s'inspire des ateliers de négociation graphique (Haas, 1995), mais qui s'en distingue en ce que l'activité s'adresse à toute la classe en même temps, ce qui permet de la réaliser plus fréquemment (Cogis, 2005). Une seule phrase est dictée (parfois deux, pour travailler la reprise pronominale). Après un temps laissé à la révision, toutes les graphies produites par les élèves sont répertoriées au tableau. La photo de la page suivante (élèves de 10-11 ans) montre une enseignante en train de faire ce relevé après qu'un élève ait écrit sa version de la phrase (voir figure 7.1).

---

**8.** L'ajout de *très* devant un adjectif est une manipulation syntaxique souvent utilisée au primaire. Elle n'est toutefois pas valable pour des adjectifs classifiants (ou relationnels) comme dans le GN *la crème solaire*.

FIGURE **7.1** **Relevé des graphies lors d'une phrase dictée du jour**

© Marie Nadeau et Carole Fisher

Dans ce dispositif, c'est la confrontation de plusieurs graphies pour un même mot qui sèmera le doute : toutes ne peuvent être correctes dans le contexte de la phrase dictée. Comme en dictée 0 faute, la discussion s'engage alors, animée par l'enseignant, afin de déterminer quelle graphie est juste. Qu'il s'agisse de garder ou d'éliminer une graphie, l'élève doit justifier son choix et réfuter ceux des autres en fournissant des arguments fondés sur ses connaissances grammaticales. Les graphies éliminées sont effacées. À la fin de l'activité, la phrase correcte est consignée dans un cahier. L'intérêt de ces deux pratiques est résumé dans le tableau 7.4.

TABLEAU **7.4** **Avantages de la dictée 0 faute et de la phrase dictée du jour pour l'élève et l'enseignant**

| Ces pratiques entrainent l'élève... | Ces pratiques permettent à l'enseignant... |
|---|---|
| • à mobiliser ses connaissances et à en utiliser plusieurs concurremment | • d'avoir accès aux conceptions des élèves |
| • à formuler un raisonnement grammatical complet | • de repérer ce qui n'est pas acquis |
| • à employer la terminologie adéquate | • de faire évoluer ces conceptions par la discussion |
| • à confronter ses conceptions | • de contribuer à l'organisation des connaissances |
| • à prêter attention au contexte syntaxique | • de partir de ces observations pour planifier des enseignements ciblés et assurer une progression des apprentissages adaptée |
| • à développer le doute orthographique | |

## Les conditions d'efficacité

L'enseignant joue un rôle crucial dans la conduite de ces activités. Les gestes pédagogiques à développer peuvent sembler anodins. Pourtant, ils influencent grandement les bénéfices qu'en retireront les élèves. Selon la « qualité » des interventions de l'enseignant, des classes progressent beaucoup plus que d'autres en orthographe grammaticale dans les textes que les élèves produisent (Fisher et Nadeau, 2014), voir l'encadré qui suit.

**Attitudes et interventions à développer dans les discussions grammaticales au cours d'une dictée 0 faute ou d'une phrase dictée du jour**

- Rester neutre et ne pas manifester de signes d'approbation ou de désapprobation
- Reformuler les propos de l'élève pour assurer la compréhension de tous
- Faire expliciter la question ou le commentaire d'un élève
- Questionner les élèves de manière à leur faire pratiquer un raisonnement grammatical complet
- Laisser à l'élève du temps pour réfléchir avant de répondre, éviter d'aller chercher trop rapidement «l'aide» d'un autre élève (supporter le silence…)
- Susciter l'utilisation de manipulations syntaxiques comme outils d'analyse
- Demander un jugement sur le résultat d'une manipulation («Est-ce que ça se dit?»)
- Se servir du tableau pour soutenir le raisonnement et faciliter les comparaisons
- Récapituler une étape de la discussion ou sa totalité
- Valider le résultat à la fin d'une discussion sur une graphie

De plus, les phrases à dicter doivent être soigneusement choisies. En effet, les phrases trop faciles, même si elles donnent lieu au modelage du «bon raisonnement», sont source de progrès peu importants, car elles ne suscitent pas suffisamment de confrontations. Les phrases trop difficiles ne permettent pas davantage de progresser, car les élèves seront incapables de résoudre le problème. Les phrases dictées qui conduisent à de plus grands progrès chez les élèves sont celles qui présentent des difficultés d'analyse qui peuvent être résolues par des manipulations connues des élèves. Par exemple, pour l'accord du verbe, une phrase telle que *Les autos rouges roulent sur la route bleue* est plutôt facile pour des élèves de 8-9 ans, alors qu'une phrase telle que *Chacune des personnes arrive…* est trop difficile pour eux; par contre, une phrase comme *Une lampe de poche nous donne un avantage dans la noirceur* est bien adaptée. Mentionnons enfin que, tant pour la dictée 0 faute que pour la phrase dictée du jour, une fréquence hebdomadaire est recommandée.

## Les effets positifs des dictées innovantes

Une expérimentation de la dictée 0 faute et de la phrase dictée du jour a été menée dans une quarantaine de classes du primaire et du secondaire (de 8-9 ans à 14-15 ans) au Québec[9]. Les enseignants ont pratiqué régulièrement l'une ou l'autre de ces dictées d'octobre à mai, avec une évaluation des élèves en orthographe grammaticale avant et après l'expérimentation au moyen d'une dictée et d'une production écrite.

---

**9.** Projet de recherche-action financé par une action concertée MELS-FQRSC. Pour plus d'informations sur le projet et ses résultats, voir le rapport en ligne (Nadeau et Fisher, 2014) ou Fisher et Nadeau (2014). Un groupe Facebook intitulé «Dictée 0 faute et Phrase du jour» a été créé à la suite de cette recherche pour rendre disponibles des extraits vidéo de séances de dictées métacognitives à divers niveaux scolaires pour la formation à ces pratiques. Le groupe est ouvert aux enseignants de français et aux formateurs.

En dictée, les progrès des élèves sont remarquables : en huit mois, ils ont progressé autant que des élèves français en deux ans, observés dans une étude menée auprès de 2 700 élèves de 10 à 15 ans[10]. En rédaction de texte, pour l'accord des verbes, les écarts importants constatés en octobre entre les élèves forts et les élèves faibles, quel que soit le cycle d'étude, se trouvent fortement réduits en mai (voir annexe 1). Le même effet de nivèlement vers le haut s'observe avec la réussite des homophones grammaticaux.

Nous pouvons donc affirmer aujourd'hui que ces dispositifs sont grandement bénéfiques pour les élèves des différents âges, les progrès étant perceptibles jusqu'en rédaction. Bien plus, ils permettent de faire progresser les élèves faibles, ce qui valide d'autant plus les choix didactiques à la base de ces pratiques innovantes.

# 2.2. | La phrase dictée-donnée

L'objectif de la phrase dictée-donnée est d'activer des conflits cognitifs, propices aux apprentissages, afin de dépasser les représentations individuelles. En confrontant les élèves à une (autre) façon d'écrire, dont ils savent qu'elle est correcte, le dispositif de la phrase dictée-donnée les déstabilise, mais ouvre aussitôt à une possible réorganisation des savoirs. Testé avec des élèves de 8 à 10 ans, il a permis à tous de progresser (Geoffre, 2013). Le tableau 7.5 en précise le déroulement.

**TABLEAU 7.5 La phrase dictée-donnée**

| Du côté de l'enseignant | Du côté de l'élève |
| --- | --- |
| La phrase *dictée-donnée* commence comme une phrase dictée du jour. Face à une erreur récurrente dans les écrits des élèves, l'enseignant choisit une phrase adaptée à leurs besoins et la *dicte* à la classe. | Chaque élève écrit la phrase *dictée* par l'enseignant, puis la relit avec les outils habituels (balisage et signes de doute). |
| La phrase est ensuite *donnée* aux élèves sous sa forme normée. L'enseignant a au préalable souligné les mots qui feront l'objet d'une justification. | Les élèves repèrent les écarts entre leur production personnelle et la phrase *donnée*. Ils justifient individuellement par écrit l'orthographe des mots soulignés. |
| Suivent une phase de confrontation des justifications en groupe, puis une synthèse collective qui valide le système explicatif final. | Au sein du groupe, les élèves doivent se mettre d'accord sur les justifications retenues pour les mots soulignés. |

Pour l'ensemble de ces dictées réflexives, on proposera les mêmes notions suffisamment longtemps pour assurer une réelle appropriation ; on complexifiera petit à petit les structures, d'une part, en allant vers des variations qui ne sont pas perceptibles à l'oral et, d'autre part, en mettant de la distance entre donneur et receveur.

---

**10.** Pour l'étude française, voir Manesse et Cogis (2007).

## 2.3. | La dictée codée

*Progresser en orthographe. Dictées codées* est un logiciel d'apprentissage de l'orthographe en autonomie (Luyat et Brissaud, 2006). Une trentaine de textes issus de la littérature pour la jeunesse y sont présentés sous la forme de dictées de difficulté croissante. Le logiciel apporte des aides différenciées selon cinq degrés d'autonomie, pour que les élèves corrigent leurs erreurs en fonction de leur niveau. Les élèves font la dictée à leur rythme ; ils peuvent faire une pause.

Un espace enseignant récapitule l'état d'avancement du travail de la classe : toutes les réponses sont sauvegardées, des statistiques fournies : nombre d'élèves ayant fait la dictée, nombre moyen d'erreurs, et, pour chaque mot, nombre d'erreurs, liste des élèves qui ont fait une erreur et graphie sélectionnée par chacun d'eux, etc. (voir figure 7.2).

**FIGURE 7.2** Exemple d'écran d'informations pour l'enseignant dans la dictée codée

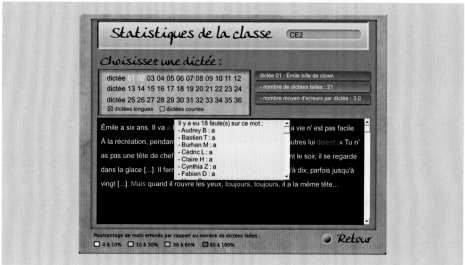

L'utilisation régulière du logiciel *Dictées codées* sur une période relativement courte (deux mois) a permis d'observer des progrès sensibles chez des élèves de 11 ans en ce qui concerne le marquage du pluriel ainsi que la mise en relation du groupe nominal en position de sujet (ou son noyau) et du verbe de la phrase : les élèves de la « classe logiciel » ont davantage progressé que ceux qui ont travaillé l'orthographe sans logiciel (Brissaud et Luyat, 2016). Outre les progrès que ce mode de travail permet, mentionnons le plaisir, bien réel, des élèves qui redemandent à faire des dictées ! Pour renforcer l'efficacité du dispositif, nul doute que l'accompagnement de l'enseignant est primordial, d'une part, pour cibler le travail avec l'utilisation des ressources de l'espace enseignant, d'autre part, pour inviter les élèves à utiliser en production d'écrit les outils mis à leur disposition.

## 2.4. | La révision de l'orthographe grammaticale dans les écrits

Les élèves ne transfèrent pas toujours leur savoir orthographique en production écrite. Il y a plusieurs raisons à cela. Ils peuvent cantonner l'orthographe au cours d'orthographe : il faut alors les amener à comprendre que l'orthographe est un code pour faciliter la communication, ce qui suppose d'avoir en classe de réelles pratiques d'écriture où les écrits circulent, s'affichent, se publient, valorisés pour leur contenu et non dévalorisés pour leurs lacunes orthographiques. Les élèves peuvent aussi être démunis devant la tâche. « Relisez-vous ! » leur répète-t-on. Mais la vérification de l'orthographe n'a rien à voir avec la simple relecture d'un texte. Il est donc impératif de lier, dès le début, orthographe et écriture dans les activités d'apprentissage, et d'enseigner une méthode de révision-correction[11].

### La relecture différée et ciblée

La mémoire nous joue des tours, et la complexité des accords en français fait le reste. D'une part, nous avons du mal à mener de front recherche, organisation, formulation des idées et transcription écrite, ce qui entraine des erreurs. D'autre part, nous avons tendance à lire ce que nous croyons avoir écrit, et nous ne voyons pas nos erreurs. Il vaut donc mieux attendre quelques jours pour réviser son propre texte. La révision comporte trois opérations : le repérage des graphies non conformes à la norme, le diagnostic de l'erreur, la rectification finale. Le scripteur expert conduit les trois opérations de façon plus ou moins automatique. L'élève, lui, aura besoin de beaucoup d'années pour y parvenir.

Pour que les élèves apprennent à corriger l'orthographe grammaticale, l'étape du repérage est essentielle. Que l'enseignant souligne leurs erreurs, selon la pratique habituelle, en croyant les aider, n'est donc pas une bonne idée. Lorsqu'on effectue une relecture différée, la mémoire dispose de ressources mentales suffisantes pour voir ce qui ne va pas, comme le fait cette élève de 11 ans qui corrige un accord tout en modifiant son texte[12] :

**Version 1** : la mère et la sœur de Romain, le mitraille des yeux.

**Version 2** : Dans la voiture la mère et sa sœur le foudroyaient des yeux.

---

**11.** Pour un développement axé sur le secondaire, voir le chapitre 14.

**12.** Pour cet exemple et le suivant, voir Cogis (2013).

Même dans un écrit d'élève plus jeune, réputé faible, on peut remarquer un meilleur marquage en nombre dans la seconde version, alors que d'autres problèmes subsistent.

1. *je vait prendre pour l'antré des bétravre* → 2. *je prendré du pouler avec des pates.*

Cependant, la tâche doit rester à la portée des élèves. On cible donc une notion travaillée suffisamment longtemps : par exemple, le pluriel dans le groupe du nom, puis l'accord du verbe à la troisième personne[13]. De même, on limite fortement la zone de vérification, puis on l'augmente progressivement.

## Les traces de révision

Pour apprendre à réviser, il est important de s'appuyer sur des outils matérialisés sous la forme de codages, de fléchages, de signes de doute, de questions. La révision deviendra plus tard une activité mentale, signe d'expertise. La procédure est synthétisée après quelques séances collectives. Par exemple :

1. Je cherche le premier nom et j'inscris N.
2. Je code son genre m/f et son nombre sg/pl.
3. Je regarde s'il est accompagné d'autres mots.
4. Je trace une flèche à partir du nom.
5. Je code Dét. pour le déterminant et Adj. pour l'adjectif.
6. Je vérifie si le déterminant et l'adjectif sont comme le nom, au masculin ou au féminin, au singulier ou au pluriel.

Quand les stratégies utilisées par les élèves sur le nom sont devenues plus efficaces, on peut alléger le codage des catégories grammaticales et ne conserver que l'encadrement du nom donneur et le surlignement des marques morphologiques. Le même travail peut alors être effectué pour l'accord du verbe[14].

## La portée des accords

Les accords s'étudient à l'intérieur de la phrase (accord dans le groupe du nom, accord du verbe). Or, avec la subordination, la coordination, la juxtaposition et le passage d'une phrase à l'autre dans les textes, les accords, par le relai des pronoms substituts, ont une portée plus grande. Ces pronoms reçoivent leurs propriétés d'un nom référent qui doit être identifié, et lui-même normalisé. Cette continuité des accords doit d'abord être travaillée en situation collective, grâce à des outils tels que le fléchage-balisage ou la mise en grille.

**Le fléchage-balisage** consiste à indiquer par des flèches les relations donneur-receveur et à inscrire sous les mots leurs catégories grammaticales.

---

13. Une activité d'écriture dont la consigne oblige à travailler tel ou tel accord constitue un intermédiaire intéressant, comme le proposent Pellat et Teste (2001).

14. Une recherche a montré l'efficacité de la démarche chez des élèves de 13-14 ans (Blain, 1996).

Exemple de fléchage-balisage : *les parents se santai tellement génai qu'il partir*[15]

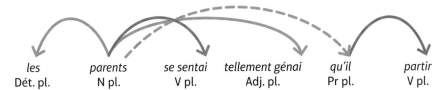

| les | parents | se sentai | tellement génai | qu'il | partir |
| Dét. pl. | N pl. | V pl. | Adj. pl. | Pr pl. | V pl. |

**La mise en grille** (ou mise en espace du texte) est un autre outil de révision qui facilite la gestion des accords dépassant le cadre de la phrase. Elle rend en effet visible la chaine des reprises pronominales à partir d'un nom référent et le marquage du verbe. La tâche consiste à aligner les noms et pronoms de reprise en fonction de sujet, d'une part, et les verbes, d'autre part. Cela ne va pas sans difficulté parfois, quand la syntaxe spontanée des élèves s'écarte des phrases canoniques proposées dans les exercices (les correcteurs numériques trouvent d'ailleurs ici souvent leurs limites).

Exemple de mise en grille : *Deux misicien se batte que leur instrument est cassé et l'autre rigole, les instrument sont cassés il ne peuvent plus jouer de music*

| Sujet | Prédicat | |
|-------|----------|---|
| *Deux misicien* | *se batte* | Avec l'aide de l'enseignant, l'élève isole les segments à aligner. Puis il justifie ses corrections : <br><br> 1) *musiciens* est au pluriel, donc *s* |
| *il* | *ne peuvent plus jouer de music* | 2) *-nt* au verbe *battent* parce qu'il s'accorde avec *musiciens* qui donne le pluriel <br><br> 3) *il* remplace *musiciens*, donc *ils* au pluriel |

La révision-correction orthographique est un travail exigeant qui doit être bien mesuré. Elle est pratiquée d'abord en situation collective, guidée par l'enseignant, puis, éventuellement, elle se fait en binôme, avant que chaque élève prenne en charge son propre écrit, ne serait-ce qu'en partie. Dans ce cadre, le texte ne doit pas être envisagé comme un espace propre, à respecter, mais plutôt comme un espace de travail où s'inscrivent les traces du raisonnement des scripteurs et de leurs doutes. L'enseignant peut alors en tirer des informations pour réguler son enseignement.

Repenser l'enseignement de l'orthographe dans le contexte actuel conduit à proposer des activités dont la forme peut rappeler certains exercices traditionnels, mais dont l'esprit et l'enjeu sont radicalement autres. Les dictées innovantes visent une transformation des conceptions des élèves en les amenant à prendre appui sur des procédures linguistiques efficaces. Elles visent aussi l'intériorisation progressive de ces procédures, ce qui permet d'augmenter d'autant leur capacité à réviser l'orthographe grammaticale de leurs propres écrits. La progression, une fois les premiers

---

**15.** Cette phrase et celle de l'exemple qui suit sont tirées de textes d'élèves de 10-11 ans.

apprentissages effectués, suit surtout celles des besoins langagiers des élèves, sans attribution rigide entre le primaire et le secondaire. Au fur et à mesure du développement de leurs connaissances, les élèves se concentrent sur les tâches de révision dans une autonomie croissante.

# Conclusion

Comme le montrent les connaissances nouvelles sur l'orthographe, sur l'évolution des conceptions des élèves, sur l'activité d'écriture, ainsi que les recherches en didactique, il est possible de faire acquérir l'orthographe grammaticale dans les conditions institutionnelles actuelles, y compris par des élèves réputées faibles. Pour cela, il faut sortir d'un apprentissage centré sur la correction des erreurs. De nouveaux dispositifs d'apprentissage le permettent et font progresser les élèves, dès lors que leur réflexion est engagée, leur intérêt pour la langue sollicité, et leurs graphies prises pour ce qu'elles sont, un moment provisoire, un passage. L'orthographe grammaticale du français étant ce qu'elle est, il importe d'encourager les élèves dans l'apprentissage difficile d'une matière complexe en leur montrant leurs progrès et le chemin encore à parcourir.

Le rôle de l'enseignant est ici essentiel. Mais une transformation des pratiques représente un parcours exigeant. Ce parcours, nos institutions doivent le prendre en charge par une formation digne de ce nom. Nous avons aujourd'hui assez de recul pour affirmer que le changement nécessite un accompagnement. Celui-ci peut prendre des formes différentes, mais qui toutes reposent sur la durée, les échanges entre pairs, l'analyse bienveillante des pratiques, notamment grâce à l'autoscopie ; l'aide d'un formateur expérimenté se révèle alors souvent décisive. En d'autres termes, il est important de se regrouper à l'échelle d'un cycle, d'une école, d'une commission scolaire ou d'une circonscription. Les possibilités de trouver des solutions aux difficultés passagères en sont accrues, tout comme les moyens de persévérer sans se décourager. C'est ainsi qu'on parvient à maitriser cet art délicat qui consiste à guider les élèves dans leur cheminement, tout en leur laissant la part d'initiative intellectuelle nécessaire aux apprentissages cognitifs.

Ce que la société attend aujourd'hui, c'est que l'école forme des scripteurs experts, l'orthographe n'étant qu'une composante de cette expertise. Cette attente porte très haut les exigences scolaires. Doit-on attendre un miracle des nouveaux dispositifs d'enseignement ? Non. Mais ces dispositifs ont des effets tangibles sur les performances des élèves et sur leurs attitudes à l'égard de l'étude de la langue, car ils leur donnent un statut d'acteur capable de réflexion. Ils ont aussi pour effet de modifier sensiblement chez les enseignants qui les adoptent la manière de traiter l'erreur et, plus globalement, de travailler la langue en classe. N'y a-t-il pas là, pour l'orthographe grammaticale, la perspective d'atteindre les objectifs assignés pour la fin de la scolarité obligatoire dans nos différents pays ?

## Références bibliographiques de base

Angoujard, A. (dir., 2007 ; 1^re éd., 1994). *Savoir orthographier*. Paris : Hachette Éducation.

Barth, B.-M. (2013). *Élève chercheur, enseignant médiateur*. Paris et Montréal : Retz et Chenelière Éducation.

Bousquet, S., Cogis, D., Ducard, D., Massonet, J. et Jaffré, J.-P. (1999). Acquisition de l'orthographe et mondes cognitifs. *Revue française de pédagogie*, vol. 126, p. 23-37. En ligne : http://ife.ens-lyon.fr/publications/edition-electronique/revue-francaise-de-pedagogie/INRP_RF126_2.pdf

Brissaud, C. et Cogis, D. (2011). *Comment enseigner l'orthographe aujourd'hui ?* Paris : Hatier.

Catach, N. (2007, 9^e éd.). *L'orthographe*, coll. « Que sais-je ? ». Paris : PUF.

Cogis, D. (2005). *Pour enseigner et apprendre l'orthographe. Nouveaux enjeux – Pratiques nouvelles. École/Collège*. Paris : Delagrave.

Fisher, C. et Nadeau, M. (2014). Usage du métalangage et des manipulations syntaxiques au cours de dictées innovantes dans des classes du primaire. *Repères*, n° 49, p. 169-191.

Luyat, P. et Brissaud, C. (2006). *Progresser en orthographe, dictées codées*. Scérén/CRDP de Grenoble.

Nadeau, M. et Fisher, C. (2006). *La grammaire nouvelle. La comprendre et l'enseigner*. Montréal : Gaëtan Morin éditeur/Chenelière Éducation.

Nadeau, M. et Fisher, C. (2011). Les connaissances implicites et explicites en grammaire : quelle importance pour l'enseignement ? quelles conséquences ? *Bellaterra Journal of Teaching and Learning Language and Literature*, vol. 4, n° 4, p. 1-31. En ligne : revistes.uab.cat/jtl3/article/view/446/496

Nadeau, M. et Fisher, C. (2014). Expérimentation de pratiques innovantes, la dictée 0 faute et la phrase dictée du jour, et étude de leur impact sur la compétence orthographique des élèves en production de texte. *Rapport de recherche*. En ligne : www.frqsc.gouv.qc.ca/la-recherche/la-recherche-en-vedette/histoire?id=w9hm3gk81425325899046

Pellat, J.-C. et Teste, G. (dir., 2001). *Orthographe et écriture : pratique des accords*. Strasbourg : CRDP d'Alsace.

## Autres références bibliographiques

Arabyan, M. (1990). La dictée dialoguée. *L'École des Lettres Collège*, n° 12, p. 59-80.

Auriac-Slusarczyk, E. et Blasco-Dulbecco, M. (2010a). Interpréter des copies : l'intérêt des mises en grille syntaxique. *Synergies Pays Scandinaves*, n° 5, p. 31-48.

Blain, R. (1996). Apprendre à orthographier par la révision de ses textes. Dans S.-G. Chartrand (dir.). *Pour un nouvel enseignement de la grammaire* (p. 341-358). Québec : Éditions Logiques.

Blais, M.-C., Gauchet, M. et Ottavi, D. (2008). *Les conditions de l'éducation*. Paris : Stock.

Brissaud, C., Chevrot, J.-P. et Lefrançois, P. (2006). Les formes verbales homophones en /E/ entre 8 et 15 ans : contraintes et conflits dans la construction des savoirs sur une difficulté orthographique majeure du français, *Langue française*, n° 151, p. 74-93.

Brissaud, C., Cogis, D. et Péret, C. (2013). L'enseignement de l'orthographe : une mission encore possible ? Dans S. Baddeley, F. Jejcic et C. Martinez. *L'orthographe en quatre temps* (p. 161-202). Paris : Champion.

Brissaud, C., Cogis, D. et Totereau, C. (2014). La performance orthographique à l'articulation école-collège : une approche qualitative des marques de pluriel. *Congrès Mondial de Linguistique Française* – CMLF 2014. En ligne : http://dx.doi.org/10.1051/shsconf/20140801375

Brissaud, C. et Luyat, P. (2016). Apprendre l'orthographe en autonomie avec le logiciel Progresser en orthographe, dictées codées : une expérimentation en CM2. Actes du colloque organisé par l'AIRDF du 28 au 30 aout 2013 à Lausanne.

Chartrand, S.-G. (2013b, 2e éd.). Les manipulations syntaxiques, de précieux outils pour comprendre le fonctionnement de la langue et corriger un texte. Montréal : CCDMD. En ligne : www.ccdmd.qc.ca/catalogue/manipulations-syntaxiques-les

Chartrand, S.-G., Aubin, D., Blain, R. et Simard, C. (1999/2011). *Grammaire pédagogique du français d'aujourd'hui*. Boucherville : GRAFICOR ; Montréal : Chenelière éducation.

Chervel, A. (2006). *Histoire de l'enseignement du français du XVIIe au XXe siècle*. Paris : Retz.

Cogis, D. (2013). La révision orthographique au CM2 : l'accord sujet-verbe dans le corpus Grenouille. Dans C. Gunnarsson-Largy et E. Auriac-Slusarczyk (dir.). *Écriture et réécritures chez les élèves. Un seul corpus, divers genres discursifs et méthodologies d'analyse* (p. 85-112). Louvain-la-Neuve : Academia.

Cogis, D. et Ros, M. (2003). Les verbalisations métagraphiques : un outil didactique en orthographe ? *Les dossiers des sciences de l'éducation*, n° 9, p. 89-98.

David, J., Guyon, O. et Brissaud, C. (2006). Apprendre à orthographier les verbes : le cas de l'homophonie des finales en /E/. *Langue française*, n° 151, p. 109-126.

Fisher, C. (1996). Les savoirs grammaticaux des élèves du primaire : le cas de l'adjectif. Dans S.-G. Chartrand (dir.). *Pour un nouvel enseignement de la grammaire* (p. 315-340). Montréal : Éditions Logiques.

François, F., Cnockaert, D. et Leclerc, S. (1986). Noms, verbes et adjectifs ou définir et classer. *Études de linguistique appliquée*, n° 62, p. 26-39.

Geoffre, T. (2013). *Vers le contrôle orthographique au cycle 3 de l'école primaire*. Analyses psycho-linguistiques et propositions didactiques. Doctorat de sciences du langage, Université Stendhal – Grenoble 3.

Giordan, A. (2002). *Apprendre !* Paris : Belin.

Gomila, C. et Roubaud, M.-N. (2013). Le verbe au cours préparatoire : premières constructions du concept. Dans C. Avezard-Roger et B. Lavieu-Gwozdz (dir.). *Le verbe : perspectives linguistiques et didactiques* (p. 31-45). Arras : Artois Presses Université.

Gomila, C. et Ulma, D. (dir.) (2014). *Le verbe en toute complexité : acquisition, transversalité et apprentissage*. Paris : L'Harmattan.

Gourdet, P. (2012). L'enseignement du verbe à l'école primaire française : un curriculum prescrit linguistiquement incohérent. Dans J.-L. Dumortier, J. Van Beveren et D. Vrydaghs (dir.). *Curriculum et progression en français* (p. 217-230). Namur : Presses Universitaires de Namur.

Haas, G. (dir.) (1995). L'orthographe autrement. *Enjeux*, n° 34.

Haas, G. (dir.) (2002). *Apprendre, comprendre l'orthographe autrement*. Dijon : CRDP de Bourgogne.

Huneault, M. (2013). Description des interventions des enseignants lors de séances de la dictée 0 faute. M. A. en didactique des langues, Université du Québec à Montréal. En ligne : www.archipel.uqam.ca/5537/

Jaffré, J.-P. (1995). Compétence orthographique et acquisition. Dans D. Ducard, R. Honvault et J.-P. Jaffré, *L'orthographe en trois dimensions*. Paris : Nathan.

Kilcher-Hagedorn, H., Othenin-Girard, C. et De Weck, G. (1987). *Le savoir grammatical des élèves*. Berne : Peter Lang.

Manesse, D. et Cogis, D. (2007). *Orthographe – à qui la faute ?* Paris : ESF Éditeur.

Nadeau, M. et Fisher, C. (2013). Le raisonnement grammatical des élèves mis en œuvre dans la dictée 0 faute ou dans la phrase dictée du jour. *Vivre le Primaire*, vol. 26, n° 1, p. 44-46.

Nadeau, M. et Trudeau, S. (2001). *Grammaire du 2e cycle, pour apprendre, s'exercer, consulter*. Boucherville : Éditions Graficor.

Nadeau, M. et Trudeau, S. (2003). *Grammaire du 3e cycle, pour apprendre, s'exercer, consulter*. Boucherville : Éditions Graficor.

Péret, C. et Cogis, D. (2010). La phrase dictée du jour, de la recherche à la pratique en classe. Cédérom, Deuxième congrès international de didactiques, *L'activité de l'enseignant : Intervention, Innovation, Recherche*, Université de Girona du 3 au 6 février 2010.

Perret, M. (2008). *Introduction à l'histoire de la langue française* (3e éd.). Paris : Armand Colin.

Raffaëlli, C. et Jégo, S. (2013). Grammaire, orthographe, lexique : quelles pratiques au collège et en CM2 ? Direction de l'évaluation, de la prospective et de la performance, *note d'information* n° 13.35, MEN-DEPP.

Rocher, T. (2008). Lire, écrire, compter : les performances des élèves de CM2 à vingt ans d'intervalle 1987-2007, Direction de l'évaluation, de la prospective et de la performance, *note d'information* n° 08.38, MEN-DEPP.

Sandon, J.-M. (2002). L'acquisition de l'orthographe chez l'enfant de 7 à 11 ans : une évolution dans la manière de penser l'écrit. Dans G. Haas (dir.). *Apprendre, comprendre l'orthographe autrement* (p. 43-58). Dijon : CRDP de Bourgogne.

Wilkinson, K. (2009). L'impact de la dictée 0 faute sur la compétence orthographique d'élèves de 3e secondaire. M.A. en linguistique, concentration didactique, UQAM. En ligne : www.archipel.uqam.ca/2597/1/M11198.pdf

**Verbes:** Comparaison des performances des élèves avant et après la pratique régulière des dictées métacognitives

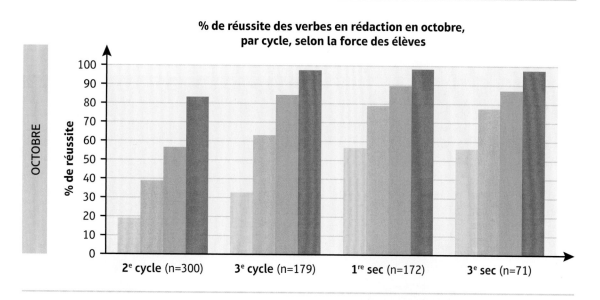

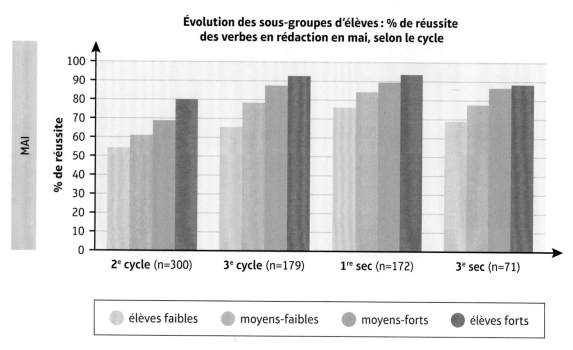

# L'enseignement d'une notion-clé au primaire: le verbe

**CHAPITRE 8**

**PATRICE GOURDET, DANIÈLE COGIS**
**ET MARIE-NOËLLE ROUBAUD**

# Introduction

Les différents programmes scolaires prescrivent l'enseignement du verbe dès l'âge de six ans en France et à partir de huit ans dans les autres pays francophones, et ce, jusqu'à la fin de la scolarité obligatoire. Concept grammatical particulièrement complexe en raison de la combinaison des différentes dimensions en jeu – sémantique, morphologique, syntaxique –, le verbe est un objet difficile à enseigner.

Pourtant l'enseignement actuel propose moins une vision pluridimensionnelle du verbe qu'un enseignement écartelé entre un objectif dominant, la maitrise de l'orthographe des formes verbales, et une activité dominante, la conjugaison, souvent réduite à l'apprentissage par cœur de listes de formes verbales, rassemblées sous une terminologie hermétique et peu cohérente. Or le lien entre la mémorisation des tableaux de conjugaison et la capacité à orthographier correctement la terminaison des verbes dans des énoncés est faible. Pour ne prendre qu'un exemple des plus banals, passer de *nous verrons* dans le tableau du verbe *voir* à *nous les verrons* dans un texte (avec l'insertion d'un pronom complément pluriel entre le pronom sujet et le verbe) ne va pas de soi. En effet, bon nombre d'élèves ont tendance à accorder le verbe avec l'élément précédent le plus proche (*les*) et écriront *\*nous les verront*.

Que la cause soit à chercher du côté des prescriptions ou des habitudes scolaires, l'enseignement actuel présente trop souvent le verbe de façon éclatée: les sous-disciplines du français (orthographe, grammaire, conjugaison) se partagent (ou se disputent) traditionnellement son enseignement. En privant ainsi les élèves d'une vision synthétique de son fonctionnement, on ne les aide pas à articuler ses différentes dimensions. De plus, on néglige le fait primordial que leur pratique des formes orales est antérieure à leur entrée à l'école. Aussi les enseignants se trouvent-ils souvent démunis devant le peu d'efficacité de leur travail en classe, alors qu'ils y consacrent beaucoup de temps.

Étudier la question de l'enseignement du verbe implique de cerner les enjeux de l'enseignement de cette notion-clé aux différents paliers de la scolarité, de mettre en perspective les différentes dimensions du verbe, de proposer des niveaux de formulation adaptés à l'âge des élèves et d'instaurer une démarche d'apprentissage active, en veillant à ne pas introduire de notions qui dépasseraient les capacités cognitives des apprenants et les mettraient en difficulté (de nombreuses facettes du verbe, telles que l'aspect, ne sont pas du niveau d'élèves du primaire, ni même du début du secondaire).

Dans la première partie de ce chapitre, nous illustrons quelques problèmes rencontrés dans l'enseignement du verbe et dans son apprentissage. Dans la deuxième partie, nous présentons les orientations didactiques sous-jacentes à l'étude de cette notion-clé (objectifs, contenus, démarches). Nous développons dans la troisième partie des pistes pour concevoir une véritable progression, en prenant appui sur des expériences concrètes. Enfin, dans la dernière partie, nous posons des jalons pour la poursuite du travail sur le verbe au secondaire.

# 1. L'enseignement du verbe à l'école primaire : un aperçu des problèmes majeurs

Nous ne prétendons pas dresser un état des lieux exhaustif de l'enseignement du verbe, mais attirer l'attention sur quelques problèmes majeurs. Nous le ferons en nous appuyant sur ce que disent des élèves d'âges différents et des enseignants expérimentés lorsqu'ils doivent définir le verbe, ainsi qu'en nous référant à des traces d'activités relevées dans des classes.

## 1.1. | Du côté de l'apprentissage

Examinons d'abord un échange oral entre une enseignante et des élèves de 7-8 ans[1].

| | |
|---|---|
| MAITRESSE : | Qu'est-ce que la conjugaison ? |
| FATMA : | On parle des verbes. |
| MAITRESSE : | Comment on reconnait un verbe ? |
| ILIÈS : | On sait que c'est quelqu'un qui fait l'action. |
| MAITRESSE À ILIÈS : | Quelqu'un qui fait l'action ? |
| ILIÈS : | On parle de l'action. |
| LUCIE : | On fait par exemple : « je puis tu il elle on ». On le conjugue. |
| MARGAUX : | On se dit : « Qui fait l'action ? » |
| MAITRESSE : | Non ! C'est le sujet ! |
| LUCIE : | Quand il y a -er, il est pas conjugué. |

Ce que les élèves ont retenu du verbe, c'est d'abord son lien sémantique avec un agent (« c'est quelqu'un qui fait l'action ») et la valeur d'action qui lui est associée, puis la variation morphologique en rapport avec les pronoms (« on le conjugue ») ou en rapport avec la marque de l'infinitif (« -er, il est pas conjugué »). Un certain flou apparait entre ce qui relève du verbe (« on se dit : *Qui fait l'action ?* ») et ce qui relève du sujet.

Voyons à présent comment, après plusieurs années d'apprentissage supplémentaires, des élèves de 10-11 ans répondent à la question ouverte *Qu'est-ce qu'un verbe ?*[2]. La dimension morphologique domine chez la grande majorité d'entre eux (78 %), mais,

---

1. Échange recueilli dans un corpus de 2002 par M.-N. Roubaud.

2. Corpus, recueilli en juin 2013 par P. Gourdet, constitué de 491 réponses écrites venant de 32 classes d'élèves de 10-11 ans. Ce corpus a été comparé aux réponses données par ces mêmes élèves trois ans plus tôt (Gourdet, 2014).

à la différence des plus jeunes, c'est la variation en fonction du temps que ces élèves mettent en avant[3]:

**KILLIAN (11 ANS):**    Un verbe est un mot qui peut être conjuguer à plusieurs temps. Le verbe donne le sens de la phrase[4].

L'entrée sémantique (l'action) et le lien exclusif avec les pronoms de conjugaison restent néanmoins forts, cités respectivement par près de 40 % des répondants:

**CAMILLE (11 ANS):**    Un verbe s'est un mot qui ser a conjuguer. Il est toujou accompagnier de son pronoms.

L'évolution entre 8 et 11 ans parait se limiter à l'intégration du temps comme facteur de variation et, chez une minorité d'élèves, à une conscience du verbe comme élément d'un ensemble plus vaste, la phrase. Aucun ne fait référence au décalage entre l'oral et l'écrit (certaines lettres ne sont pas audibles, comme dans *tu chante***s**) ou à l'identité forte de certaines marques (le /ʒ/ avec *nous*, par exemple). Que ce soit au tout début du primaire (6 ans) ou vers la fin (11 ans), on observe donc un déséquilibre entre la morphologie et la syntaxe dans les représentations des élèves: alors que trois élèves sur quatre mentionnent la variation morphologique des verbes, un sur trois seulement établit un lien avec un sujet, essentiellement un pronom sujet (souvent appelé « de conjugaison »).

# 1.2.  | Du côté de l'enseignement

Quand on interroge les enseignants sur le verbe, on constate dans leurs définitions, comme dans celles des élèves, la prépondérance de la morphologie (Gourdet, 2010). Une enquête récente confirme l'importance qu'ils accordent à la morphologie (83 % des enseignants) au détriment de la syntaxe (50 % seulement)[5]. Le trait sémantique d'action, en revanche, est cité par les trois quarts d'entre eux:

**ENSEIGNANTE
(15 ANS D'ANCIENNETÉ):**    C'est un mot qui indique souvent l'action et qui change en fonction du temps de la phrase et de qui fait l'action: il se conjugue.

L'action et le fait que le verbe se conjugue constituent la base de ce que les enseignants demandent aux élèves d'apprendre, comme dans ces « cahiers de règles »:

---

3. Cette variation est symbolisée par l'utilisation dominante du verbe *conjuguer*.

4. Les écrits des élèves sont retranscrits en respectant leurs graphies.

5. Corpus recueilli par P. Gourdet en 2013 auprès de 78 enseignants d'élèves ayant entre 8 et 11 ans.

FIGURE 8.1 Cahier de règles au CE2 (8-9 ans)

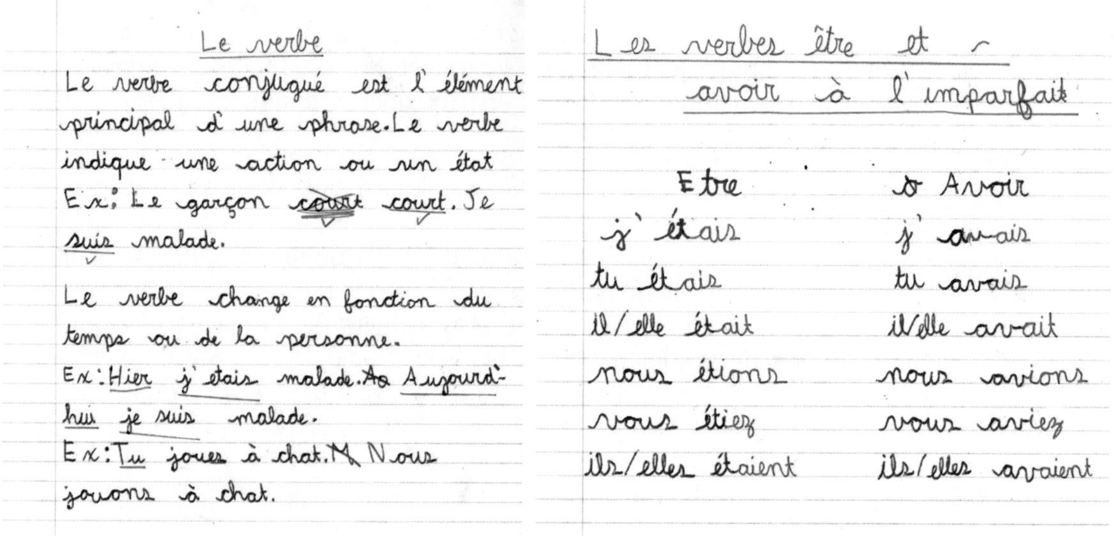

_Le verbe_

Le verbe conjugué est l'élément principal d'une phrase. Le verbe indique une action ou un état. Ex : Le garçon ~~court~~ court. Je suis malade.

Le verbe change en fonction du temps ou de la personne.
Ex : Hier j'étais malade. ~~Aa~~ Aujourd'hui je suis malade.
Ex : Tu joues à chat. ~~N~~ Nous jouons à chat.

_Les verbes être et avoir à l'imparfait_

| Être | Avoir |
|------|-------|
| j'étais | j'avais |
| tu étais | tu avais |
| il/elle était | il/elle avait |
| nous étions | nous avions |
| vous étiez | vous aviez |
| ils/elles étaient | ils/elles avaient |

Rien d'étonnant à ce qu'on rencontre ces mêmes formulations dans presque toutes les classes. Les enseignants du primaire font en effet appel à des connaissances et des procédures qu'ils ont acquises durant leur propre scolarité et qu'ils retrouvent dans la plupart des manuels scolaires, comme dans les plus anciens ouvrages, telle la définition du célèbre manuel de Claude Augé de 1912 : «Le verbe est un mot qui exprime que l'on fait ou est quelque chose. [...] On reconnaît qu'un mot est un verbe quand on peut le conjuguer [...]» (_Grammaire, Cours supérieur_, Librairie Larousse, p. 400). C'est ainsi que se perpétue l'analyse du verbe en deux parties, un radical stable (les variations renvoyant à la notion d'irrégularité) et une terminaison, seul réceptacle assumé des changements :

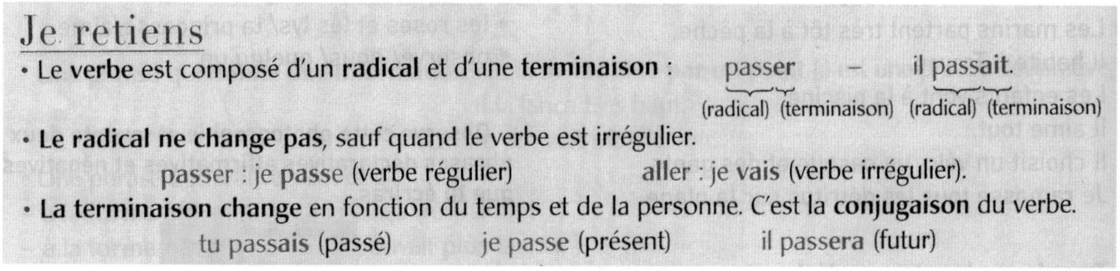

**Je retiens**
- Le **verbe** est composé d'un **radical** et d'une **terminaison** :  passer  –  il passait.
(radical) (terminaison) (radical) (terminaison)
- Le **radical ne change pas**, sauf quand le verbe est irrégulier.
  passer : je passe (verbe régulier)    aller : je vais (verbe irrégulier).
- La **terminaison change** en fonction du temps et de la personne. C'est la **conjugaison** du verbe.
  tu passais (passé)   je passe (présent)   il passera (futur)

Source : _Mot de Passe – CE2_, Hachette Éducation (2009)

En mettant surtout l'accent sur les dimensions sémantique et morphologique du verbe, l'enseignement actuel entraine parfois certaines incompréhensions. Prenons comme premier exemple celui de Paul (7 ans), qui, dans la phrase _Pas de bousculade dans les couloirs_, identifie le verbe de la manière suivante (Roubaud et Gomila, 2014) :

**PAUL :**  Le verbe c'est bousculade parce que c'est quand on se bouscule, alors on tombe et un verbe c'est quelque chose qu'on fait.

L'assimilation entre l'*action* du discours grammatical et l'idée de mouvement ou de déplacement est source de confusion chez les élèves. Elle rend difficile l'identification des verbes qui ne contiennent pas cette idée, tels *sembler, paraitre, penser, dormir, attendre*, etc., sans parler d'autres classes (catégories) grammaticales qui pourraient répondre à cette définition de l'action, en particulier certains noms (*cueillette, départ, course*, etc.).

Le deuxième exemple est celui de Noémie (8 ans), qui doit conjuguer en «remédiation» les verbes *planter* et *tomber* au présent, car elle les a mal orthographiés en dictée (*ils plante, tu tombe*). Mais sa copie montre qu'elle travaille à la chaine, en écrivant en colonne d'abord tous les pronoms, puis la forme attendue dans la dictée (*plantent*), enfin la terminaison (*e, s*, etc.), ce qui donne des formes que personne, pas même l'enfant, ne dirait à l'oral:

Le troisième exemple est celui de Romain (9 ans), qui justifie *-er* dans *elle était abier*, en disant que «c'est un verbe au présent», puis il se met à le conjuguer: «*je m'habille, tu t'habilles, il s'habille, nous nous habillons, vous vous habillez, ils s'habillent.*» Il poursuit: «On entend *e-s, o-n-s, e-z, e-n-t*», avant de nuancer: «On n'entend pas le *e-s*, mais on entend les autres.»

Plus de quarante ans après le début des tentatives de rénovation de l'enseignement de la grammaire, la conception traditionnelle du verbe à l'école persiste. Les tableaux de conjugaison isolent le verbe au sein de listes décontextualisées[6]. Le paradoxe est que, en installant dans l'esprit des élèves un lien presque exclusif entre *verbe*, *action*, *conjugaison*, *terminaison*, non seulement l'enseignement ne favorise pas la compréhension des dimensions sémantique et morphologique du verbe, mais il en minimise d'autres, notamment la dimension syntaxique, pourtant essentielles à la maitrise des formes écrites, objectif sans cesse réaffirmé dans les programmes.

## 2. Des orientations didactiques pour l'étude du verbe

Repenser l'enseignement du verbe commence par la clarification de quelques orientations linguistiques et didactiques, pour nous, incontournables.

### 2.1. ▌ Objectifs et pistes pour une progression dans l'étude du verbe

Comme pour les autres notions grammaticales, l'étude du verbe vise, d'une part, à donner aux élèves des connaissances sur le fonctionnement de la langue, et, d'autre part, à accroitre leurs compétences langagières, sans préjuger d'un lien de cause à effet entre ces deux grandes finalités. Dans la progression pour l'enseignement au cours de la scolarité obligatoire présentée au chapitre 5, il est proposé d'organiser les contenus selon des dominantes dégagées par palier de scolarité : morphosyntaxe, syntaxe et organisation textuelle. Sans en reprendre le détail, rappelons les principaux choix qui en découlent pour le verbe.

- Au primaire, l'élève est sensibilisé aux caractéristiques de la classe du verbe, par opposition à celles de la classe du nom, ce qui lui permet d'accéder à un certain degré de maitrise des marques verbales quand il lit et quand il écrit (perspective morphosyntaxique).

- Au secondaire (inférieur ou premier cycle), l'élève est amené à prendre de la distance par rapport à la langue pour comprendre le rôle du verbe dans l'organisation de la phrase, ses différentes constructions et leurs possibles incidences sémantiques, le système des modes-temps et des valeurs de ces modes-temps (perspectives syntaxique et sémantique).

- À la fin du secondaire, lorsque les élèves sont âgés de 14 ans environ, certains des phénomènes discursifs et textuels (nominalisation, passivation, modalisation, progression thématique, etc.) en relation avec les genres de discours peuvent commencer à être abordés pour rendre ces futurs citoyens aptes à décrypter et à produire une diversité de messages.

---

6. Voir le chapitre 9 pour une analyse critique de tableaux de conjugaison et une proposition alternative.

## 2.2. | Contenus d'apprentissage

Pour l'étude du verbe au primaire, nous mettons l'accent sur l'apprentissage des formes fléchies à l'écrit, sans écarter totalement d'autres aspects se trouvant à la frontière entre les dimensions syntaxique et sémantique[7]. Se pose alors la question de la description du verbe, car plusieurs descriptions se concurrencent. L'enseignement n'ayant à rechercher ni l'exhaustivité ni la pureté théorique, nous puiserons à différentes sources en fonction des objectifs visés.

- Pour la dimension morphologique, notre choix est d'étudier le verbe en décomposant les formes verbales en trois éléments à partir des temps simples de l'indicatif :

| | Le radical (qui porte le sens du verbe) | La marque mode-temps | La marque de personne (et de nombre pour la sixième personne) |
|---|---|---|---|
| **Ils** | dev- | | |
| | grandi- | -r- | -ont |
| | marche- | | |

1. Le **radical** porte le sens du verbe, sens qui se retrouve dans d'autres mots d'une famille lexicale plus ou moins étendue (*grandir, grand, grandeur*). Ce radical peut avoir une forme unique (*chanter, ouvrir*) ou plusieurs formes (*lever, finir, devoir, prendre*).

2. La **marque de mode-temps** est spécifique à la classe du verbe, en lien avec la temporalité.

3. La **marque de personne** est liée directement à l'accord du verbe avec la personne du nom ou du pronom qui remplit la fonction de sujet[8]. La compréhension du lien syntaxique entre le verbe et cet élément est essentielle pour l'orthographe (gestion d'une marque souvent non repérable à l'oral : *le chien dor**t** / je dor**s***).

- Dans une forme verbale, cette tripartition revient à isoler le radical, qui est propre à chaque verbe, des éléments stables, réguliers, qui sont communs à tous les verbes (les marques de mode-temps et de personne). Elle permet à l'élève d'accéder à une vision synthétique de la structure des verbes et de progresser dans l'orthographe des formes verbales en production écrite[9].

- Pour la dimension syntaxique, nous distinguons différentes strates. Dans un premier temps, le verbe est présenté comme dépendant d'un autre élément qu'il faut apprendre à repérer, puisque c'est de cet élément qu'il reçoit sa marque de

---

**7.** Pour une présentation détaillée du système des modes-temps, voir le chapitre 9.

**8.** Les accords en français sont régies par un système, appelé système des accords. Pour mieux comprendre ce système et les notions de donneur, de receveur et d'accord, voir Chartrand, Simard et Sol (2006) ou Simard et Chartrand (2011) et le chapitre 7.

**9.** À noter que l'entrée par les régularités a été réaffirmée en France par des recommandations parues en juin 2014 pour les programmes 2008 de l'école primaire (*Bulletin officiel*, n° 25, 19 juin 2014).

personne. La maitrise de l'orthographe des finales verbales est ainsi une priorité pour l'écriture. Dans un second temps, le verbe est vu comme un élément central dans une variété de constructions mettant en rapport des unités remplissant la fonction de sujet et de complément, avec des variations de sens. Dans un troisième temps, le verbe est étudié comme noyau du groupe verbal qui remplit la fonction de prédicat[10], ce qui amène les élèves à comprendre la structure de la phrase et ses transformations, et leur donne un outil pour vérifier la présence des constituants obligatoires d'un énoncé lors de la révision de leurs écrits[11].

## 2.3. ▍ Démarche d'enseignement

L'étude du verbe au primaire s'inscrit pleinement dans la démarche d'observation réfléchie de la langue ou de découverte du système et du fonctionnement de la langue préconisée dans cet ouvrage[12]. Rappelons que les élèves ont à observer des échantillons d'énoncés (corpus) pour construire, en recourant à des manipulations syntaxiques, des règles de fonctionnement qui seront ensuite vérifiées dans d'autres corpus et généralisées.

Le corpus varie en fonction de l'élément étudié (mot, groupe, phrase, texte). Pour le verbe, le choix dépend des propriétés que l'on veut faire découvrir : pour la structure des formes verbales, une liste minimale suffit ; pour les constructions du verbe, un ensemble de phrases (ou de groupes) est nécessaire ; pour l'accord du verbe régi par un pronom de reprise (substitut)[13] ou pour les valeurs des temps, le texte s'impose. Quand il s'agit de faire découvrir des éléments du système, les corpus sont élaborés par l'enseignant. Pour les aspects sémantiques et discursifs, il faut sélectionner des énoncés attestés (romans, presse, documentaires, etc.), quitte à les réduire ou à les adapter. Dans tous les cas, il s'agit de focaliser l'attention de l'élève sur l'élément à découvrir, souvent par contraste, en écartant les éléments parasites.

L'enseignant peut trouver aisément dans les manuels des matériaux permettant d'élaborer des corpus. Mais, à la différence des exercices conçus comme une « application » d'un savoir supposé acquis (*Classe les verbes des proverbes dans la bonne colonne : verbe conjugué | à l'infinitif | au participe passé | au participe présent*), avec mises en garde fréquentes (*Réécris chaque phrase en mettant le nom en gras au pluriel. Attention à la terminaison des verbes*), la consigne reste ouverte : les élèves doivent trier, comparer, classer, justifier, dénommer[14]. L'enseignant structure alors avec eux des règles de fonctionnement basées avant tout sur les régularités. L'emploi d'un métalangage

---

**10.** Dans la grammaire scolaire actuelle, le terme *prédicat* désigne la fonction syntaxique du groupe verbal. Son adoption pour l'enseignement et l'apprentissage de la grammaire permet d'éviter de désigner par un même terme une structure (le groupe verbal) et sa fonction syntaxique (Chartrand, Simard et Sol, 2006 ; Simard et Chartrand, 2011).

**11.** Cette question ne relève pas de l'enseignement systématique au primaire.

**12.** Cette démarche est présentée aux chapitres 2 et 3 (avec de nombreux exemples pour le verbe). Elle se rapproche de celle préconisée par Paret (2000).

**13.** Pour l'accord du verbe, voir un exemple au chapitre 7.

**14.** M.-N. Roubaud et M.-J. Moussu (2010).

précis, partagé et adapté facilite la conceptualisation[15]. La manipulation régulière favorise le stockage en mémoire des règles et des formes linguistiques, tandis que l'observation guidée développe une attitude réflexive sur la langue.

# 3. Des pistes didactiques pour l'enseignement du verbe

Fondées sur des démarches d'observation, de manipulation et de réflexion portant sur des corpus, parfois élaborés par l'enseignant, parfois issus d'énoncés attestés en fonction des objectifs visés, les activités présentées ci-après visent l'identification du verbe (3.1.), la gestion orthographique des marques de personne – objectif immédiat en production écrite et premier pas vers une compréhension de la conjugaison (3.2.), le développement des combinaisons sémantiques et syntaxiques qu'offre la langue au sein de phrases (3.3.) et d'énoncés plus élaborés (3.4.). Pour veiller à ce que les élèves connaissent les mots et puissent les écrire rapidement sans erreur, on recourt à un vocabulaire très simple dans les deux premiers types d'activités.

## 3.1. | Identifier le verbe

L'encadrement par la négation *ne… pas* est une manipulation syntaxique efficace pour identifier le verbe. Aux temps simples, la négation encadre le verbe (*je ne mange pas*) et aux temps composés, la négation encadre l'auxiliaire (*je n'ai pas mangé*) ; voir le chapitre 9.

Les variations perceptibles à l'oral sont également des appuis essentiels : la variation en fonction du mode-temps est sonore pour les temps morphologiquement marqués, comme l'imparfait et le futur[16], et la variation en fonction de certaines personnes s'entend également avec certains verbes (*il va, ils vont*). Les activités préconisées ne sont pas nouvelles, mais leur articulation et la manière dont on les utilise avec les élèves sont différentes.

| **ACTIVITÉ 8.1** | ÂGE DES ÉLÈVES : | vers 8 ans |
| | OBJECTIF : | identifier le verbe par l'encadrement avec l'adverbe de négation *ne… pas*. |

| | Du côté de l'enseignant | Du côté des élèves |
| --- | --- | --- |
| **PHASE 1** | Partir de la constitution collective de règles de vie en proposant des dessins représentant des situations différentes où des enfants sont dans la cour de récréation (certaines autorisées et d'autres interdites).<br><br>Constituer un affichage de ce type. | Les élèves décrivent les illustrations, puis les trient : d'une part, ce que l'on peut faire à l'école et, d'autre part, ce que l'on ne peut pas y faire. |

---

**15.** Pour une présentation du processus de conceptualisation, voir le chapitre 4.

**16.** Le présent de l'indicatif est particulier : c'est le seul à ne pas porter de marque de mode-temps.

| Du côté de l'enseignant | | Du côté des élèves |
|---|---|---|
| **Dans la cour...** | | L'enseignant aligne les phrases de la seconde colonne et demande aux élèves de dire ce qu'ils observent. Les élèves repèrent l'encadrement du verbe par *ne... pas*. |
| *Je joue avec mes camarades.* <br> *Je cours en faisant attention aux autres.* <br> *Je chante.* | *Je **ne** pousse **pas** les autres enfants.* <br> *Je **ne** crie **pas**.* <br> *Je **ne** joue **pas** avec des cailloux.* | |
| Il est possible de faire chercher toutes les situations autorisées (oui) et interdites (non) quand on remonte en classe, dans l'escalier, puis dans la classe. | | Dans un second temps, les élèves proposent d'autres phrases en fonction des situations proposées (oui / non). |
| Pour systématiser cette transformation à la forme négative, il est possible de recourir à une «machine magique» qui permet de dire l'inverse. <br><br> Partir d'illustrations qui décrivent une situation scolaire (*Pierre trace un carré*), faire passer le dessin derrière un cache et le faire ressortir de l'autre côté, mais barré par un trait: *Pierre ne trace pas un carré.* | | Les élèves choisissent un dessin, le décrivent, puis le font passer dans la «machine magique» et prononcent la phrase inverse (c'est-à-dire à la forme négative): <br><br> *Pierre marche dans la cour.* → <br> *Pierre **ne** marche **pas** dans la cour.* |

*(PHASE 1 — PHASE 2 indiqués dans la marge gauche)*

**ACTIVITÉ 8.2**  ÂGE DES ÉLÈVES : vers 8 ans

OBJECTIF :  identifier les verbes par la substitution.

Ce travail permet aux élèves de construire la classe des verbes par substitution (remplacement) sur des phrases. Les affichages reprennent les phrases et les remplacements effectués sur les verbes. Les listes peuvent être ensuite reclassées pour isoler des verbes et montrer les variations qu'ils subissent. Ce travail permet de réfléchir collectivement à la notion de verbe. *Lance, lancera, a lancé, lancer*: est-ce le même mot ? Un même mot peut-il avoir plusieurs formes ? Ces interrogations ouvrent sur la notion de variation morphologique.

| Du côté de l'enseignant | Du côté des élèves |
|---|---|
| Partir d'une observation de tout ce qu'un élève peut faire en sport avec une balle. À partir des énoncés produits par les élèves, reformuler les différentes propositions et les écrire. <br><br> Exemple d'énoncés possibles: <br><br> • *Pierre <u>attrape</u> une balle.* <br>   *lance* <br>   *tient* <br>   *achète* <br>   *attrapera* <br>   *attrapa* <br>   *achetait* <br>   *a lancé* | Les élèves trouvent facilement d'autres verbes en conservant généralement le temps du premier verbe. Si d'autres temps ne sont pas proposés, l'enseignant peut faire des propositions pour tester l'acceptabilité ou non d'un énoncé, selon les élèves. <br><br> L'enseignant peut signaler le nombre de changements opérés (un autre verbe au même temps / le même verbe à un temps différent / un autre verbe à un temps différent). |

OBJECTIF : identifier le verbe par la variation en fonction du mode-temps.

| Du côté de l'enseignant | Du côté des élèves |
|---|---|
| **PHASE 1** Dès le début du primaire, la variation d'énoncés dans la temporalité est à réaliser régulièrement. <br><br> Placer l'énoncé proposé (*le garçon joue dans la cour*) sous l'influence d'expressions de temporalité (*il y a trois jours, hier, la semaine dernière* ou bien *demain, dans trois jours, la semaine prochaine*). | Les élèves transforment l'énoncé et alignent les verbes : <br><br> *Il y a trois jours, le garçon **jouait** dans la cour.* <br><br> *Hier, le garçon **a joué** dans la cour.* <br><br> *Demain, le garçon **va jouer** dans la cour.* <br><br> *Dans trois jours, le garçon **jouera** dans la cour.* <br><br> Faire lister aux élèves les différentes formes pour qu'ils comprennent que, derrière ces variations, c'est bien le même verbe qui est utilisé. <br><br> Conséquence : le verbe situe dans le temps. |

L'enseignant doit étayer et guider les élèves, vérifier si leurs propositions sont valides ou non.

Les élèves acquièrent une connaissance procédurale pour repérer le verbe qu'il faut croiser avec l'encadrement par la négation (activité 8.1).

| | |
|---|---|
| **PHASE 2** Construire une frise chronologique et placer un évènement (la rencontre du loup et du Petit Chaperon rouge). <br><br> Positionner un repère indiquant la position de celui qui parle et demander aux élèves de raconter la scène. | Si le repère est placé après la rencontre, les élèves seront amenés à dire : <br><br> *Le Petit Chaperon rouge <u>se promenait</u> dans les bois et il <u>rencontra</u> le loup.* <br><br> Si le repère est placé au moment de la rencontre, les élèves seront amenés à dire : <br><br> *Le Petit Chaperon rouge <u>se promène</u> dans les bois et il <u>rencontre</u> le loup.* <br><br> Si le repère est placé avant la rencontre, les élèves seront amenés à dire : <br><br> *Le Petit Chaperon rouge <u>se promènera</u> dans les bois et il <u>rencontrera</u> le loup.* |

Le but est de faire percevoir que le déplacement sur un axe chronologique a un effet sur la variation du verbe sans transformer radicalement le sens de l'énoncé (ça veut dire la même chose, mais ça ne se passe pas au même moment). Cette perception dépasse la simple question de la morphologie du verbe, ce qui peut être difficile à saisir pour les élèves.

ÂGE DES ÉLÈVES : vers 10-11 ans

OBJECTIF : distinguer verbes et noms par leurs caractéristiques.

| Du côté de l'enseignant | Du côté des élèves |
|---|---|
| La classe d'un mot se détermine en contexte. | Les élèves doivent utiliser toutes les manipulations qui mettent en évidence les propriétés différentes des noms et des verbes (remplacement du temps et de la personne, encadrement par *ne… pas* / ajout d'un déterminant). |
| À partir de trois propositions, demander aux élèves de repérer l'intrus (1) et de justifier leur réponse[17]. | |
| 1) Il <u>marche</u> trop lentement. | Dans la première liste, certains élèves pourraient sélectionner la proposition 2 où le mot *marche* ne représente pas un déplacement. |
| 2) Elle a raté une <u>marche</u>. | |
| 3) Les spectateurs admirent la <u>marche</u> des sportifs. | L'utilisation de l'entrée sémantique est plus difficile dans la seconde liste. |
| Autre proposition avec cinq phrases et un intrus (2). | |
| 1) Le jardinier <u>plante</u> ses choux. | |
| 2) La <u>plante</u> a bien poussé. | |
| 3) Le géomètre <u>plante</u> une borne au bord du chemin. | |
| 4) En dix lignes, l'écrivain <u>plante</u> le décor. | |
| 5) L'ordinateur <u>plante</u> sans arrêt. | |

Quand les élèves sont capables de différencier les noms et verbes homophones par leurs propriétés ou caractéristiques sémantiques, morphologiques et syntaxiques, ils peuvent utiliser cette compétence sur des corpus comportant des noms et des verbes toujours homophones, mais différenciés à l'écrit (*travail / travaille, accueil / accueille*). Un affichage spécifique permet d'accumuler les verbes de ce type. Le contexte est également une aide pour différencier ces homophones.

# 3.2. | Repérer les régularités des marques de personne

Une des propriétés essentielles du verbe est de porter une marque de personne : celle-ci est la trace de la dépendance morphosyntaxique du verbe au nom ou au pronom qui remplit la fonction de sujet. Nous partons des marques les plus régulières des temps simples, sans distinguer les verbes en fonction de leur infinitif, puisque les verbes partagent les mêmes marques de personne. L'objectif est d'établir avec les élèves des règles de fonctionnement stables et efficaces pour qu'ils puissent comprendre et produire ces marques.

---

**17.** Inspiré d'une tâche proposée par M.-L. Elalouf, *Pratiques,* n° 125/126, p. 157-178, 2005. Pour la justification des propos, voir Chartrand (2013b).

OBJECTIF : repérer la marque des verbes à la sixième personne (troisième personne du pluriel).

| Du côté de l'enseignant | Du côté des élèves |
|---|---|
| Proposer des phrases (qui peuvent être issues d'énoncés écrits par les élèves ou de textes) : | Après avoir retrouvé la marque du pluriel du nom ou pronom, les élèves repèrent les verbes, puis les réécrivent dans des grilles spécifiques en les alignant à droite (méthodologie à instaurer). |
| *Les trois filles jouaient dans la cour.* | |
| *Elles iront dans la cour.* | Dans un second temps, les élèves comparent les verbes en repérant les lettres qui leur sont communes. |
| *Les élèves finissaient leur travail.* | |
| *Ils sont dehors.* | |
| Les éléments proposés reprennent des verbes à des temps simples avec des noms au pluriel ainsi que des pronoms de reprise pour les éléments qui remplissent la fonction de sujet. | |

L'effet de la variation de pluriel des noms qui remplissent la fonction de sujet sur la personne du verbe est à observer en sélectionnant au départ des variations sonores (*un enfant sort* / *des enfants sortent*), puis des variations non audibles (*un enfant chante* / *des enfants chantent*). Pour affiner l'observation des marques et repérer les lettres qui indiquent le pluriel du verbe, nous préconisons l'utilisation de grilles qui permettent d'isoler et de comparer les marques de personne.

| | | | | | | | | |
|---|---|---|---|---|---|---|---|---|
| *Les trois filles* | *j* | *o* | *u* | *a* | *i* | *e* | *n* | *t* | *dans la cour.* |
| *Elles* | | | | | *i* | *r* | *o* | *n* | *t* | *dans la cour.* |
| *Les élèves* | *f* | *i* | *n* | *i* | *s* | *s* | *e* | *n* | *t* | *leur travail.* |
| *Ils* | | | | | | | *s* | *o* | *n* | *t* | *dehors.* |

Ce travail est à renouveler plusieurs fois avant d'établir une première règle de fonctionnement qui permet d'opposer la marque du pluriel pour le nom (-*s*) à la marque du pluriel pour les verbes (-*nt*). Il est possible de faire remarquer que, sur le plan sonore, il y a deux réalisations possibles : soit on n'entend pas la fin du verbe au pluriel et, dans ce cas, on écrit -*ent* (le -*e*- marque la jonction et évite le contact avec la lettre qui précède : -*ai-e-nt*) ; soit on entend [ɔ̃] et, dans ce cas, on écrit -*ont* (le *N* a un double rôle : transcrire le son [ɔ̃] avec le *O* qui le précède, et marquer le pluriel avec le *T* qui le suit).

En suivant la même démarche, toujours en utilisant des grilles pour décomposer le verbe lettre par lettre, il est possible de proposer une progression pour observer et comprendre les autres marques de personne. L'objectif est de permettre aux élèves d'acquérir des automatismes dans la gestion des marques de personne, sachant que certains choix pédagogiques sont transitoires et ne correspondent pas toujours au découpage linguistique qui est plus complexe dans certains cas.

| | Éléments didactiques | Règles de fonctionnement |
|---|---|---|
| **Les marques de quatrième et de cinquième personne** | Les pronoms *nous* et *vous* désignent avant tout des personnes dans une situation de communication[18]. | Avec *nous*, le verbe porte une marque terminale qui s'entend: *-ons*. Avec *vous*, le verbe porte une marque terminale qui s'entend: *-ez*[19]. |
| **La marque de deuxième personne** | Cette marque est à aborder avec les élèves une fois qu'ils ont acquis de manière stable le pluriel des noms, pour éviter une concurrence de la signification de la marque *-s* (marque de pluriel pour le nom, mais pas pour le verbe). | Avec *tu*, le verbe porte une marque terminale qui ne s'entend pas: *-s* (le *-x* ne concernant que de rares verbes à ne pas généraliser)[20]. |
| **Les marques de troisième personne** | La troisième personne renvoie à des noms singuliers ou à des pronoms de reprise (*il*, *elle*, *on*[21]). | La comparaison par le biais des grilles des différentes marques terminales des verbes permet de dégager les cas suivants[22]: *-d /-a /-t /-e* L'acronyme ainsi formé (*date*) est très facilement mémorisable par les élèves[23]. |
| **Les marques de première personne** | Ce dernier cas concerne le pronom *je* qui désigne une personne particulière avec des situations d'écriture spécifiques (dialogue, narration en *je*, etc.). | L'analyse des marques permet d'en identifier quatre: *-s /-e /-ai /-x* (cette dernière marque étant peu fréquente). |

Pour structurer les observations, on peut proposer, pour chaque type de personne, de relever sur une double page (au sein d'un outil personnel spécifique au verbe) des phrases avec les verbes et les sujets repérés, puis de décomposer les verbes dans des grilles afin de dégager les marques de personne et des règles de fonctionnement qui explicitent les éléments réguliers observés.

---

**18.** Pour le primaire, le passé simple est réduit aux troisième et sixième personnes pour permettre l'écriture de récits (Roubaud, 1997); les autres personnes seront abordées au secondaire.

**19.** Cette structuration n'englobe pas trois cas spécifiques (no*us sommes, vous êtes* et *vous faite*s), qui sont donc à gérer à part, sachant que la prise en compte de la conjugaison orale permet de les *distinguer*.

**20.** Au futur, on entend [a] mais le *-s* terminal est récurren*t*.

**21.** Nous sommes conscients que le pronom *on* peut renvoyer à une pluralité sémantique, alors qu'il est lié à un singulier grammatical. La compréhension fine de son fonctionnement sera abordée au secondaire.

**22.** Nous excluons le *-c* qui ne concerne que quelques verbes peu fréquents *(vaincre)*.

**23.** Le relevé de ces marques est un compromis didactique, le *-t* est plus fréquent que le *-d*, et le *-a* s'entend.

**ACTIVITÉ 8.6** ÂGE DES ÉLÈVES : vers 8-10 ans

OBJECTIF : réinvestir les apprentissages sur les marques de personne.

| Du côté de l'enseignant | Du côté des élèves |
|---|---|
| Proposer des noms et des pronoms (qui remplissent la fonction de sujet) et des verbes (avec des compléments). Cette reconstitution de phrases est un réinvestissement pour expliciter les marques : cette justification est centrale pour cette activité.<br><br>Établir une progression des observations selon différents niveaux de difficulté en prenant en compte la complexité des éléments à analyser. | Les élèves doivent proposer un assemblage offrant un énoncé qui fonctionne sur les plans morphologique et sémantique. Chaque proposition doit permettre de justifier les marques oralement ou par écrit : *Nous jouerons avec des billes. C'est « nous », car il y a -ons à la fin du verbe.* |

### NIVEAU 1 (une seule association possible sans ambigüité)

| | |
|---|---|
| *Les enfants* | *joueras avec des billes.* |
| *Vous* | *chantent sous le préau.* |
| *Nous* | *courons dans la cour.* |
| *Tu* | *jouez avec le ballon.* |
| *Un garçon* | *jouait avec des billes.* |

### NIVEAU 2 (des confusions possibles sur le plan phonologique)

| | |
|---|---|
| *Les enfants* | *jouerons avec des billes.* |
| *Vous* | *couraient dans la cour.* |
| *Nous* | *jouez avec le ballon.* |
| *Tu* | *joueront avec un ballon.* |
| *Un garçon* | *jouait avec des billes.* |
| | *court sur l'herbe.* |
| | *chantes sous le préau.* |

### NIVEAU 3 (introduction de pronoms compléments qui entrent en concurrence)

| | |
|---|---|
| *Les enfants nous* | *verront dans la cuisine.* |
| *Vous me* | *donnerez vos cartes.* |
| *Nous vous* | *offrirons un ballon.* |
| *Tu nous* | *courait après.* |
| *Un chien me* | *donneras tes billes.* |
| | *verrons dans la cuisine.* |
| | *montrera le chemin.* |

ÂGE DES ÉLÈVES : vers 8-10 ans

OBJECTIF : gérer et justifier l'accord du verbe (1).

La difficulté inhérente aux marques verbales en français provient du fait que certaines d'entre elles sont homophones, mais différenciées à l'écrit (*gardez, gardé, garder, gardées,* voire *gardait* dans certaines régions, etc.).

| Du côté de l'enseignant | Du côté des élèves |
|---|---|
| Proposer des phrases avec plusieurs propositions de graphies pour le même verbe. | Les élèves doivent choisir l'une des graphies proposées et justifier leur choix. C'est la justification qui constitue l'intérêt de ce type d'activité : elle révèle les conceptions des élèves sur le verbe ; elle met au jour les raisonnements qui entrainent les erreurs ; elle conforte les raisonnements fondés. |
| *cours*<br>*Les enfants court dans la cour.*<br>*courent* | La justification repose sur l'identification du terme qui donne ses marques au verbe. |
| *regardait*<br>*Alice regardais les enfants jouer.*<br>*regardaient* | *Nous jouerons avec des billes.*<br><br>«O-N-T, *ça va pas, parce que ça va avec* ils »<br>«*Avec* O-N-S, *c'est toujours* nous » |
| *joueront*<br>*Nous jouerons avec des billes.* | Reformulation de l'enseignant :<br><br>«*La proposition correcte est celle avec la marque terminale* -ons, *qui est la marque en accord avec le pronom* nous. » |

ÂGE DES ÉLÈVES : vers 10-12 ans

OBJECTIF : gérer et justifier l'accord du verbe (2).

Souvent, les erreurs d'accord du verbe tiennent à une identification erronée du donneur (nom ou pronom remplissant la fonction de sujet), et non à la méconnaissance des marques (Brissaud et Cogis, 2002). Quand les élèves maitrisent l'accord du verbe, on leur propose des corpus où l'identification du donneur est plus complexe.

| Du côté de l'enseignant | Du côté des élèves |
|---|---|
| *grognent*<br>*Le chien des voisins grogne à la grille.* | Pour les deux premières phrases, les élèves peuvent s'appuyer sur le sens des mots pour choisir entre *chien* et *voisin*. |
| *grognent*<br>*Les chiens du voisin grogne à la grille.* | Dans les phrases suivantes, le conflit entre *bateau* et *pêcheur* ne se résout pas facilement : «C'est les pêcheurs qui quittent le port sur leur bateau !» ou «C'est *quittent,* les deux sont au pluriel», disent souvent les élèves. |
| *Les bateaux des pêcheurs quittent le port.*<br>*quitte* | |
| *Les bateaux du pêcheur quittent le port.*<br>*quitte* | Pour résoudre ce problème, l'enseignant proposera comme manipulation la variation en fonction du temps :<br><br>*Les bateaux du pêcheur ont quitté le port.*<br>*Le bateau des pêcheurs a quitté le port.* |
| *Le bateau des pêcheurs quittent le port.*<br>*quitte* | L'étude des expansions du groupe du nom consolide l'analyse (ou la précède). |

Parmi les autres structures complexes à travailler, on retiendra :

- la présence d'un pronom complément antéposé (*les oiseaux volent, l'enfant les regarde*) ; *la vieille femme leur racontait des histoires*) ;

- la relative (*les marins qui avaient quitté leur pays depuis des mois n'en pouvaient plus*) ;

- l'inversion du sujet (*c'est à ce moment-là qu'arrivent les soldats ; dans la nuit s'avancent les porteurs de torche*).

# 3.3. | Développer les combinaisons sémantiques et syntaxiques

Cette entrée se situe dans des perspectives différentes de celles proposées en 3.1. et 3.2. Ici, la finalité est d'accroitre les compétences langagières des élèves.

**ACTIVITÉ 8.9** ÂGE DES ÉLÈVES : vers 8 ans

OBJECTIF : manipuler des unités lexicales dans des constructions syntaxiques.

| Du côté de l'enseignant | Du côté des élèves |
|---|---|
| **PHASE 1** Lors d'activités scolaires spécifiques à la classe, prendre des photos (de situations en gymnastique, par exemple) et les exposer.<br><br>Demander aux élèves d'écrire des phrases qui expliquent les différents mouvements qu'il fallait réaliser lors de la séance de sport. | Les élèves doivent proposer une phrase qui illustre chaque photo. Pour enclencher un travail par analogie, l'enseignant peut proposer la phrase pour la première photo (*Je dois sauter sur le tapis*).<br><br>Cette première phrase sert de modèle syntaxique et les élèves doivent proposer des phrases du même type :<br><br>• *Je dois courir entre les plots.*<br><br>• *Je dois monter sur le cheval d'arçon.*<br><br>• *Je dois faire une roulade.*<br><br>Puis, l'enseignant amène les élèves à faire un affichage qui sépare ces structures de la manière suivante (afin de repérer cette construction avec les infinitifs) :<br><br>**Je dois** { *courir entre les plots.*<br>*monter sur le cheval d'arçon.*<br>*faire une roulade.* |

**PHASE 2** Dans un deuxième temps, à partir d'une autre situation (par exemple, en natation), faire constituer par les élèves un abécédaire des verbes relatifs à la natation en piscine en s'appuyant sur des photos ou des dessins. Cette activité sera l'occasion pour eux de produire et de mémoriser des constructions avec des verbes à l'infinitif.

| Du côté de l'enseignant | Du côté des élèves |
|---|---|

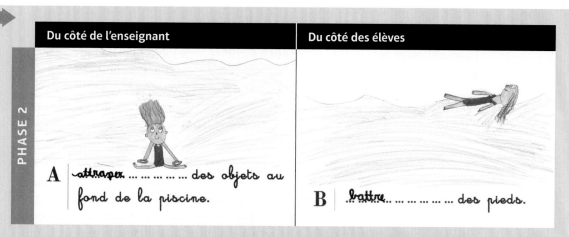

**A** ~~attraper~~ … … … … … des objets au fond de la piscine.

**B** battre … … … … … des pieds.

Ce ne sont pas des infinitifs isolés qui apparaissent[24], mais des structures syntaxiques comprenant un verbe accompagné d'un ou deux de ses compléments que les élèves peuvent intégrer dans des mini-récits. Constituer un corpus de constructions verbales augmente leur bagage lexical. Un tel corpus leur fournit également des scripts récupérables en mémoire et transposables en situation de production d'écrits[25].

**ACTIVITÉ 8.10**  ÂGE DES ÉLÈVES : vers 10-11 ans

OBJECTIF :  manipuler les constructions de verbes et saisir les variations de sens.

| Du côté de l'enseignant | Du côté des élèves |
|---|---|
| Faire écrire des phrases à partir d'un verbe spécifique : *voler*.<br><br>Après une mise en commun, la classe se retrouve avec un ensemble de phrases qu'il faut classer pour découvrir les différents sens du verbe :<br><br>• *Le garçon vole une bille.* (voler + un objet, construction directe)<br><br>• *L'oiseau vole dans le ciel.* (voler + locatif, construction indirecte avec une préposition) | Les élèves doivent proposer au moins une phrase en utilisant le verbe cible. Par effacement, ils repèrent la phrase minimale.<br><br>Lors du travail de classement des phrases proposées, les élèves sont amenés à comprendre le fonctionnement syntaxique et les différents sens qui en découlent :<br><br>1) voler → dérober<br>*Le brigand vole l'argent.*<br><br>2) voler → planer<br>*L'avion vole au milieu des nuages.* |

Il est nécessaire de traiter en même temps la polysémie et la synonymie pour faire saisir les différents sens d'un verbe. Voici d'autres verbes qui permettent de mener des activités équivalentes : *pousser, compter, tirer, passer…* (Florea et Fuchs, 2010).

---

**24.** Dans cet abécédaire, les infinitifs produits peuvent être réutilisés en production dans une construction verbale différente : *Max a attrapé des objets au fond de la piscine.*

**25.** J. Bruner (1983) a montré l'importance de ces petits scripts (mini-récits d'actions stéréotypées : gouter, faire ses devoirs, commander par internet, etc.) pour l'acquisition du langage, mais aussi pour produire un récit. Ces constatations rejoignent celles de D. Bassano (2005) qui montre que le développement grammatical est dans une relation de dépendance par rapport au développement lexical, à condition qu'un certain stock lexical ait été constitué.

# 3.4. | Apprendre en situation d'écriture

L'apprentissage de la lecture combinée à l'écriture reste l'objectif prioritaire de l'enseignement du français. L'observation et l'analyse de textes permettent, d'une part, de générer des situations d'écriture (à intégrer dans des projets) autorisant le réinvestissement des observations sur les formes verbales et, d'autre part, de mesurer les liens existant entre les constructions verbales. Nous proposons ci-après trois exemples de situations d'écriture.

La première piste d'écriture est centrée sur un album qui rassemble plus de 300 verbes narrant de petits récits de vie (à propos de la cuisine et du repas, du jardin, des vacances…) dont de jeunes enfants, pris en photos, sont les acteurs[26]. Ces scénarios occupent une double page et se présentent de la manière suivante : une photographie et un verbe à l'infinitif en relation avec la situation sur chaque page, et la mise en relation, sous la forme de phrase, des deux verbes (repérés par une couleur), sur la double page. Voici deux exemples :

> *Louise **fait** un gâteau. Elle **casse** les œufs dans un bol.* (p. 42-43)
>
> *Elle **saute** de très haut et **retombe** sur ses pieds. Bravo !* (p. 20-21)

Même si les élèves ont des difficultés à relier une forme verbale à son infinitif (Roubaud, 1998), il faut entrainer les élèves à le faire, car c'est pour eux l'occasion de repérer les régularités morphologiques.

---

**ACTIVITÉ 8.11** ÂGE DES ÉLÈVES : vers 8 ans
OBJECTIF : écrire à partir d'un album.

| Du côté de l'enseignant | Du côté des élèves |
|---|---|
| Après la lecture de quelques pages de l'album d'Éric Cadilhac, un premier travail d'écriture est envisageable à partir des photos où les verbes et une partie du texte sont cachés : <br><br> *Daphné...................... Elle......................!* (p. 214-215) <br><br> D'autres pages sont exploitables, par exemple : *Solal (joue de la guitare). Plus tard, il (deviendra peut-être musicien) !* (p. 80-81) | Les élèves proposent un texte personnel en s'appuyant sur les photos et le début des phrases : <br> *Daphné veut manger. Elle savoure son diner !* <br><br> Après confrontation des différentes propositions, les élèves découvrent le texte proposé par l'auteur de l'album : <br> *Daphné a très faim. Elle dévore son repas !* <br><br> Les verbes sont repérés et écrits à l'infinitif : *vouloir, savourer, dévorer…* |

Il est possible de fabriquer ses propres pages en prenant en photo des situations spécifiques ou en les dessinant, en choisissant deux verbes à l'infinitif et en écrivant, ensuite, un mini-récit qui peut être directement inspiré de l'album.

*Elle **saute** de très haut et **retombe** sur ses pieds. Bravo !*

*Pierre **court** vite et **glisse** sur du verglas. Aïe !*

L'appui sur les textes existants est facilitateur, le travail peut se faire par analogie.

---

26. É. Cadilhac (2005), *Mon imagier photos. Les verbes, petites histoires à partager*, Paris : Hatier.

Dans l'album cité, les verbes entrent dans des constructions syntaxiques marquant des relations sémantiques comme la chronologie, la conséquence, la manière ou l'hypothèse. L'activité fondée sur cet album permet de manipuler, voire d'enrichir, le vocabulaire dans des énoncés.

D'autres situations du même type sont envisageables pour mettre en relation différents verbes et produire d'autres effets de sens avec une syntaxe appropriée (par exemple, marquer le contraste entre deux constructions verbales : *Il cherche, mais ne trouve rien. / Il ne dit rien, mais il pense*).

**ACTIVITÉ 8.12**   ÂGE DES ÉLÈVES :  vers 8-10 ans
OBJECTIF :              écrire une fiche technologique.

| Du côté de l'enseignant | Du côté des élèves |
|---|---|
| Au préalable, il faut utiliser des fiches de fabrication aux formats différents, les lire et y recourir pour fabriquer des objets techniques tels qu'une éolienne, un bilboquet, un bateau en origami, etc. | Les élèves fabriquent des objets techniques en utilisant des fiches de fabrication de différentes formes. |
| Ensuite, par un travail de comparaison, faire isoler le fonctionnement de ce type d'écrits. | Par deux, ils reprennent différentes fiches techniques et isolent les points communs (un titre, une liste de matériel, une série d'instructions avec parfois des images qui illustrent le montage, etc.). |
| Enfin, faire relever les phrases qui permettent de fabriquer l'objet et analyser leurs formes. | L'analyse des phrases qui permettent de fabriquer l'objet met en avant différentes structures syntaxiques. |

**Quelques exemples possibles de relevés d'énoncés expliquant les étapes de fabrication :**

| FICHE N° 1 | FICHE N° 2 | FICHE N° 3 | FICHE N° 4 |
|---|---|---|---|
| *D'abord, tu dois découper…* | *Découpe le carton…* | *Vous découperez…* | *On découpe…* |
| *Ensuite, tu dois coller…* | *Colle la feuille…* | *Puis vous collerez…* | *On colle…* |
| *Tu dois attendre…* | *Attends…* | *Vous attendrez…* | *On attend…* |
| *Tu dois* + verbe à l'infinitif | Verbe à l'impératif | Verbe au futur | Verbe au présent |

Il est possible, quand les structures ont été isolées, de passer de l'une à l'autre et de réécrire les énoncés d'une fiche en utilisant pour modèle les structures utilisées dans une autre fiche. Par exemple, *Tu dois découper le patron* devient *Découpe le patron* ou *Vous découperez le patron*.

La lecture de ce type d'écrits permet de s'apercevoir que la langue offre la possibilité de choisir entre plusieurs structures verbales.

Dans une seconde étape, à partir d'un objet simple que les élèves construisent, il est possible d'écrire sa propre fiche technique permettant de fabriquer cet objet. Les élèves choisissent une des structures repérées pour produire un texte adapté à la situation d'énonciation (il s'agit en l'occurrence de prescrire). Ils complètent la fiche en y ajoutant un titre et la liste du matériel nécessaire.

Source : *Chut… Je lis – CE1*, Hachette Éducation (2012), Cahier d'exercices, p. 29.

**ACTIVITÉ 8.13** ÂGE DES ÉLÈVES : vers 9-11 ans

OBJECTIF : écrire un conte.

Les contes offrent des pistes d'écriture prototypiques pour employer deux modes-temps spécifiques : le passé simple et l'imparfait.

| Du côté de l'enseignant | Du côté des élèves |
|---|---|
| Au préalable, il faut lire régulièrement des contes aux élèves et travailler avec eux la compréhension fine. L'analyse des évènements (tirés du récit), de leur chronologie, permet de repérer les verbes, puis de les classer en fonction du temps employé (liste de verbes avec leurs sujets à la troisième et sixième personne au passé simple et à l'imparfait). | Les élèves produisent différents écrits : ils peuvent réécrire un des contes en remplaçant un personnage par un autre, rédiger la fin d'un conte ou constituer des fiches de personnages (indiquant leurs qualités, leurs pouvoirs, leurs caractéristiques physiques et morales, leurs liens avec d'autres personnages). |

| Verbes au passé simple | Verbes à l'imparfait |
|---|---|
| *La fille **pleura**.* | *Le dragon **frappait** le sol.* |
| *Elle **courut** dehors.* | *Il **rugissait**.* |
| *Les lutins **chantèrent**.* | *Les lutins **criaient**.* |
| *La chouette **hulula**.* | *Le loup **marchait** sans bruit.* |

L'aboutissement de ces différents chantiers est l'écriture par l'élève de son propre conte.

Le travail de comparaison des verbes offre des outils analogiques pour bien les orthographier.

À partir des listes de verbes extraits des différents contes lus en classe, les élèves peuvent comparer le fonctionnement des verbes à l'imparfait et au passé simple, au singulier et au pluriel. Ces classements deviennent des outils d'aide orthographique pour l'écriture de leurs propres récits.

Pour aider les élèves à produire leur propre histoire en soulageant la tâche d'écriture, l'enseignant peut proposer des synthèses (amalgamant marques de temps et de personne) du fonctionnement morphologique particulier pour le passé simple en se limitant aux troisième et sixième personnes.

|  | Le nom (ou pronom) en fonction de sujet est au singulier | Le nom (ou pronom) en fonction de sujet est au pluriel |
|---|---|---|
| Tous les verbes en -er (*pleurer / chanter / crier*) | *-a* | *-èrent* |
| *courir / finir / rugir / voir / dire / prendre / faire* | *-it* | *-irent* |
| *avoir / être / pouvoir* | *-ut* | *-urent* |
| *venir / tenir* | *-int* | *-inrent* |

Un tel outil favorise l'automatisation en permettant aux élèves de manipuler le verbe dans des genres spécifiques (le récit, dans cet exemple).

Après avoir rédigé plusieurs autres récits au passé simple, les élèves effectuent une nouvelle observation sur les marques de temps et de personne. On passe alors d'un premier outil d'aide à l'écriture à une synthèse plus fine débouchant sur un approfondissement de leur compréhension des marques verbales. Les élèves retrouvent la structure déjà identifiée (mode-temps + personne), notamment la marque de personne -*t* ou -*nt*, ou son absence dans le cas des verbes en -*er* à la troisième personne, véritable piège qui conduit de nombreux élèves à vouloir écrire des formes telles que *pleurat*.

Les activités proposées aux élèves le sont dans des perspectives différentes mais complémentaires qui permettent d'organiser le travail en trois temps : il s'agit, tout d'abord, d'articuler lecture et écriture pour donner du sens aux phénomènes langagiers (contextualisation), puis, dans un deuxième temps, de permettre la compréhension du fonctionnement du verbe (décontextualisation), afin, dans un troisième temps, de réinvestir les connaissances dans de nouvelles situations de lecture ou d'écriture (recontextualisation).

# L'élaboration de cartes d'identité des verbes : des jalons pour le secondaire

À l'issue du primaire, les élèves sont capables d'élaborer une analyse plus systématique du verbe en mettant en perspective l'ensemble des caractéristiques travaillées. Dans cette optique, nous proposons l'élaboration de fiches de synthèse intitulées « cartes d'identité des verbes » (destinées à des élèves de 10-13 ans).

Pour mener ce type d'activités, il faut prendre appui sur les outils que les élèves manipulent en classe : cahiers de règles propres à la classe, mémos de conjugaison (mémos spécifiques, manuels ou sections d'un manuel), dictionnaires en version papier ou numérique, voire un outil spécialisé comme le *Dictionnaire des verbes du français actuel* (Florea et Fuchs, 2010) ou un correcteur numérique comme *Antidote* (Druide) qui liste des constructions fréquentes.

# PREMIÈRE ÉTAPE : isoler le radical ou les radicaux

Les élèves commencent par relever les variations morphologiques du radical en observant des listes de formes (temps simples). Par exemple, pour *pousser* ou *offrir* :

| je | pous**se** | pous**sais** | pous**serai** | | of**fre** | of**frais** | of**frirai** |
|---|---|---|---|---|---|---|---|
| **tu** | pous**ses** | pous**sais** | pous**seras** | | of**fres** | of**frais** | of**friras** |
| **il** | pous**se** | pous**sait** | pous**sera** | | of**fre** | of**frait** | of**frira** |
| **nous** | pous**sons** | pous**sions** | pous**serons** | | of**frons** | of**frions** | of**frirons** |
| **vous** | pous**sez** | pous**siez** | pous**serez** | | of**frez** | of**friez** | of**frirez** |
| **ils** | pous**sent** | pous**saient** | pous**seront** | | of**frent** | of**fraient** | of**friront** |

La comparaison des radicaux possibles selon les temps simples aboutit à une seule forme pour ce verbe : *pouss-*

La comparaison des radicaux possibles selon les temps simples aboutit à deux formes pour ce verbe : *offr-* et *offri-*

Ils complètent leur relevé par le repérage du participe passé et des marques du passé simple afin de repérer ces deux formes spécifiques.

# DEUXIÈME ÉTAPE : relever les caractéristiques sémantico-syntaxiques des verbes

Le point de départ peut être un travail de production de phrases visant à employer le verbe étudié. Ensuite, les élèves réduisent autant que possible leurs énoncés afin de ne garder que la phrase minimale (Tisset, 2004). Ils doivent alors classer l'ensemble des phrases produites et expliquer leurs classements : pour le verbe *pousser*, les élèves font très vite la distinction entre le fait de pousser quelqu'un ou quelque chose et la croissance d'une plante ou d'un autre être vivant. À partir des outils à leur disposition, tels que des textes lus et des ouvrages spécialisés, les élèves proposent un modèle plus général des différentes propositions, par exemple : GN + V + GN ou GN + V.

# TROISIÈME ÉTAPE : constituer la carte d'identité des verbes

En reprenant l'ensemble des données recueillies, les élèves finalisent la carte d'identité des verbes étudiés :

| *Pousser* | *Offrir* |
|---|---|
| Infinitif en *-er* | Infinitif en *-ir* |
| Les différents radicaux (il y en a qu'un seul) :<br><br>*Tu* **pouss**-*e-s* | Les différents radicaux :<br><br>*Tu* **offr**-*e-s*<br><br>*Nous* **offri**-*r-ons* |
| Participe passé : *poussé (il a poussé)*<br><br>Passé simple en *-ai / -èrent* | Participe passé : *offert (nous avons offert)*<br><br>Passé simple en *-i* |

| Pousser | Offrir |
|---|---|
| Infinitif en -er | Infinitif en -ir |
| Ce verbe a plusieurs constructions. | Ce verbe se construit avec trois éléments : |
| 1) Avec deux éléments :<br>*Quelqu'un* **pousse** *quelque chose*<br>*Quelqu'un* **pousse** *quelqu'un.* | *Quelqu'un* **offre** *quelque chose* *à quelqu'un.* |
| Ces éléments (nom ou pronom) ont des traits sémantiques particuliers (un animé pousse un animé ou un animé pousse un non-animé). *Pablo / pousse / une personne, un objet.* | Ces éléments (nom ou pronom) ont des traits sémantiques particuliers (animé ou non ; abstrait ou concret).<br><br>*Pablo /* **offre** */ son amour, un chien, une petite somme d'argent / à Josée, au club…* |
| 2) Avec un élément :<br>*Quelque chose* **pousse** ou *Quelqu'un* **pousse**. | *La situation /* **offre** */ une occasion en or / à la population du village…* |
| Ces éléments (nom ou pronom) ont des traits sémantiques particuliers (un animé pousse, avec l'idée de croissance, de développement). *La plante /pousse.* | |
| 3) Il existe des constructions particulières avec trois *éléments* :<br>*L'enquêteur* pousse *le suspect* *à se dénoncer.* | |

## QUATRIÈME ÉTAPE : constituer un recueil pour la classe

Après avoir élaboré des cartes d'identité, collectivement et à de nombreuses reprises, les élèves effectuent le même travail par paire. L'enseignant confie un même verbe à deux binômes, qui doivent ensuite se mettre d'accord sur la fiche à présenter à la classe.

Ultérieurement, les élèves sélectionnent des verbes pour constituer leurs propres descriptions. Ce travail peut être proposé à la suite d'une production écrite qui présente des erreurs de construction ou des impropriétés. La constitution de ces cartes d'identité est l'aboutissement d'un long processus de construction des savoirs sur le verbe.

# Conclusion

Dans ce chapitre, nous avons offert des pistes concrètes pour l'enseignement du verbe au primaire. Les élèves apprennent à l'identifier, commencent à maitriser ses marques et abordent son rôle dans l'organisation de la phrase et du texte. Ils rencontrent des verbes qui ont des constructions différentes et, le cas échéant, repèrent les variations de sens qui y correspondent. Ils prennent l'habitude de manipuler les verbes et de comparer les éléments qui les constituent pour en dégager des régularités et en comprendre le fonctionnement. Peu à peu, les élèves élaborent ainsi le concept de verbe à l'articulation d'une double relation fondamentale : une relation à la temporalité et une relation syntaxico-sémantique avec un nom ou un pronom, cette dernière ayant une incidence orthographique sur la finale du verbe.

L'apprentissage du verbe demande du temps et ne doit pas être conçu comme une accumulation de connaissances, mais bien comme la reprise de savoirs qu'il faut en permanence «rebrasser», réorganiser, structurer et complexifier, lentement et selon une progression. Les élèves ont donc besoin de toute la scolarité obligatoire pour acquérir et maitriser l'emploi des verbes dans la communication langagière.

## Références bibliographiques de base

Brissaud, C. et Cogis, D. (2002). La morphologie verbale écrite, ou ce qu'ils en savent au CM2. *Lidil*, n° 25, p. 31-42.

Florea, L.-S. et Fuchs, C. (2010). *Dictionnaire des verbes du français actuel*. Paris : Ophrys.

Gourdet, P. (2013). L'enseignement du verbe à l'école élémentaire : perspectives linguistiques et pistes didactiques. *Le verbe : perspectives linguistiques et didactiques*. Arras : Artois Presses Université, p. 47-58.

Roubaud, M.-N. et Moussu, M.-J. (2010). Pour une modélisation de l'enseignement de la grammaire au CE1 : l'exemple du verbe. *Repères*, n° 41, p. 71-90.

Roubaud, M.-N. et Touchard, Y. (2004). Vers la notion de verbe : de l'approche intuitive à la construction du savoir, vers sept ans. *Langue et études de la langue. Approches linguistiques et didactiques*. Aix-en-Provence : Presses Universitaires de Provence, p. 257-267.

Tisset, C. (2004). Un jour fut le verbe. *Le verbe dans tous ses états*. Namur : Presses Universitaires de Namur, p. 33-50.

## Autres références

Bassano, D. (2010). L'acquisition des verbes en français : un exemple de l'interface lexique / grammaire. *Synergies France*, n° 6, p. 27-39.

Bassano, D. (2005). Production naturelle précoce et acquisition du langage : l'exemple du développement des noms. *Lidil*, n° 31, p. 61-84.

Besson, M.-J., Genoud, M.-R., Lipp, B. et Nussbaum, R. (1979). *Maîtrise du français*. Office romand des éditions et du matériel scolaire.

Blanche-Benveniste, C. (2010). *Le français. Usages de la langue parlée*. Leuven-Paris : Peeters.

Bousquet, S., Cogis, D., Ducard, D., Massonnet, J. et Jaffré, J.-P. (1999). Acquisition de l'orthographe et mondes cognitifs. *Revue française de Pédagogie*, n° 126, p. 23-37.

Brissaud, C. et Cogis, D. (2011). *Comment enseigner l'orthographe aujourd'hui ?* Paris : Hatier.

Bruner, J. (1983/1987). *Comment les enfants apprennent à parler* (J. Piveteau et J. Chambert, trad. française). Paris : Retz. (Ouvrage original publié en 1983, New York).

Cappeau, P. et Roubaud, M.-N. (2005). *Enseigner les outils de la langue avec les productions d'élèves*. Paris : Bordas.

Chartrand, S.-G. (2013a). *Les manipulations syntaxiques : de précieux outils pour comprendre le fonctionnement de la langue et corriger un texte*. Montréal : CCDMD. En ligne : www.ccdmd. qc.ca/catalogue/manipulations-syntaxiques-les

Chartrand, S.-G. (2013b). Enseigner à justifier ses propos de l'école à l'université. *Correspondance*, vol. 18, n° 3, p. 9-11. En ligne : www.enseignementdufrancais.fse.ulaval.ca/document/ ?no_document=2348

Chartrand, S.-G. (2001). *Activités de réflexion grammaticale, Cahier B.* Saint-Laurent, Québec : ERPI.

Chartrand, S.-G., Simard, C. et Sol, C. (2006). *Grammaire de base.* Bruxelles : De Boeck.

Cogis, D. (2005). *Pour enseigner et apprendre l'orthographe.* Paris : Delagrave.

David, J. (2000). Le lexique et son acquisition : aspects cognitifs et linguistiques. *Le Français aujourd'hui*, n° 131, p. 31-41.

Dedeyan, A. (2006). Détecter les erreurs d'accord sujet-verbe : caractéristiques de procédures de détection contrôlée. *Rééducation orthophonique*, n° 225, p. 39-57.

Éduscol. Portail national des professionnels de l'éducation (France) : http://cache.media.eduscol. education.fr/file/ecole/36/3/mots_nature_frequence_124997_292363.pdf

Elalouf, M.-L. (2005). De la 6e à la 1re : comment mobilisent-ils leurs connaissances sur la langue dans des tâches d'explicitation ? *Pratiques*, n° 125-126, p. 157-178.

Eshkol, I. (2005). La construction du concept de « verbe ». *De la langue au texte. Le verbe dans tous ses états (2).* Namur : Presses Universitaires de Namur, p. 17-36.

Fayol, M. et Largy, P. (1992). Une approche fonctionnelle de l'orthographe grammaticale. *Langue française*, n° 95, p. 80-98.

Genevay, É., Lipp, B. et Schoeni, G. (1990). *Cherche et trouve.* Lausanne : LEP.

Gomila, C. et Roubaud, M.-N. (2013). Le verbe au cours préparatoire : premières constructions du concept. *Le verbe : perspectives linguistiques et didactiques.* Arras : Artois Presses Université, p. 31-45.

Gourdet, P. (2014). Les explications linguistiques sur le verbe. Un suivi sur une année scolaire d'une cohorte d'élèves de CE2. *Le verbe en friche. Approches linguistiques et didactiques.* Bruxelles : Peter Lang, p. 217-234.

Gourdet, P. (2013b). Le « cahier de règles » à l'école élémentaire, outil institutionnel et référence grammaticale : le cas du verbe en CE2. *Enseigner la grammaire.* Palaiseau : Éditions de l'École polytechnique, p. 265-283.

Gourdet, P. (2010). Les savoirs enseignants sur la notion grammaticale de verbe. *Repères*, n° 42, p. 25-44.

Kilcher-Hagedorn, H., Othenin-Girard, C. et de Weck, G. (1987). *Le savoir grammatical des élèves : Recherches et réflexions critiques.* Berne : Peter Lang.

Laparra, M. (2010). Pour un enseignement progressif de l'orthographe dite grammaticale du français. *Repères*, n° 41, p. 35-46.

Le Goffic, P. (1997). *Les formes conjuguées du verbe français. Oral et écrit.* Paris : Ophrys.

Péret, C. (2007). *Un projet pour… articuler production d'écrit et grammaire.* Paris : Delagrave.

Paret, M.-C. (2000). Enseigner stratégiquement la grammaire. *Québec français.* En ligne : www. mcparet.com/wp-content/uploads/2012/10/Enseignement-stategique-grammaire.pdf

Roubaud, M.-N. et Gomila, C. (2014). Premières justifications de la catégorie verbe au cours préparatoire : un prototype en construction. *Le verbe en friche : Approches linguistiques et didactiques.* Bruxelles : Peter Lang, p. 177-192.

Roubaud, M.-N. (1998). L'infinitif du verbe. *Pratiques*, n° 100, p. 7-22.

Roubaud, M.-N. (1997). Le passé simple en français. *Studia Neophilologica*, n° 69, p. 79-93.

Simard, C. et Chartrand, S.-G. (2011). *Grammaire de base, 2e et 3e cycle du primaire.* Saint-Laurent : ERPI.

Tisset, C. (2005). *Observer, manipuler, enseigner la langue au cycle 3.* Paris : Hachette.

# L'enseignement du système de la conjugaison pour en favoriser l'apprentissage

**SANDRA ROY-MERCIER** ET **SUZANNE-G. CHARTRAND**

# Introduction

La conjugaison est le système des variations morphologiques du verbe, c'est-à-dire l'ensemble organisé des formes que peut prendre un verbe selon son radical, son mode et son temps (désormais nommés *modes-temps*, pour des raisons expliquées à la section 2.1) et sa personne (première à sixième)[1]. Aussi devrait-on l'étudier en classe quand on travaille le verbe, comme on l'a vu au chapitre 8. Pourquoi alors en traiter dans un chapitre distinct de celui sur le verbe ? Simplement parce que l'enseignement de la conjugaison, qui s'est institué dès le début du XIXe siècle, s'est développé depuis de manière totalement cloisonnée, indépendante de toutes les autres composantes de la discipline *français*, et qu'il en est toujours ainsi aujourd'hui : la volonté de rénovation de l'enseignement de la grammaire des dernières décennies n'a guère eu d'effet sur ce contenu d'apprentissage[2]. Il faut donc prendre note de cette résistance à la rénovation, y faire face pour tenter de rendre l'enseignement de la conjugaison intelligible et efficace, car tel qu'il est mis en œuvre actuellement, il pose deux problèmes majeurs :

- il ne permet pas de faire appréhender la conjugaison comme un système, c'est-à-dire un ensemble organisé d'éléments interreliés et présentant des régularités, ce qui rend la mémorisation des formes verbales difficile et peu efficace ;
- il ne tient pas compte de la fréquence d'emploi des verbes dans le langage oral et écrit, ce qui ne soutient pas le développement des compétences langagières.

### Un enseignement qui ne permet pas de faire appréhender la morphologie verbale comme un système

L'enseignement de la conjugaison est souvent limité à l'injonction donnée aux élèves de mémoriser des tableaux de verbes, alors qu'il pourrait consister à leur faire observer et comprendre les régularités de la conjugaison, ce qui en faciliterait la maitrise. De plus, la métalangue utilisée (c'est-à-dire les termes désignant les modes, les temps, les personnes et les parties du verbe) est très souvent nébuleuse ou ambigüe pour les élèves qui l'emploient sans en saisir la teneur. Pensons à l'utilisation du mot *passé* : tantôt il désigne un évènement se déroulant dans le passé (cas du passé simple), tantôt il marque l'aspect accompli (cas de l'infinitif passé : *Il faut **avoir terminé** avant demain*). Des enquêtes, dont celle de Meleuc et Fauchart (1999) en France et, sur une plus petite échelle, celle de Roy-Mercier (2015) au Québec, montrent qu'élèves et étudiants sont incapables d'expliquer, même minimalement, ce système. Ils nagent en pleine confusion : par exemple, ayant appris que les verbes se classent selon la terminaison de l'infinitif, nombre d'élèves de 13 ans associent les verbes *aller* et *danser*.

Chez beaucoup d'élèves, comme chez plusieurs de leurs enseignants, *conjuguer* et *accorder un verbe* sont synonymes, ce qui montre qu'ils ont peu conscience de la distinction entre les marques verbales de mode-temps et celles de personne. L'accord du verbe ne concerne que sa personne dans le cadre de la phrase, alors que sa conjugaison fait intervenir, en plus de la variation en personne, le radical ou les radicaux ainsi que la variation selon le mode-temps du verbe.

---

1. Étymologiquement, *conjuguer* veut dire « lier avec, mettre ensemble, joindre ». Il s'agit bien de mettre ensemble les différentes parties d'un verbe.

2. Le chapitre 1 retrace l'histoire des tentatives de rénovation de l'enseignement grammatical.

## Un enseignement qui ne tient pas compte de la fréquence d'emploi des verbes

Les prescriptions pour l'enseignement ne s'appuient ni sur la fréquence d'emploi des verbes ni sur celle des modes-temps utilisés, mais sur une vague idée, souvent erronée, de l'ordre d'acquisition des formes verbales. Par exemple, on peut lire dans les prescriptions du Québec et de la Suisse romande que l'apprentissage du plus-que-parfait devrait se faire trois ans après celui de l'imparfait. Pourtant, le plus-que-parfait est spontanément bien utilisé par de très jeunes enfants, qui ignorent, bien entendu, de quel temps il s'agit. Par ailleurs, les prescriptions ne tiennent pas suffisamment compte des difficultés des élèves à employer les modes-temps adéquats, ni de leurs erreurs morphosyntaxiques récurrentes. Quant à l'enseignement de la conjugaison au secondaire, les prescriptions semblent tenir pour acquis que l'essentiel des apprentissages a déjà été fait, qu'il suffit de travailler sur des cas plus rares. La plupart d'entre elles n'aménagent donc pas une progression pour l'enseignement des contenus relatifs à la conjugaison.

Prenant acte de ces constats et nous inspirant de pédagogues, de didacticiens et de grammairiens rénovateurs[3], nous adoptons le parti pris d'examiner l'enseignement de la conjugaison (ses notions, ses outils et ses démarches) et d'offrir de nouveaux outils, dont un nouveau modèle de tableau de conjugaison, pour son étude au primaire et au début du secondaire. Le tableau 9.1 résume les principes qui sous-tendent notre démarche et les compare à la démarche actuelle.

**TABLEAU 9.1 Comparaison des deux types d'enseignement de la conjugaison**

| Enseignement rénové | Enseignement ancien et actuel |
|---|---|
| vise la compréhension du système comme aide à la mémorisation et l'emploi correct des formes | vise principalement la mémorisation |
| met l'accent sur les régularités du système | met l'accent sur les irrégularités et les exceptions |
| utilise une terminologie simplifiée, claire et rigoureuse | utilise une terminologie nébuleuse ou ambigüe |
| propose l'étude des verbes et des temps les plus fréquents d'abord, puis des autres, selon une progression | propose l'étude de tous les verbes à tous les modes-temps, sans organiser une progression |

Dans la première partie de ce chapitre, nous examinons les parties du verbe et mettons en évidence le problème de l'homophonie de plusieurs formes verbales. Dans la seconde, nous reconsidérons certains concepts de la morphologie verbale dans la perspective de son enseignement et, partant de là, nous proposons une solution de rechange aux tableaux de conjugaison actuels.

Chaque question étudiée est accompagnée d'une activité qui vise la construction de ces notions par les élèves d'un groupe d'âge défini et propose une réflexion critique sur la métalangue en vigueur. Certaines activités peuvent se faire une seule fois, alors que d'autres gagneraient à être répétées sur d'autres corpus. Le travail de l'enseignant n'est qu'esquissé, car il doit être modulé en fonction de la réalité des classes.

---

**3.** Notamment, pour les premiers, B. Combettes, G. Tomassone et J. Fresson (1970), É. Genevay, B. Lipp et G. Schoeni (1990) et S. Meleuc et N. Fauchart (1999), et, pour les seconds, M. Wilmet (2007, 2010).

Pour l'élaboration de ces activités destinées aux élèves de 8 à 14 ans[4], nous avons privilégié deux critères : les régularités du système et la fréquence des temps et des verbes dans le discours. Ce dernier critère s'appuie sur une liste de fréquence des verbes du français écrit que nous répartissons en trois ensembles[5].

| TABLEAU **9.2** | **Répartition des verbes en trois ensembles** |
|---|---|
| **1ᵉʳ ensemble** | Les verbes les plus réguliers, soit les verbes en *-er*, sauf *aller* |
| **2ᵉ ensemble** | Les dix verbes les plus fréquents et aussi les plus irréguliers à cause de leur grand nombre de radicaux : *être*, *avoir*, *faire*, *dire*, *pouvoir*, *aller*, *voir*, *venir*, *vouloir*, *devoir* |
| **3ᵉ ensemble** | Tous les autres verbes (les verbes desdits deuxième et troisième groupes) |

Quant au choix des modes-temps verbaux à travailler, nous avons retenu les plus utilisés par les élèves vers la fin du primaire et au début du secondaire, selon de récents travaux de didactique du français et de psycholinguistique[6] : le présent, le passé composé, l'imparfait, le plus-que-parfait, le conditionnel présent et passé, le futur simple[7] et le passé simple de l'indicatif.

# 1. La complexité de la variation morphologique du verbe

Après avoir comparé la morphologie du verbe à celle du nom et à celle de l'adjectif pour en montrer la complexité (section 1.1), nous précisons le sens des termes *radical* (section 1.2) et *terminaison* (section 1.3), dont la définition présente des limites qui entrainent des dérives dans l'enseignement actuel. Nous terminons cette partie sur la nécessaire comparaison entre les formes orales et écrites du verbe en partant des savoirs intuitifs ou construits des élèves (section 1.4).

## 1.1. Distinguer la morphologie du verbe de celle d'autres classes de mots

Parmi les classes dont les mots ont pour caractéristique de varier morphologiquement, le verbe est particulier, puisque, contrairement au nom, au pronom, au déterminant et à l'adjectif, il est susceptible d'un très grand nombre de variations : un verbe pourrait compter jusqu'à 95 formes, selon certains dictionnaires de conjugaison ! De tels

---

4. L'étude de la conjugaison n'est pas terminée à 14 ans, elle devra se poursuivre selon les mêmes critères, dont celui de la fréquence d'emploi des verbes : *prendre*, *mettre* et *entendre* (respectivement aux rangs 11, 16 et 25 de la liste de fréquence) seront vus avant *finir*, *atteindre* et *résoudre* (rangs 65, 160 et 306), par exemple.

5. La liste de fréquence des verbes à l'écrit constituée par le lexicologue Étienne Brunet est disponible sur le site d'Éduscol : http://netia59a.ac-lille.fr/va.anzin/IMG/pdf/mots_les_plus_frequents.pdf.

6. Voir les travaux de J.-P. Bronckart sur les modes et temps verbaux, menés sur une période de vingt ans, et ceux de P. Cappeau et M.-N. Roubaud.

7. Le futur simple est peu employé ; on lui préfère généralement le futur proche (ou futur périphrastique) formé de l'auxiliaire d'aspect *aller* et de l'infinitif d'un verbe.

nombres devraient suffire à montrer qu'il est irréaliste de faire maitriser toutes les formes de tous les verbes par tous les élèves sans les doter d'une solide connaissance du système qui les sous-tend.

## ACTIVITÉ 9.1 Variation des formes du verbe, du nom et de l'adjectif

ÂGE DES ÉLÈVES : 8-9 ans

DURÉE : cinq séances de 15-20 minutes

OBJECTIF : constater que le verbe varie plus que le nom et l'adjectif et qu'il peut prendre de très nombreuses formes, dont plusieurs sont homophoniques.

| Travail de l'enseignant | Réponses attendues des élèves |
|---|---|
| **SÉANCE 1**<br><br>Demander aux élèves d'effectuer les tâches suivantes :<br><br>• chercher le mot *arriver* dans un dictionnaire[8] ;<br><br>• relever les cinq mots qui le précèdent ;<br><br>• parmi eux, transcrire ceux qui font partie de la même famille de mots.<br><br>Interroger les élèves sur le sens de ces mots et leur classe grammaticale.<br><br>Leur demander de formuler des phrases pour illustrer chacun de ces mots. | Avant le mot *arriver*, les élèves trouvent les mots suivants : *arrivée, arrivé(e), arrivant(e), arriser, arrivage*. Sauf l'avant-dernier (*arriser*), tous font partie de la même famille.<br><br>*L'épicier attend un important **arrivage** de fruits ce matin.* (nom)<br><br>*Le premier **arrivant** en Nouvelle-France ne connaissait pas l'hiver d'ici.* (nom)<br><br>*Le voyageur **arrivé** ce matin errait dans la gare.* (adj.)<br><br>*L'artiste que tout le monde attendait a fait une **arrivée** remarquée.* (nom)<br><br>***Arriver** de nuit dans une ville inconnue est désagréable.* (verbe) |
| **SÉANCE 2**<br><br>Faire observer l'homophonie entre le verbe *arriver*, le nom *arrivée* et l'adjectif *arrivé*, et identifier les différentes formes possibles de ces deux derniers mots[9].<br><br>Demander aux élèves de composer une phrase pour chaque forme possible du nom *arrivée* et chaque forme possible de l'adjectif *arrivé*, puis d'indiquer le genre et le nombre de chaque occurrence. | *Je vais consulter le tableau des **arrivées** et des départs.* (fém. plur.)<br><br>*L'**arrivée** du train de Bruxelles est prévue pour 18 heures.* (fém. sing.)<br><br>*La vétérinaire examine le chien **arrivé** plus tôt.* (masc. sing.)<br><br>*La vétérinaire examine la pauvre petite chatte **arrivée** en sang.* (fém. sing.)<br><br>*Les marchandises **arrivées** hier devront être retournées.* (fém. plur.)<br><br>*Tous les animaux **arrivés** ce matin sont dans un piteux état.* (masc. plur.) |

---

**8.** Le verbe *arriver* a été choisi parce qu'il est fréquent et que les élèves de 8-9 ans sont susceptibles de connaitre au moins un nom et un adjectif de la même famille de mots. Pour cette activité, nous avons utilisé l'édition 2013 du *Petit Larousse illustré*.

**9.** L'homophonie dépend, évidemment, de la prononciation. Dans certaines régions de la francophonie, la différence entre [é] et [è] est peu audible ; de même, le *e* dit muet est parfois entendu : dans ce cas, il n'y aura pas d'homophonie entre *arrivé* et *arrivée*.

| Travail de l'enseignant | Réponses attendues des élèves |
|---|---|
| **SÉANCE 3** — Animer une discussion sur ces observations et faire rédiger aux élèves des constats sur les variations des noms et des adjectifs. | Le nom a un genre qui lui est propre et varie en nombre (il peut être sing. ou plur.) ; il peut avoir deux formes différentes.<br><br>L'adjectif varie en genre (il peut être masc. ou fém.) et en nombre (il peut être sing. ou plur.). Il peut avoir quatre formes différentes. |
| **SÉANCE 4** — Demander aux élèves combien de phrases il faudrait composer pour illustrer toutes les formes du verbe *arriver*. | Lorsqu'on compte toutes les formes, y compris celles qui sont identiques, on arrive à 95 formes pour le verbe *arriver*. |
| Demander aux élèves de repérer les formes homophoniques de l'infinitif *arriver* pour leur faire constater les nombreuses réalisations du son [é]. | Il y a quatre formes homophoniques : [arriv**er**], [arriv**é**], [arriv**ez**], [arriv**ai**]. |
| **SÉANCE 5** — Animer une discussion et demander aux élèves de rédiger des constats. Par la mise en commun et la rectification des énoncés produits par les élèves, procéder à l'institutionnalisation des savoirs. | Le verbe varie plus que le nom ou l'adjectif. Il varie selon le mode-temps et la personne. Il peut avoir des dizaines de formes différentes qui sont parfois homophoniques, ce qui entraine des difficultés orthographiques. |

Cette activité est riche, car elle permet plusieurs apprentissages : 1) recherche d'un mot dans un dictionnaire de langue ; 2) découverte des sens de ce mot ; 3) production de phrases et leur nécessaire révision-correction encadrée par l'enseignant, ce qui suppose, entre autres, un travail orthographique ; 4) observation des caractéristiques morphologiques des mots de trois classes et du phénomène de l'homophonie.

# 1.2. | Découvrir la variation des radicaux

Tout francophone a appris qu'un verbe est composé d'un radical (aussi nommé *base*) et d'une terminaison, mais, à l'école, on ne propose guère d'activités d'observation qui portent sur le radical. Lorsqu'on leur demande ce qu'est le radical d'un verbe, les élèves répondent que c'est la partie du verbe qui ne change pas (ou change peu). Pourtant, le radical de très nombreux verbes varie, et c'est à l'origine de beaucoup d'erreurs à l'oral comme à l'écrit (voir le chapitre 8)[10]. Le radical exprime généralement la signification du verbe, il porte le sens du verbe.

Il y a de bonnes raisons d'étudier les radicaux. Premièrement, la tripartition actuelle en trois groupes à partir de la terminaison de l'infinitif ne coïncide pas avec une classification selon le nombre de radicaux. Par exemple, si les verbes en *-er* (*trouv-* pour *trouver* et *cri-* pour *crier*) n'ont généralement qu'un radical, il en va de même pour

---

**10.** Les enfants ont tendance à surgénéraliser les formes verbales à partir d'un radical : *\*on a prendu* (David et Renvoisé, 2010). Certains d'entre eux s'autocorrigent relativement tôt, tandis que, chez d'autres, ces formes fautives perdurent.

plusieurs des verbes du « troisième » groupe (*cour-* pour *courir*). Deuxièmement, il y a une corrélation entre la fréquence d'emploi des verbes et l'irrégularité de leur radical : en général, plus un verbe est fréquent, plus nombreuses sont les formes que peut prendre son radical[11] :

- 8 formes pour *être* (rang 1 dans la liste de fréquence utilisée ici) ;
- 6 pour *avoir* (rang 2) et *aller* (rang 6) ;
- 5 pour *faire* (rang 3), *pouvoir* (rang 5) et *vouloir* (rang 8) ;
- 4 pour *savoir* (rang 17) et *connaitre* (rang 28) ;
- 3 pour *voir* (rang 7), etc.

En outre, la décomposition en radical et terminaison n'est pas toujours possible, comme dans *il a / ils ont*. Enfin, certaines modifications du radical s'expliquent par des règles morphologiques qui relèvent de l'orthographe lexicale – par exemple, l'ajout d'un *e* devant *a* et *o* dans *mangeant* et *mangeons*, ou le remplacement du *c* par un *ç* devant *u* dans le verbe *décevoir* (*déçu*) –, alors que d'autres relèvent de l'histoire de la langue, comme c'est le cas pour *aller*, dont les radicaux (*all-*, *ir-*, *v-*) proviennent de trois verbes latins différents.

## ACTIVITÉ 9.2 Variation des radicaux

ÂGE DES ÉLÈVES : 9-11 ans

DURÉE : six séances de 20 minutes

OBJECTIF : identifier le radical d'un verbe et constater qu'un verbe peut avoir plus d'un radical.

| Travail de l'enseignant | Réponses attendues des élèves |
|---|---|
| **SÉANCE 1** Demander aux élèves ce qu'est le radical d'un verbe. Les questionner sur l'information que fournit le radical. | Le radical est la partie du verbe qui ne change pas lorsque celui-ci est conjugué : c'est ce qui reste lorsqu'on a retranché la terminaison[12]. |
| Remettre aux élèves l'annexe 1. Les interroger sur ce que désignent les lettres *trouv-*, leur demander ensuite si le radical diffère d'une personne à l'autre, puis s'il diffère d'un temps à l'autre. | Les lettres *trouv-* forment le radical, lequel ne varie pas. Le verbe *trouver* n'a qu'un seul radical et il correspond à ce qui reste lorsqu'on enlève la terminaison de l'infinitif *-er*. |
| **SÉANCE 2** Faire observer le verbe *écrire* et poser les mêmes questions. Faire comparer les radicaux observés et celui de l'infinitif. | Il y a un radical commun pour le présent, le futur simple et le conditionnel présent (*écri-*), et un radical commun pour le passé simple et l'imparfait (*écriv-*). |
| | Le verbe écrire compte deux radicaux, l'un dont toutes les lettres sont observées dans le radical de l'infinitif (*écri-*) et l'autre qui présente une lettre supplémentaire (*écriv-*). |

---

**11.** Selon la classification de Dubois (1967), présentée et critiquée par Riegel, Pellat et Rioul (2009, p. 439).

**12.** On verra que cette réponse est inexacte, mais c'est ce qu'on dit aux élèves.

| Travail de l'enseignant | Réponses attendues des élèves |
|---|---|
| **SÉANCES 3, 4 ET 5** Guider l'observation du verbe *dormir*, puis celle des autres verbes de l'annexe 1. | Le verbe *dormir* a trois radicaux: un pour les première, deuxième et troisième personnes du présent (*dor-*); un autre pour les quatrième, cinquième et sixième personnes du présent, le passé simple et l'imparfait (*dorm-*); un autre encore pour le futur simple et le conditionnel présent (*dormi-*). Le premier (*dor-*) compte moins de lettres que le radical de l'infinitif, tandis que le troisième (*dormi-*) en compte une de plus. |
| Poser la question suivante: Quels temps présentent des radicaux identiques? | Le futur simple et le conditionnel présent ont des radicaux identiques et il y a un radical unique également pour les quatrième et cinquième personnes du présent et toutes celles de l'imparfait. |
| **SÉANCE 6** Demander aux élèves si l'on peut toujours se fier à l'infinitif d'un verbe pour identifier son radical. | On ne peut pas toujours se fier à l'infinitif d'un verbe pour identifier son radical. |
| Faire rédiger des constats. | 1) Un verbe peut compter un radical ou plusieurs radicaux. 2) Les radicaux ne correspondent pas toujours au radical de l'infinitif: certains verbes ont des radicaux qui ont une lettre ou plusieurs lettres ne figurant pas dans l'infinitif. 3) Le radical, surtout lorsqu'il est long, contient la signification du verbe. |

Ce long travail d'observation amène à déconstruire l'idée selon laquelle le radical est unique, en révélant la variété des radicaux, et montre non seulement la régularité des radicaux dans le couple futur simple / conditionnel présent, mais aussi des similitudes dans le couple passé simple / imparfait.

## 1.3. | Distinguer les deux parties de la terminaison d'un verbe

À l'école, on parle généralement de « la » terminaison d'un verbe comme d'une évidence. Que recouvre au juste le terme *terminaison* auquel les ouvrages spécialisés préfèrent souvent celui de *désinence*, terme spécifique qui désigne la partie du verbe qui n'est pas le radical et qui suit celui-ci? En fait, la terminaison est composée de deux parties: l'une est spécifique au temps du verbe dans un mode donné (au sens du mot anglais *tense*), que nous nommons *mode-temps*, et l'autre concerne l'accord d'un verbe dans une phrase, lorsque le verbe est à l'un des trois modes personnels. Selon le système des accords (Chartrand et coll., 1999/2011, chap. 27), le verbe reçoit les traits de la personne des unités qui remplissent la fonction syntaxique de sujet: nom (noyau du groupe nominal), pronom, groupe infinitif ou phrase.

## ACTIVITÉ 9.3 — Dualité des marques de la terminaison

**ÂGE DES ÉLÈVES :** 10-14 ans

**OBJECTIF :** comprendre que le mot *terminaison* recouvre généralement deux types de marques : celle de mode-temps et celle de personne.

### ACTIVITÉ 9.3A

**ÂGE DES ÉLÈVES :** 10-12 ans

**DURÉE :** cinq périodes de 20 minutes

| Travail de l'enseignant | Réponses attendues des élèves |
|---|---|
| **SÉANCE 1**<br><br>Poser aux élèves les questions suivantes :<br><br>• Qu'est-ce que conjuguer ?<br><br>• Quelles sont les parties du verbe ? | Conjuguer, c'est mettre un verbe à un mode, à un temps et à une personne.<br><br>Un verbe se divise en un radical et une terminaison. |
| Dans l'annexe 1, faire chercher le radical du verbe *trouver* au présent et demander comment on le trouve. | Au présent, le radical du verbe *trouver* est *trouv-*. Il est dans la première colonne du tableau, qui est surmontée d'un R. |
| À quoi reconnait-on la personne à laquelle est conjugué le verbe *trouver* dans les exemples suivants : *trouvons, trouvions, trouverons* et *trouverions* ?<br><br>À quoi reconnait-on le mode-temps (désigné par M-T) des verbes *trouvions* et *trouverions* ? | Les lettres *-ons* de la troisième colonne montrent que le verbe est à la quatrième personne. On différencie l'imparfait et le conditionnel présent à l'oral comme à l'écrit à la présence des lettres *-er-* au conditionnel présent. |
| Faire rédiger un premier constat. | Un verbe est divisé en trois parties : le radical (R), la marque de mode-temps (M-T) et la marque de personne (P), sauf à l'indicatif présent. |
| **SÉANCE 2**<br><br>Faire observer les verbes au présent.<br><br>Demander aux élèves de remplir le tableau de l'annexe 2 et de rédiger un constat. | Les verbes au présent contiennent uniquement un radical et une marque de personne. |
| **SÉANCE 3**<br><br>Faire observer les verbes à l'imparfait.<br><br>Demander aux élèves de remplir le tableau de l'annexe 2 et de rédiger un constat. | Il y a le radical dans la première colonne. Le contenu des deuxième et troisième colonnes est identique pour tous les verbes du tableau à l'imparfait. Ce dernier montre que tous les verbes ont les mêmes marques de mode-temps et de personne. |
| **SÉANCE 4**<br><br>Faire observer le futur simple et le conditionnel présent.<br><br>Demander aux élèves de remplir le tableau de l'annexe 2 et de rédiger un constat. | Il y a le radical dans la première colonne, la deuxième colonne contient un *-r-* dans le cas du futur simple *(-r-)* et du conditionnel présent *(-r-ai-,-r-i-)*. La troisième colonne est différente pour les deux temps, mais son contenu est le même pour tous les verbes au même temps. Pour les verbes en *-er*, la deuxième colonne contient *-er-* et non *-r-*. |

| Travail de l'enseignant | Réponses attendues des élèves |
|---|---|
| Faire rédiger aux élèves des constats découlant de toutes ces observations, les discuter collectivement et les faire réécrire après l'institutionnalisation. | 1) Un verbe est divisé en trois parties : le radical (R), la marque de mode-temps (M-T) et la marque de personne (P).<br><br>2) Au présent, le verbe ne contient qu'un radical et une marque de personne, alors que la marque de mode-temps est présente à l'imparfait, au conditionnel présent et au futur simple.<br><br>3) Les marques de mode-temps sont très régulières et sont les mêmes pour tous les verbes. Seuls les verbes en *-er* ont une particularité au futur simple et au conditionnel présent. |

Les élèves peuvent refaire l'activité avec le tableau de l'annexe 3 qui présente les dix verbes les plus fréquents : *être, avoir, faire, dire, pouvoir, aller, voir, venir, vouloir, devoir* [13].

**ACTIVITÉ 9.3B**　ÂGE DES ÉLÈVES : 12-14 ans
　　　　　　　　　DURÉE : 　　　　　　une période de 30 minutes

| Travail de l'enseignant | Réponses attendues des élèves |
|---|---|
| Dans l'annexe 1, faire repérer aux élèves le radical du verbe *trouver* au passé simple ; leur demander à quoi correspondent les deuxième et troisième colonnes. | Le radical est *trouv-* ; la deuxième colonne correspond aux marques de mode-temps, qui sont *-a-, -â-* et *-è-*, et la troisième, aux marques de personne, qui sont *-i, -s, -mes, -tes* et *-rent*. |
| Faire relever les particularités du passé simple du verbe *trouver*.<br><br>À l'exception du verbe *aller*, est-ce la même chose pour tous les verbes en *-er* ? | Lorsque la marque de temps est *-a-* aux trois premières personnes, les quatrième et cinquième personnes prennent un accent circonflexe et la sixième personne prend un *-è-*. Il y a donc trois terminaisons.<br><br>C'est une régularité, car il en est de même pour tous les verbes en *-er*, sauf *aller*. |
| Faire remplir le tableau de l'annexe 2 pour tous les autres verbes du tableau. | Voir le tableau à l'annexe 2. |
| Faire rédiger des constats de ces observations, les discuter collectivement et les faire réécrire après l'institutionnalisation. | 1) Les marques de mode-temps du passé simple sont nombreuses.<br><br>2) Aux quatrième et cinquième personnes, la voyelle prend un accent circonflexe.<br><br>3) Les verbes en *-er* prennent un *-è-* à la sixième personne, alors que les autres reprennent la même voyelle que pour les personnes du singulier. |

Les élèves peuvent refaire l'activité avec le tableau de l'annexe 3 qui présente les dix verbes les plus fréquents : *être, avoir, faire, dire, pouvoir, aller, voir, venir, vouloir, devoir.*

---

**13.** L'annexe 3 (Les différentes parties des dix verbes les plus fréquents à cinq temps de l'indicatif) est sur MonLab : mabiblio.pearsonerpi.com.

**184**　|　**PARTIE 2** | Des dispositifs d'enseignement de la grammaire

Cette activité permet de faire émerger des régularités des marques de mode-temps et de personne dans la terminaison des verbes.

## 1.4. █ Constater l'homophonie de plusieurs formes verbales

Les élèves perçoivent très tôt que le verbe est le royaume de l'homophonie et que cela occasionne plusieurs erreurs à l'écrit. Par exemple, le son [é] provoquerait une erreur d'orthographe du verbe sur quatre, selon une analyse de textes d'élèves français des trois premières années du secondaire (Brissaud, 2002). Aussi des observations et une réflexion sur ce phénomène sont-elles incontournables. On se penchera d'abord sur les formes homophoniques des verbes en *-er*, puis sur les verbes les plus usités.

**ACTIVITÉ 9.4** **Distinction des formes écrites et orales**

ÂGE DES ÉLÈVES : 9-10 ans
OBJECTIF : constater qu'un verbe a plus de formes écrites que de formes orales.
DURÉE : deux périodes de 20 minutes

| Travail de l'enseignant | Réponses attendues des élèves |
|---|---|
| **SÉANCE 1**<br><br>Remettre aux élèves le tableau 9.3, vierge.<br><br>Faire réciter par l'un d'eux le verbe *trouver* à l'indicatif présent et leur demander de faire un X dans la première colonne lorsqu'ils entendent une forme du verbe *trouver* différente de la précédente.<br><br>Puis, faire inscrire le nombre de formes entendues dans la deuxième colonne.<br><br>Demander aux élèves d'inscrire le verbe *trouver* au présent, de souligner les formes homophoniques et de noter le nombre de formes lues.<br><br>Animer une discussion pour faire constater l'homophonie des formes écrites. | Il y a trois formes orales et cinq formes écrites.<br><br>Les marques de personne sont souvent inaudibles, par exemple, le *-s* et le *-nt*, caractéristiques de la conjugaison aux cinquième et sixième personnes, ne s'entendent pas. |
| Guider l'observation de l'homophonie entre la forme infinitive du verbe *trouver* et sa forme à la cinquième personne, et faire nommer d'autres cas où le son [é] est présent dans sa conjugaison.<br><br>Combien y en a-t-il ? | Il y a les formes *vous trouviez, je trouvai, je trouverai, vous trouverez, vous trouveriez, trouvé, trouver*, donc quatre graphies possibles pour le son [é] : *-er, -é, -ez, -ai*. |
| **SÉANCE 2**<br><br>Dicter le verbe *pouvoir* à l'imparfait, puis *prendre* au conditionnel présent.<br><br>Faire observer l'homophonie entre les trois premières personnes et la dernière. | Les verbes ont trois formes orales et cinq formes écrites.<br><br>Le son [è] est répété à quatre reprises dans chaque suite et compte trois orthographes : *-ais, -ait, -aient*. |

| Travail de l'enseignant | Réponses attendues des élèves |
|---|---|
| Faire découvrir à quoi correspondent les lettres -s, -t, -ent. | Elles correspondent aux marques des première, deuxième, troisième et sixième personnes. |
| Quelle difficulté leur forme pose-t-elle? | Elles sont inaudibles, ce qui occasionne des difficultés orthographiques. |
| Faire observer les lettres -er- qui distinguent l'imparfait et le conditionnel présent. | Ce sont des marques de mode-temps spécifiques au futur. |
| À quoi correspondent-elles? | |
| Faire rédiger des constats sur les différences entre la conjugaison oralisée et la conjugaison écrite. | 1) La conjugaison écrite compte beaucoup plus de formes que la conjugaison oralisée. |
| | 2) On distingue facilement les temps à l'oral comme à l'écrit grâce aux marques de mode-temps. |
| | 3) Les marques de personne sont souvent inaudibles. Un même son, par exemple [é], peut avoir jusqu'à quatre formes orthographiques. |

*SÉANCE 2*

TABLEAU **9.3** **Les formes orales et écrites du verbe *trouver* à l'indicatif présent**

| *Trouver* | | | |
|---|---|---|---|
| **Formes entendues** | | **Formes lues** | |
| Formes du verbe | Nombre de formes | Formes du verbe | Nombre de formes |
| X | 3 | 1) *trouve* | 5 |
| X | | 2) *trouves* | |
| X | | 3) *trouve* | |
| | | 4) trouvons | |
| | | 5) *trouvez* | |
| | | 6) *trouvent* | |

Ces activités constituent une amorce au travail sur la conjugaison. Elles visent avant tout à faire observer aux élèves les régularités de la conjugaison française, ce qui rompt avec la tradition de la présentation de tableaux à mémoriser. Ainsi pourront-ils étudier plus facilement la morphologie des verbes les plus fréquents (avec de nombreux radicaux) tout en disposant des outils réflexifs leur permettant d'éviter certains écueils orthographiques.

# 2. Un classement discutable et parfois faux des formes verbales

Cette partie du chapitre traite des notions-clés de la conjugaison que sont le mode (sections 2.1, 2.2 et 2.3) et le temps. Nous y présentons aussi le sens de l'opposition temps simples / temps composés qui relève de l'aspect (section 2.4). Ces concepts ne sont que très rarement définis dans les ouvrages scolaires et les tableaux de conjugaison traditionnels en donnent une signification trompeuse. Notre analyse justifiera la production et l'utilisation en classe de nouveaux tableaux de conjugaison (section 2.5).

## 2.1. | Le concept fantôme de mode verbal

Tout enseignant de français a du mal à répondre aux élèves quand ils lui demandent d'expliquer ce qu'est un mode. On répond (et répondait) que le mode indicatif marque la certitude; le subjonctif, l'incertitude ou le doute; le conditionnel, la condition ou l'hypothèse. Cette vision des choses héritée de la grammaire logicosémantique du XVIIᵉ siècle, qui faisait référence aux modalités du langage (ces catégories mentales du possible, du doute, de l'hypothèse, de la certitude, etc.), est réductrice et souvent fausse. En voici quelques illustrations.

**TABLEAU 9.4** L'adéquation entre modes et modalités du discours : exemples et contrexemples

| Modalités du discours | Mode-temps | Exemples | Contrexemples |
|---|---|---|---|
| **Expression de la condition ou d'un futur hypothétique** | Conditionnel présent | *Si tu la connaissais, tu **comprendrais**.*<br><br>*Mehdi **mangerait** bien une paella pour souper.* | *Je **voudrais** vous rencontrer demain.*<br><br>*Il avait une maladie dont il ne **guérirait** pas.* |
| | Futur simple<br><br>Futur antérieur | *En cas de beau temps, nous **irons** à la mer.*<br><br>*Il pourrait être riche, il **continuera** à travailler.*<br><br>*Il n'est pas encore arrivé, il **sera arrivé** quelque chose.* | |
| **Expression de l'incertitude** | Subjonctif présent | *Penses-tu qu'il **vienne** ?* | *J'exige qu'il **soit** à l'heure.*<br><br>*Je regrette que Pierre **ait échoué**.* |
| | Futur simple | *J'espère que Pierre **viendra**.* | |

| Modalités du discours | Mode-temps | Exemples | Contrexemples |
|---|---|---|---|
| **Expression de l'injonction** | Impératif | ***Ferme** la fenêtre avant de partir.* | ***Continue** de parler, mais tu ne me convaincras pas.* |
| | Futur simple | *Vous **fermerez** la fenêtre, svp.* | |
| | Conditionnel présent | *Vous **fermeriez** la fenêtre, svp.* | |
| | Infinitif présent | ***Fermer** la fenêtre, svp.* | |
| | Subjonctif présent | *J'exige **que vous fermiez** la fenêtre.* | |

Le tableau 9.4 montre que l'expression de telle ou telle modalité ne justifie pas la classification traditionnelle des verbes en six modes. Les catégories – condition, incertitude et injonction, par exemple – peuvent être exprimées par nombre de ressources de la langue (syntaxe, ponctuation, etc.) et se réaliser par d'autres modes-temps que ceux qui leur sont généralement associés[14].

Ainsi, depuis les années 1930, maints linguistes considèrent que le mode n'est qu'un terme qui permet de classer tous les modes-temps verbaux en deux classes : les modes personnels, qui s'opposent aux modes non personnels, et le mode indicatif qui, seul, peut situer l'évènement à une époque (passée, actuelle ou à venir), ce que ne peuvent pas faire les autres modes. C'est pour cela qu'il est préférable de désigner les paradigmes des formes verbales en utilisant l'étiquette *mode-temps*, puisque les deux catégories sont intimement associées.

## 2.2. | Les modes personnels et les modes non personnels

La première opposition, aisément perceptible, est celle qui distingue les modes personnels des modes non personnels. Il y a trois modes personnels : l'indicatif, le subjonctif et l'impératif ; les deux premiers ayant six personnes (première à sixième) et le dernier, trois personnes (deuxième, quatrième et cinquième)[15].

La personne grammaticale est une représentation du sujet grammatical qui conditionne l'accord du verbe. Comme il n'y a pas de parallélisme entre les traditionnelles première et deuxième personnes du singulier et du pluriel, il est nettement plus clair et plus exact de parler de personnes distinctes (première, deuxième, quatrième et cinquième) : en effet, on ne peut prétendre que *nous* soit toujours et même généralement le pluriel de *je*, ni que *vous* soit le pluriel de *tu* (Meleuc et Fauchart, 1999, p. 41-44). Par contre, il y a similitude entre les troisième et sixième personnes qui

---

**14.** De plus, pour exprimer les différentes modalités, il y a plusieurs ressources dans la langue autres que le « mode » verbal (Chartrand et coll. 1999/2011, chapitre 7).

**15.** Certains grammairiens remettent en question la pertinence de conserver le mode « impératif » pour deux raisons : d'une part, les formes de l'impératif présent sont celles du présent de l'indicatif ou du subjonctif ; d'autre part, c'est plutôt la phrase dite de « type impératif » qui porte la modalité injonctive.

reprennent des réalités énoncées dans le discours. Donc, les pronoms personnels utilisés pour exemplifier la référence aux six personnes grammaticales ont des fonctionnements très différents qui sont masqués par la numérotation actuelle[16] :

- ceux des première et deuxième personnes ne sont pas des pronoms de reprise (voir le chapitre 12) : ils désignent des interlocuteurs ;
- ceux des troisième et sixième personnes sont des pronoms de reprise[17] ;
- ceux des quatrième et cinquième personnes peuvent être des pronoms de reprise ou non.

En classe, l'opposition entre modes personnels et non personnels est rarement observée. On opposera plutôt les verbes conjugués aux verbes non conjugués (distinction qui ne tient pas, car toutes les formes verbales sont des formes conjuguées, y compris l'infinitif).

## 2.3. | L'opposition entre le mode indicatif et les autres modes

À la suite des travaux du linguiste Gustave Guillaume, on considère qu'il faut distinguer le mode indicatif, qui regroupe des temps ayant des valeurs situant l'évènement (le procès) dans la temporalité (on dira que l'indicatif est un mode temporel), des autres modes, qui ne le font pas[18]. En effet, seul l'indicatif permet de situer un évènement à une époque donnée (ou au temps du calendrier ou encore dans la temporalité). Prenons, par exemple, les phrases suivantes :

1. **Naviguant** *sur les mers lointaines, Ulysse* **rencontra** *bien des difficultés.*
2. **Parlant** *toujours pendant les cours, Samuel* **sera puni**.

Le participe présent n'a aucune valeur temporelle dans ces deux phrases, l'évènement étant situé dans une époque (le passé en 1 et l'avenir en 2) par l'utilisation d'un temps de l'indicatif (le passé simple en 1 et le futur simple en 2).

Cet ancrage dans le temps des modes-temps de l'indicatif explique que le conditionnel soit, depuis la parution de l'ouvrage de Guillaume en 1929, considéré par la quasi-totalité des grammairiens comme un temps de l'indicatif plutôt que comme un mode. Il y a quatre raisons à cela :

1. très souvent, comme tous les temps de l'indicatif, le conditionnel exprime une valeur de temporalité : soit le futur du passé (*Je savais qu'il* **viendrait**) ;

---

16. Nous conservons ici la classification traditionnelle des pronoms, bien qu'elle soit bancale, ainsi que la terminologie en vigueur pour les désigner, conscientes que l'une et l'autre devraient être revues pour plus de rigueur et de clarté en vue de leur enseignement.

17. Par convention, on mettait *il* comme pronom représentant de la troisième personne, mais on pourrait ajouter le pronom personnel *elle* et le pronom *on*, souvent considéré comme un pronom personnel.

18. Bien que l'impératif présent et l'impératif passé semblent s'opposer dans leur repère à la temporalité, c'est surtout leurs valeurs aspectuelles qui les distinguent : le non-accompli (*Taisez-vous !*) et l'accompli (*Ayez nettoyé vos chambres à mon retour*) ; cela n'empêche pas que l'impératif «présent» situe l'évènement dans l'avenir (*Partez au plus tôt*), voir Riegel, Pellat et Rioul (2009, p. 575-579). Nous maintenons néanmoins la catégorisation de l'impératif comme mode pour éviter trop de changements, en tenant compte cependant de la conception du terme *mode* développée ici.

2. le verbe au conditionnel est loin de toujours, ou même généralement, signifier une modalité de condition ou une hypothèse, comme nous l'avons vu à la section 2.1 ;

3. avec des temps de l'indicatif, le conditionnel partage d'autres valeurs sémantiques ; il permet, par exemple, une distanciation de l'énonciateur par rapport à des propos (*Le rôle du député **serait** de représenter ses concitoyens*) ou même l'atténuation (*Je **voudrais** vous rencontrer*) ;

4. enfin, sur le plan morphologique, la terminaison du conditionnel résulte d'un amalgame de la marque du futur simple (*-r-*) et de celles de l'imparfait (*-ai-, -i-*) de l'indicatif, auxquelles s'ajoutent ses marques de personne.

La valeur de temporalité de l'indicatif n'est pas chose simple à faire constater aux élèves, notamment en raison de la dénomination actuelle des temps verbaux, tels que ceux nommés *présent* et *passé* dans la terminologie du XIXᵉ siècle encore en vigueur. En effet, pour les élèves, les mots *présent* et *passé* font référence à une époque, aussi pensent-ils qu'il en est toujours de même lorsqu'ils rencontrent ces termes dans la conjugaison, ce qui n'est pas le cas.

## 2.4. | L'opposition systématique entre temps simples et temps composés

Les temps simples et les temps composés s'opposent sur le plan morphologique, ce qui peut s'observer dans les tableaux de conjugaison présentant les temps simples aux côtés du temps composé leur correspondant. D'ailleurs, les tableaux de conjugaison devraient mettre en évidence que, peu importe le mode, il y a un parallélisme entre temps simples et temps composés. Par exemple, le passé composé est une forme composée d'un auxiliaire au présent et d'un participe passé ; le plus-que-parfait, une forme composée d'un auxiliaire à l'imparfait et d'un participe passé, etc. Sur les plans sémantique et textuel, l'opposition entre temps simples et temps composés relève de l'aspect.

L'aspect désigne, entre autres, la façon dont l'énonciateur se représente les différents moments de l'évènement (de son début jusqu'à sa fin). Par rapport à la temporalité, l'énonciateur peut envisager que le déroulement de l'évènement est en préparation, en cours d'accomplissement ou qu'il est achevé. Il peut le faire de deux façons :

- par l'utilisation de temps verbaux :

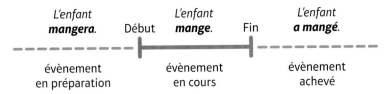

- par celle d'auxiliaires d'aspect :

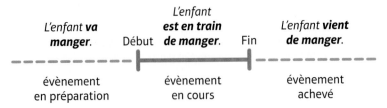

L'évènement présenté par un verbe à un temps simple est en cours d'accomplissement (ou non accompli), alors que les temps composés le montrent comme accompli, et ce, peu importe l'époque concernée. Dans la phrase *Ne me dérange pas, j'**étudie***, l'évènement désigné par le verbe *étudier* est en cours d'accomplissement, alors que dans la phrase *Est-ce que je pourrai aller jouer quand j'**aurai mangé***?, le fait de manger est terminé, accompli.

Lorsqu'il est représenté sur une droite, le verbe à un temps composé est situé au-delà de la borne finale, alors que le verbe à un temps simple est présenté entre le début et la fin de l'évènement.

Le phénomène de l'aspect est beaucoup plus complexe que cela. Nous nous limitons ici à ne faire observer que ce qui peut l'être dans un tableau de conjugaison construit adéquatement. La notion d'aspect devrait être étudiée plus tard dans la scolarité.

## 2.5. | Des tableaux de conjugaison plus simples et plus rigoureux

De tout ce qui précède il ressort que les tableaux actuels de conjugaison, par leur métalangue et leur disposition, masquent en partie le système de la morphologie verbale. Si l'on tient à les conserver, il faudrait prendre les précautions suivantes :

1. les présenter pour ce qu'ils sont, non pas des répertoires objectifs des formes verbales, mais des artéfacts, des objets créés à un moment donné, qui ne sont donc pas perfectibles, parce qu'ils ne sont pas immuables, dont la finalité a été de servir de modèle pédagogique (Meleuc, 2002) ;

2. expliquer la logique (discutable) de leur organisation ;

3. en faire émerger les régularités ;

4. relever l'arbitraire et l'ambigüité des termes utilisés. Mais, on en conviendra, ce travail, si intéressant soit-il pour des élèves plus âgés et déjà habitués à réfléchir sur la langue et à faire un travail de conceptualisation, est peu adapté aux capacités des élèves de 8 à 14 ans.

Il serait nettement plus fécond et plus pertinent de travailler directement avec de nouveaux outils, non seulement plus rigoureux, mais aussi plus simples et plus accessibles. Cependant, cette option est difficile à faire accepter étant donné les prescriptions actuelles et les ouvrages de référence utilisés aujourd'hui, nous en sommes conscientes. L'important est, nous semble-t-il, que les enseignants prennent pleinement conscience des freins à l'apprentissage que les tableaux actuels génèrent, qu'ils soient prudents et critiques au moment où ils les présentent aux élèves et qu'ils les amènent progressivement à en voir les limites et à apprécier la clarté de tableaux alternatifs.

Nous proposons dans cette optique un nouveau modèle de tableau de conjugaison, inspiré par les propositions du grammairien et linguiste Marc Wilmet (1997 ; 2010), qui marque un progrès par rapport aux tableaux actuellement utilisés en classe et présente les avantages suivants :

- rendre visible l'opposition entre les modes personnels et les modes non personnels ;
- montrer la singularité du mode indicatif, le plus utilisé, qui situe l'évènement dans la temporalité, à une époque donnée ;
- présenter une nomenclature des modes-temps verbaux, à la fois rigoureuse, simple et cohérente ;
- dégager le parallélisme entre temps simples et temps composés ;
- montrer qu'il s'agit de connaitre la construction des temps composés (auxiliaire *avoir* au temps simple correspondant + participe en *-é/-u/-t/-s/…*) pour conjuguer le verbe à ces temps ;
- dégager les différentes parties du verbe que sont le radical (la base), la marque (le morphème) de mode-temps et celle de personne (notée de la première à la sixième)[19].

Pour illustrer ce tableau, nous avons pris un verbe régulier en *-er*, le verbe *parler*, qui a une grande fréquence d'emploi (au 15e rang de la liste de fréquence). Les correspondances entre les noms des temps utilisés actuellement et ceux que nous proposons sont indiquées au tableau 9.5.

**TABLEAU 9.5 Les noms traditionnels des temps de verbes et une proposition d'une nomenclature rénovée**

| | | Noms traditionnels | | Noms rénovés | | |
|---|---|---|---|---|---|---|
| | Mode | Temps simples | Temps composés | Temps simples | Temps composés | |
| Modes personnels | Indicatif | Présent | Passé composé | Présent | Passé composé | Mode temporel |
| | | Passé simple | Passé antérieur | Parfait | Parfait composé | |
| | | Imparfait | Plus-que-parfait | Imparfait | Imparfait composé | |
| | | Futur simple | Futur antérieur | Futur | Futur composé | |
| | | Conditionnel présent[20] | Conditionnel passé | Conditionnel | Conditionnel composé | |
| | Impératif | Présent | Passé | Impératif | Impératif composé | Modes non temporels |
| | Subjonctif | Présent | Passé | Subjonctif | Subjonctif composé | |
| Modes non personnels | Infinitif | Présent | Passé | Infinitif | Infinitif composé | |
| | Participe | Présent | Passé (composé) | Participe en *-ant* | Participe en *-ant* composé | |
| | | Passé | | Participe en *-é/-u/-t/-s/…* | Participe en *-é/-u/-t/-s/…* composé | |

---

**19.** Certains verbes dits défectifs ne s'utilisent qu'à la troisième personne : *pleuvoir* et *falloir*, par exemple.

**20.** Depuis 2008, les prescriptions françaises remplacent les expressions *conditionnel présent* et *passé* par *conditionnel simple* et *composé*.

**TABLEAU** **9.6** **Tableau de conjugaison du verbe** *parler*

| Formes simples | | | Formes composées | | |
|---|---|---|---|---|---|
| **MODE: Personnel** | | | | | |
| **Indicatif** | | | **Indicatif** | | |
| **Présent** | 1<sup>re</sup> (je) | *parl-e* | **Passé composé** | 1<sup>re</sup> (je) | *ai parl-é* |
| | 2<sup>e</sup> (tu) | *parl-es* | | 2<sup>e</sup> (tu) | *as parl-é* |
| | 3<sup>e</sup> (il/elle/on) | *parl-e* | [*avoir* au présent + participe en -é/-u/-t/-s/…] | 3<sup>e</sup> (il/elle/on) | *a parl-é* |
| | 4<sup>e</sup> (nous) | *parl-ons* | | 4<sup>e</sup> (nous) | *avons parl-é* |
| | 5<sup>e</sup> (vous) | *parl-ez* | | 5<sup>e</sup> (vous) | *avez parl-é* |
| | 6<sup>e</sup> (ils/elles) | *parl-ent* | | 6<sup>e</sup> (ils/elles) | *ont parl-é* |
| **Parfait** | 1<sup>re</sup> (je) | *parl-a-i* | **Parfait composé** | 1<sup>re</sup> (je) | *eus parl-é* |
| | 2<sup>e</sup> (tu) | *parl-a-s* | | 2<sup>e</sup> (tu) | *eus parl-é* |
| | 3<sup>e</sup> (il/elle/on) | *parl-a-Ø* | [*avoir* au parfait + participe en -é/-u/-t/-s/…] | 3<sup>e</sup> (il/elle/on) | *eut parl-é* |
| | 4<sup>e</sup> (nous) | *parl-â-mes* | | 4<sup>e</sup> (nous) | *eûmes parl-é* |
| | 5<sup>e</sup> (vous) | *parl-â-tes* | | 5<sup>e</sup> (vous) | *eûtes parl-é* |
| | 6<sup>e</sup> (ils/elles) | *parl-è-rent* | | 6<sup>e</sup> (ils/elles) | *eurent parl-é* |
| **Imparfait** | 1<sup>re</sup> (je) | *parl-ai-s* | **Imparfait composé** | 1<sup>re</sup> (je) | *avais parl-é* |
| | 2<sup>e</sup> (tu) | *parl-ai-s* | | 2<sup>e</sup> (tu) | *avais parl-é* |
| | 3<sup>e</sup> (il/elle/on) | *parl-ai-t* | [*avoir* à l'imparfait + participe en -é/-u/-t/-s/…] | 3<sup>e</sup> (il/elle/on) | *avait parl-é* |
| | 4<sup>e</sup> (nous) | *parl-i-ons* | | 4<sup>e</sup> (nous) | *avions parl-é* |
| | 5<sup>e</sup> (vous) | *parl-i-ez* | | 5<sup>e</sup> (vous) | *aviez parl-é* |
| | 6<sup>e</sup> (ils/elles) | *parl-ai-ent* | | 6<sup>e</sup> (ils/elles) | *avaient parl-é* |
| **Futur** | 1<sup>re</sup> (je) | *parl-er-ai* | **Futur composé** | 1<sup>re</sup> (je) | *aurai parl-é* |
| | 2<sup>e</sup> (tu) | *parl-er-as* | | 2<sup>e</sup> (tu) | *auras parl-é* |
| | 3<sup>e</sup> (il/elle/on) | *parl-er-a* | [*avoir* au futur + participe en -é/-u/-t/-s/…] | 3<sup>e</sup> (il/elle/on) | *aura parl-é* |
| | 4<sup>e</sup> (nous) | *parl-er-ons* | | 4<sup>e</sup> (nous) | *aurons parl-é* |
| | 5<sup>e</sup> (vous) | *parl-er-ez* | | 5<sup>e</sup> (vous) | *aurez parl-é* |
| | 6<sup>e</sup> (ils/elles) | *parl-er-ont* | | 6<sup>e</sup> (ils/elles) | *auront parl-é* |
| **Conditionnel** | 1<sup>re</sup> (je) | *parl-er-ai-s* | **Conditionnel composé** | 1<sup>re</sup> (je) | *aurais parl-é* |
| | 2<sup>e</sup> (tu) | *parl-er-ai-s* | | 2<sup>e</sup> (tu) | *aurais parl-é* |
| | 3<sup>e</sup> (il/elle/on) | *parl-er-ai-t* | [*avoir* au conditionnel + participe -é/-u/-t/-s/…] | 3<sup>e</sup> (il/elle/on) | *aurait parl-é* |
| | 4<sup>e</sup> (nous) | *parl-er-i-ons* | | 4<sup>e</sup> (nous) | *aurions parl-é* |
| | 5<sup>e</sup> (vous) | *parl-er-i-ez* | | 5<sup>e</sup> (vous) | *auriez parl-é* |
| | 6<sup>e</sup> (ils/elles) | *parl-er-ai-ent* | | 6<sup>e</sup> (ils/elles) | *auraient parl-é* |

| Formes simples | | | Formes composées | | |
| --- | --- | --- | --- | --- | --- |
| **MODE : Personnel** | | | | | |
| **Impératif** | 2ᵉ | *parl-**e*** | **Impératif composé** | 2ᵉ | *aie parl-é* |
| | 4ᵉ | *parl-**ons*** | | 4ᵉ | *ayons parl-é* |
| | 5ᵉ | *parl-**ez*** | [*avoir* à l'impératif + participe en -é/-u/-t/-s/…] | 5ᵉ | *ayez parl-é* |
| **Subjonctif** | 1ʳᵉ (je) | *parl-**e*** | **Subjonctif composé** | 1ʳᵉ (je) | *aie parl-é* |
| | 2ᵉ (tu) | *parl-**es*** | | 2ᵉ (tu) | *aies parl-é* |
| | 3ᵉ (il/elle/on) | *parl-**e*** | [*avoir* au subjonctif + participe en -é/-u/-t/-s/…] | 3ᵉ (il/elle/on) | *ait parl-é* |
| | 4ᵉ (nous) | *parl-<u>i</u>-**ons*** | | 4ᵉ (nous) | *ayons parl-é* |
| | 5ᵉ (vous) | *parl-<u>i</u>-**ez*** | | 5ᵉ (vous) | *ayez parl-é* |
| | 6ᵉ (ils/elles) | *parl-**ent*** | | 6ᵉ (ils/elles) | *aient parl-é* |
| **MODE : Non personnels** | | | | | |
| **Infinitif** | | *parl-<u>er</u>* | **Infinitif composé** [*avoir* à l'infinitif + participe en -é/-u/-t/-s/…] | | *avoir parl-é* |
| **Participe en -*ant*** | | *parl-<u>ant</u>* | **Participe en -*ant* composé** [*avoir* au participe en -*ant* + participe en -é/-u/-t/-s/…] | | *ayant parl-é* |
| **Participe en -é/-u/-t/-s/…** | | *parl-<u>é</u>* | **Participe en -é/-u/-t/-s/… composé** [*avoir* au participe en -é/-u/-t/-s/… + participe en -é/-u/-t/-s/…] | | *eu parl-é* |

*Légende :*

- Souligné : <u>marque de mode-temps</u>
- En gras : **marque d'accord**
- Zone grisée : mode-temps de l'indicatif
- 1ʳᵉ à 6ᵉ : personnes grammaticales

L'activité 9.5 propose des observations permettant aux enseignants, puis à leurs élèves, de s'approprier cette nouvelle terminologie.

ÂGE DES ÉLÈVES : 10-12 ans

OBJECTIFS : différencier les modes personnels des modes non personnels ; différencier le mode indicatif des autres ; observer la régularité de la formation des temps composés ; maitriser une terminologie simplifiée, intelligible et rigoureuse.

DURÉE : quatre périodes de 20 minutes

| Travail de l'enseignant | Réponses attendues des élèves |
|---|---|
| **SÉANCE 1** Faire observer aux élèves la première colonne du tableau 9.6, où les modes sont divisés en deux : modes personnels et modes non personnels.<br><br>Faire rédiger des constats. | 1) Le verbe *parler* à l'infinitif, au participe en *-ant* et au participe en *-é* n'a qu'une seule forme ; ces deux modes sont non personnels.<br><br>2) Les formes des autres modes-temps (impératif, subjonctif, indicatif) sont précédées d'un chiffre qui correspond à une personne : ces modes sont personnels.<br><br>3) Les modes personnels varient en personne, tandis que les modes non personnels n'ont qu'une seule forme. |
| **SÉANCE 2** Demander aux élèves de dire ce qui différencie le mode indicatif des autres modes-temps dans le tableau 9.6.<br><br>Leur demander ensuite de dire à quel mode-temps est conjugué le verbe *parler* dans les phrases ci-dessous, puis de le comparer aux verbes soulignés. Quel constat en tirent-ils ?<br><br>1) *Il <u>faut</u>* **que je parle** *au professeur, car je <u>suis</u> terriblement inquiet.*<br><br>2) *J'<u>aurais apprécié</u>* **que tu en parles** *à ta mère avant de t'inscrire à cette activité.*<br><br>3) *Quand tu <u>arriveras</u> de l'école,* **parle** *avec ton père de la sortie à l'aquarium.*<br><br>4) **Parlant** *toujours pendant les cours, il <u>écopa</u> d'une sanction exemplaire.*<br><br>5) **Parler** <u>permet</u> *de régler bien des problèmes.* | Le mode indicatif est en grisé ; c'est le seul mode temporel.<br><br>Le verbe *parler* est au subjonctif en 1 et 2 ; à l'impératif en 3 ; au participe en 4 et à l'infinitif en 5. Les élèves constatent que le verbe *parler* dans ces phrases ne donne pas d'indications temporelles.<br><br>Les verbes soulignés sont au présent, au conditionnel composé, au futur, au parfait et au présent, temps qui appartiennent tous à l'indicatif. Ils situent l'évènement dans la temporalité comme tous les modes-temps de l'indicatif. |
| **SÉANCE 3** Faire comparer les noms des temps simples et ceux des temps composés, et animer une discussion sur la signification du mot *composé*.<br><br>Faire observer les formes des verbes aux temps composés. | Les noms des temps sont identiques sauf qu'on a ajouté le mot *composé* après le nom du temps du verbe de la colonne précédente pour signaler le parallélisme entre formes simples et formes composées.<br><br>Le temps composé est formé de l'auxiliaire *avoir* au temps simple auquel il correspond et du participe en *-é/-u/-t/-s/...* |

| Travail de l'enseignant | Réponses attendues des élèves |
|---|---|
| **SÉANCE 3** Faire composer une phrase dans laquelle le verbe *parler* est au futur et une phrase dans laquelle il est au futur composé. | Il **parlera** de cela au directeur. <br><br> Il **aura parlé** de cela au directeur. |
| Demander aux élèves dans laquelle des deux phrases ainsi rédigées l'évènement est présenté comme tout à fait terminé, même si on le présente comme quelque chose à venir. | La deuxième phrase, où le verbe est à un temps composé, présente l'évènement comme terminé. |
| Faire composer des couples de phrases dont le sujet est à la quatrième personne, opposant l'imparfait et l'imparfait composé, puis le conditionnel et le conditionnel composé. | Nous **parlions** avec le réceptionniste de l'hôtel. <br><br> Nous **avions parlé** avec le réceptionniste de l'hôtel. <br><br> Nous **parlerions** de ce problème avec un responsable. <br><br> Nous **aurions parlé** de ce problème avec un responsable. |
| **SÉANCE 4** Faire rédiger des constats (peut être fait à la fin de chaque séance). | 1) Un mode personnel comme l'impératif, le subjonctif et l'indicatif varie en personne. <br><br> 2) L'infinitif et le participe sont des modes non personnels qui n'ont qu'une seule forme. <br><br> 3) Le seul mode temporel, celui qui permet de situer un évènement dans la temporalité, est l'indicatif. Les verbes aux autres modes ne donnent pas d'indications temporelles. <br><br> 4) À chaque verbe à un temps simple correspond un verbe à un temps composé qui porte le même nom auquel on a ajouté le mot *composé*. <br><br> 5) Un temps composé est formé généralement de l'auxiliaire *avoir* et du participe en *-é/-u/-t/-s/...* et, occasionnellement, de l'auxiliaire *être*. <br><br> 6) Le verbe à un temps simple exprime un évènement ou état en cours, tandis que le verbe à un temps composé en exprime un qui est terminé. |

Nous avons affirmé que la conjugaison est un système. De façon générale, on peut distinguer trois parties dans un verbe : le radical, la marque de mode-temps et la marque de personne. Ces trois éléments sont reliés entre eux : le radical est susceptible de varier selon le mode-temps ; de même, la marque de personne dépend du mode-temps. La forme des marques écrites présente de grandes régularités selon chacun de ces éléments : les formes du radical sont les mêmes dans le couple futur simple / conditionnel présent comme dans le couple passé simple / imparfait ; les marques de mode-temps sont les mêmes pour tous les verbes, à l'exception du futur simple et du conditionnel présent des verbes réguliers en -er; les marques de personne présentent de grandes régularités – peu importe le mode-temps (mis à part le passé simple) et le radical du verbe –, la quatrième personne est toujours en -ons, la cinquième en -ez et la sixième en -nt. De plus, à chaque mode-temps simple correspond un mode-temps composé, selon un parallélisme parfait exprimant une valeur d'aspect.

## Conclusion

L'enseignement de la conjugaison a été particulièrement résistant aux changements didactiques depuis plus de deux siècles. Il s'est cristallisé autour d'un certain nombre de certitudes qu'il a été difficile de remettre en question. Limité le plus souvent à la mémorisation de tableaux de conjugaison qui mettent en relief les irrégularités de ce système (une seule disparité entre un verbe et son «verbe modèle» justifiant un nouveau tableau) et à des exercices peu exigeants (se limitant souvent à faire orthographier hors contexte des verbes à un mode-temps donné), l'enseignement actuel de la conjugaison ne permet pas de considérer que cette dimension de la langue constitue un système, ce qu'elle est pourtant, d'où la nécessité de changer de conceptions, de pratiques et d'outils.

Le renouvèlement de l'enseignement de la conjugaison doit s'appuyer sur une réelle progression dans l'étude des contenus à enseigner qui prendra en compte les usages oraux et écrits des modes-temps et des verbes à l'étude. Nos mises à l'essai en classe des activités proposées ici ont montré qu'on peut facilement amener des élèves de la fin du primaire et du début du secondaire à découvrir les régularités de ce système, puis à les énoncer, si l'on dirige leurs observations sur des tableaux qui les rendent perceptibles et si on les leur fait construire. Ainsi permet-on aux élèves de mieux s'approprier la morphologie du verbe et de changer le regard qu'ils portent sur ce sous-système de la langue, voire sur la langue en général : ainsi, ils l'envisageront non comme une réalité faite d'exceptions, mais plutôt comme un système intelligible.

# Références bibliographiques de base

Blanche-Benveniste, Cl. (2002). Structure et exploitation de la conjugaison des verbes en français contemporain. *Le français aujourd'hui*, n° 139, p. 13-22.

Brissaud, C. (2002). Travailler la morphologie écrite du verbe au collège. *Le français aujourd'hui*, n° 139, p. 59-66.

Cappeau, P. et Roubaud, M.-N. (2005). *Enseigner les outils de la langue avec les productions d'élèves. Cycles 2 et 3*. Paris : Bordas.

Chartrand, S.-G., Simard, Cl. et Sol, C. (2006). *Grammaire de base*. Bruxelles : De Boeck, p. 75-111.

Chartrand, S.-G., Aubin, D., Blain, R. et Simard, Cl. (1999/2011, 2e éd.). *Grammaire pédagogique du français d'aujourd'hui*. Boucherville : GRAFICOR/Montréal : La Chenelière.

Combettes, B., Fresson, J. et Tomassone, R. (1977-1978). *Bâtir une grammaire, 6e* (p. 114-163) et *Bâtir une grammaire, 5e* (p. 19-33). Paris : Delagrave.

Combettes, B., Fresson, J. et Tomassone, R. (1977). *L'enseignement de la langue 1. Bâtir une grammaire (6e et 5e). Livre du professeur*. Paris : Delagrave, p. 49-58.

David, J. et Renvoisé, C. (2010). La morphologie verbale : repérer les complexités et les régularités. *Synergies France*, n° 6, p. 61-75.

Genevay, É., Lipp, B. et Schoeni, G. (1990). *Cherche et trouve. Liste de mots, tableaux de conjugaison, répertoire des verbes. Français 6e et 9e*. Lausanne : Édition L.E.P.

Meleuc, S. (2002). Le verbe en trois dimensions. *Le français aujourd'hui*, n° 139, p. 49-57.

Meleuc, S. et Fauchart, N. (1999). *Didactique de la conjugaison. Le verbe « autrement »*. Paris/Toulouse : Bertrand-Lacoste/CRDP Midi-Pyrénées.

Riegel, M., Pellat, J.-Chr. et Rioul, R. (1994/2009, 5e éd.). *Grammaire méthodique du français*. Paris : PUF, p. 438, 496.

Roy-Mercier, S. (2015). Que savent les élèves de la conjugaison à l'entrée au secondaire ? *Vivre le primaire*, vol. 28, n° 2, p. 11-13.

Simard, Cl. et Chartrand, S.-G. (2011). *La grammaire de base*. Saint-Laurent : ERPI, p. 125-153.

Tomassone, R. (1996/2002). *Pour enseigner la grammaire*. Paris : Delagrave, p. 193-204.

Wilmet, M. (2002). *Ordo ab chao*. Coup d'œil critique sur la conjugaison française. *Le français aujourd'hui*, n° 139, p. 29-38.

Wilmet, M. (2007). *Grammaire rénovée du français*. Bruxelles : De Boeck, p. 63-120.

Wilmet, M. (2010, 5e éd.). *Grammaire critique du français*. Bruxelles : De Boeck, p. 282-417.

## Annexe 1 | Les différentes parties de verbes fréquents à cinq temps de l'indicatif

| Temps / Verbes | | Présent | | Passé simple (Parfait)[21] | | | Imparfait | | | Futur simple (Futur) | | | Conditionnel présent (Conditionnel) | | |
|---|---|---|---|---|---|---|---|---|---|---|---|---|---|---|---|
| | | r.[22] | p. | r. | m.-t. | p. | r. | m.-t. | p. | r. | m.-t. | p. | r. | m.-t. | p. |
| **Trouver** | 1re | trouv | e | trouv | a | i | trouv | ai | s | trouv | er | ai | trouv | er-ai | s |
| | 2e | trouv | es | trouv | a | s | trouv | ai | s | trouv | er | as | trouv | er-ai | s |
| | 3e | trouv | e | trouv | a | Ø | trouv | ai | t | trouv | er | a | trouv | er-ai | t |
| | 4e | trouv | ons | trouv | â | mes | trouv | i | ons | trouv | er | ons | trouv | er-i | ons |
| | 5e | trouv | ez | trouv | â | tes | trouv | i | ez | trouv | er | ez | trouv | er-i | ez |
| | 6e | trouv | ent | trouv | è | rent | trouv | ai | ent | trouv | er | ont | trouv | er-ai | ent |
| **Écrire** | 1re | écri | s | écriv | i | s | écriv | ai | s | écri | r | ai | écri | r-ai | s |
| | 2e | écri | s | écriv | i | s | écriv | ai | s | écri | r | as | écri | r-ai | s |
| | 3e | écri | t | écriv | i | t | écriv | ai | t | écri | r | a | écri | r-ai | t |
| | 4e | écriv | ons | écriv | î | mes | écriv | i | ons | écri | r | ons | écri | r-i | ons |
| | 5e | écriv | ez | écriv | î | tes | écriv | i | ez | écri | r | ez | écri | r-i | ez |
| | 6e | écriv | ent | écriv | i | rent | écriv | ai | ent | écri | r | ont | écri | r-ai | ent |
| **Dormir** | 1re | dor | s | dorm | i | s | dorm | ai | s | dormi | r | ai | dormi | r-ai | s |
| | 2e | dor | s | dorm | i | s | dorm | ai | s | dormi | r | as | dormi | r-ai | s |
| | 3e | dor | t | dorm | i | t | dorm | ai | t | dormi | r | a | dormi | r-ai | t |
| | 4e | dorm | ons | dorm | î | mes | dorm | i | ons | dormi | r | ons | dormi | r-i | ons |
| | 5e | dorm | ez | dorm | î | tes | dorm | i | ez | dormi | r | ez | dormi | r-i | ez |
| | 6e | dorm | ent | dorm | i | rent | dorm | ai | ent | dormi | r | ont | dormi | r-ai | ent |
| **Recevoir** | 1re | reçoi | s | reç | u | s | recev | ai | s | recev | r | ai | recev | r-ai | s |
| | 2e | reçoi | s | reç | u | s | recev | ai | s | recev | r | as | recev | r-ai | s |
| | 3e | reçoi | t | reç | u | t | recev | ai | t | recev | r | a | recev | r-ai | t |
| | 4e | recev | ons | reç | û | mes | recev | i | ons | recev | r | ons | recev | r-i | ons |
| | 5e | recev | ez | reç | û | tes | recev | i | ez | recev | r | ez | recev | r-i | ez |
| | 6e | reçoiv | ent | reç | u | rent | recev | ai | ent | recev | r | ont | recev | r-ai | ent |
| **Obtenir** | 1re | obtien | s | obt | in | s | obten | ai | s | obtiend | r | ai | obtiend | r-ai | s |
| | 2e | obtien | s | obt | in | s | obten | ai | s | obtiend | r | as | obtiend | r-ai | s |
| | 3e | obtien | t | obt | in | t | obten | ai | t | obtiend | r | a | obtiend | r-ai | t |
| | 4e | obten | ons | obt | în | mes | obten | i | ons | obtiend | r | ons | obtiend | r-i | ons |
| | 5e | obten | ez | obt | în | tes | obten | i | ez | obtiend | r | ez | obtiend | r-i | ez |
| | 6e | obtienn | ent | obt | in | rent | obten | ai | ent | obtiend | r | ont | obtiend | r-ai | ent |

---

**21.** Les désignations mises entre parenthèses sont celles que nous privilégions pour plus de rigueur et de clarté.

**22.** Les signes r., m.-t. et p. sont mis pour *radical*, *mode-temps* et *personne*.

| Indicatif | Marques de mode-temps | | | | Marques de personne | | | |
|---|---|---|---|---|---|---|---|---|

**Présent[23]**

| | Marques de mode-temps | Verbes en -er | | Autres verbes | |
|---|---|---|---|---|---|
| | Ø | 1re | -e | 1re | -s |
| | | 2e | -es | 2e | -s |
| | | 3e | -e | 3e | -t |
| | | 4e | -ons | 4e | -ons |
| | | 5e | -ez | 5e | -ez |
| | | 6e | -ent | 6e | -ont |

**Imparfait**

| Marques de mode-temps | | Marques de personne | |
|---|---|---|---|
| 1re | -ai- | 1re | -s |
| 2e | -ai- | 2e | -s |
| 3e | -ai- | 3e | -t |
| 4e | -i- | 4e | -ons |
| 5e | -i- | 5e | -ez |
| 6e | -ai- | 6e | -ent |

**Futur simple (Futur)[24]**

| Verbes en -er | Autres verbes | Marques de personne | |
|---|---|---|---|
| -er- | -r- | 1re | -ai |
| | | 2e | -as |
| | | 3e | -a |
| | | 4e | -ons |
| | | 5e | -ez |
| | | 6e | -ont |

**Conditionnel présent (Conditionnel)**

| Verbes en -er | | Autres verbes | | Marques de personne | |
|---|---|---|---|---|---|
| 1re | -er-ai- | 1re | -r-ai- | 1re | -s |
| 2e | -er-ai- | 2e | -r-ai- | 2e | -s |
| 3e | -er-ai- | 3e | -r-ai- | 3e | -t |
| 4e | -er-i- | 4e | -r-i- | 4e | -ons |
| 5e | -er-i- | 5e | -r-i- | 5e | -ez |
| 6e | -er-ai- | 6e | -r-ai- | 6e | -ent |

**Passé simple (Parfait)**

| Verbes en -er | | Autres verbes | | Verbes en -er | | Autres verbes | |
|---|---|---|---|---|---|---|---|
| 1re | -a- | 1re | -i-, -in-, -u- | 1re | -i | 1re | -s |
| 2e | -a- | 2e | -i-, -in-, -u- | 2e | -s | 2e | -s |
| 3e | -a- | 3e | -i-, -in-, -u- | 3e | Ø | 3e | -t |
| 4e | -â- | 4e | -î-, -în-, -û- | 4e | -mes | 4e | -mes |
| 5e | -â- | 5e | -î-, -în-, -û- | 5e | -tes | 5e | -tes |
| 6e | -è- | 6e | -i-, -in-, -u- | 6e | -rent | 6e | -rent |

23. Les dix verbes les plus fréquents et les plus irréguliers (*être, avoir, faire, dire, pouvoir, aller, voir, venir, vouloir* et *devoir*) ont des marques de personne différentes au présent de l'indicatif.

24. Les désignations mises entre parenthèses sont celles que nous privilégions pour plus de rigueur et de clarté.

# L'enseignement d'une notion-clé de la syntaxe au secondaire: la phrase subordonnée relative

**CHAPITRE 10**

**SUZANNE-G. CHARTRAND** ET **ROXANE GAGNON**[1]

---

1. Avec la collaboration de Georges Legros et de Jacques Lecavalier.

| | |
|---|---|
| **Élève:** | … on dit ce sont de mes erreurs d'aujourd'hui dont |
| **Enseignant:** | non parce que le *de* il est compris dans le *dont* tu vois (et lui montre sur la feuille) ici, oui, *c'est le marteau dont il a besoin* et tu dis pas c'est *de ce marteau dont il a besoin* |
| **Él.:** | ben oui |
| **Ens.:** | non, t'as pas besoin puisque le *de* il est pris dans le *dont*, le *dont* c'est quoi, c'est en fait, ça reprend avoir besoin DE quelque chose, *de ceux-là*, ça reprend le *dont*. Ah! |
| **Él.:** | mais c'est bizarre… |
| **Ens.:** | mais il y a des choses des fois qui nous font bizarres quand on a l'habitude de les utiliser de manière peut-être pas tout à fait correcte hein, d'accord? |
| **Él.:** | alors, c'est juste comme ça? |

Corpus du GRAFE (Schneuwly et Dolz, dir., 2009)

# Introduction

Quel enseignant de français n'a jamais enseigné la « subordonnée relative »[2]? C'est un contenu grammatical incontournable inscrit depuis la fin du XIXe siècle dans toutes les prescriptions pour l'enseignement du français au secondaire. Mais peut-on dire que l'enseignement de ce contenu atteigne les finalités avouées de l'enseignement de la grammaire? Ce n'est pas certain. Pour que ce soit le cas, il faudrait réévaluer l'enseignement de la « relative »: ses finalités, son corpus conceptuel, les démarches utilisées, les activités proposées aux élèves, le moment où chaque notion est enseignée et le temps à y consacrer. À ces conditions, le traitement de la phrase subordonnée[3] en classe de français aiderait probablement à ce que le travail grammatical soit à la fois plus efficace pour la qualité de la communication langagière, en rendant les élèves plus conscients de leurs écarts par rapport à la norme, et plus formateur sur le plan de la connaissance du système de la langue, en élucidant une partie fondamentale de la syntaxe du français: la subordination et la relativisation.

Dans la première partie de ce chapitre, nous expliquons pourquoi la phrase subordonnée relative devrait être considérée comme une notion-clé, un pivot pour l'enseignement de la syntaxe au cours des premières années du secondaire; nous proposons aussi une clarification de ses assises conceptuelles. Dans la deuxième partie, en partant d'études empiriques sur l'acquisition de cette structure par les élèves et des erreurs courantes qu'elle occasionne, nous proposons que cette subordonnée « problème » (Paret, 1991, p. 149) soit enseignée selon une progression spiralaire couvrant

---

**2.** Les guillemets signalent que c'est généralement de cette façon qu'on nomme cette subordonnée dans l'enseignement, usage que nous critiquons dans la première partie de ce chapitre.

**3.** Cette phrase subordonnée est encore souvent malencontreusement appelée *proposition*, terme hérité de la grammaire du XVIIe siècle, qui a une connotation sémanticologique (expression d'un jugement sur le monde) et non syntaxique.

plusieurs années[4]. Enfin, dans la troisième partie, nous présentons, à titre d'exemples, des activités susceptibles d'acheminer les élèves vers le double objectif d'apprentissage que nous visons : la correction de l'usage et la connaissance du système. Au demeurant, nous sommes conscientes qu'il ne suffit pas de recourir à des activités grammaticales, si pertinentes soient-elles, pour donner à tous les élèves la maitrise de l'expression qui se développe *par* et *dans* les pratiques discursives *dans* et *hors de* l'école.

# 1. La phrase subordonnée relative : une notion-clé et une priorité didactique

L'étude de la syntaxe met en jeu de nombreuses notions interreliées qui doivent être solidement construites par les élèves si l'on veut les amener à comprendre le système syntaxique (Chartrand, 2016b). Nous considérons que la « relative » constitue une notion-clé parce que le travail sur cette structure en classe permet de faire comprendre les principaux phénomènes syntaxiques du français, que ce soit directement ou par comparaison, et ainsi de construire les concepts fondamentaux de la syntaxe :

- phrase, ou P, structure de phrase et jonction de phrases[5] ;
- groupe syntaxique (groupe nominal, verbal, prépositionnel, etc.) et fonction syntaxique ;
- régime ou construction des verbes.

À cause de sa fréquence élevée, de la polyvalence des mots grammaticaux *que* et *qui*, ainsi que de l'importance des pronoms relatifs dans le système pronominal, l'enseignement systématique, méthodique et progressif de la « relative » au secondaire constitue donc une priorité didactique.

## 1.1. | Un intense travail de conceptualisation

Si l'on veut atteindre les finalités de l'enseignement grammatical évoquées plus haut, une attention particulière doit être portée au processus de construction des notions par les élèves, ce que ne stimulent ni ne favorisent la mémorisation de définitions et de règles transmises et la réalisation d'exercices d'étiquetage. En effet, ce n'est pas parce que les élèves répètent la définition d'une notion – celle de « relative », en l'occurrence – qu'ils comprennent le sens des termes qu'ils emploient et qu'ils sont conscients des liens qu'entretient le concept de subordination avec d'autres, ce qui est pourtant essentiel, puisqu'un concept n'existe qu'en relation avec d'autres[6]. La figure 10.1 ci-après illustre le réseau notionnel associé à la phrase subordonnée relative.

---

**4.** Sur la nécessité d'adopter une progression spiralaire, voir le chapitre 5.

**5.** Le symbole P représente une phrase définie du point de vue syntaxique, uniquement. Le modèle canonique de P est sujet + prédicat + [(complément de P)], ce dernier constituant étant facultatif (…) et mobile […], contrairement aux deux autres. Voir le chapitre 2 pour une présentation de la notion de phrase, symbolisée par P, et du modèle didactique de référence, le MODÈLE P ; voir également le glossaire à l'annexe 1.

**6.** C'est le cas de tout concept. Pour une présentation des caractéristiques d'un concept et une explication du processus de conceptualisation, voir le chapitre 4.

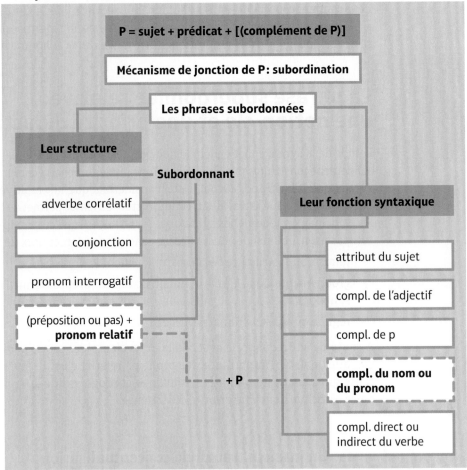

## 1.2. | Des concepts interreliés pour comprendre et produire des « relatives »

### Les concepts de syntaxe, de relation syntaxique et de fonction syntaxique

Le terme *syntaxe* est rarement défini dans les manuels de français et les grammaires scolaires. Pourtant, en classe, on parle de *fonction syntaxique* depuis plus d'un siècle et demi. La syntaxe peut être définie comme la partie de la grammaire qui décrit les règles de construction des groupes et des phrases, et les rapports entre eux dans une P. Ces rapports peuvent être de trois types :

1. indépendance syntaxique : par exemple, deux P jointes par juxtaposition, insertion ou coordination ;

2. dépendance syntaxique : par exemple, le complément du verbe dépend du verbe, il y est subordonné ;

3. interdépendance syntaxique: c'est le cas des deux constituants obligatoires d'une P que sont le sujet et le prédicat[7].

Rappelons aussi qu'une fonction syntaxique exprime la relation d'une unité à une autre, en caractérisant la relation syntaxique entre ces unités, qu'elle soit de dépendance ou d'interdépendance.

## Les mécanismes de jonction de phrases

En français, on peut considérer qu'il y a trois façons de joindre des P:

1. la coordination: *J'ai chaud et j'ai soif*; et sa variante, la juxtaposition: *Je me suis bien échauffée, je peux maintenant aller courir.*

2. l'insertion: *Cette nuit, j'en ai bien peur, je ne dormirai pas.*

3. la subordination: *J'adore courir sur le sentier qui borde la rivière.*

Dans la coordination (et la juxtaposition), on joint des P de même niveau syntaxique; dans l'insertion (l'incise, par exemple), on insère une P dans une autre P sans qu'elle en soit dépendante syntaxiquement; dans le cas de la subordination, on enchâsse[8] une P qui a perdu son autonomie syntaxique dans une autre P de niveau supérieur au moyen d'un terme qui joue le rôle syntaxique de subordonnant. Ce dernier est soit une conjonction (le cas le plus fréquent), soit un pronom relatif (comme dans l'exemple 3 ci-dessus), soit un *qui* interrogatif, soit encore un adverbe en corrélation avec la conjonction *que*. Ainsi, en regard du MODÈLE P[9], toute phrase subordonnée est d'abord une phrase, c'est-à-dire qu'elle contient un sujet et un prédicat et, éventuellement, un ou des compléments de P, mais elle a perdu son autonomie syntaxique en s'enchâssant dans une autre P à l'aide d'un subordonnant (marqueur d'enchâssement); c'est pourquoi l'on parle de *phrase subordonnée*.

FIGURE 10.2 **Mécanisme d'enchâssement**

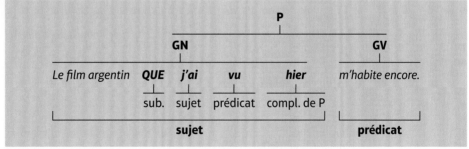

---

7. Dans la grammaire scolaire actuelle, le terme *prédicat* désigne la fonction syntaxique du groupe verbal. Son adoption pour l'enseignement et l'apprentissage de la grammaire permet d'éviter de désigner par un même terme une structure (le groupe verbal) et sa fonction syntaxique (Chartrand, Simard et Sol, 2006; Simard et Chartrand, 2011).

8. Les prescriptions suisses et françaises utilisent plutôt le verbe *insérer*, terme qui risque de créer une confusion entre le mécanisme d'insertion (phrases incises ou incidentes) et celui d'enchâssement. Par ailleurs, nous ne traitons pas ici des dites *subordonnées infinitives* ou *participiales*, qui n'ont pas de subordonnant et qui ne sont donc pas des subordonnées au sens donné ici.

9. Pour une présentation du MODÈLE P, voir le chapitre 2.

En classe, on aurait donc avantage à employer le terme *phrase subordonnée* plutôt que seulement celui de *subordonnée* afin que les élèves prennent conscience de la structure phrastique de la « subordonnée », ce qui leur sera très utile lors de la révision-correction de la syntaxe dans leurs textes. De plus, l'utilisation systématique d'une métalangue rigoureuse aide grandement les élèves à mieux conceptualiser les contenus grammaticaux[10]. Lors de la révision-correction[11], les élèves pourront recourir au MODÈLE P pour vérifier que leurs phrases (y compris leurs phrases subordonnées) sont correctement construites et ponctuées.

## Une classification hétérogène et trompeuse des phrases subordonnées

On ne peut traiter des phrases subordonnées sans être frappé par l'hétérogénéité de leur désignation et de leur classification dans les grammaires savantes et scolaires, même les plus récentes. Au fil du temps, la désignation des phrases subordonnées a changé, et elle changera encore… Mais, telle qu'elle apparait dans toutes les prescriptions officielles, la liste des phrases subordonnées est incohérente parce qu'elle est fondée sur des critères classificatoires hétérogènes. Par exemple, les prescriptions québécoises tantôt utilisent le nom de *subordonnant*, tantôt recourent à la fonction syntaxique comme critère classificatoire. L'hétérogénéité de ces dénominations (colonne de droite) et de leurs critères classificatoires (colonne de gauche) est illustrée au tableau 10.1.

**TABLEAU 10.1** **Les dénominations des phrases subordonnées dans les prescriptions actuelles**

| Critères classificatoires | Dénomination des phrases subordonnées |
|---|---|
| subordonnant | *subordonnée relative* |
| | *subordonnée conjonctive* |
| | *subordonnée corrélative*[12] |
| fonction syntaxique | *subordonnée complément de P ou circonstancielle* |
| | *subordonnée complétive* |
| mode du verbe | *subordonnée infinitive* |
| | *subordonnée participiale* |
| subordonnant et valeur sémantique | *subordonnée relative explicative* |
| | *subordonnée relative déterminative* |

---

**10.** Voir à ce sujet le chapitre 4.

**11.** Les dispositifs de révision-correction de texte sont traités au chapitre 14.

**12.** La phrase subordonnée corrélative est une phrase subordonnée qui est enchâssée dans un groupe de la phrase à l'aide du subordonnant *que* en lien avec un adverbe corrélatif de degré tel que *si, aussi, davantage*, etc. : *Elle était **si** belle **qu'**il en perdit tous ses moyens* (Chartrand et coll., 2011, p. 265).

Comment un élève peut-il s'y retrouver et y comprendre quelque chose, d'autant que les étiquettes changent souvent selon l'école, l'enseignant et le manuel ? On devrait pourtant pouvoir proposer une classification cohérente. Étant donné que toute phrase subordonnée se singularise par son subordonnant et sa fonction syntaxique dans une P, on pourrait, en s'inspirant de la nomenclature adoptée dans certaines grammaires des années 1960[13], désigner chaque phrase subordonnée par son subordonnant et sa fonction syntaxique, ce qui donnerait la nomenclature suivante[14] :

**TABLEAU 10.2 Proposition de dénomination des phrases subordonnées ou enchâssées**

| Dénomination | Exemple |
|---|---|
| phrase subordonnée conjonctive attribut du sujet | *Il semble **que tu sois amoureuse**.* |
| phrase subordonnée conjonctive complément de l'adjectif | *Elle est ravie **qu'il lui ait offert ce bijou pour son anniversaire**.* |
| phrase subordonnée conjonctive complément de P[15] | *Une fête fut organisée **quand on apprit la nouvelle**.* |
| phrase subordonnée conjonctive complément direct du verbe | *Je crois **qu'il m'aime**.* |
| phrase subordonnée conjonctive complément indirect du verbe | *Je me suis souvenu **qu'il m'avait demandé de le rencontrer**.* |
| phrase subordonnée conjonctive complément du nom | *Le fait **qu'il m'invite** ne prouve rien.* |
| phrase subordonnée corrélative modificateur de… | *Je l'aime tellement **que je ne dors plus**.* |
| phrase subordonnée relative complément du nom | *L'homme **qui me surprend** m'attire.* |
| phrase subordonnée relative complément du pronom | *Je ne sais ce **qui m'attire**.* |

Ainsi, la phrase subordonnée relative a soit la fonction de complément du nom, soit celle de complément du pronom, c'est-à-dire qu'elle est toujours sous la dépendance syntaxique soit d'un nom, soit d'un pronom : tel est le sens syntaxique du terme *complément* comme fonction syntaxique (Chartrand, 2010). On pourrait donc la nommer *phrase subordonnée relative complément du nom* ou *phrase subordonnée relative complément du pronom*, selon le cas.

En outre, comme toutes les unités de la langue, cette structure apporte quelque chose au sens de la phrase : elle a donc aussi une valeur sémantique ; on dit souvent qu'elle « complète » ou « enrichit » le sens d'un nom ou d'un pronom[16].

---

**13.** Voir, entre autres, la *Grammaire du français classique et moderne* de R.L. Wagner et J. Pinchon (2e éd., 1962) et le *Précis de grammaire française* de M. Grevisse (28e éd., 1969).

**14.** On remarquera qu'on n'y retrouve pas la « subordonnée sujet », car, contrairement à ce qu'en disent la totalité des grammaires scolaires ou presque, cette « subordonnée sujet » prend la place d'un constituant essentiel de la phrase : elle ne s'y enchâsse donc pas.

**15.** Le subordonnant peut aussi être une locution prépositive (*pour que…*).

**16.** Aucun de ces deux verbes n'est cependant adéquat pour désigner la fonction syntaxique de complément : un complément de *x* est *sous la dépendance de x* (ou *subordonné à x* ou encore *dépendant de x*), ce qui est différent de l'enrichissement de *x* !

## Le pronom relatif : un pronom complexe ayant un double rôle

Le pronom relatif[17] reprend une unité appelée *antécédent*[18]. Sa sélection dans une liste de pronoms susceptibles d'être employés comme pronoms relatifs dépend principalement de sa fonction syntaxique : ainsi *qui* et *que* sont-ils respectivement sujet et complément direct du verbe de la phrase subordonnée relative. Par ailleurs, certains des pronoms potentiellement relatifs présentent des variations morphologiques déterminées par les catégories du genre et du nombre de leur antécédent (par exemple, *lequel*). En outre, un pronom relatif sert de subordonnant : il permet l'enchâssement de la relative dans une P, plus précisément dans un GN d'une P. C'est ce qu'on peut vérifier en décomposant une P contenant une phrase subordonnée relative en deux P (P1 et P2). Voyons un exemple : *J'ai emprunté à la bibliothèque des livres d'art **que** j'utiliserai pour ma recherche sur l'impressionnisme.* Cette phrase peut se décomposer en deux P :

**P1 :** *J'ai emprunté à la bibliothèque **des livres d'art**.*

**P2 :** *J'utiliserai **ces livres d'art** pour ma recherche sur l'impressionnisme.*

Ici, le nom *livres* – et son complément *d'art* – est à la fois dans P1 et dans P2. On peut donc pronominaliser (remplacer par un pronom) le groupe contenant ce nom dans P2[19]. Si l'on veut enchâsser P2 dans P1, on devra choisir un pronom relatif, puisque ce dernier sert aussi de subordonnant. Et il faudra choisir le pronom qui remplira la même fonction que le groupe de P2 à remplacer : *ces livres d'art*. Le GN *ces livres d'art* étant le complément direct du verbe *utiliser* (*utiliser quelque chose*), il peut être repris par le pronom relatif *que*, qui reprend un complément direct du verbe tout en servant de subordonnant (*que* est le subordonnant le plus employé et celui qui vient spontanément à l'oral pour enchâsser une phrase subordonnée). Le mécanisme de la pronominalisation avec un pronom relatif est complexe, car il demande une analyse pour choisir le pronom qui convient. Cela constitue une source importante de difficultés pour les apprenants du français normé, oral et écrit.

---

**17.** La liste des pronoms relatifs devrait être présentée en classe de façon critique. Par exemple, le mot *qui* n'est pas toujours un subordonnant, c'est son emploi qui en fera un pronom relatif, interrogatif, indéfini, etc. De même, le pronom *quoi*, cité dans la liste traditionnelle, n'est effectivement un pronom relatif que lorsqu'il est précédé d'une préposition.

**18.** Par *antécédent*, nous entendons l'unité syntaxique qui est reprise par le pronom relatif. La tradition fait état de subordonnées «relatives sans antécédent» (ou dont l'antécédent serait implicite), par exemple dans une phrase telle que ***Quiconque** enfreint le règlement est passible d'une sanction*. Pourtant, le pronom *quiconque* n'est pas anaphorique (il ne reprend rien), n'a pas d'antécédent, et il n'est pas davantage un subordonnant : ce n'est donc pas un pronom relatif. Il peut être analysé comme un pronom indéfini (Chartrand et coll., 1999, p. 158, et 2011, p. 164 ; Riegel et coll., 2009, p. 816-817 ; Wilmet, 2005, p. 131 et 133).

**19.** Attention ! Il suffit qu'un même nom, et pas nécessairement un même GN comme on le dit souvent, se retrouve dans chaque P pour pouvoir effectuer la pronominalisation par un pronom relatif.

# 2. Un apprentissage à échelonner sur plusieurs années selon une progression spiralaire

Dans les prescriptions pour l'enseignement du français[20], cette structure, dont nous avons montré la complexité et le caractère central pour la compréhension de la syntaxe française, n'est qu'un objet d'enseignement parmi de nombreux autres. L'exploration des programmes fournit un aperçu des contenus privilégiés (les pronoms relatifs et leur fonction syntaxique ; le GN et ses expansions ; le parallèle fait entre coordination/juxtaposition et phrases subordonnées « conjonctives » en *que*) ainsi que de la terminologie employée. L'examen de cette dernière révèle une diversité inquiétante : *phrase simple/complexe* ; *proposition principale/subordonnée* ; *phrase dérivée/phrase enchâssée* ; *phrase matrice/phrase enchâssée*. Le moment où ces contenus doivent être enseignés varie aussi notablement : par exemple, fin du cycle du primaire et première année du secondaire en Suisse romande ; dernière année du primaire et deuxième année du secondaire en France ; première à quatrième année du secondaire au Québec et en Ontario. Partout, les liens à tisser avec la lecture et l'écriture sont superficiels, et il arrive qu'ils ne soient même pas évoqués. Il n'est guère question dans les prescriptions de la nécessité d'amener les élèves à prendre conscience de leurs fréquents écarts à la norme et à comprendre comment les éviter. La « relative » est donc « à voir » souvent, à la fin du primaire et, de manière plus systématique, durant au moins une année du secondaire, sans que soit réellement aménagée une progression dans son étude (sauf au Québec et en Ontario). Bref, de façon générale, les textes officiels et les manuels tiennent peu compte de la complexité du concept de relative, du nombre de concepts, de mécanismes syntaxiques et sémantiques en jeu, et de la difficulté de la construction des relatifs complexes (préposition + *lequel/qui/quoi/où*) et des fréquentes « relatives » non standards.

Pourtant, depuis trente ans, des recherches nous informent des difficultés d'emploi des « relatives » et sur les raisons pour lesquelles les élèves – et les locuteurs du français en général – éprouvent ces difficultés (Paret, 1991, p. 149-170 ; Béguelin, dir., 2000, p. 306-316). Deux types d'erreurs sont courantes à l'oral et même à l'écrit chez beaucoup d'élèves du secondaire, même ceux à qui l'on a enseigné la « relative »[21]. Prenons la phrase suivante :

> *Pour son anniversaire, Sara a reçu le vélo dont son père avait parlé.*

On entendra ou on lira fréquemment :

1. * *Pour son anniversaire, Sara a reçu le vélo que son père avait parlé.*

2. * *Pour son anniversaire, Sara a reçu le vélo dont son père en avait parlé.*

---

**20.** Nous avons consulté les prescriptions en vigueur de Belgique (2000 pour le réseau officiel de la Communauté française et 2005 pour le réseau d'enseignement catholique), de France (2009), de Suisse romande (2010), d'Ontario, secteur francophone (1999-2003) et du Québec (2006/2011). Ces documents épousent des structures différentes : les intitulés des subdivisions et la taille des documents, notamment, varient beaucoup.

**21.** Nous reprenons en partie l'analyse de Riegel, Pellat et Rioul dans leur *Grammaire méthodique* (4e éd., 2009, p. 810-811).

Dans la phrase 1, *que* est utilisé à la place de *dont*. Puisque le mot *que* est le subordonnant et le pronom relatif le plus courant, on peut faire l'hypothèse qu'il joue ici les deux rôles à la fois. Il faudra donc expliquer le mécanisme de la relativisation et montrer que le pronom relatif *que* ne peut reprendre qu'un complément direct du verbe en plus d'être le terme subordonnant permettant l'enchâssement de la phrase subordonnée relative. On fera donc décomposer la phrase en deux pour faire identifier le complément du verbe *parler*; on constatera alors que le verbe *parler* se construit avec un complément indirect (*parler de quelque chose*), que ce complément en *de* se pronominalise par *dont* (le rappel du *d-* dans *de* et *dont* est un truc mnémotechnique)[22]. Dans la phrase 2, puisque le terme *dont*, comme tous les relatifs, sert à la fois de terme subordonnant et de complément indirect du verbe *parler*, le pronom *en* est redondant.

Ces deux types d'erreurs sont relativement faciles à décrire et l'enseignement de la « relative » tel que nous le proposons ici aidera les élèves à les éviter, au moins à l'écrit, dans la mesure où on leur aura appris à réviser et à corriger efficacement leurs textes.

Comme pour tous les phénomènes complexes, on devrait envisager l'étude de la « relative » sur plusieurs années selon une progression spiralaire[23]. Cette progression implique des approfondissements successifs sur trois (ou quatre) degrés scolaires à partir de trois critères :

1. le statut des « relatives » dans le système de la langue; certains contenus sont fondamentaux par la place qu'ils occupent dans le système de la langue (par exemple, la notion de P) et par leur valeur explicative du système;

2. la fréquence de cette structure en français;

3. la fréquence des « relatives » non standards à l'écrit comme à l'oral.

Le tableau 10.3 illustre une possible répartition des contenus d'enseignement selon cette progression. L'étude peut se faire au moins à deux niveaux : d'abord, une sensibilisation et une étude partielle (ÉP), qui visent un début de conceptualisation et de maitrise du phénomène; puis, une étude systématique (ÉS), qui consiste à consolider et à approfondir les premiers apprentissages et vise une conceptualisation et une maitrise assurées[24].

---

**22.** Avec des élèves plus âgés, on pourra faire observer qu'il est possible d'utiliser un autre pronom relatif : *Pour son anniversaire, Sara a reçu le vélo duquel son père avait parlé.* On pourra alors faire analyser ces deux séries de pronoms relatifs.

**23.** Bien entendu, les élèves n'attendront pas qu'on ait étudié toutes les « relatives » pour les employer à l'oral et à l'écrit, souvent de façon erronée, d'ailleurs. L'enseignant pourra en profiter pour souligner les erreurs et, après une brève explication, selon le cas et l'élève, préciser que cette structure sera étudiée au cours des prochaines années. Au primaire, on pourrait limiter les interventions à la correction à l'oral des relatives non standards et à une sensibilisation à leur fonction de complément du nom.

**24.** L'enseignant pourrait attirer l'attention des élèves sur la construction des phrases subordonnées relatives compléments du nom ou du pronom dans les autres langues qu'ils étudient (anglais, allemand, espagnol et italien, par exemple) pour leur faire constater les principales similitudes et différences entre ces structures.

# TABLEAU 10.3 Étude de la phrase subordonnée relative durant les premières années du secondaire

| Contenus d'apprentissage (notions et structures) | 1re année | | 2e année | | 3e année | |
|---|---|---|---|---|---|---|
| | ÉP | ÉS | ÉP | ÉS | ÉP | ÉS |
| • notions: syntaxe, P, MODÈLE P, groupe nominal (GN), expansion du nom dans le GN[25], complément du nom | | X | | X | | |
| • jonction de P, subordination, subordonnant, phrase subordonnée, pronominalisation ; complément du pronom <br> • outils pour l'analyse de P: MODÈLE P et manipulations syntaxiques | X | | | X | | |
| • phrase subordonnée relative, phrase subordonnée relative en *qui* <br> • distinction entre antécédent animé ou non du pronom relatif[26]: opposition *qui/lequel* <br> • notion de complément du pronom | | X | | | | |
| • constructions du groupe du verbe (GV) ; fonctions dans le GV: compléments direct et indirect du verbe, attribut du sujet | X | | | X | | |
| • phrase subordonnée relative en *que* et phrase subordonnée conjonctive/complétive[27] ayant *que* comme subordonnant | X | | | X | | |
| • constructions et fonctions du groupe prépositionnel (GPrép), phrase subordonnée relative en *dont* | | | X | | | X |
| • phrase subordonnée relative en *lequel* (et ses variantes morphologiques) ; en préposition + *lequel* ; en préposition + *qui/quoi/où* | | | X | | X | |

Précisons que cette répartition sur trois ans vise à la fois une réelle maitrise des « relatives » en situation de production orale et écrite par tous les élèves et une compréhension du mécanisme de la relativisation. Elle associe ce contenu à d'autres contenus qui en constituent le cadre – notions de phrase (P), groupes nominal, verbal et prépositionnel, reconnaissance des principales fonctions syntaxiques – et implique l'utilisation systématique des manipulations syntaxiques pour comprendre le fonctionnement de la langue (Chartrand, 2013a).

Dans cette progression, on commence par les phrases enchâssées en *qui*, déjà maitrisées, pour que les élèves comprennent le mécanisme et la portée sémantique de ces constructions. Sur ces bases, on pourra travailler les phrases enchâssées en *que*

---

**25.** On appelle *expansion du nom* toute unité dépendante du nom dans le GN, qu'elle soit facultative ou pas, ce qui exclut le déterminant, constituant obligatoire du GN, dont on ne peut pas dire qu'il est dé*pendant du nom.*

**26.** Auraient le trait animé les noms qui désignent des personnes, des choses personnifiées, des animaux et des organismes vivants même microscopiques.

**27.** Selon les terminologies officielles, ces phrases subordonnées sont nommées soit complétives soit conjonctives ; c'est pourquoi nous employons les deux termes liés par une barre oblique.

par la comparaison entre enchâssées relatives et conjonctives. Une fois conscients du mécanisme de la relativisation dans le cas des « relatives » en *qui* et en *que*, les élèves pourront travailler avec des chances de succès les structures en *dont* ou avec des relatifs complexes. Une progression est d'autant plus nécessaire que, nonobstant les prescriptions, les enseignants reviennent plusieurs années de suite sur la « relative », puisque les erreurs dans le choix du pronom relatif persistent et que la compréhension du mécanisme n'est toujours pas adéquate.

# **3.** Des activités pour faire comprendre le mécanisme de la relativisation et développer les capacités langagières des élèves

Afin de justifier les activités que nous proposons comme une solution de rechange aux exercices existants, il nous a semblé important de prendre connaissance des pratiques actuelles d'enseignement de cette notion-clé. On dispose de bien peu de recherches sur l'enseignement actuel de la « relative ». Toutefois, celle du Groupe de Recherche pour l'Analyse du Français Enseigné (GRAFE) de l'Université de Genève sur les objets enseignés (Schneuwly et Dolz, 2009) est incontournable. Voyons ce qu'elle nous apprend sur les activités menées en classe.

## **3.1.** | Que nous enseigne la recherche du GRAFE sur les activités dans les classes ?

Les chercheurs du GRAFE ont observé, entre 2005 et 2009, les pratiques de l'enseignement de la « relative » en classe de treize enseignants suisses intervenant dans des classes de français des trois premières années du secondaire[28]. Les activités réalisées étaient majoritairement des activités de décomposition de phrases en deux (10 séquences sur 13) et de transformation de phrases par l'enchâssement de phrases « relatives » (11/13). Les élèves étaient aussi amenés à construire des phrases avec des pronoms relatifs (8/13), à comparer des phrases (7/13) et à compléter des phrases lacunaires (6/13). Rarement (3/13), les démarches d'enseignement impliquaient la transformation ou l'écriture d'un texte.

Quant aux enchainements des différentes activités dans les séquences, il s'en dégageait quatre tendances :

1. des tâches de repérage de « relatives » menées au début de la séquence et suivies de tâches axées sur l'analyse ;

2. des activités de transformation de phrases et de comparaison des « relatives » se déroulant généralement au centre de la séquence ;

3. des activités demandant à l'élève de compléter des phrases et d'en construire (à l'intérieur de phrases ou de textes à trous), généralement vers la fin. On a aussi

---

**28.** Les chercheurs du GRAFE ont recruté des enseignants de français volontaires dans trois cantons romands (Genève, Vaud et Valais). Les 13 séquences d'enseignement correspondent approximativement à 65 périodes de 45 à 50 minutes chacune.

observé que les enseignants intervenaient fréquemment pour corriger les subordonnées problématiques introduites par *dont*.

Si ces pratiques traduisent une volonté de travailler la grammaire de façon plus réflexive et active, il appert que ce travail n'est guère transposé dans celui de production de textes. Ces résultats de recherche confortent notre approche, systématique et spiralaire, visible dans le choix et l'organisation de nos propositions.

## 3.2. | Des activités pour comprendre le mécanisme de la relativisation et pour développer ses capacités langagières et cognitives

Si les activités proposées visent à remplacer en partie les exercices actuels, c'est que ces derniers sont peu formateurs, car ils exigent rarement des élèves qu'ils déploient un raisonnement grammatical rigoureux et qu'ils justifient leurs réponses en ayant recours aux manipulations syntaxiques concluantes. Nos activités les incitent plutôt à verbaliser leur raisonnement à propos du phénomène étudié en utilisant une métalangue aussi rigoureuse que possible et tentent aussi de faire davantage le lien avec des tâches de lecture et d'écriture. Comme elles sont très exigeantes sur le plan cognitif, ces activités devraient être décomposées et réalisées en plus d'une fois. Nous proposons des mesures d'étayage du travail des élèves et pointons les difficultés qui peuvent survenir. Les éléments de «corrigés» et les tableaux qui suivent s'adressent aux enseignants; ce sont des exemples du travail grammatical stricto sensu tel que nous le concevons. Il est entendu que chaque enseignant en adaptera la forme et le contenu à son contexte didactique, notamment aux acquis des élèves. Ces activités pourront être menées sur d'autres corpus, simplifiés ou enrichis; ce ne sont que des exemples. Soulignons enfin qu'elles ne constituent pas une séquence et ne visent pas à illustrer la nécessaire progression spiralaire pour l'enseignement de la phrase subordonnée relative complément du nom ou du pronom tout au long de la scolarité.

**ACTIVITÉ 10.1** **Compréhension de la notion d'enchâssement**

ÂGE DES ÉLÈVES : 11-12 ans

OBJECTIF : comprendre qu'une phrase subordonnée relative est une phrase enchâssée à l'aide d'un pronom relatif.

L'enseignant donne aux élèves deux phrases très simples et leur demande de construire une seule phrase en enchâssant la deuxième dans la première, de souligner le pronom relatif choisi et de justifier ce qu'ils ont fait. Il demande à un élève de verbaliser son travail[29].

P1. *Ma mère porte <u>un nouveau chapeau</u>.*

P2. *<u>Ce nouveau chapeau</u> lui va à ravir.*

P3. → *Ma mère porte un nouveau chapeau **qui lui va à ravir**.*

---

**29.** Pour la justification de ses propos, voir Chartrand (2013b).

L'élève – aidé par d'autres et, si nécessaire, par l'enseignant – devrait arriver à dire qu'il a remplacé le GN *le nouveau chapeau*, sujet de P2, par le pronom relatif sujet *qui* pour arriver à la nouvelle phrase et qu'il a enchâssé cette phrase dans le GN *un nouveau chapeau*.

Les élèves sont invités à trouver dans des textes des phrases contenant des phrases subordonnées relatives avec le subordonnant *qui* (sans préposition), à les décomposer et à expliquer comment elles sont construites.

**ACTIVITÉ 10.2** | **Analyse de la « relative », expansion d'un nom**

ÂGE DES ÉLÈVES : 12-13 ans

OBJECTIFS : constater que la phrase subordonnée relative est une des expansions possibles dans un GN et qu'elle est une des constructions qui remplissent la fonction syntaxique de complément du nom, c'est-à-dire que sur le plan syntaxique elle dépend du nom noyau d'un GN dans lequel elle s'enchâsse[30] ; s'interroger sur l'apport sémantique des compléments du nom et leur ponctuation.

Pour contextualiser l'activité, l'enseignant écrit au tableau le texte qui suit : *Mia vit à la campagne avec ses grands-parents. Elle ne s'ennuie jamais, elle a deux passions : les chats et les fleurs.* Il demande aux élèves de produire, en équipes de deux, différentes phrases qui commenceront par *Mia adore les fleurs*, où le nom *fleurs* aura un complément du nom. Ils doivent construire autant de phrases qu'il y a de constructions différentes de complément du nom et indiquer pour chaque phrase le nom de la construction du complément du nom ajouté.

| Exemples de phrases inventées | compléments du nom |
|---|---|
| *Mia adore les fleurs **odorantes**.* | groupe adjectival (GAdj) |
| *Mia adore les fleurs **aux couleurs éclatantes**.* | groupe prépositionnel (GPrép) |
| *Mia adore les fleurs **poussant dans les arbres, comme les orchidées**.* | groupe verbal au participe présent (GVpart) |
| *Mia adore les fleurs **qu'elle a reçues de son père pour son anniversaire**.* | phrase subordonnée relative |
| *Mia adore les fleurs, **ces magnifiques cadeaux de la nature**.* | groupe nominal (GN) |

L'enseignant demande de formuler un constat. Par exemple : dans un GN, un nom peut avoir un complément ayant une des cinq constructions suivantes : GAdj, GVpart, GPrép, GN ou phrase subordonnée relative. On en conclura que la phrase subordonnée est l'une des expansions possibles dans le GN et l'une des constructions possibles d'un complément du nom.

---

**30.** Dans les prescriptions suisses et québécoises, toutes les expansions du nom dans le GN sont nommées *complément du nom*, car elles sont toutes sous la dépendance syntaxique du nom. En Belgique et en France, en revanche, les prescriptions limitent cette désignation au complément prépositionnel du nom. Ici, sont considérés comme complément du nom : l'épithète, l'apposition liée, l'apposition détachée, le complément prépositionnel ; voir le glossaire à l'annexe 1.

Un élève aura pu écrire des phrases où ce qui est ajouté n'est pas une expansion du nom: *Mia adore les fleurs parce qu'elles sont belles*, par exemple. L'enseignant en profitera pour discuter de ces phrases avec les élèves, de manière à les amener à les analyser correctement.

Il constatera sans doute que la notion d'adjectif est encore en construction, les élèves ayant produit plusieurs phrases avec des groupes adjectivaux en pensant qu'il s'agissait de constructions différentes. Ce sera l'occasion de revenir sur cette notion. En outre, peu d'élèves produiront des phrases avec une expansion sous la forme d'un GVpart (adjectifs dits verbaux), car cette construction est moins courante et rarement présentée dans les moyens d'enseignement. L'enseignant pourra aussi faire produire un grand nombre de phrases avec cette expansion du nom.

Il pourra aussi faire observer que ces compléments du nom apportent des informations nouvelles concernant le nom, en tentant de préciser leur valeur sémantique, sans pour autant utiliser des termes de la métalangue grammaticale (relative dite déterminative ou explicative, etc.). Les quatre premières expansions apportent des précisions sur les fleurs que Mia aime, alors que la dernière, *ces magnifiques cadeaux de la nature*, correspond plutôt à un jugement de Mia ou de l'énonciateur de la P sur les fleurs en général. On fera remarquer aussi que les quatre premières ne sont pas détachées par une virgule, alors que la dernière l'est. L'enseignant profitera de cette occasion pour faire réfléchir sur le rôle de la virgule dans ce contexte précis.

On pourra reprendre l'activité avec le début de phrase suivant: *L'infirmière entendit **un cri**…*, où le GN *un cri* est plus susceptible de recevoir des expansions qualifiantes que des expansions caractérisantes, contrairement au cas précédent. Dans la phrase *Mia adore les fleurs*, les expansions de *fleurs* précisent celles qu'elle aime et celles qu'elle n'aime pas: on aura donc des caractérisations du type de fleurs plutôt que des qualifications, alors que les expansions de *cri* pourront être qualifiantes, car elles préciseront la nature du cri.

**ACTIVITÉ 10.3** **Identification justifiée des « relatives »**

ÂGE DES ÉLÈVES : 12-13 ans

OBJECTIFS :  consolider les apprentissages réalisés sur la phrase subordonnée relative ; décrire le mécanisme de construction de chacune.

L'enseignant demande aux élèves de lire le texte qui suit et de s'assurer de bien le comprendre sans chercher à trouver tout de suite les mots qui manquent. Pour ce faire, un élève le résume à haute voix à la classe.

---

**Les musiciens de Brême**

*Un meunier possédait un âne, ❶, durant de longues années, avait inlassablement porté des sacs au moulin, mais ❷ les forces commençaient à décliner. Il devenait de plus en plus inapte au travail. Son maître songea à s'en débarrasser. L'âne se rendit compte qu'un vent défavorable commençait à souffler pour lui et il s'enfuit. Il prit la route de Brême. Il pensait qu'il pouvait devenir musicien au service de la municipalité. Sur son chemin, il rencontra un chien de chasse, ❸ s'était couché là. Il gémissait comme quelqu'un qui a tant couru que la mort le guette.*

*Contes des frères Grimm*

---

L'enseignant précise les objectifs du travail. Pour activer les connaissances des élèves et prendre conscience des connaissances qu'ils ont acquises, il anime un échange en posant des questions telles que:

- Qu'est-ce qu'un pronom, et à quoi sert-il? Quels pronoms relatifs connaissez-vous? Avec chacun d'eux, composez une phrase qui commence par *la jeune fille*.

- Comment identifiez-vous les phrases subordonnées relatives dans le texte lu?

Il demande aux élèves de trouver, en équipes de deux, les trois pronoms relatifs manquants et de justifier leur choix en décomposant les phrases subordonnées relatives en deux P: l'antécédent sera souligné d'un trait, et l'unité à pronominaliser soulignée en pointillé. Les élèves justifieront leur analyse en se servant des manipulations syntaxiques pertinentes.

| Décomposition en deux P | Justification du choix du pronom relatif |
|---|---|
| P1: *Un meunier possédait un âne.* <br><br> P2: *Cet âne avait inlassablement porté des sacs au moulin.* | Le GN *Cet âne* est le sujet de P2, comme le montre l'encadrement ***c'est*** cet âne ***qui avait inlassablement...*** <br><br> Le pronom relatif ***qui*** reprend ce GN: ce pronom relatif est toujours sujet, quand employé sans préposition. |
| P1: *Un meunier possédait un âne.* <br><br> P2: *Mais les forces de cet âne commençaient à décliner.* | Le GPrép *de cet âne* dépend du nom *forces* (il est complément du nom), comme le montre l'impossibilité d'effacer ce nom sans rendre la P agrammaticale et incompréhensible. <br><br> Le pronom relatif ***dont*** reprend un complément en *de* (ici *de cet âne*). |
| P1: *il rencontra un chien de chasse.* <br><br> P2: *Ce chien de chasse s'était couché là.* | Le GN *Ce chien de chasse* est le sujet de P2, comme le montre l'encadrement ***c'est*** un chien de chasse ***qui s'était couché là***. <br><br> Le pronom relatif ***qui*** reprend ce GN: ce pronom relatif est toujours sujet, quand employé sans préposition. |

Lorsqu'il est un pronom relatif, le mot *qui* cumule deux rôles: il est subordonnant, mais aussi sujet dans la phrase subordonnée. Aussi, la structure de la phrase subordonnée en *qui* est différente de celle présentée à la figure 10.1: phrase subordonnée = subordonnant + P. C'est un cas unique de fusion dans un même mot du subordonnant et du pronom exerçant la fonction syntaxique de sujet. Le schéma est dans ce cas: phrase subordonnée = subordonnant/sujet + prédicat.

L'enseignant demande aux élèves s'il n'y a pas une autre phrase subordonnée relative avec le subordonnant *qui* dans le texte. Ils relèveront la dernière phrase qui présente une phrase subordonnée relative complément du pronom *quelqu'un*.

**ACTIVITÉ 10.4** **Distinction des phrases subordonnées en *que***

ÂGE DES ÉLÈVES: 13-14 ans

OBJECTIFS: distinguer les phrases subordonnées relatives des phrases subordonnées conjonctives/complétives en *que*; justifier l'analyse en ayant recours aux manipulations syntaxiques pertinentes.

L'enseignant, pour réactiver certaines connaissances des élèves, leur demande de construire des phrases contenant le mot *que*, pronom relatif ou conjonction, puis d'expliquer comment ils font pour les distinguer, en insistant sur la qualité de leur justification. Ensuite, il produit lui-même deux phrases qu'il analyse pour donner un modèle. Il leur demande ensuite de lire le texte qui suit.

---

### Sauve-qui-peut

*En ce matin gris de février, Carmen a mal au cœur. Enfermée dans la salle de bain, elle passe et repasse dans sa tête la série de catastrophes qui l'attendent aujourd'hui. D'abord, l'exposé oral qu'elle doit présenter au cours d'histoire. Pour d'autres, un exposé oral, ce n'est pas grand-chose, tout au plus un mauvais moment à passer. Il y en a même que ça amuse, comme son amie Sophie Lacaille, qui a réussi à faire crouler de rire toute la classe en racontant l'assassinat de Jules César!*

*Mais Carmen n'est pas Sophie Lacaille, et l'idée de présenter le résultat de ses recherches sur les statues antiques la terrorise. D'ailleurs, elle trouve que c'est un sujet stupide, qu'elle a développé de façon stupide avec des mots stupides. Carmen sait bien qu'il est idiot d'avoir peur pour ça. Elle a toujours détesté parler devant une classe.*

C. Fréchette (1996). *Carmen en fugue mineure*. Montréal: Les éditions de la courte échelle.

---

Il s'agit du même travail que pour l'activité 10.1 (compréhension de la phrase subordonnée relative comme phrase enchâssée à l'aide d'un pronom relatif), mais la justification sera un peu différente, puisque les élèves n'ont pas à trouver le pronom relatif.

| Décomposition en deux P | Justification du choix du pronom relatif |
|---|---|
| P1: *Elle repasse… la série de catastrophes.*<br>P2: *Une série de catastrophes l'attendent…* | Le pronom relatif *qui* reprend *Une série de catastrophes*, sujet dans P2, comme le montre l'encadrement possible du sujet par *c'est… qui*. |
| P1: *il y a un exposé oral*<br>P2: *elle doit présenter cet exposé oral au cours d'histoire* | Le pronom relatif *qu'* (*que*) reprend *un exposé oral*, complément direct du verbe *présenter*, comme le montre le remplacement par le pronom personnel *le* (*elle doit le présenter*), qui pronominalise un nom (masc. sing.) complément direct du verbe. |
| P1: *Il y en a même.*<br>P2: *Ça amuse d'autres (gens).* | Le pronom relatif *que* reprend *en* (qui reprend *autres [gens]*, où *gens* est implicite), complément direct du verbe *amuse*, comme le montre le remplacement par le pronom personnel *les* (*Ça les amuse*), qui pronominalise un nom (masc. plur.) complément direct du verbe. |
| P1: *Il y en a… son amie Sophie Lacaille.*<br>P2: *Son amie Sophie Lacaille a réussi… César!* | Le pronom relatif *qui* reprend *son amie Sophie Lacaille*, sujet dans P2, comme le montre l'encadrement possible du sujet par *c'est… qui*. |
| P1: *C'est un sujet stupide.*<br>P2: *Elle a développé ce sujet stupide […].* | Le pronom relatif *qu'* (*que*) reprend *ce sujet stupide* (masc. sing.), complément direct du verbe *a développé*, comme le montre le remplacement par le pronom personnel *l'* (*Elle l'a développé*), qui pronominalise un nom (masc. sing.) complément direct du verbe. |

| Phrase subordonnée conjonctive/complétive et sa fonction | Justification de l'analyse de la fonction syntaxique de la phrase subordonnée par la pronominalisation |
|---|---|
| **que** *c'est un sujet stupide… stupides* <br><br> subordonnée complétive directe du verbe *trouve* | *Elle trouve **cela**.* |
| **qu'**il est idiot… ça <br><br> subordonnée complétive directe du verbe *sait* | *Elle sait bien **cela**.* <br> *Elle **le** sait bien.* |

Note: le *qui* dans le titre *Sauve-qui-peut* est analysé comme un pronom indéfini et non comme un pronom relatif (voir la note 17).

L'enseignant interroge les élèves sur ce qui différencie les phrases subordonnées relatives des phrases subordonnées conjonctives/complétives et leur demande de rédiger leurs constats, dont voici un exemple.

- Dans ce texte, les phrases subordonnées relatives sont des expansions dans un GN et remplissent la fonction syntaxique de complément du nom.

- Les phrases subordonnées conjonctives/complétives sont des expansions dans un GV et remplissent la fonction syntaxique de complément direct du verbe.

- De plus, la conjonction *que* sert seulement de subordonnant dans la phrase subordonnée conjonctive/complétive, contrairement aux pronoms relatifs qui, en plus de servir de subordonnant, remplissent une fonction syntaxique dans la phrase enchâssée.

L'enseignant, conscient des mécanismes complexes en jeu (pronominalisation, choix contraint du pronom relatif, enchâssement), fera observer les niveaux hiérarchiques où interviennent ces mécanismes dans la P en se référant à la figure 10.1, qui présente le mécanisme d'enchâssement.

Il attirera aussi l'attention des élèves sur la ponctuation des phrases subordonnées relatives compléments du nom en *qui*, lesquelles ne sont pas détachées par des virgules. Il leur demandera comment ils interprètent ce phénomène. La classe en viendra à constater le caractère nécessaire de la «relative» dans le GN: *la série de catastrophes qui l'attendent.*

**ACTIVITÉ 10.5** **Analyse de «relatives» non standards**

ÂGE DES ÉLÈVES : 14-15 ans

OBJECTIFS : analyser des phrases subordonnées relatives non standards, les corriger et justifier la correction afin de prendre conscience des contextes et des cas les plus susceptibles d'occasionner des erreurs, à l'oral comme à l'écrit.

L'enseignant souligne qu'on entend très souvent des relatives non standards et qu'il en trouve aussi dans un grand nombre d'écrits, y compris ceux des élèves de la classe; il demande aux élèves d'en rappeler quelques-unes et de les corriger oralement: par exemple, *Te souviens-tu du film que je t'ai parlé? – La fille qu'il sort avec a changé d'école.*

Puis, il leur propose d'en analyser certaines pour reconnaitre les cas les plus susceptibles d'occasionner des erreurs. Il leur distribue un document avec dix phrases authentiques lues ou entendues dans différents contextes qui contiennent chacune une erreur en lien avec la construction de relatives (qui n'est pas nécessairement due au choix du pronom relatif). Il leur demande de les lire attentivement.

Voici les phrases à analyser (l'astérisque indique que les phrases contiennent une erreur reliée à l'emploi de la « relative »; les autres erreurs ont été corrigées par nous).

- *L'auteur commence son article avec une introduction qui nous fait prendre conscience de l'importance du message dont il veut nous communiquer.

- *C'est un tout nouveau jeu vidéo avec qui j'ai eu des heures et des heures de plaisir.

- *Il a pu faire tout ce dont je n'ai pas encore eu la chance de faire.

- Dans quelques années, les robots feront de nombreuses tâches domestiques. *Par exemple, un robot préparera tous les habits que l'homme voudra se vêtir.

- *Dans l'école, il y a dix règles dont tout élève doit connaitre et respecter.

- *Mon oncle me raconte des tas de blagues, que je fais semblant de les croire.

- *Les arguments que tu te sers ne m'impressionnent pas.

- *Le village, qu'on percevait une faible lumière, était encore loin.

Afin de détecter l'erreur et de la corriger, les élèves, en équipes de deux, doivent analyser et corriger la phrase, et décrire leur analyse pour justifier leur correction. Le fruit de ce travail d'analyse peut prendre la forme d'un tableau à deux colonnes: dans la première, la phrase est décomposée en deux P, l'antécédent souligné d'un trait, l'unité à pronominaliser soulignée en pointillé; la seconde colonne présente la correction et sa justification. L'enseignant demande à un élève de faire le travail devant la classe sur la première phrase pour donner un exemple du travail attendu.

| Décomposition en deux P | Correction et justification |
|---|---|
| *L'auteur commence son article avec une introduction qui nous fait prendre conscience de l'importance du message **dont** il veut nous communiquer.<br><br>P1: L'auteur commence son article avec une introduction qui nous fait prendre conscience de l'importance <u>du message</u>.<br><br>P2: Il veut nous communiquer <u>ce message</u>. | L'auteur commence son article avec une introduction qui nous fait prendre conscience de l'importance du message **qu'**il veut nous communiquer.<br><br>Le pronom relatif dont ne peut reprendre qu'un complément en de. Le verbe communiquer commande un complément direct (communiquer quelque chose) et un complément indirect (à quelqu'un). Il faut donc choisir le pronom relatif que qui pronominalise toujours un complément direct du verbe, ce qui est le cas de ce message en P2. |
| *C'est un tout nouveau jeu vidéo **avec qui** j'ai eu des heures et des heures de plaisir.<br><br>P1: C'est <u>un nouveau jeu vidéo</u>.<br><br>P2: J'ai eu des heures de plaisir <u>avec ce nouveau jeu vidéo</u>. | C'est un tout nouveau jeu vidéo avec **lequel** j'ai eu des heures et des heures de plaisir.<br><br>Le pronom relatif qui précédé d'une préposition ne peut reprendre qu'un nom avec le trait animé, ce qui n'est pas le cas ici. Il faut donc choisir lequel (masc. sing., comme son antécédent jeu vidéo). |
| *Il a pu faire tout ce **dont** je n'ai pas encore eu la chance de faire.<br><br>P1: Il a pu faire <u>tout</u>.<br><br>P2: Je n'ai pas encore eu la chance de faire <u>tout</u>. | Il a pu faire tout ce **que** je n'ai pas encore eu la chance de faire.<br><br>Seul le pronom relatif que reprend le complément direct du verbe faire (faire quelque chose, le faire) de P2; le pronom relatif dont doit être remplacé par le pronom relatif que. |

| Décomposition en deux P | Correction et justification |
|---|---|
| *Dans quelques années, les robots feront de nombreuses tâches domestiques. Par exemple, un robot préparera tous les habits **que** l'homme voudra se vêtir.*<br><br>P1 : *Un robot préparera <u>tous les habits</u>.*<br><br>P2 : *L'homme voudra se vêtir <u>de ces (certains) habits</u>.* | *Dans quelques années, les robots feront de nombreuses tâches domestiques. Par exemple, un robot préparera tous les habits **dont** l'homme voudra se vêtir.*<br><br>Le verbe *se vêtir* commande un complément indirect en *de* (*se vêtir de quelque chose, s'en vêtir*) ; **dont** reprend un complément indirect en *de*, alors que le pronom relatif *que* reprend un complément direct du verbe. |
| *Dans l'école, il y a dix règles **dont** tout élève doit connaitre et respecter.*<br><br>P1 : *Il y a <u>dix règles</u>.*<br><br>P2 : *Tout élève doit connaitre et respecter <u>ces dix règles</u>.* | *Dans l'école, il y a dix règles **que** tout élève doit connaitre et respecter.*<br><br>Les verbes *connaitre et respecter* commandent un complément direct (*connaitre* ou *respecter quelque chose, le savoir* ou *le respecter*) ; seul le pronom relatif **que** reprend un complément direct du verbe de P2. |
| *Mon oncle me raconte des tas de blagues, **que** je fais semblant de **les** croire.*<br><br>P1 : *Mon oncle me raconte <u>des tas de blagues</u>.*<br><br>P2 : *Je fais semblant de croire à <u>ce tas de blagues</u>.*<br><br>ou<br><br>P2 : *Je fais semblant de croire <u>ce tas de blagues</u>.* | *Mon oncle me raconte des tas de blagues, **auxquelles/que** je fais semblant de croire.*<br><br>Le verbe *croire* peut avoir un complément indirect (*croire à quelque chose, à des blagues*) et un complément direct (*croire quelque chose*) ; *que* ne peut reprendre que le complément direct de *croire* dans P2 *des tas de blagues*, mais il est alors redondant de mettre aussi le pronom personnel *les* : on doit donc le supprimer.<br><br>Note : *un tas de* est considéré comme un déterminant complexe. |
| *Les arguments **que** tu te sers ne m'impressionnent pas.*<br><br>P1 : *<u>Les arguments</u> ne m'impressionnent pas.*<br><br>P2 : *Tu te sers <u>de ces arguments</u>.* | *Les arguments **dont** tu te sers ne m'impressionnent pas.*<br><br>Le verbe *se servir* commande un complément indirect en *de* (*se servir de quelque chose, s'en servir*) ; **dont** reprend un complément indirect du verbe en *de*, alors que le pronom relatif *que* reprend un complément direct du verbe. |
| *Le village, **qu'**on percevait une faible lumière, était encore loin.*<br><br>P1 : *<u>Le village</u> était encore loin.*<br><br>P2 : *On percevait une faible lumière <u>du village</u>.* | *Le village, **dont** on percevait une faible lumière, était encore loin.*<br><br>Le groupe de la préposition *du village* est complément du nom *lumière*. On peut le constater, car si l'on efface le GN *une faible lumière*, la phrase devient agrammaticale. Ce complément du nom en *de* ne peut être pronominalisé que par le pronom relatif *dont*. |

L'enseignant demande aux élèves d'observer les « relatives » en *dont* du corpus et de tenter de formuler oralement la règle d'emploi de ce pronom. Pour ce faire, il leur demande de produire dix phrases avec le pronom relatif *dont* afin de leur faire constater qu'il peut pronominaliser des unités remplissant trois fonctions syntaxiques : complément indirect du verbe en *de*, complément du nom en *de* (*Mon amie, **dont** je connais les talents artistiques, exposera bientôt*) et complément de l'adjectif en *de* (*Le texte **dont** il est si <u>fier</u> a été inspiré par une nouvelle de Buzzati*).

Il leur demande de rédiger une règle d'emploi du pronom relatif *dont* accompagnée d'exemples. Voici ce à quoi peut ressembler la règle : dans une phrase subordonnée relative, le pronom relatif *dont* reprend soit un complément indirect du verbe (*Voici la personne **dont** je te parlais à l'instant*), soit un complément du nom (*Le roman **dont** on fait partout l'éloge a été écrit par un néophyte de 50 ans*), soit un complément de l'adjectif (*Ce premier disque **dont** il est si content a remporté un prix*) ; dans ces trois cas, le complément se construit avec la préposition *de*.

L'enseignant pourra faire observer le détachement par deux virgules et demandera aux élèves comment ils les justifient. Selon leurs remarques, il pourra amorcer une réflexion sur l'effet que l'ajout de ces virgules peut avoir sur le sens du dernier énoncé ; il leur précisera toutefois que ce phénomène sera étudié ultérieurement.

## ACTIVITÉ 10.6 Choix du pronom relatif

ÂGE DES ÉLÈVES : 14-15 ans

OBJECTIF : explorer les possibilités de choix du pronom relatif selon le contexte linguistique.

L'enseignant propose une tâche d'écriture : il demande aux élèves de produire des phrases qui contiendront le GN *Mon texte…* suivi d'un pronom relatif (avec ou sans préposition), dont l'antécédent est le nom *texte*, en se référant à un texte qu'ils ont déjà écrit. Ils doivent rédiger autant de phrases qu'il y a de pronoms relatifs possibles, indiquer la fonction du pronom relatif dans la phrase subordonnée relative et en tirer un constat sur la possibilité de produire des phrases subordonnées relatives ayant pour antécédent le nom *texte*.

Avant l'activité d'écriture, pour stimuler la création, l'enseignant animera une discussion sur l'écriture (ses exigences, les émotions qu'elle suscite, etc.) et amènera les élèves à produire des associations d'idées sur ce thème et à construire un champ lexical ou sémantique autour du mot *texte*. Durant l'écriture, il soutiendra les élèves en répondant à leurs questions et en stimulant leur créativité.

Voici des exemples de phrases. Il y en aura sans doute plusieurs avec d'autres pronoms relatifs plus complexes et certaines ne seront pas standards, ce qui occasionnera un travail de reformulation avec justification.

1) *Mon texte **que** j'ai terminé hier était un de mes meilleurs de l'année.*

   *Que* est complément direct du verbe *ai terminé* (*terminer quelque chose*), comme le montre la pronominalisation par le pronom complément direct *le*, masculin singulier : *je **l'**ai terminé.*

2) *Mon texte **auquel** l'enseignant faisait allusion est un compte rendu de Tournier.*

   *Auquel* est complément indirect du verbe *faisait allusion* (*faire allusion à quelque chose*), comme le montre la pronominalisation par le pronom complément indirect *y* : *y faisait allusion.*

3) *Sais-tu que c'est mon texte **dont** l'enseignant a fait l'éloge en classe ?*

   *Dont* est complément indirect du verbe *fait l'éloge* (*faire l'éloge de quelque chose*), comme le montre la pronominalisation par le pronom indirect *en* d'un GN avec un déterminant indéfini : ***en** faire l'éloge.*

4) *Dans mon texte **qui** porte sur les plaisirs de l'écriture, j'ai essayé de montrer qu'on peut jouer avec la langue.*

   *Qui* est sujet dans la phrase subordonnée relative, encadrement possible par *c'est… qui* et pronominalisation par le pronom personnel *il*, toujours sujet.

5) *Mon texte, **où/dans lequel** tous les personnages ont un trait psychologique commun, m'a donné du fil à retordre.*

*Où/dans lequel* est complément de P de la phrase subordonnée relative, effacement et déplacement possibles. Notons qu'on a le choix entre deux pronoms relatifs, mais *où* est plus fréquent que *dans lequel*, la forme simple étant préférée à la forme complexe.

6) *Mon texte, sur **lequel** je travaille depuis des semaines, sera bientôt publié dans le journal de l'école.*

*Sur lequel* est complément indirect du verbe *travaille* (*travailler sur quelque chose*), comme le montre la pronominalisation par le pronom complément indirect *y*: **y** *travaille.*

La classe arrive à un constat de ce type : pour reprendre l'antécédent *mon texte* plusieurs pronoms relatifs peuvent servir à enchâsser une phrase subordonnée relative dans le GN dont le nom *texte* est le noyau.

La forme du pronom relatif varie selon sa fonction syntaxique dans la phrase subordonnée relative. Quand l'antécédent du pronom relatif contient un nom ayant le trait non animé, seuls le pronom *lequel* (avec ou sans préposition) et le pronom *où* sont acceptés. La forme du pronom *lequel* varie selon le genre et le nombre de l'antécédent. Dans ces phrases, il est impossible d'insérer le pronom relatif *qui* précédé d'une préposition, car le pronom relatif *qui* ne reprend qu'un antécédent ayant le trait sémantique animé, ce qui n'est pas le cas pour le nom *texte*.

## Le problème des « relatives » dites déterminatives ou explicatives

On s'étonnera peut-être que nous ne proposions pas de faire identifier les « relatives » dites déterminatives afin de les distinguer des « relatives » explicatives (ou appositives), ce qui constitue pourtant un contenu d'enseignement habituel de la « relative »[31]. Nous nous sommes limitées à faire observer l'absence de virgule dans le cas de la « relative » déterminative et l'encadrement par deux virgules pour la « relative » dite explicative. Nous justifions ce choix par trois raisons.

1. Le phénomène de la détermination ou de la caractérisation/qualification du nom n'est pas un phénomène lié à la subordination (enchâssées relatives) : il concerne toutes les expansions du nom dans le GN, et le phénomène de détachement par des virgules concerne autant les expansions du nom, traditionnellement nommées *apposition* ou *épithète détachée,* que les « relatives » dites explicatives. Les manipulations de déplacement et de suppression de ces « relatives » font ressortir leurs propriétés syntaxiques, sémantiques et même pragmatiques.

2. La compréhension des valeurs sémantiques des « relatives » exige ainsi de connaitre le contexte communicatif (qui énonce quoi, pour quoi, dans quel but ?), alors que nous avons fait le choix de nous centrer sur les aspects grammaticaux de la phrase subordonnée relative.

---

**31.** Par exemple, on fait comparer une phrase subordonnée dite relative déterminative, essentielle au sens de l'énoncé (*Le prix d'entrée est de 4 $ pour les personnes **qui ont 65 ans et plus***), et une autre phrase subordonnée (explicative ou appositive), facultative, celle-là, car son effacement ne modifie pas la détermination du nom : *Toutes ces personnes, **qui ont 65 ans et plus**, n'ont payé que 4 $ pour leur entrée au musée.*

3. Enfin, pour appréhender le phénomène de la détermination et en saisir les aspects énonciatifs et pragmatiques, il faut avoir atteint une sensibilité linguistique et un niveau de maitrise de la langue écrite qui dépassent celui de la grande majorité des élèves du premier cycle du secondaire. Nous avons tout intérêt à attendre que les élèves soient plus âgés (16-18 ans) avant d'aborder les «relatives» déterminatives et pour les traiter alors avec pertinence et efficacité à partir d'observations dans le contexte de l'étude de textes de genres littéraires ou non.

# Conclusion

Le travail sur la phrase subordonnée relative est éminemment complexe étant donné, d'une part, l'important réseau notionnel qui le sous-tend (par exemple, notions de relation, de dépendance et de fonction syntaxiques) et, d'autre part, la distinction qu'il implique entre les principales fonctions syntaxiques, dont celles de compléments direct (*que*) et indirect du verbe (*dont*). Mais le jeu en vaut la chandelle, puisqu'il est l'occasion de travailler les mécanismes fondamentaux de la syntaxe française comme ceux de la subordination et de la pronominalisation. Enfin, un tel travail amène à manipuler des constructions prépositionnelles : c'est, entre autres, l'occasion d'une réflexion sur le choix de la préposition appelée par le verbe. Ces contenus devraient constituer le noyau dur de l'enseignement de la syntaxe du français au premier cycle du secondaire, ce qui pourrait contribuer à résoudre les principaux problèmes liés aux constructions syntaxiques.

Amener les élèves à appréhender concrètement ce que veut dire l'expression *système de la langue* demande beaucoup de temps et, de leur part, une maturité cognitive et langagière certaine. Il faut donc y consacrer un temps suffisant pour qu'ils arrivent à une conceptualisation adéquate, qui leur servira dans l'étude de tous les autres phénomènes grammaticaux, tout au long de leur scolarité. Comme le temps n'est pas infini, il faut sélectionner avec soin les contenus à travailler, les hiérarchiser, les mettre en réseau sur une plus longue période, plutôt que les survoler les uns après les autres, sans ordre réfléchi, comme une liste de contenus à voir, image d'ailleurs induite par les prescriptions. Au bout du compte, cette façon de faire ne sera pas plus exigeante en temps : on se condamne sinon à revenir sans cesse sur les mêmes contenus parce qu'ils ne sont pas maitrisés, même après plusieurs années. Au contraire, elle allège le cout cognitif de l'apprentissage, puisqu'elle mise sur la compréhension des notions et des mécanismes de la langue.

La phrase subordonnée complément du nom ou du pronom, dite *relative*, constitue donc un enseignement fondamental, qui devrait être systémique et systématique, en lien, bien entendu, avec les compétences langagières des élèves, qui se développent en bonne partie à l'extérieur de l'école, ne l'oublions pas. Le choix des corpus est important et pourra être différent selon les phases du travail. Pour l'étude systématique, il est préférable de choisir ou d'inventer des corpus faits de très courts textes de quelques phrases selon le problème à traiter, car les textes authentiques sont souvent trop complexes pour favoriser une étude ciblée. Mais, pour la sensibilisation au phénomène et pour son approfondissement, après l'étude systématique, on profitera des textes lus et écrits en classe pour susciter des observations et des réflexions métalinguistiques.

## Références bibliographiques de base

Béguelin, M.-J. (dir. 2000). *De la phrase aux énoncés : grammaire scolaire et descriptions linguistiques.* Bruxelles : De Boeck-Duculot, p. 306-316.

Chartrand, S.-G. (2013a, 2ᵉ éd.). Les manipulations syntaxiques, de précieux outils pour comprendre le fonctionnement de la langue et corriger un texte. Montréal : CCDMD. En ligne : www.ccdmd.qc.ca/catalogue/manipulations-syntaxiques-les

Chartrand, S.-G. (2010). Un complément complète, oui mais… *Correspondance*, vol. 15, nᵒ 3, p. 9. En ligne : www.enseignementdufrancais.fse.ulaval.ca/document/?no_document=979

Chartrand, S.-G. (2008). *Progression dans l'enseignement du français langue première. Répartition des genres textuels, des concepts, des stratégies et des procédures à enseigner de la 1ʳᵉ à la 5ᵉ secondaire.* Les Publications Québec Français. Numéro hors série.

Chartrand, S.-G., Aubin, D., Blain, R. et Simard, Cl. (1999/2011, 2ᵉ éd.). *Grammaire pédagogique du français d'aujourd'hui.* Boucherville : Graficor, p. 148 et 239-245 ; pour la 2ᵉ édition, Montréal : La Chenelière, p. 234-267.

Combettes, B., Fresson, J. et Tomassone, R. (1979). *De la phrase au texte, 4ᵉ.* Paris : Delagrave, p. 99-105, et *Guide pédagogique.* Paris : Delagrave, p. 51-61.

## Autres références

Chartrand, S.-G. (2013b). Enseigner à justifier ses propos de l'école à l'université. *Correspondance*, vol. 18, nᵒ 3, p. 9-11. En ligne : www.enseignementdufrancais.fse.ulaval.ca/document/?no_document=2348

Paret, M.-C. (1991). *La syntaxe écrite des élèves du secondaire.* Montréal : Les Publications de la Faculté des sciences de l'éducation, p. 149-170.

Riegel, M., Pellat, J.-C. et Rioul, R. (4ᵉ éd., 2009). *Grammaire méthodique du français.* Paris : PUF, Quadrige, p. 785-822.

Schneuwly, B. et Dolz, J. (éd., 2009) : *Des objets enseignés en classe de français. Le travail de l'enseignant sur la rédaction de textes argumentatifs et sur la subordonnée relative.* Rennes : Presses Universitaires de Rennes.

Wilmet, M. (5ᵉ éd., 2005). *Grammaire critique du français.* Bruxelles : De Boeck, p. 645-655.

# L'enseignement de la ponctuation: le cas de la virgule

**VÉRONIQUE PAOLACCI, DANIEL BAIN
ET MARIE-PIERRE DUFOUR**

CHAPITRE 11

# Introduction

La virgule est « minuscule », mais elle « régule » les mots, comme le dit si bien le joli poème d'Andrée Chedid (reproduit en annexe). Des théoriciens de la ponctuation, comme Nina Catach, Albert Doppagne et Jacques Drillon, reconnaissent la multiplicité des emplois de la virgule et considèrent ce signe comme l'un des plus importants du système de la ponctuation. La virgule est aussi, faut-il souligner, le signe le plus fréquent. Pourtant, c'est le signe le plus maltraité par les ouvrages scolaires et par les scripteurs, des plus jeunes aux plus âgés. Et que dire du savoir des enseignants qui ne cachent pas leur malaise devant cet objet d'enseignement !

C'est pourquoi nous préconisons dans ce chapitre une approche rigoureuse de l'enseignement de la virgule, tout en proposant à l'enseignant, lorsqu'il évalue la production de ses élèves, de concilier un regard d'expert de la langue et une grande attention aux divers usages. Car, en ponctuation, les usages ne relèvent pas seulement de règles syntaxiques, mais aussi de normes sociales, certaines généralement admises et assez fixes, d'autres plutôt flottantes. Aussi faudrait-il éviter d'ériger en règles des normes.

Après avoir présenté, dans la première partie, un état des lieux des usages de la virgule par les élèves, de leur entrée dans l'écrit jusqu'au milieu du secondaire, et fait le constat que leurs usages sont souvent non conformes aux règles et aux normes de la langue écrite dans sa variété standard, dans la deuxième partie, nous exposons sommairement ces règles et ces normes et les illustrons. Nous verrons que le fonctionnement de la virgule relève principalement de deux plans d'analyse de la langue : la syntaxe et l'énonciation. Dans la troisième partie, nous exposons les orientations qui devraient guider un enseignement systématique, rigoureux et progressif de la virgule. Cet enseignement devrait aussi, nous semble-t-il, être mené sous le signe de l'ouverture aux tentatives des élèves d'utiliser ce signe polyvalent à des fins expressives. Nous verrons tour à tour les principes qui peuvent fonder cet enseignement, une proposition de progression des objets à enseigner, différentes démarches (section 3.1) et, enfin, des activités-cadres (section 3.2).

# 1. Les élèves et leur utilisation de la virgule

Dans les productions écrites d'élèves de la fin du primaire et du milieu du secondaire, la très grande majorité des erreurs de ponctuation concernent la virgule. Pourtant, c'est le signe dont le traitement est le plus détaillé dans les ouvrages scolaires. Comment expliquer la difficulté des élèves à virguler correctement et efficacement ? D'une part, les emplois de la virgule sont très nombreux et, d'autre part, son usage est expressif et parfois stylistique (l'énonciateur vise à créer un effet particulier), cas dans lesquels elle est difficile à didactiser et, par le fait même, à enseigner.

Si la virgule est un signe presque inexistant au début du primaire (section 1.1), son utilisation est presque exponentielle au secondaire (section 1.2). Ce sont les emplois syntaxiques qui occasionnent le plus grand nombre d'erreurs, aussi les détaillerons-nous.

# 1.1. De l'entrée dans l'écrit jusqu'au début du secondaire : un rôle surtout textuel

Plusieurs psycholinguistes qui s'intéressent aux étapes de l'acquisition de l'écrit ont montré qu'au tout début de l'apprentissage de l'écrit les élèves, qui écrivent surtout des récits, n'utilisent pas la ponctuation de manière aléatoire, mais lui font aussi jouer un rôle textuel. En effet, pour découper leur texte, les jeunes élèves utilisent presque uniquement le point (avec, à l'occasion, la majuscule de début de phrase) et le retour à la ligne, et ces marques de ponctuation apparaissent surtout aux frontières des phases du récit, ce qu'illustre ce texte d'un élève de 8 ans :

> *Je suis allé à la piscine, dimanche je suis allé au rugby, samedi je suis chez ma maman. Les mercredis j'ai été au catéchisme, dimanche à 8 heures je suis parti en colonie faire du ski[1]*

L'élève juxtapose plusieurs activités ou évènements ; on observe que le point et la virgule ont la même fonction de séparation de ces évènements. De même, dans le récit qui suit, produit par un autre élève de 8 ans, les rares signes de ponctuation servent à délimiter les blocs narratifs :

> *Un jour chez ma mémé j'allai en vacances chez elle. Le soir je suis allé me coucher j'ai rêvé. Le lendemain matin je me suis levé tôt. J'ai pris mon vélo et j'ai été en faire du vélo C'était dans une descente j'avais pas vu qu'il y avait un hérisson j'ai marché sur ses piquants alors une roue de mon vélo a été crevée*

L'élève a omis le point de phrase devant l'élément déclencheur de son récit (*C'était…*) ; cette phrase est sans doute déjà distincte du reste du paragraphe dans sa tête. Qui plus est, toute ponctuation a été omise dans cette phrase : l'élève juge peut-être que son élément déclencheur doit être lu très rapidement. La virgule peut donc être employée (ou non) par les élèves qui entrent dans l'écrit pour séparer leurs idées ou blocs d'idées. Leur utilisation de la virgule est encore très incertaine ; pour eux, le point et la virgule ont la même fonction de séparation forte. Ces deux signes entrent donc en compétition dans leurs textes.

C'est à partir de 9-10 ans seulement que la virgule commence à être utilisée, même si elle demeure peu fréquente. L'analyse d'un corpus de copies d'élèves de 12 ans a permis à la didacticienne du français V. Paolacci (2005) de confirmer que l'utilisation de la virgule est encore marginale à cet âge : sept élèves sur dix ne l'emploient pas du tout ou l'utilisent très rarement, c'est-à-dire une seule fois dans leur texte. L'utilisation syntaxique de la virgule – c'est-à-dire pour juxtaposer des unités syntaxiques comme des groupes nominaux ou adjectivaux – se développe un peu plus tard chez les élèves, probablement au fur et à mesure que s'installe leur compréhension du fonctionnement de la langue et que leurs expériences de lecteurs et de scripteurs s'enrichissent.

---

1. Cet extrait de texte d'élève, ainsi que le suivant, est issu d'une recherche de M. Fayol (1989), Une approche psycholinguistique de la ponctuation. Étude en production et en compréhension, *Langue française*, n° 81, p. 21-39.

# 1.2. | Pour les élèves du secondaire : un signe « par défaut »

Dès le début du secondaire, la virgule domine tous les autres signes : elle constitue un véritable « archiponctème », pour reprendre l'expression du didacticien du français D. Bessonnat (1991). Vers 12-15 ans, les élèves utilisent fréquemment la virgule, même à des endroits où d'autres signes, dont les deux-points ou le point-virgule, d'ailleurs peu utilisés, seraient plus adéquats. Pour eux, la virgule est surtout perçue comme marquant une pause (pour « reprendre le souffle », « prendre une respiration », « marquer un arrêt ») ou encore elle joue un rôle essentiellement séparateur (pour « séparer une idée d'une autre »). Certains la voient aussi comme un signe qu'on utilise « par défaut », presque aléatoirement : « pour couper une phrase si elle est trop longue » – une habitude qu'on rencontre d'ailleurs encore chez les scripteurs adultes. Tout se passe comme si, lorsque la phrase atteint une certaine longueur, une virgule s'imposait. La virgule est ainsi pour les scripteurs un signe de segmentation par défaut, qu'ils utilisent selon un raisonnement du type : « Comme je dois placer un signe de ponctuation, je vais mettre une virgule[2]. »

Selon une récente analyse exploratoire de productions d'élèves québécois de 12 ans[3], ces derniers ne semblent pas maitriser certains emplois de la virgule normalement abordés ou enseignés au primaire (notamment avec la juxtaposition et l'insertion de l'incise). La moitié des erreurs de virgule concernent son omission avant les connecteurs (marqueurs de relation) comme *car*, *mais*, *ensuite*, omission qui s'explique peut-être par le fait que les connecteurs suffisent à marquer (séparer ou unir) les énoncés. Voici des exemples d'erreurs fréquemment observées dans les copies de ces élèves :

1. *Galinette et Papet étaient très déçus **car** ils avaient enfin trouvé de l'eau pour leurs plantes sur le terrain de Jean alors lorsqu'il est arrivé, Galinette et Papet ne voulaient pas qu'il reste longtemps […]*

2. *Par contre, les planchers résonnaient quand ils craquaient **car** le silence était présent, trop présent à son gout **mais** il pouvait entendre, très loin à quelque part, le violon qui jouait […]*

3. *Comme ça, il n'aurait pas été mort **car,** il n'y serait pas aller [sic].*

Dans ce dernier exemple, l'élève place une virgule après le coordonnant *car* plutôt que devant celui-ci ; il a probablement compris qu'il faut utiliser une virgule avec un connecteur comme *car*.

L'omission de la virgule après un complément de P (complément circonstanciel) placé en tête de phrase est aussi une erreur particulièrement courante dans les textes narratifs des élèves de 11-12 ans, où au moins trois erreurs sur dix concernent cette règle :

> *Lorsqu'il regarda dans le jardin il ne vu [sic] personne.*

> *Quelques minutes plus tard j'ai entendu le son d'un violon.*

---

2. Tiré d'une étude de D. Bessonnat (1991) qui a interrogé des élèves adolescents sur la ponctuation.

3. M.-P. Dufour (2014).

Enfin, les élèves placent des virgules là où ils ne devraient pas, par exemple entre le sujet et le prédicat d'une phrase (erreurs soulignées dans le texte ci-dessous), mais à une fréquence moindre (moins d'un cas sur dix) :

> *Galinette, a une grande implication dans la mort de Jean car au milieu de la première bande-dessinée Galinette et Papet bouche [sic] la source pour intéresser le moins de gens possible à acheter la terre. Le fait qu'ils aient boucher [sic] la source demande donc beaucoup d'effort à Jean. Celui-ci, se doit alors obligé de creuser une source mais en creusent la source avec des mines il mourut.*

> *De plus, des vieux cadres étaient accroché [sic] sur le mur. Ceux-ci, présentaient des photos des anciens directeurs de l'académie.*

Ces différentes erreurs devraient inciter des enseignants soucieux d'aider les élèves à améliorer leurs compétences rédactionnelles et de compréhension de l'écrit à dispenser un enseignement plus systématique de la ponctuation en général et des règles et des normes de la virgule en particulier, et ce, pour leur faire comprendre que la virgule n'est pas un caprice ou un artifice qu'on ajoute à des phrases ou à un texte « déjà là », mais qu'elle fait partie d'un système de la langue, le système de la ponctuation[4]. La maitrise de ce dernier fait intimement partie de la compétence à écrire et de l'acte d'écriture lui-même. Mais, avant d'aborder les démarches d'enseignement de la virgule, il nous apparait primordial de nous pencher sur l'objet lui-même.

# 2. La virgule dans les textes : des règles et des normes pour des usages variés

L'enseignement de la virgule doit s'appuyer sur les travaux consacrés à la ponctuation depuis une trentaine d'années par les spécialistes de la didactique du français et des sciences du langage. Voici les principaux usages de la virgule qui font consensus chez les théoriciens de la ponctuation et qui devraient faire l'objet d'un enseignement à un moment ou à un autre dans tout cursus scolaire[5].

## 2.1. | Le rôle syntaxique de la virgule

La virgule n'est pas un signe isolé dans ce système de signes qu'est la ponctuation. Elle se voit attribuer différents rôles (on parle aussi de *fonctions*), en lien soit avec d'autres signes de ponctuation, soit avec d'autres éléments du texte comme les connecteurs (marqueurs de relation ou mots de liaison), qui marquent la coordination de groupes et de phrases (propositions) et font donc office de coordonnants (mots de coordination).

---

4. On appelle *système* un ensemble organisé et hiérarchisé de signes distincts en nombre limité, qui sont liés les uns aux autres. Pour une présentation du système de la ponctuation, voir M.-P. Dufour et S.-G. Chartrand (2014).

5. Notre objectif n'étant pas l'exhaustivité, nous avons opéré une sélection des emplois de la virgule à partir de ce que nous connaissons des usages des élèves et des exigences scolaires.

Elle participe ainsi à la cohésion du texte. C'est donc loin d'être un signe mineur. Comme la ponctuation en général, la virgule relève des domaines de la syntaxe, de la sémantique et de l'énonciation ; elle peut en outre avoir un emploi stylistique dans certains textes. Ses rôles peuvent se recouper, mais, par souci de clarté, nous les décrirons séparément[6].

## La séparation d'unités syntaxiques de même niveau

Le rôle de la virgule est de séparer des mots, des groupes ou des phrases juxtaposés[7]. Dans l'exemple suivant, un élève de 12 ans juxtapose quatre P :

> *À un moment, ils traversent une rivière,* **un cavalier tombe, est sauvé par un musicien,** *on découvre que le cavalier est une cavalière.*

Si la deuxième et la quatrième virgules juxtaposent des P, la troisième marque la juxtaposition de deux prédicats qui sont en relation avec le même GN qui est le sujet (*un cavalier*).

Dans le cas des phrases juxtaposées, la virgule peut jouer le rôle d'autres signes de ponctuation, notamment :

- le point, qui a alors une valeur expressive particulière, comme dans l'exemple suivant, où le scripteur souligne ou met en évidence la seconde P par la rupture que provoque une ponctuation forte :
  - *Le volant lui glissait des mains, il avait peur.*
  - *Le volant lui glissait des mains. Il avait peur* (élève de 13 ans[8]).
- le point-virgule, qui est proche des deux-points dans l'expression d'une relation de cause à effet :
  - *Il était une fois une petite fille du nom de Laura dont ses* [sic] *parents étaient morts, elle a vécu seule pendant des années.*
  - *Il était une fois une petite fille du nom de Laura dont ses* [sic] *parents étaient morts ; elle a vécu seule pendant des années* (élève de 10 ans).
- les deux-points, quand il existe une relation de cause ou de conséquence :
  - *Ils sont terrifiés, il n'y a plus de lumière.*
  - *Ils sont terrifiés : il n'y a plus de lumière* (élève de 13 ans).

La virgule peut également jouer le rôle du connecteur *et* dans des énumérations (éléments juxtaposés) où elle sépare et relie à la fois.

---

**6.** S.-G. Chartrand (2010).

**7.** Attention ! Le terme *phrase* est polysémique. On parlera de *phrase graphique* pour toute unité délimitée par une majuscule et un point, et de *phrase* (symbolisée par P) pour l'unité syntaxique dont la structure de base est composée de deux constituants obligatoires (ayant la fonction syntaxique de sujet et de prédicat) et d'un ou de plusieurs constituants facultatifs et mobiles (ayant la fonction de complément de P). Voir le glossaire à l'annexe 1.

**8.** Ces exemples sont extraits de copies d'élèves pour lesquelles l'orthographe a été corrigée. Par souci de brièveté, des exemples, souvent limités à une phrase, ont été privilégiés.

La virgule détache généralement les connecteurs coordonnants, dont *car, mais, puis, c'est-à-dire, sinon, du moins, à savoir que*[9] :

- *Bibot essaya bien de hurler, **mais** il ne put qu'aboyer* (élève de 10 ans).

### Le détachement d'unités syntaxiques

La virgule permet le détachement d'une phrase (incise, incidente et phrase subordonnée complément de P) et d'un groupe syntaxique dans une phrase. C'est le cas pour les compléments de P, les compléments du nom ou de l'adjectif détachés[10], et aussi pour différentes unités placées avant le sujet dans une phrase graphique, dont les organisateurs textuels (sous-catégorie de connecteurs) et les marques de modalité (modalisateurs). Quand ces unités détachées sont au milieu de la phrase graphique, elles sont souvent encadrées par deux virgules, qui jouent un rôle analogue aux doubles tirets ou aux parenthèses. Cet emploi de la virgule, qu'on retrouve dans certaines copies d'élèves du primaire, témoigne d'une entrée plutôt réussie dans l'écrit : *C'était une montagne noire, **infestée d'oiseaux**, le lieu où reposait le sorcier* (élève de 10 ans).

Dans une P, la virgule permet aussi de détacher un présentatif (*Taisez-vous les gars, **voici** mon frère*) et des marqueurs d'emphase comme *ce qui… c'est/ce à quoi… c'est* (***Ce à quoi** je pense, **c'est** à ce voyage…*)[11].

### L'effacement d'unités syntaxiques et sémantiques identiques

Une virgule marque l'effacement d'une unité syntaxique et sémantique identique à celle qui précède dans deux P juxtaposées : *Ma nièce cherche sa montre et sa mère, [cherche] la clef de la voiture.* Cet emploi est très rare dans les textes des élèves et ne semble pas encore intégré dans leur répertoire. Aussi leur pose-t-il problème en lecture, notamment, parce que la compréhension du texte implique la capacité de produire des inférences pour combler cet effacement.

## 2.2. | Les rôles énonciatif et sémantique de la virgule

On parle de rôles *énonciatif* et/ou *sémantique*[12] de la virgule quand elle révèle l'intention de l'énonciateur et/ou influe sur le sens de l'énoncé. On quitte alors le niveau

---

**9.** Notre choix de connecteurs n'est pas exhaustif. D'ailleurs, il n'y a pas unanimité sur la nécessité de faire précéder tous les connecteurs d'une virgule ; à ce sujet, les normes sont fluctuantes. Dans le cadre de ce chapitre, nous avons retenu ceux qui posent le plus de problèmes aux élèves. Par ailleurs, on sait que les connecteurs *et, ou* (marquant une simple alternative) et *ni* ne sont généralement pas précédés d'une virgule, s'ils ne sont pas répétés.

**10.** Par complément du nom, on entend ici toutes les structures qui sont sous la dépendance syntaxique du nom : un groupe adjectival (GAdj), un groupe nominal (GN), une phrase subordonnée relative, donc pas uniquement un groupe prépositionnel (GPrép), comme dans la terminologie traditionnelle.

**11.** Voir, dans Chartrand et coll. (1999/2011), le chapitre 11 pour les phrases de forme emphatique et le chapitre 12 pour les phrases à présentatif.

**12.** Un exemple de rôle sémantique de la virgule est son emploi pour distinguer une phrase subordonnée relative déterminative d'une phrase subordonnée qui ne l'est pas. Mais ce type de cas est trop complexe pour être travaillé avec des jeunes élèves (voir le chapitre 10).

formel de la syntaxe pour passer au niveau du sens que le scripteur donne à son énoncé et à sa prise en compte de la situation d'énonciation (qui s'adresse à qui, dans quel contexte social, temporel… et dans quel but?). Soit les deux exemples suivants :

1. *Victor est un garçon intelligent, talentueux et ambitieux.*
2. *Victor est un garçon intelligent, talentueux, et ambitieux.*

Les mots dans les deux énoncés sont les mêmes, mais une simple virgule permet à l'énonciateur de suggérer une interprétation différente. Dans le second énoncé, on peut lire une touche d'ironie ou de légère critique, le troisième qualificatif n'étant pas du même ordre que les deux autres.

De même, le fait de mettre entre virgules le groupe prépositionnel dans l'exemple suivant traduit le choix de l'énonciateur d'insister sur la modalisation de son énoncé.

1. *En 2014, l'évènement qui m'a le plus marqué est, **sans aucun doute,** mon voyage aux Philippines.*
2. *En 2014, l'évènement qui m'a le plus marqué est sans aucun doute mon voyage aux Philippines.*

Le rôle énonciatif le plus connu de la virgule est sans contredit ce qui est appelé l'*apostrophe*. Une unité, généralement un groupe nominal qui sert à interpeler quelqu'un (ce qui constitue une première énonciation), est détachée d'un autre énoncé qui, lui, exprime le motif ou la raison de l'interpellation :

> ***Madame,*** *pouvez-vous me dire où se trouve la station de métro la plus proche, svp.*
>
> *Je suis inquiète, **ma chère Sophie.***

Un énonciateur peut choisir de mettre une virgule avant certaines phrases subordonnées compléments de P placées à la fin d'une phrase graphique pour créer un effet d'insistance, par exemple : *Maud continue de fréquenter Cédric, même s'il lui ment toujours.*

La virgule détache généralement une phrase subordonnée complément de P à valeur de concession et de justification, car, dans les deux cas, il s'agit bien de deux énonciations, mais ces structures seront étudiées plus tard dans la scolarité[13].

# 2.3. | L'emploi stylistique de la virgule

La virgule a aussi un rôle expressif : elle permet de créer des effets stylistiques. Selon les grammairiens Riegel, Pellat et Rioul (2014, p. 151, § 3.1.3.4), « la virgule est sans doute le plus stylistique des signes de ponctuation »; certains écrivains, dont des poètes, la suppriment ou, au contraire, l'utilisent au détriment d'autres signes, pour créer des effets. Voyons par exemple l'effet dramatique créé par la virgule dans ce vers de Lamartine : *Un seul être vous manque, et tout est dépeuplé.* On fera observer et interpréter ces emplois lors d'activités de lecture, en particulier de textes de genres littéraires (voir l'activité 11.5, à la section 3.2).

---

13. Voir É. Genevay (1994). *Ouvrir la grammaire.* Lausanne/Montréal : LEP/La Chenelière, p. 179-180.

# 3. L'enseignement de la virgule : orientations didactiques

Savoir virguler s'apprend, et cela est essentiel pour arriver à un certain degré de maitrise de l'écriture. Quelles orientations didactiques peuvent fonder l'enseignement de la ponctuation ? Selon quelle progression enseigner la virgule ? Quelles démarches mettre en place et quelles activités proposer ? C'est à ces importantes questions que nous proposons d'apporter des éléments de réponse.

## 3.1. | Des principes didactiques et des démarches pour enseigner la virgule

Voici quatre principes qui peuvent orienter la planification de l'enseignement de la ponctuation en général et de la virgule en particulier :

1. les usages des signes ont avantage à être enseignés de façon systémique : il est plus fécond d'enseigner en même temps les rôles que peuvent remplir plusieurs signes que d'enseigner les usages de chaque signe de façon morcelée et décloisonnée, ce qui ne permet pas aux élèves de comprendre le fonctionnement de la ponctuation, ni de l'appréhender en tant que système ;

2. l'enseignement des usages des différents signes de ponctuation, dont la virgule, devrait généralement s'appuyer sur des extraits de texte, plutôt que sur des phrases décontextualisées ;

3. cet enseignement devrait être articulé le plus souvent possible aux apprentissages liés aux différents genres textuels en lecture comme en écriture (la ponctuation d'une recette de cuisine, d'une règle de jeu ou d'une fiche encyclopédique diffère en partie de celle d'un récit ou d'un poème) ;

4. la conquête de la ponctuation étant un travail de longue haleine, son enseignement devrait se faire selon une progression spiralaire[14] dont les principaux jalons sont décrits ci-dessous.

Dès leur entrée dans l'écrit, l'enseignant sensibilise peu à peu les élèves à la segmentation des écrits par des signes de ponctuation (point et alinéa/paragraphe, d'abord). Dans les activités régulières de lecture, il attire leur attention sur ces signes, les interroge sur leurs rôles, en s'appuyant d'abord sur leur intuition linguistique, tout en employant une métalangue rudimentaire – point, paragraphe, alinéa – mais juste[15]. L'enseignant les amène à comparer les textes qu'ils lisent et ceux qu'ils écrivent, en leur montrant que ces derniers sont très peu ponctués par rapport aux premiers. En témoigne, par exemple, ce texte (contenant de nombreuses erreurs que nous ne signalons pas) produit par un élève de 9 ans :

> *Mochu à vu tout la scene du début jusca la fin alors il à esaillé de venir à son secour mais mega pupuce la venus venir de très près puis il la hypnotisé pendant au moin une ou deux heurs[16].*

---

**14.** Sur la justification de ce genre de progression, voir le chapitre 5.

**15.** Sur l'importance d'utiliser une métalangue rigoureuse, voir le chapitre 4.

**16.** Tiré de V. Paolacci et N. Rossi-Gensane (2014), p. 122.

Voici le même texte corrigé (les corrections touchant la ponctuation sont entre parenthèses) :

> *Mochu a vu toute la scène* (,) *du début jusqu'*à la fin (. *Alors,*) *il a essayé de venir à son secours* (,) *mais Mega Pupuce l'a vu venir de très près* (. *Puis,*) *il l'a hypnotisée pendant au moins une ou deux heures.*

Selon la progression présentée au chapitre 4 du présent ouvrage, dans un premier temps, on procède à la sensibilisation à la notion syntaxique de phrase (élèves de 8-10 ans), puis on amorce l'enseignement systématique de cette notion à l'étape suivante (élèves de 10-12 ans), avant de le poursuivre et de le consolider avec l'utilisation systématique des outils que sont le modèle de base et les manipulations syntaxiques (élèves de 12-15 ans). C'est au cours de cet enseignement que seront étudiés les divers rôles syntaxiques de la virgule : 1) séparer des unités en les juxtaposant ou en les coordonnant et 2) détacher un complément de P, une phrase incise, un présentatif ou un marqueur d'emphase.

Une progression dans l'enseignement des différents emplois syntaxiques de la virgule peut être établie du milieu du primaire (élèves de 8-12 ans) à la fin du premier cycle du secondaire (élèves de 12-15 ans), d'abord par une sensibilisation, puis par un enseignement systématique en partie décontextualisé, autant que possible en même temps que l'enseignement des unités et des structures syntaxiques à virguler :

- juxtaposition d'unités syntaxiques (appelée alors *énumération*) ;
- détachement de la phrase incise ;
- détachement d'un complément de P ;
- détachement des groupes (autres que ceux qui remplissent la fonction de complément de P) ;
- détachement des connecteurs (marqueurs de relation) ;
- détachement d'un présentatif, des marqueurs d'emphase et de la phrase incidente ;
- effacement d'unités syntaxiques.

Quant aux rôles plus spécifiquement énonciatifs/sémantiques et stylistiques de la virgule, ils seront travaillés systématiquement en observant et en interprétant ses emplois dans des textes lus et écrits.

Cet enseignement peut adopter différentes démarches selon le contexte de la classe et les situations d'enseignement (soit lecture, soit écriture) : des démarches actives de découverte, appelées aussi démarches inductives ou dynamiques, qui permettent l'observation des emplois de la virgule ; le classement de ces emplois ; la formulation d'hypothèses explicatives à leur sujet ; la vérification de ces hypothèses dans des ouvrages didactiques ; la rédaction par les élèves de constats ; la synthèse et la formalisation des savoirs produits (leur institutionnalisation) ; enfin, le réinvestissement contrôlé de ces savoirs dans des activités d'écriture ou de lecture[17]. Ces activités cognitives et langagières sont particulièrement efficaces, mais elles prennent du temps. D'autres démarches ayant un objectif plus ciblé sont présentées dans la section qui suit.

---

**17.** Pour de telles démarches, voir, entre autres, G. Jarno-El Hilali (2014) et M.-P. Dufour et S.-G. Chartrand (2014).

# 3.2. ▍ Des activités-cadres

Les activités présentées ci-après sont appelées *cadres* parce qu'elles sont modulables et adaptables: elles peuvent se faire sur différents corpus à différents moments de la scolarité selon diverses modalités. Les activités 11.1 et 11.2 visent la capacité à analyser des erreurs dans des textes et des phrases produits par les élèves. Les activités 11.3 et 11.4 suscitent une réflexion sur le choix entre une virgule ou un connecteur pour segmenter ses phrases et marquer la valeur sémantique du lien qu'il marque. Enfin, l'activité 11.5 vise à faire réfléchir les élèves sur les possibilités stylistiques de la virgule et l'importance de la ponctuation pour la compréhension et l'interprétation d'un texte, en particulier d'un texte d'un genre littéraire.

On sera sans doute étonné de ne pas trouver une activité consistant à faire ponctuer un texte dont on a retiré la ponctuation ou un texte oral qu'on veut transcrire. Outre le fait que de nombreux manuels ou moyens d'enseignement offrent déjà des activités de ce type, ce choix tient aussi à ce que leur pertinence dépend du travail fait dans la classe en ponctuation: une activité hors contexte perdrait toute pertinence. Relevons que pour une telle activité le choix du texte est crucial: il doit être d'une compréhension aisée, comporter des emplois régulés et normés (du point, de la virgule, des deux-points, principalement) qui peuvent s'imposer par des contraintes grammaticales ou textuelles, dont celles liées à la progression thématique. Il devrait aussi présenter quelques emplois où un choix est possible, ce qui permet une discussion arbitrée par l'enseignant. On illustre ainsi la part de contraintes et de possibilités dans l'emploi de la ponctuation[18].

## Apprendre comment réviser et corriger les virgules dans son texte

Nous avons signalé l'importance qu'il y a à réinvestir les connaissances sur la ponctuation dans le travail de production de textes. S'il est un moment où l'élève doit mobiliser ses connaissances grammaticales, c'est bien à l'étape de la révision-correction de ses textes (courts ou plus longs). Pour qu'il le fasse, il faut plus que l'exhortation: «Corrigez vos erreurs!» Il faut un enseignement constant de cette partie du processus d'écriture qui amène les élèves à se doter d'une procédure et d'outils concrets pour mener à bien cette tâche exigeante et ardue[19].

Compte tenu de la progression proposée, on peut demander aux élèves de la fin du primaire de réviser la ponctuation de leurs textes en trois étapes selon la procédure présentée au tableau 11.1[20].

---

18. Pour une activité de ponctuation d'un texte dans le cadre d'une séquence d'enseignement, voir È.-M. Carrier, J. Demers et M. Labbé (Chartrand, S.-G., dir., 2007).

19. Sur les tenants et aboutissants de cet enseignement, voir le chapitre 14.

20. Les trois étapes de révision-correction sont tirées de la *Grammaire de base* de Chartrand et Simard (2000, p. 29). La deuxième colonne a été ajoutée pour les illustrer.

**TABLEAU 11.1 Réviser la ponctuation dans ses écrits**

| Étapes de révision | Signes concernés |
|---|---|
| 1) Je vérifie si chaque phrase commence par une **lettre majuscule** et se termine par un **point de phrase**. | Point, point d'exclamation, point d'interrogation, points de suspension et majuscule de début de phrase. |
| 2) Je vérifie les **virgules** dans chaque phrase. | La virgule qui permet de séparer des phrases, des groupes, des mots.<br><br>On vérifie les cas suivants :<br><br>• juxtaposition (énumération) de groupes nominaux, verbaux et adjectivaux ;<br><br>• détachement d'un complément de P placé avant le sujet. |
| 3) S'il y a des **paroles rapportées**, je vérifie les signes de ponctuation qui les accompagnent. | Tous les signes marquant les discours rapportés :<br><br>• les guillemets ;<br><br>• les deux-points qui les annoncent ;<br><br>• le tiret ;<br><br>• la virgule précédant la phrase incise ou la virgule double qui l'encadre. |

Cette procédure de vérification de la ponctuation d'un texte en trois étapes est simple et satisfaisante sur le plan didactique en ce qu'elle permet à des élèves du primaire de réviser leurs principaux emplois des signes de ponctuation aux deux plans sur lesquels ces signes interviennent : la syntaxe et l'énonciation. Elle permettra aussi de soulever des questions sur d'autres signes et sur le duo virgule-connecteur. L'enseignant pourra alors répondre au cas par cas, précisant que ces questions seront traitées au secondaire. Il vaut mieux travailler sur un nombre limité et choisi de signes et d'emplois à chaque étape, et s'y tenir afin qu'ils soient maitrisés. Comme la segmentation des phrases par des points et des virgules ne commence que vers 9 ans, il est nécessaire de viser à consolider ces nouveaux acquis chez les élèves de 10-12 ans.

Au début du secondaire, en lien avec le travail sur la notion de phrase, on étudiera d'autres signes ou d'autres usages de ces signes (pour les deux-points), d'autres emplois de la virgule et le choix possible entre divers signes (point, point-virgule ou virgule ; voir la section « La séparation d'unités syntaxiques de même niveau »). Une grille plus précise pour la révision-correction de la ponctuation dans les textes sera progressivement construite en classe au fil des observations dans les textes et de l'étude de la ponctuation. Ainsi, les élèves pourront l'utiliser sans difficulté, car, l'ayant eux-mêmes élaborée, ils la comprendront. Pour chaque texte produit (même très court ou ne faisant pas l'objet d'une notation), une révision-correction rigoureuse devra être faite et, après correction (par les pairs ou l'enseignant), le nombre d'erreurs sera reporté sur la bonne ligne. Cela permet de distinguer les emplois maitrisés de ceux qui le sont moins ou qui ne le sont pas.

Voici ce que pourrait comporter une telle grille pour les élèves de 14-15 ans environ[21].

**FIGURE 11.1** **Grille de consignation des erreurs de ponctuation**

| PO | PONCTUATION | T1 | T2 | T3 | T4 | T5 | T6 | T7 | T8 | T9 | T10 | T11 | T12 | T13 |
|---|---|---|---|---|---|---|---|---|---|---|---|---|---|---|
| **PO1** **PO11** | **POINTS ET MAJUSCULES** points de phrase (. ! ?…) | | | | | | | | | | | | | |
| **PO12** | majuscule de début de phrase | | | | | | | | | | | | | |
| **PO2** **PO21** | **POINT-VIRGULE (;)** à la fin de chaque item dans une liste | | | | | | | | | | | | | |
| **PO3** **PO31** | **DEUX-POINTS (:)** après l'introduction d'un dialogue / d'une citation | | | | | | | | | | | | | |
| **PO32** | avant une énumération annoncée | | | | | | | | | | | | | |
| **PO4** **PO41** | **VIRGULE** avant le sujet, si ce dernier n'est pas au début de la phrase | | | | | | | | | | | | | |
| **PO42** | avant les connecteurs coordonnants (sauf *et*, *ou*, *ni*) | | | | | | | | | | | | | |
| **PO43** | avant les éléments juxtaposés (mots, groupes, phrases) | | | | | | | | | | | | | |
| **PO44** | **double** virgule pour encadrer tout ce qui peut être enlevé sans rendre la phrase incorrecte | | | | | | | | | | | | | |
| **PO45** | avant des marqueurs d'emphase | | | | | | | | | | | | | |
| **PO46** | avant le présentatif *c'est* | | | | | | | | | | | | | |
| **PO47** | marque un effacement | | | | | | | | | | | | | |
| **PO48** | pas de virgule entre le sujet et le prédicat | | | | | | | | | | | | | |
| **PO49** | pas de virgule entre le verbe et ses compléments | | | | | | | | | | | | | |

L'efficacité d'une telle grille a été testée. Son usage systématique permet que les savoirs construits soient réellement mis au service de l'écriture.

---

21. Extrait légèrement modifié de la grille de révision-correction présentée au chapitre 14.

# Analyser les erreurs dans l'emploi de la virgule

Des recherches ont montré l'intérêt de travailler la grammaire en partant, entre autres, de l'analyse des erreurs des élèves, lesquelles sont révélatrices de leur compréhension du fonctionnement de la langue.

**ACTIVITÉ 11.1** ÂGE DES ÉLÈVES : 12 ans

OBJECTIF : apprendre à réviser et à corriger la ponctuation dans ses textes à l'aide d'une grille de correction et reporter dans la grille les erreurs trouvées.

CONSIGNE : en équipes de deux, à l'aide de sa grille, corriger la ponctuation du texte remis, en prêtant attention à l'emploi de la virgule, et reporter les erreurs de ponctuation à la ligne appropriée de la grille.

Texte à corriger

### « Le prince d'ébène »

*Dès le premier soir à l'Académie tous les autres élèves dormaient dans notre dortoir spartiate. Soudain, j'entendis un son qui sonnait comme une mélodie jouée par un violon. Alors je suis sorti de mon malheureux lit tout en quittant la pièce comme un ninja pour aller voir d'où vient ce magnifique chant.*

*En sortant de la pièce, je pris les escaliers ceux-ci étaient d'après moi faites en pierre car en touchant les rampes rudes j'ai pu croire que c'était de la pierre. […]*

(élève de 12 ans)

Texte dont la ponctuation a été corrigée par des élèves avec le code de la grille de la figure 11.1 :

### « Le prince d'ébène »

*Dès le premier soir à l'Académie (P41) tous les autres élèves dormaient dans notre dortoir spartiate. Soudain, j'entendis un son qui sonnait comme une mélodie jouée par un violon. Alors (P41) je suis sorti de mon malheureux lit tout en quittant la pièce (P44) comme un ninja (P44) pour aller voir d'où vient ce magnifique chant.*

*En sortant de la pièce, je pris les escaliers (P11) ceux-ci étaient (P44) d'après moi (P44) faites en pierre (P42) car en touchant les rampes rudes (P41) j'ai pu croire que c'était de la pierre. […]*

Les élèves correcteurs ont reconnu trois cas de virgule de détachement manquante (P41) et l'absence de virgule avant le connecteur coordonnant *car* (P42) : ce sont des erreurs. Par contre, le choix de mettre une double virgule (P44) devra être justifié, car cela peut être discuté. De même, la segmentation avec un point (P11) devra être discutée, car un point-virgule pourrait aussi être adéquat.

Plus les élèves travailleront sur des copies qui ne sont pas les leurs, plus l'activité de correction sera facile. Il y aura de plus fortes chances qu'ils y retrouvent les mêmes erreurs que celles qu'ils font eux-mêmes, ce qui les aidera donc quand viendra le temps de réviser et de corriger leur propre copie. Le travail en équipes de deux, bien qu'il ne soit pas toujours facile à gérer, est formateur en ce qu'il suscite la discussion, voire le développement d'aptitudes à justifier ses dires et à argumenter.

OBJECTIF :  apprendre à corriger les erreurs de virgule et à justifier sa correction.

CONSIGNE :  en équipes de deux, repérer l'erreur de virgule dans chaque phrase, indiquer le numéro de l'erreur dans la grille de correction et la règle enfreinte, puis corriger les phrases.

Une fois le travail fait, chaque équipe expose devant la classe sa correction et la justifie. Les élèves doivent alors corriger ou compléter un tableau comme celui qui suit.

| P | Exemples d'erreur | Numéro de l'erreur dans la grille de correction et règle concernée |
|---|---|---|
| 1 | *Le plus grand, ne veut pas sortir.<br><br>Le plus grand ne veut pas sortir. | **PO48** La virgule simple ne doit pas séparer le sujet et le prédicat. |
| 2 | *Le lendemain ils se rejoignent sur une pierre qui était au-dessus de l'eau.<br><br>Le lendemain, ils se rejoignent sur une pierre qui était au-dessus de l'eau. | **PO41** La virgule détache un complément de phrase placé au début de la phrase, avant le sujet. |
| 3 | *Viens voir dit-il dépêche-toi.<br><br>Viens voir, dit-il, dépêche-toi. | **PO44** La double virgule détache une phrase incise dans une P. |
| 4 | *Quelques jours plus tard, Marcel se sentait bien à la place de Bibot mais, il n'aimait pas être dentiste.<br><br>Quelques jours plus tard, Marcel se sentait bien à la place de Bibot, mais il n'aimait pas être dentiste. | **PO42** La virgule détache un coordonnant comme le connecteur *mais*, en le précédant. |
| 5 | *Ma nièce cherche toujours sa montre et sa mère la clef de la voiture.<br><br>Ma nièce cherche toujours sa montre et sa mère, la clef de sa voiture. | **PO47** La virgule marque l'effacement de la même unité syntaxique et sémantique (*cherche*). |
| 6 | *Lucie très excitée courait de boutique en boutique à la veille de Noel.<br><br>Lucie, très excitée, courait de boutique en boutique à la veille de Noël. | **PO44** La double virgule détache un complément de nom. |
| 7 | *Mon frère mangeait toujours, des gâteaux ou des bonbons et du chocolat avant un match.<br><br>Mon frère mangeait toujours des gâteaux ou des bonbons et du chocolat avant un match. | **PO49** La virgule simple ne doit pas séparer le verbe de ses compléments directs ou indirects. |
| 8 | *Le chocolat au lait je l'adore.<br><br>Le chocolat au lait, je l'adore. | **PO45** Une virgule doit détacher le groupe mis en emphase à l'initiale de la phrase, ici le GN qui est repris par le pronom *l'*. |

L'objectif global du travail sur les erreurs les plus fréquentes d'utilisation de la virgule est d'attirer l'attention des élèves sur l'importance et la polyvalence de ce signe.

## Apprendre à choisir entre virgules et connecteurs

Dans les textes des jeunes scripteurs, des connecteurs, principalement *et* et *alors,* servent à joindre les énoncés. Plusieurs chercheurs y voient des traces de l'oralité. Il faut aider progressivement ces élèves à supprimer certains connecteurs passepartout au profit du point, de la virgule et/ou d'autres connecteurs.

**ACTIVITÉ 11.3**    ÂGE DES ÉLÈVES :   10 ans

OBJECTIF :       amener les élèves à ponctuer davantage leurs textes et à choisir le connecteur approprié au sens.

L'enseignante a écrit au tableau le texte qui suit ; elle demande aux élèves de le lire silencieusement :

> [...] *et il voit plein de personnes qui jouent et s'amusent et Jordi rentre chez lui et demain il y reva [revint] et il voit tous les enfants jouer et qui s'amusent et Jordi se fait un château de sable et là il y a une fille qui vient le voir et lui dit [...].*

Un dialogue s'engage : l'enseignante demande aux élèves s'ils ont bien compris le texte. Devant les hésitations de certains, elle demande ce qui ne va pas, attire l'attention sur le nombre de points de phrase. Les élèves considèrent qu'il y a trop d'occurrences du connecteur *et*, mais pas assez de points ni de virgules. Après une discussion sur la place des points et des virgules, la classe s'entend sur la ponctuation suivante :

> [...] *et* **Il** *voit plein de personnes qui jouent,* ~~et~~ *s'amusent* **et** *Jordi rentre chez lui.* ~~et~~ **Demain** *il y revint* **et** *il voit tous les enfants jouer et qui s'amusent.* ~~et~~ *Jordi se fait un château de sable* **et** *là, il y a* **vu** *une fille qui vient le voir et lui dit [...].*

Plusieurs élèves disent qu'il y a d'autres problèmes que celui de la ponctuation et de l'emploi excessif de *et*. Suit une autre discussion pour améliorer le texte, en particulier pour clarifier la trame narrative et le mode-temps des verbes. Comme les élèves ont commencé à étudier le passé simple aux troisième et sixième personnes, ils proposent des corrections. L'enseignante insiste pour que les corrections faites ne transforment trop le texte, qui doit rester le plus proche possible du texte d'origine.

Voici la version améliorée selon la consigne :

> [...] **Il** *voit plein de personnes qui jouent et s'amusent. Ensuite, Jordi rentre chez lui. Le Lendemain, il y revint et il vit tous les enfants jouer et s'amuser sur la plage. Jordi se faisait un château de sable et, là, il vit une fille qui vient le voir et lui dit [...].*

Le lendemain, l'enseignante réécrit le texte au tableau et demande si l'on ne pourrait pas encore l'améliorer. Voici le texte sur lequel la classe s'entend[22] :

> [...] *Jordi vit plein de personnes qui jouaient et qui s'amusaient.* **Ensuite**, *il rentra chez lui. Le lendemain, il y revint. Il vit* **alors** *tous les enfants jouer et s'amuser. Jordi se fit un château de sable. Soudain, une fille vint le voir et lui dit [...].*

---

**22.** Travail fait au Québec dans une classe de deux degrés du primaire (élèves de 9-11 ans).

Le texte a été davantage segmenté (cinq points, autant de majuscules de début de phrase et trois virgules) ; deux connecteurs (*ensuite*, *alors*) et un organisateur textuel (*Soudain*) ont été ajoutés et les modes-temps des verbes ont été changés[23].

Au secondaire, il faut amener les élèves à saisir qu'il y a des choix à faire entre une virgule et un connecteur précédé d'une virgule, comme dans l'activité qui suit.

**ACTIVITÉ 11.4**   ÂGE DES ÉLÈVES : 14-15 ans

OBJECTIF :        montrer que la virgule, à l'instar d'un connecteur coordonnant, peut suffire à exprimer une relation de sens entre deux groupes ou deux P.

CONSIGNE :        en équipes de deux, interpréter le sens des virgules dans la série de phrases proposées et indiquer quels connecteurs pourraient s'y substituer ; dans les cas où le choix de connecteurs de différentes valeurs sémantiques est possible, demander aux élèves de restituer le contexte de l'énoncé en ajoutant une phrase, par exemple.

Précisons que ce travail est ardu. Après une discussion en classe, les élèves arrivent à s'entendre sur le choix des connecteurs (deuxième colonne) ; par contre, de nombreux échanges sont nécessaires pour nommer le sens des connecteurs dans ces phrases (troisième colonne)[24].

**TABLEAU 11.2  Interpréter le sens d'une virgule**

| Corpus de phrases | Connecteurs | Liens sémantiques |
|---|---|---|
| 1) *Les bus ne circulent plus, la rivière est sortie de son lit.* | *parce que* | cause |
| 2) *Tu mettras le couvert, je viderai le lave-vaisselle.* | *pendant que, quand, tandis que, et* | temps |
| 3) *Le volant lui glissait des mains, il avait peur.* | *car* | cause |
| 4) *Tu peux toujours insister, je ne viendrai pas chez toi.* | *mais, toutefois* | opposition |

Dans cette activité, qui implique des compétences de compréhension fine, il est important d'attirer l'attention des élèves sur le fait que les connecteurs ont souvent des sens différents selon le contexte. L'un des prolongements possibles de cette activité est d'apprécier les valeurs sémantiques exprimées par les virgules des extraits des textes littéraires à l'étude.

La Bruyère, par exemple, emploie habilement la virgule dans ses *Caractères*, en particulier dans *Giton*, texte dans lequel on peut apprécier l'effet ironique d'une succession de phrases juxtaposées :

> Il interrompt**,** il redresse ceux qui ont la parole : on ne l'interrompt pas**,** on l'écoute aussi longtemps qu'il veut parler ; on est de son avis**,** on croit les nouvelles qu'il débite.

Cité par Bonnard, H., *Procédés annexes d'expression*, Magnard, 1989, p. 119.

---

**23.** On ne discutera pas les choix des modes-temps verbaux faits. Notons la reprise pronominale (*y*) qui n'est pas encore maitrisée.

**24.** Cette activité peut être vue comme une amorce de réflexion qui devra se poursuivre lors de la lecture en classe.

## Apprendre à interpréter les emplois de la virgule dans un texte littéraire, ou comment Balzac joue de la virgule

**ACTIVITÉ 11.5** ÂGE DES ÉLÈVES : 14-16 ans

OBJECTIF : intégrer l'enseignement de la virgule à l'étude d'un portrait figurant dans un roman classique pour mieux saisir ses emplois syntaxiques et stylistiques.

Comme recommandé en 1.2, l'enseignement de la ponctuation devrait être articulé le plus souvent possible aux apprentissages liés aux différents genres textuels en lecture comme en écriture, d'où le choix du texte de Balzac pour observer, notamment, le jeu stylistique de la virgule dans le portrait d'un personnage pittoresque: l'illustre Gaudissart. Cette activité combine interprétation de texte littéraire et révision partielle des usages de la virgule étudiés jusqu'alors; elle est conçue à l'intention de classes de la fin du premier cycle du secondaire que les enseignants jugeront prêtes à un tel exercice. Elle peut aussi déboucher, à l'initiative de l'enseignant et selon la classe, sur l'écriture par les élèves d'un portrait décrivant un personnage, tout aussi pittoresque, de leur connaissance, texte d'imitation s'inspirant de celui de Balzac. Les élèves constateront ainsi que l'apprentissage de la virgule n'est pas forcément ennuyeux. Cette activité pourrait s'insérer dans une séquence sur le portrait et, plus généralement, la description.

### Déroulement de l'activité et consignes

#### 1. Distribution et présentation du texte ; lecture expressive par l'enseignant

Au début de son roman, *L'illustre Gaudissart*, Balzac présente son personnage principal, le Commis-Voyageur, dont il dit que c'est une des plus curieuses figures créées par les mœurs de l'époque (le début des années 1830). Ce colporteur, le Voyageur, parcourt la province pour vendre divers produits et diffuser les nouvelles ou les idées récentes.

L'enseignant lit d'abord lui-même le texte à haute voix pour faire sentir le rythme des phrases. Il donne rapidement le sens de mots non compris signalés par les élèves.

---

### Extrait de *L'illustre Gaudissart*

*Il se nommait Gaudissart et sa renommée, son crédit, les éloges dont il était accablé lui avaient valu le surnom d'illustre. Partout où ce garçon entrait, dans un comptoir comme dans une auberge, dans un salon comme dans une diligence, dans une mansarde comme chez un banquier, chacun de dire en le voyant: – Ah! voilà l'illustre Gaudissart. Jamais nom ne fut plus en harmonie[25] avec la tournure, les manières, la physionomie, la voix, le langage d'aucun homme. Tout souriait au Voyageur et le Voyageur souriait à tout.*

*Doué de l'éloquence d'un robinet d'eau chaude que l'on tourne à volonté, il est capable également d'arrêter et de reprendre sans erreur sa collection de phrases préparées qui coulent sans arrêt et produisent sur sa victime l'effet d'une douche. Éloquent, égrillard, il fume, il boit. Il a des breloques, il impose aux gens de menu[26], passe pour un milord dans les villages, ne se laisse jamais embêter et sait frapper à temps sur sa poche pour faire retentir son argent, afin de n'être pas pris pour un voleur par les servantes, éminemment défiantes, des maisons bourgeoises où il pénètre.*

Honoré de Balzac (1833). *L'illustre Gaudissart*. Paris: Charles Gosselin.

---

25. Considérer *être en harmonie* comme une locution verbale, l'équivalent d'un verbe qui peut avoir des compléments.

26. *Gens de menu*: «Se disait autrefois des personnes de basse condition, sans importance sociale». *Dictionnaire de l'Académie française*, 1839. On dirait aujourd'hui *des gens modestes*, mais on perdrait ainsi une bonne partie de la connotation du terme.

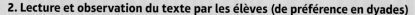

### 2. Lecture et observation du texte par les élèves (de préférence en dyades)

L'enseignant demande aux élèves de lire le texte à leur tour, d'observer et de noter, en les illustrant par des exemples, les procédés utilisés par Balzac pour refléter le débit des paroles de son personnage, qu'il compare à celui «d'un robinet d'eau chaude». Si nécessaire, suggérer d'observer la longueur (différente, en l'occurrence) des phrases, la façon dont elles s'enchainent et le rôle de la ponctuation dans la séparation et l'enchainement des phrases.

### 3. Mise en commun

La mise en commun devra mettre l'accent à la fois sur la structuration des phrases et sur l'utilisation de la ponctuation: points et virgules. Voici quelques constats et commentaires possibles sur les procédés utilisés:

- Des phrases longues, en particulier «Doué de l'éloquence d'un robinet d'eau chaude…», qui, elles, s'écoulent sans virgule ou presque. Mais aussi la dernière phrase, interminable, de l'extrait: «Il a des breloques…», décrivant le personnage. On devait avoir de la peine à interrompre le flot des paroles de l'illustre Gaudissart embarqué dans une tirade (de lui «fermer le caquet», sinon le robinet).

- Des phrases segmentées par de nombreuses virgules, juxtaposant notamment différentes unités de la phrase. Elles correspondent bien aux énumérations qui émaillent le discours du colporteur vantant les différents articles de sa camelote. On peut aussi faire relever la rupture du rythme des phrases longues par le surgissement de la phrase courte «Conteur, égrillard, il fume, il boit.», avec la juxtaposition de ses quatre éléments par trois virgules. En bon orateur, le Voyageur devait varier le rythme de son discours.

### 4. Analyse des virgules

L'enseignant annonce qu'on va passer à l'analyse des virgules dans le texte pour saisir leur rôle dans la description du personnage; il distribue le tableau ci-après et donne les consignes suivantes:

1) Analysez les emplois de la virgule dans ce texte.

2) Repérez ses différents usages en vous référant au tableau 11.3 distribué (tableau ci-après; ce tableau présente davantage de cas que la grille de consignation des erreurs utilisée pour l'activité 1) et notez, au-dessus de chaque virgule, le numéro (par exemple, 1a, 3c) correspondant au cas ou aux cas auxquels elle correspond.

Amorcer éventuellement l'activité en analysant la première phrase avec les élèves.

Notons que le point délicat de ces analyses tient au fait que la virgule peut servir à la fois à juxtaposer des groupes et à détacher ces mêmes groupes juxtaposés en début ou en fin de phrase (précisons que les deux emplois ne sont pas exclusifs). Prenons la phrase suivante:

> «*Partout où ce garçon entrait,* **1d/2a** *dans un comptoir comme dans une auberge,* **1d/2a** *dans un salon comme dans une diligence,* **1d/2a** *dans une mansarde comme chez un banquier,* **2a** *chacun de dire en le voyant […]*»

On peut choisir de signaler chaque fois, comme nous l'avons fait ci-dessus, les deux rôles de la virgule ou n'identifier le détachement (**2a**) qu'après le dernier complément de P (on relèvera à ce propos que *Partout* est repris et précisé par les compléments de P exprimant le lieu qui suivent). Même remarque concernant la phrase «Conteur, **1d/3c** égrillard, **3d** il fume […]»: la première virgule contribue également à la juxtaposition des deux groupes remplissant la fonction de complément du pronom *il*.

**TABLEAU** **11.3** **Divers usages de la virgule**

| Séparer des groupes juxtaposés[27] | Exemples[28] |
|---|---|
| **1a :** des sujets | ***Le softball, le football féminin, le volley-ball de plage et le VTT*** *furent les quatre nouvelles disciplines aux Jeux d'été de 1996.* |
| **1b :** des prédicats | *La grande championne **franchit la ligne d'arrivée, s'arrête, puis s'écroule**.* |
| **1c :** des compléments du verbe | *Depuis une heure, l'escrimeur raconte **ses succès, ses échecs, ses projets**.* |
| **1d :** des compléments de P avant le sujet | ***Dès quatre heures, avant le réveil des autres athlètes**, Louis-Philippe s'entraine.* |
| **1e :** des compléments de P après le prédicat, avec un effet d'insistance | *Les gens ont fait la queue **la veille déjà, aux aurores**.* |
| **Détacher un complément de P** | |
| **2a :** placé au début de la phrase, avant le sujet | ***Jusqu'en fin de soirée**, les spectateurs attendent la remise des trophées.* |
| **2b :** placé en fin de phrase | *Il a liquidé une bonne partie de sa bibliothèque, **pour faire place aux ouvrages dont il a hérité**.* |
| **2c :** placé entre le sujet et le prédicat, entre deux virgules | *Les spectateurs, **jusqu'en fin de soirée**, attendent la remise des trophées.* |
| **Détacher un complément de nom ou de pronom** | |
| **3a :** groupe nominal placé immédiatement après le nom ou le pronom (apposition nominale), entre deux virgules | *Le cromorne, **un instrument ancien**, n'est que rarement joué de nos jours.* |
| **3b :** groupe adjectival placé immédiatement après le nom ou le pronom (épithète détachée), entre deux virgules | *Max, **effrayé par notre chien**, détala à grandes enjambées.* |
| **3c :** groupe nominal placé devant le nom ou le pronom au début de la phrase (apposition nominale) | ***Fieffé menteur**, il s'étonne que personne ne le croie.* |
| **3d :** groupe adjectival placé devant le nom ou le pronom au début de la phrase (épithète détachée) | ***Folle de joie**, Maïka informa ses parents de son succès inattendu.* |

---

27. L'enseignant adaptera bien sûr la terminologie adoptée à celle connue par ses élèves.

28. La plupart de ces exemples sont empruntés à S.-G. Chartrand et coll. (1999), p. 280-282.

**Proposition de corrigé**

Il se nommait Gaudissart et sa renommée, [1a] son crédit, [1a] les éloges dont il était accablé lui avaient valu le surnom d'*illustre*. Partout où ce garçon entrait, [1d/2a] dans un comptoir comme dans une auberge, [1d/2a] dans un salon comme dans une diligence, [1d/2a] dans une mansarde comme chez un banquier, [1d/2a] chacun de dire en le voyant: – Ah! voilà l'illustre Gaudissart. Jamais nom ne fut plus en harmonie avec la tournure, [1c] les manières, [1c] la physionomie, [1c] la voix, [1c] le langage d'aucun homme. Tout souriait au Voyageur et le Voyageur souriait à tout.

Doué de l'éloquence d'un robinet d'eau chaude que l'on tourne à volonté, [3d] il est capable également d'arrêter et de reprendre sans erreur sa collection de phrases préparées qui coulent sans arrêt et produisent sur sa victime l'effet d'une douche. Conteur, [3c] égrillard, [3d] il fume, [1b] il boit. Il a des breloques, [1b] il impose aux gens de menu, [1b] passe pour un milord dans les villages, [1b] ne se laisse jamais embêter et sait frapper à temps sur sa poche pour faire retentir son argent, [2b] afin de n'être pas pris pour un voleur par les servantes, [3b] éminemment défiantes, [3b] des maisons bourgeoises où il pénètre.

**5. Prolongement de cette activité**

Un prolongement, notamment dans le cadre d'une séquence d'enseignement sur la description ou le portrait, consisterait à faire réutiliser les procédés repérés aux étapes précédentes, en particulier l'utilisation de la virgule. Voici la consigne: «Rédigez le portrait de quelqu'un de votre connaissance qui parle ou bouge beaucoup, en utilisant points et virgules pour marquer cette habitude chez votre personnage. Identifiez les usages que vous avez faits de la virgule en utilisant le même tableau.» Le cas échéant, lors de la réécriture, l'enseignant pourra aider les élèves à enrichir leurs phrases en se référant aux possibilités mentionnées au tableau 11.3.

Rappelons que ces quelques activités-cadres devront, bien entendu, être remodelées pour chaque situation didactique particulière.

# Conclusion

De tous les signes de ponctuation, la virgule est le plus fréquent, le plus polyvalent et le plus maltraité. De rarissime au début de la scolarité, il devient omniprésent quelques années plus tard, où il est utilisé de façon assez aléatoire, souvent à la place d'un point. Il semble en effet que, même à 15 ans, les élèves n'aient pas encore développé une conscience claire de ses différents usages. Comment pourrait-il en être autrement? La didactisation de l'objet est encore balbutiante; la majorité des ouvrages didactiques témoignent de la plus grande confusion, quand ils ne prêchent pas un rigorisme des plus discutables et éloigné des usages courants.

Dans ce chapitre, nous avons voulu relever le défi consistant à répondre à la fois au scepticisme des enseignants à l'égard de cet objet d'étude (est-il possible de l'enseigner?) et à l'incompréhension attestée des élèves. Revenons sur les principes d'enseignement de la virgule qui sous-tendent notre réflexion et qui appellent un changement de pratiques didactiques:

1. dans la planification de son enseignement, partir des besoins manifestes dans les écrits des élèves afin de mesurer où ceux-ci en sont dans leur appréhension du système de la ponctuation, particulièrement en ce qui concerne les emplois de la virgule;

2. ne pas toujours traiter la virgule isolément des autres signes; au contraire, il est nécessaire de montrer, d'une part, qu'elle peut être remplacée par d'autres signes à l'occasion et, d'autre part, qu'elle fait partie d'un système de signes;

3. alterner les observations de la virgule dans les textes, tantôt en lecture, tantôt en production, par un travail organisé qui permet de travailler les connaissances grammaticales des apprenants tout en développant leurs compétences d'écriture et de compréhension de textes de genres divers;

4. lier l'enseignement systématique de la virgule à celui de la syntaxe, selon une progression spiralaire, tout en explorant les dimensions énonciative, sémantique et stylistique du signe;

5. faire de la ponctuation et de l'attention portée à la virgule un élément incontournable de la révision-correction de tout texte produit en classe ou pour la classe;

6. présenter des corpus suffisamment étoffés et variés en termes de genre.

Une chose est certaine: pour accepter de modifier ses pratiques, il faut sentir qu'on domine l'objet à enseigner, ce qui suppose une formation initiale et continue qui fasse une place à la ponctuation ainsi que des outils plus rigoureux pour l'enseigner, car ce n'est pas parce que la virgule est minuscule qu'elle n'a pas droit à un traitement au moins aussi sérieux que celui de l'accord du participe passé employé avec l'auxiliaire *avoir* – dont l'accord effectif est relativement rare, alors que la virgule, elle, est omniprésente dans les textes. Ce chapitre compte un nombre nettement plus important de virgules que de participes passés accordés! Et puis, enseigner la virgule, c'est tellement plus stimulant qu'enseigner le vénérable accord du participe passé: cela soulève des questions fort intéressantes sur la syntaxe, l'énonciation, le sens, les genres textuels, les possibles choix conscients du scripteur, bref, sur tout ce qui fait que la langue est vivante!

## Références bibliographiques de base

Bessonnat, D. et Brissaud, C. (2001). De la ponctuation. Dans *L'orthographe au collège. Pour une autre approche*. Paris : CRDP Delagrave, p. 217-239.

Catach, N. (1994). *La ponctuation*. Paris : PUF, coll. « Que sais-je ? ».

Chartrand, S.-G. et McMillan, G. (2002). *Cours autodidacte de grammaire française. Activités d'apprentissage et corrigés* (chapitre 9). Boucherville : GRAFICOR.

Chartrand, S.-G., Aubin, D., Blain, R. et Simard, Cl. (1999/2011). *Grammaire pédagogique du français d'aujourd'hui* (chapitre 28). Boucherville : GRAFICOR / 2ᵉ éd., 2011 : Montréal : Chenelière Éducation.

David, J. et Vaudrey-Luigi, S. (dir.) (2014). Enseigner la ponctuation. *Le français aujourd'hui*, nº 187.

Drillon, J. (1991). *Traité de la ponctuation française*. Paris : Tel Gallimard.

Dunand, F., Tuil-Cohen, C. et Vernet, C. (2001). *Mémento de la ponctuation à l'usage des élèves*. Genève : Département de l'instruction publique.

Narjoux, C. (2010). *La ponctuation. Règles, exercices et corrigés*. Bruxelles : De Boeck-Duculot.

*Pratiques* (1991). La ponctuation, nº 70.

Popin, J. (1998). *La ponctuation*. Paris : Nathan, coll. « 128 ».

## Ressources internet à consulter

Carrier, È.-M., Demers, J. et Labbé M. (Chartrand, S.-G., dir., 2007). *Démarche active de découverte sur des rôles syntaxiques de la virgule : le détachement, la juxtaposition et la coordination*. En ligne : http://www.enseignementdufrancais.fse.ulaval.ca/fichiers/site_ens_francais/modules/document_section_fichier/fichier__09aba42ea70a__DADD_virgule_juxtaposer_detacher_coordonner.pdf

Pageau, S., Vallières, C. et Létourneau, L. (Chartrand, S.-G., dir., 2007). *Démarche active de découverte sur l'emploi syntaxique de la virgule pour tout détachement avant le sujet de P*. En ligne : http://www.enseignementdufrancais.fse.ulaval.ca/fichiers/site_ens_francais/modules/document_section_fichier/fichier__261e15f6e0c9__DADD_virgule_detacher_sujet_de_P.pdf

## Autres références bibliographiques

Chartrand, S.-G. (2010). La virgule, ses emplois, son enseignement. *Correspondance*, vol. 16, nº 1, p. 21. En ligne : www.enseignementdufrancais.fse.ulaval.ca/document/?no_document=1004

Dufour, M.-P. (2014). *Des traités de ponctuation à la classe : didactisation d'un objet de savoir*. Mémoire de maitrise en didactique, Université Laval (Québec), Canada. En ligne : www.theses.ulaval.ca/2014/31025/31025.pdf

Dufour, M.-P. et Chartrand, S.-G. (2014). Enseigner le système de la ponctuation. *Le français aujourd'hui*, nº 187, p. 91-99. En ligne : www.enseignementdufrancais.fse.ulaval.ca/document/?no_document=2444

Jarno-El Hilali, G. (2014). Un dispositif d'enseignement de la ponctuation pour apprendre à mieux écrire. *Le français aujourd'hui*, nº 187, p. 101-113.

Paolacci, V. et Rossi-Gensane, N. (2014). Ponctuation et écrits d'élèves : quelques propositions pour enseigner la ponctuation autrement. *Le français aujourd'hui*, nº 187, p. 115-125.

Paolacci, V. (2005). *Didactique de la ponctuation en production écrite dans l'articulation école-collège*. Thèse de doctorat, Université Toulouse 2 – Jean Jaurès, France.

# Annexe

## Pavane de la virgule

«Quant à *Moi!*», dit la virgule,
J'articule et je module;
Minuscule, mais je régule
Les mots qui s'emportaient!
J'ai la forme d'une Péninsule;
À mon signe la phrase bascule.
Avec grâce je granule
Le moindre opuscule.
Quant au point!
Cette tête de mule
Qui se prétend mon cousin!
Voyez comme il se coagule,
On dirait une pustule,
Au mieux: un grain de sarrasin.
Je le dis sans préambule:
Les poètes funambules
Qui, sans *Moi*, se véhiculent,
Finiront sans une notule
Au Grand Livre du Destin!»

Andrée Chédid,
*Grammaire en fête*, 2003

# L'enseignement de la reprise de l'information à la jonction du secondaire inférieur et supérieur

**MARIE-CHRISTINE PARET** ET **SUZANNE RICHARD**[1]

---

**1.** Avec la collaboration de Jacques Lecavalier.

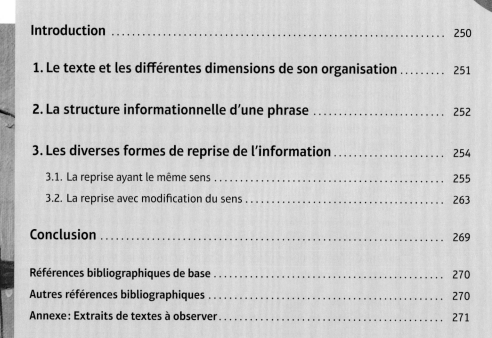

# Introduction

Un des objectifs fondamentaux de la scolarité obligatoire est d'amener les élèves à un certain degré de maitrise de la lecture et de l'écriture. Cet objectif représente un défi important pour plusieurs élèves en classe de français au secondaire. La méconnaissance des procédés qui concourent à l'organisation d'un texte est à la source de nombreuses difficultés et erreurs chez les scripteurs et lecteurs novices. Celles qui nous intéressent ici sont du type: *Les personnes touchées par l'ouragan seront peut-être dédommagées; ils devront s'organiser en attendant,* où le pronom de reprise (ou substitut) *ils* prend la place de la forme attendue *elles,* erreur due vraisemblablement à la proximité de sens entre les *personnes* et les *gens.* Ce sont ces erreurs qui peuvent conduire à des formulations qui font sourire comme: «*Le Président de la cour d'Assises disparait sous le plancher: il était pourri[2].*»

La construction du sens d'un texte pour un lecteur – et pour celui qui le produit – résulte, en plus de certaines connaissances culturelles, de la capacité à gérer les indices qui permettent de suivre l'enchainement du discours. Ces indices sont de diverses natures. Certains sont davantage travaillés en classe, comme les connecteurs (marqueurs de relation), alors que d'autres ne le sont pas autant, bien que leur rôle soit essentiel: il s'agit des différents moyens d'assurer la continuité d'une phrase à l'autre par la reprise d'éléments d'information.

Le terme auquel renvoie la reprise (substitut ou anaphore) doit apparaitre de manière suffisamment explicite dans le contexte verbal qui précède (ou cotexte). De plus, les formes de reprise seront très différentes d'un genre de texte à l'autre. Par exemple, le traitement de la répétition différera beaucoup dans un roman et dans un texte savant de type documentaire ou scientifique (où les synonymes sont soit inexistants, soit trop approximatifs).

Dans le travail sur les textes à lire ou à écrire en classe, ce qui importe, ce ne sont pas les étiquettes qu'on peut apposer sur les diverses formes des reprise (cela pourra avoir son intérêt dans un second temps), mais le rapport de sens entre la reprise et le mot ou groupe de mots auquel elle renvoie[3].

Pour aborder la question de la reprise de l'information, nous reviendrons brièvement sur la notion de texte et sur ce qui concourt à son organisation (première partie), puis nous rappellerons en quoi consiste la structure informationnelle d'une phrase (deuxième partie) afin de mieux saisir la signification des diverses formes de reprise de l'information (troisième partie). Nous joignons, pour chacune de ces formes de reprise, des suggestions d'activités didactiques en lien avec les questions traitées. Elles portent sur vingt extraits de textes (en annexe), s'adressent aux enseignants d'élèves de 14-16 ans et permettent également d'effectuer un travail de révision sur ce qui aura été vu au primaire et au début du secondaire. Elles doivent être vues comme des pistes parmi lesquelles l'enseignant fera un choix en fonction des besoins de sa

---

**2.** Exemple emprunté à Reichler-Béguelin, 1988, p. 79.

**3.** Nous ne travaillerons pas ici les caractéristiques des reprises dans le système de l'oral courant, qui s'appuie sur le contexte extérieur, alors que celui de l'écrit standard ne doit compter, pour son interprétation, que sur ce que contient le texte.

classe. Pour ce type d'activités, le choix d'un passage d'un texte peut être complexe, car le nombre d'occurrences d'un même procédé de reprise est, pour certains d'entre eux, très limité. De plus, plusieurs procédés de niveaux de difficulté différents peuvent se combiner. Ce chapitre se conclut par des activités de synthèse.

# 1. Le texte et les différentes dimensions de son organisation

Un texte n'est pas un assemblage aléatoire de phrases. Bien que le concept de texte recouvre une réalité très vaste, il est possible de mettre en évidence des caractéristiques communes à tout texte, quel qu'en soit le genre. La plus évidente au premier abord est non linguistique : c'est la mise en page, qui délimite les grandes parties de tout texte par l'emploi des espacements, de la numérotation des parties, des titres et intertitres, puis par l'organisation en paragraphes.

Sur le plan linguistique, pour qu'une suite de phrases constitue un texte, plusieurs conditions sont indispensables. D'une part, il faut que cette suite de phrases crée une impression d'unité autour d'un ou de plusieurs thèmes (sujets) et de continuité, c'est-à-dire qu'on puisse repérer un lien entre les phrases : une cohérence[4]. D'autre part, chaque phrase doit apporter des éléments d'information nouveaux pour que le texte progresse, ne tourne pas en rond[5]. Donc **cohérence**, d'une part, et **progression**, de l'autre. Ainsi un texte est une suite d'unités liées, les phrases, qui doit progresser vers une fin. Cette dimension est rattachée au plan d'ensemble du texte qui relève d'une forme spécifique selon le genre : le texte comporte donc le rappel de certains éléments, mais des informations relativement nouvelles doivent aussi apparaitre au fil de sa progression. De plus, aucun segment ne peut y être introduit sans que soit fait un lien sémantique avec ce qui y a déjà été exprimé. Ces liens sont tissés à l'aide des moyens présentés sommairement ci-dessous.

1. L'emploi des procédés de connexion permet de marquer, par exemple, les articulations d'un raisonnement, l'organisation dans le temps ou l'espace, l'ordre, la hiérarchie, etc. Ce sont d'une part les **connecteurs**, c'est-à-dire des mots ou des expressions qui relient entre elles des parties de phrases ou des phrases, et d'autre part les **organisateurs textuels** qui balisent les différentes grandes parties d'un texte[6].

2. L'emploi des **temps des verbes**, en combinaison avec les organisateurs temporels, contribue aussi à donner au texte sa cohérence en situant les propos (faits ou évènements) entre eux (antériorité, postériorité, simultanéité) ou par rapport au moment de l'énonciation.

3. La **structure syntaxique** des phrases concourt aussi à la cohérence par le jeu des déplacements des constituants par rapport à l'ordre courant sujet-prédicat.

---

4. Comme beaucoup d'auteurs, nous incluons la cohésion dans la cohérence. Pour la discussion de cette question, voir *Une ressource pour la compréhension et l'écriture des textes : la grammaire textuelle*. En ligne : www.mcparet.com/articles-et-travaux

5. On peut toujours déjouer ces règles pour produire des effets stylistiques.

6. Pour cette distinction, voir Chartrand, Aubin, Blain et Simard (1999/2011).

4. La **ponctuation** indique souvent des relations entre des unités syntaxiques. Ainsi la virgule ou le point-virgule marquent le rapprochement à établir entre des groupes ou des phrases juxtaposés. Les deux-points établissent un rapport de sens entre deux phrases ou parties de phrase (cause, conséquence, énumération) : *Je ne suis pas sortie : il commençait à neiger. / L'opération était mal préparée : elle a échoué*[7].

5. Enfin, et c'est ce que nous allons approfondir dans ce chapitre, une dimension essentielle de l'organisation du texte, de sa cohérence, est construite grâce à un système de renvois de certaines unités du lexique à d'autres déjà exprimées dans le texte. On dit alors qu'il y a **reprise de l'information** d'une P à une autre[8].

Dans certains cas, le passage d'une phrase à l'autre peut se faire sans enchainement visible, car le lecteur cherche une cohérence à ce qu'il lit en s'appuyant sur les connaissances sur le monde qu'il partage avec l'auteur. L'auteur peut compter alors sur la collaboration du lecteur pour établir des liens de manière implicite. On dit que ce dernier fait des *inférences*. Cependant, ces liens implicites ne doivent pas être trop lâches, de sorte que le lecteur puisse traiter l'information : par exemple, on peut comprendre que la désignation *un froid intense…* soit reprise par *l'air scintillait…* dans la mesure où l'effet du froid sur la vapeur d'eau est connu du lecteur.

# 2. La structure informationnelle d'une phrase[9]

À propos de la nécessité d'assurer la continuité des informations dans le texte tout en y intégrant des informations nouvelles, rappelons ce qu'on nomme la *structure informationnelle de la phrase*. Chaque phrase d'un texte est organisée d'une manière particulière en ce qui concerne l'information qu'elle contient : d'une part, elle reprend des éléments de contenu mentionnés auparavant, ce qu'on appelle le **thème**, et, d'autre part, elle introduit des informations nouvelles : le **propos** (ou rhème). Ainsi, on assure à la fois un lien avec ce qui précède et une progression dans le contenu du texte. Le thème est l'élément de la phrase qui apporte le moins d'informations nouvelles ou importantes, c'est-à-dire qui a le moins de dynamisme communicatif, puisqu'il reprend ce qui a déjà été dit. La position la plus commune du thème en français est le début de la phrase, bien que d'autres places soient aussi possibles. Quant au propos, l'élément qui a la plus forte teneur informative, qui fait le plus « avancer » le texte, il se trouve généralement placé à la fin de la phrase. Mais parfois, seule la connaissance du contexte linguistique (cotexte) permet de déterminer quelles informations relèvent du thème et lesquelles relèvent du propos.

Les exigences de cohérence dans la progression textuelle entrainent l'utilisation de structures syntaxiques variées. Dans la plupart des cas, la structure thème-propos

7. Sur l'emploi syntaxique, énonciatif, sémantique et stylistique de la virgule, voir le chapitre 11.

8. Il ne s'agit pas ici de la phrase graphique, délimitée par une majuscule et un point ou un équivalent, mais de la phrase comme unité syntaxique autonome. Pour ne pas les confondre, nous désignons la phrase définie d'un point de vue syntaxique par le symbole P (voir les chapitres 2 et 10).

9. Nous nous situons ici dans le cadre d'une analyse textuelle et non d'une analyse syntaxique.

correspond à celle de la phrase syntaxique, ou P, le thème correspondant au sujet et le propos au prédicat. Mais le thème peut aussi apparaitre en position initiale sans correspondre au sujet syntaxique[10]. Un groupe déplacé en tête de phrase, par exemple un complément de phrase, peut devenir le thème; il sert alors de lien avec la phrase précédente. Par exemple, dans *Il atteignit enfin le rivage. Là, une embarcation l'attendait*, l'adverbe *là* reprend *le rivage*. Des changements syntaxiques par rapport à l'ordre normal de la P correspondent généralement à des changements dans la répartition de l'information. C'est par exemple le cas avec les différentes formes de mise en emphase: *C'est demain qu'il arrive* (par rapport à la P *Il arrive demain*) ou *Les romans de Vargas, il les a tous lus* (*Il a lu tous les romans de Vargas*). La phrase passive, quant à elle, permet de déplacer un groupe pour en faire un thème, facilitant ainsi l'enchainement avec ce qui précède: *Ce tableau me plait beaucoup; il a été peint par un grand artiste*, au lieu de *un grand artiste l'a peint*, qui romprait la progression[11].

Mais le transport de sens ne s'observe pas exclusivement dans les limites de deux phrases successives[12], il peut aussi se produire à l'échelle de plusieurs phrases. À partir de quelle distance le lecteur n'est-il plus capable de repérer de façon assurée l'**antécédent**[13] d'une **désignation** (dénomination d'un référent) dans un texte? Il n'existe pas de règles qui détermineraient une distance maximale (en nombre de mots, de phrases ou de lignes) à ne pas dépasser pour éviter toute ambigüité interprétative[14]. Cela dépend vraisemblablement du nombre de thèmes présents dans un passage donné: par exemple, si un écrit narratif met en scène un seul personnage, il est moins nécessaire de rappeler fréquemment que c'est de lui qu'il s'agit que s'il y est question de trois personnages: on a alors besoin de les redésigner constamment pour ne pas introduire d'ambigüité[15]. Certains textes ou passages peuvent être très cohésifs, c'est-à-dire comporter plusieurs reprises dans un même segment, ce qui est souvent le cas dans les genres documentaires ou scientifiques, par exemple.

Bien entendu, dans un texte, ces divers moyens – des reprises aux connecteurs en passant par les inférences et l'emploi judicieux des temps verbaux et des signes de ponctuation – se combinent, ce qui ajoute à la complexité. Ces procédés constituent pour l'élève des difficultés qui nécessitent un entrainement sérieux en lecture comme en écriture[16].

---

**10.** Ce qui entraine parfois des problèmes d'accord ou de conjugaison (*Ses projets, Alex n'y pens**ent** plus.*).

**11.** Pour d'autres cas et d'autres exemples, voir www.mcparet.com/questionsdelangue.

**12.** Dumortier, Dispy et Van Beveren, 2013, p. 67.

**13.** Par *antécédent*, on entend l'unité syntaxique qui est reprise dans la suite du texte.

**14.** Cette difficulté explique que l'expression *grammaire du texte* (ou *textuelle*) est critiquée; dans l'ensemble, le texte n'est pas contraint par des règles et des normes aussi strictes que la phrase.

**15.** Paret, 2009, p. 84.

**16.** Nous proposons des activités pour amener l'élève à observer les phénomènes à l'étude avant de suggérer des pistes de réinvestissement en écriture qui pourront être complétées par d'autres en classe selon les capacités des élèves. La lettre T suivie d'un chiffre renvoie aux extraits de textes en annexe. Pistes de réponses possibles: nous n'en suggérons pas quand elles sont évidentes ou quand le but du questionnement est de susciter la réflexion et la discussion.

OBJECTIF : Repérer le thème d'une phrase.

| Question | Réponse |
|---|---|
| 1) Repérer le thème de chacune des huit phrases dans T9. | phrase 1 : *elle* <br> phrase 2 : *la Québécoise* <br> phrase 3 : *Mylène* <br> phrase 4 : *elle* <br> phrase 5 : *la navigatrice* <br> phrase 6 : *Mylène* <br> phrase 7 : *elle* <br> phrase 8 : *elle* |
| 2) Dans l'extrait suivant, repérer le thème de chaque phrase et indiquer ce qu'il reprend : *Elle parlait toujours de climat. C'était normal. Anna était dingue de météorologie. Les prévisions lui étaient aussi indispensables que le sucre.* | thème 1 : *Elle* <br> thème 2 : *C'* reprend tout le contenu de la phrase précédente <br> thème 3 : *Anna* reprend *elle* de la première phrase <br> thème 4 : *Les prévisions* reprend *météorologie* |

# 3. Les diverses formes de reprise de l'information

La langue offre une diversité de moyens pour élaborer des chaines de désignations, c'est-à-dire des suites de reprises d'un même référent qui permettent de créer la continuité dans un texte à partir d'une première désignation : par exemple, pour *la forêt équatoriale*, la répétition du groupe du nom simplifié (*cette forêt*), l'emploi d'un pronom (*elle*) ou la périphrase (*cette étendue végétale luxuriante*). La reprise peut s'exprimer à travers une grande variété de classes (catégories) : nom, pronom, adjectif, adverbe et, plus rarement, verbe.

Ce qui nous semble le plus important pour le travail en classe, c'est, d'une part, la capacité de repérer et de suivre les thèmes qui parcourent le texte et, d'autre part, celle d'évaluer le rôle que jouent les reprises en regard de l'évolution du sens qu'elles véhiculent : rôle minimal de simple transport du sens ou apport d'information nouvelle. De ce point de vue, on peut distinguer deux grandes familles de reprises : celle dont la fonction est strictement de maintenir en mémoire le ou les thèmes au cœur d'un texte sans changer le sens de manière notable (section 3.1) et celle qui permet l'ajout ou la modification de sens d'une manière plus ou moins discrète et plus ou moins orientée (section 3.2). Pour le travail en classe, puisque la question des reprises correspond à des connaissances implicites des élèves, il sera fructueux de s'appuyer sur ces connaissances pour leur faire découvrir, en groupes (petits ou grands) ou individuellement, les possibilités d'organisation des textes plutôt que de les présenter dans une démarche magistrale. Des pistes d'exploitation de niveaux de difficulté variables, à adapter à la classe, sont proposées après chaque dimension traitée ; elles vont de questions ciblées à l'exploration d'aspects plus englobants[17].

---

17. Pour une suggestion de progression, voir www1.mels.gouv.qc.ca/progressionSecondaire/domaine_langues/FLE/index.asp.

# 3.1. | La reprise ayant le même sens

## La reprise par un pronom de reprise

La forme la plus courante de reprise d'un antécédent est, comme on peut s'y attendre, le **pronom de reprise**[18] ; il est en effet très présent dans tous les genres de textes sous la forme de pronoms personnels de troisième personne (*elle, il, le, lui, en,* etc.) exerçant différentes fonctions syntaxiques[19]. Le choix du pronom de reprise d'une P à la suivante obéit à des règles contraignantes, c'est pourquoi l'on peut dire qu'il s'agit d'un phénomène grammatical. En effet, hormis *en* et *y*[20], la forme de tous les pronoms personnels[21] dépend de la personne (au singulier ou au pluriel) et du genre de l'antécédent ainsi que de la fonction syntaxique que le pronom occupe : *Prends cette assiette et mets-la dans la boite.*

Si, la plupart du temps, il s'emploie sous la forme d'une reprise, on observe aussi des cas où le pronom personnel arrive dans le texte avant le terme qu'il représente. Il s'agit d'une figure utilisée en littérature, la cataphore, pour créer un effet d'attente, notamment au début d'une nouvelle ou d'un roman : *Je ne **l'**avais jamais aperçu dans le quartier. **L'homme au manteau vert** rôdait sans se faire remarquer.*

Malgré le qualificatif de *personnel*, le pronom *le* a parfois une valeur neutre, lorsqu'il reprend une partie de P, une P ou même plusieurs P ; dans ce cas il est invariable. Ainsi, dans *Voulez-vous prendre Lydia pour épouse ? – Oui, je **le** veux*, le pronom *le* reprend le groupe verbal (GVinf) qui est complément direct du verbe, alors que dans *Ils se préparent à quitter le pays, **le** saviez-vous ? le* a pour antécédent toute la P précédente.

## La reprise par un pronom sans antécédent

Par ailleurs, il existe certains pronoms qui n'ont jamais d'antécédent ; c'est notamment le cas des pronoms personnels des première, deuxième, quatrième et cinquième personnes (*je, tu, nous, vous, rien, personne,* etc.) qui renvoient aux participants de la situation d'énonciation, les interlocuteurs en direct, par exemple lors d'un dialogue (*je/tu*). La reprise par répétition du pronom comme thèmes de P successives est dans ce cas obligatoire : ***Je** ne suis pas coupable, **je** n'étais pas présent.*

---

**18.** Le pronom relatif a bien sûr un antécédent, mais tous les deux appartiennent à la même P. Et comme seule la forme du relatif pose problème, et non la recherche de l'antécédent, ce dernier le précédant la plupart du temps, on a avantage à le travailler dans le cadre de l'étude de la syntaxe de la P.

**19.** Le pronom personnel neutre *il*, sujet grammatical des verbes impersonnels, ne joue qu'un rôle morphologique et ne représente rien, ne renvoie à rien.

**20.** Le mot *y* n'est pas toujours un pronom personnel, il peut aussi être un adverbe locatif (voir Chartrand et coll., 1999/2011).

**21.** On conserve ici la classification des pronoms, bien qu'elle soit bancale, ainsi que la terminologie en vigueur pour les désigner, conscientes que l'une et l'autre devraient être revues pour plus de rigueur, de cohérence et de clarté en vue de leur enseignement.

OBJECTIFS : Réviser le choix du pronom selon sa fonction syntaxique, son genre
et son nombre ; observer son rôle pour le sens du texte.

| Question | Réponse |
|---|---|
| 1) Dans T1, examiner comment se fait le lien entre la première et la deuxième phrase graphique. | La reprise est *lui* du groupe prépositionnel (GPrép) *devant lui* : c'est le complément de phrase, et non le sujet, qui contient la reprise du thème *Colin* de la première phrase. |
| 2) Dans T2, on trouve deux personnages et un poisson, donc trois thèmes. *Tu* et *Lipsky* représentent le même personnage. <br><br> Qui est *je* dans ce passage ? | Le narrateur |
| Repérer les pronoms personnels de troisième personne (10) et trouver l'antécédent de chacun. | *lui* → le poisson <br> *il* → Lipsky <br> *lui* → le poisson <br> *lui* → le poisson <br> *le* → le poisson <br> *il* → Lipsky <br> *l'* → le poisson <br> *Il* → Lipsky <br> *Il* → le poisson <br> *s'* → le poisson |
| Repérer les sept pronoms nominaux (*je*, *tu*). | *Tu* <br> *je* <br> *j'* <br> *j'* <br> *je* <br> *J'* <br> *J'* |
| Indiquer à qui ils font référence. | Ces deux pronoms réfèrent aux deux interlocuteurs du dialogue. |
| Expliquer pourquoi l'auteur peut employer *il* dans la dernière phrase tout en restant clair. | On revient à la situation de dialogue, c'est un des deux participants qui parle du poisson, on ne peut pas le confondre avec le narrateur parlant de son ami Thomas Lipsky. |
| 3) Repérer la première désignation pour chacun des trois personnages dans T5. | *j'* <br> *un gardien* <br> *Marie* |
| Évaluer si les reprises *elle*, *la salle*, *les deux grilles* modifient ou non le sens par rapport à leur antécédent. | Ces reprises ne modifient pas le sens même si des adjectifs sont supprimés pour éviter des répétitions. |
| Expliquer pourquoi on répète *Marie* à la fin plutôt que d'utiliser un pronom de reprise. | La mention de *Marie* dans le texte est lointaine ; de plus, un mot féminin au singulier (*salle*) pourrait gêner l'interprétation. |

| Question | Réponse |
|---|---|
| 4) Dans T10 :<br><br>• indiquer à quel(s) antécédent(s) renvoient les pronoms *ils* (cinquième phrase graphique) et *il* (septième phrase graphique) ;<br><br>• justifier votre réponse. | *ils* : *les atomes*<br>*il* : *l'hydrogène*<br><br>Dans les deux cas, le pronom reprend le thème de la phrase précédente. (Mais pour reprendre *neutrons*, on aurait dû écrire : *ces derniers*.) |
| Indiquer par quel terme est repris le GN *l'hydrogène* dans la dernière phrase.<br><br>En justifier le choix. | *en*<br><br>Complément indirect en *de* du verbe (se servir de…). |
| 5) Dans T11, chercher à quoi renvoient :<br><br>• le pronom *le* dans *Pour le savoir* à la quatrième phrase graphique ;<br><br>• les pronoms *en* (… *un*) et *y* dans *On en trouve un, on y montre que*. | • *le* reprend la phrase précédente<br><br>• *en* (… *un*) reprend *un tableau de propriétés qui…*, avec la fonction de complément direct du verbe précédé d'un déterminant partitif<br><br>• *y* reprend <u>dans ce tableau</u> avec la fonction de complément de phrase (à valeur de lieu) |

**Complément d'activités**

L'enseignant propose une activité de synthèse avec les consignes suivantes :

- En triade, relire les textes écrits par les élèves en repérant les pronoms de reprise.
- Chercher le ou les antécédents et vérifier la correction de leur forme (fonction, genre et nombre).
- Comparer les reprises par un pronom dans un genre littéraire comme le récit (T1, T2, T5) et dans un texte documentaire (T10, T11), et tenter d'expliquer la différence.

La gestion des pronoms personnels est délicate, car un texte, ou même un passage, comporte en général plus d'un thème, et ces thèmes s'entrecroisent et peuvent remplir différentes fonctions syntaxiques, rappelons-le. Les risques d'ambiguïtés sont grands. Dans les récits (romans, nouvelles…), l'essentiel des reprises s'effectue par les reprises pronominales de troisième personne ou des répétitions de pronoms de première personne.

D'autres pronoms servent aussi de reprise, notamment les démonstratifs (*ceci, cela, ceux-là, ce dernier*, etc.), qu'on rencontre davantage dans les genres savants ou documentaires[22]. C'est également le cas de certains pronoms indéfinis ou de quantité, comme *certains, le premier, le second, tous, aucun*, etc.[23]. Les pronoms démonstratifs se substituent le plus souvent à des groupes, mais, comme le pronom personnel *le*, certains (*ce, cela*) peuvent aussi reprendre un segment plus étendu, une phrase ou une partie de texte : *La situation s'est détériorée ;* **ce** *n'est pas étonnant*[24].

---

**22.** *Celui-ci* (*celle-ci*, etc.) renvoie à l'antécédent le plus proche ayant les mêmes marques de genre et de nombre. Un terme en fonction de sujet et/ou aux traits humain ou animé est plus facilement interprété comme antécédent qu'un terme remplissant une autre fonction et/ou représentant un inanimé.

**23.** Beaucoup de ces pronoms ne sont pas des reprises fidèles (*un autre, quelques-uns*, etc.) ; voir la section 3.2.

**24.** Dans le cas du marqueur emphatique *c'est… que*, on peut considérer que *ce* ne renvoie pas à un antécédent, mais fait partie intégrante du marqueur.

**ACTIVITÉ 12.3** **Pronoms démonstratifs et progression d'un texte**

OBJECTIF : Constater le rôle des pronoms démonstratifs dans la progression du texte.

| Question | Réponse |
|---|---|
| 1) Chercher à quoi renvoie le pronom démonstratif *cela* dans la dernière phrase de T3, dans la deuxième phrase et dans l'avant-dernière phrase de T8. | Dans les trois cas, *cela* reprend tout le contenu sémantique de la phrase précédente. |
| 2) Dans T12, indiquer les pronoms démonstratifs (5) qui renvoient à une partie de phrase plus étendue qu'un groupe syntaxique et préciser ce qu'ils remplacent. | *ce* sont les plaques tectoniques<br>*cela* se produit…<br>*ce* qui provoque<br>*ce* sont des ondes sismiques<br>*c'est ce qu'on appelle… (c'* renvoie à plusieurs des phrases précédentes) |
| 3) Trouver l'erreur de reprise dans chacune des deux suites de mots ci-dessous et améliorer l'enchainement.<br><br>*Une multitude d'informations est disponible sur le web ; il permet de gagner beaucoup de temps.* | L'emploi du pronom *il*<br><br>Il faudrait remplacer **il** par *ce dernier* ou *celui-ci*. |
| *L'émission présentait les conséquences du réchauffement climatique ; un expert l'analysait ensuite.* | L'emploi du pronom *le* (*l'*)<br><br>Il faudrait remplacer **l'** par *les* ou *celles-ci*. |
| 4) Choisir une (ou des) reprise(s) possible(s) pour l'antécédent Xavier.<br><br>Expliquer le choix.<br><br>*Xavier exposa au guide le projet d'expédition ; (il, celui-ci, ce dernier) devait maintenant choisir le matériel.* | (*celui-ci* ou *ce dernier* ne pourrait avoir que *guide* comme antécédent.) |

**Complément d'activités**

L'enseignant propose des activités de synthèse avec les consignes suivantes :

- Repérer les pronoms démonstratifs dans un texte et indiquer à quoi ils renvoient. Expliquer leur rôle.

- À partir d'une phrase donnée dans laquelle un segment est souligné, remplacer par un pronom (personnel, démonstratif, possessif, indéfini, etc.) l'expression soulignée et la placer en position de thème dans une phrase qu'on invente et qui fait suite à la première.

## La reprise par la répétition d'un groupe nominal

Une autre forme de reprise fréquente est la simple répétition d'un GN : on y recourt en général parce que celle-ci est nécessaire à la clarté du texte, dans un récit à plusieurs personnages par exemple, ou parce que la désignation précédente sous forme de GN est trop lointaine pour que le lecteur l'ait en mémoire. La tradition littéraire proscrit les répétitions rapprochées. Il n'en va pas de même dans un texte à caractère scientifique où plusieurs thèmes (souvent des concepts) sont manipulés, ce qui impose d'éviter tout risque d'ambigüité. Le GN peut être repris tel quel, mais celui qui sert à désigner pour la première fois est introduit par un déterminant indéfini (*un*, *des*), alors que la reprise se fera obligatoirement à l'aide d'un déterminant défini :

**une** *rue*/**la** *rue* ou **cette** *rue*, sous peine d'induire le lecteur en erreur en laissant croire à l'irruption d'un nouveau référent, c'est-à-dire d'un contenu nouveau. Ainsi, dans *Un animal s'approcha de la tente* […], *un animal émit un grognement sourd*, il est impossible d'interpréter la seconde apparition du GN *un animal* comme renvoyant au même animal que dans la première phrase. Si l'antécédent comporte un déterminant défini, comme dans **l'***accord*, on peut soit répéter le défini, soit passer au déterminant démonstratif (**cet** *accord*) ou, si le sens s'y prête, choisir le déterminant possessif (**leur** *accord*). Une erreur fréquente consiste en une double reprise pour le même antécédent : *Il passe son temps à jouer à des jeux vidéo ;* **leur** *présence envahissante* **des jeux** *inquiète les parents.*

Il faudrait également faire observer aux élèves qu'il est possible de répéter un GN sous une forme abrégée, c'est-à-dire réduite au noyau (suppression des expansions ou du déterminant quantitatif), puisqu'il est inutile de répéter des informations déjà connues. Ainsi, *un centre d'étude des langues* peut devenir *le centre*. L'antécédent du groupe abrégé peut être très complexe, comme dans *une très grande salle éclairée par une vaste baie*, mais réduit dans la reprise à *la salle*.

**ACTIVITÉ 12.4** **Rôle de reprises sous forme de groupes nominaux**

OBJECTIF : Expliquer le rôle des reprises sous forme de GN répétés, identiques à l'antécédent ou abrégés, ainsi que la gestion des déterminants.

| Question | Réponse |
|---|---|
| 1) Dans T6 : <br><br> a) expliquer pourquoi il y a répétition des GN et non utilisation du pronom ; <br><br> b) comparer le déterminant du nom dans la première désignation et lors de la répétition ; justifier le changement. | a) Les répétitions de GN sont utiles pour éviter les ambigüités, car les thèmes repris sont nombreux et entrecroisés. <br><br> b) Partout, *un* est remplacé par *le*. On remarquera la distance parfois importante entre les deux désignations. |
| 2) Dans T2, expliquer : <br><br> a) pourquoi *poisson* est précédé d'un déterminant défini dès le début du passage ; <br><br> b) pourquoi, à l'avant-dernière phrase, *poisson* est répété et non pas repris par le pronom *il* (essayer de remplacer *poisson* par *il* et voir si le texte est clair). | a) Dès le début du texte, le poisson en question est défini, c'est celui que le narrateur et son ami viennent de pêcher. <br><br> b) À l'avant-dernière phrase, répéter *poisson* permet de ne pas créer de confusion avec un pronom *il* renvoyant à *Lipsky*. |
| 3) Pourquoi l'emploi d'un GN introduit par *un* est-il impossible dans les énoncés suivants : *cette sœur* (T3), *le dinosaure* (T6) ? | *Cette sœur* et *le dinosaure* sont des reprises des mêmes noms avec déterminants indéfinis. |
| 4) Dans T9, repérer les diverses désignations (initiale et reprises) pour le personnage ; évaluer ce qu'elles apportent au sens. | Les reprises par le pronom *elle* (4) et par la répétition *Mylène* (2) ne changent rien au sens. <br><br> Les reprises *la Québécoise de 35 ans* et *la navigatrice* apportent des informations importantes : nationalité, âge et fonction. |

| Question | Réponse |
|---|---|
| 5) Dans T3, repérer les répétitions du nom du personnage principal. Lesquelles constituent des reprises ? Pourrait-on les remplacer par un pronom ? Si oui, pourquoi ne l'a-t-on pas fait ? | Jean Valjean est répété souvent ; parfois, **lui** (*Il ne lui était resté qu'une sœur…*) ou **le** (*cette sœur l'avait élevé…*) auraient été possibles, mais le narrateur veut insister, mettre en évidence le personnage qui va devenir la figure dominante de l'œuvre. |
| 6) Dans T10, le GN *nombre de protons* est répété. Aurait-on pu facilement éviter la répétition ici ? <br><br> Justifier le pronom **en** dans la dernière phrase. | Non, la répétition est nécessaire pour éviter une ambigüité : le pronom *il* pourrait renvoyer aussi bien à *un élément* qu'à *un nombre de protons*. <br><br> Le pronom *en* permet d'éviter une répétition. |
| 7) Dans T12, observer la répétition du GN : *croûte terrestre*. Les répétitions sont-elles toujours nécessaires ? Pourquoi ? | Il y a risque d'ambigüité dans le choix de l'antécédent puisque la reprise suit une énumération. |
| 8) Repérer le groupe que reprennent : <br><br> • *cette sœur* (T3) ; <br><br> • *les deux grilles* (T5) ; <br><br> • *ce gaz* (T8). <br><br> Quel est l'intérêt de ces reprises ? | T3 : *une sœur plus âgée que lui, veuve, avec sept enfants, filles et garçons* <br> T5 : *deux grandes grilles* <br> T8 : *un immense gaz dont les galaxies seraient les particules* <br><br> Elles évitent la répétition des informations qu'on vient de donner. |
| 9) Dans T4, évaluer l'effet produit par les répétitions des prénoms *Candide et Cunégonde*. | Une précipitation qui crée un effet comique. |
| Pourquoi les nomme-t-on tout à coup *le jeune homme* et *la jeune demoiselle* ? | Pour créer un effet de ralenti ; le temps s'arrête l'espace d'un baiser, et un effet comique (parallélisme, titre de la jeune fille). |

### Activité synthétique

- Suivre un ou plusieurs thèmes pour observer ce qui construit l'unité du texte : chercher les mots ou expressions qui désignent tel(s) thème(s) dans un passage de texte.

- Repérer les GN désignant quelqu'un ou quelque chose dont on a déjà parlé ; y identifier le nom noyau, le déterminant, le(s) complément(s) du nom ; comparer la première désignation et ce qui a été supprimé dans une répétition abrégée ; justifier la suppression.

- Dans une série de phrases données dans lesquelles un élément est souligné, chercher deux GN qui pourraient lui être substitués ; puis compléter ces phrases. Varier les tons, jouer avec les modalités, les genres, à la manière des *Exercices de style* de Queneau.

- Comparer la fréquence des répétitions de GN dans les textes littéraires (T1 à T5) et dans les textes documentaires/scientifiques (T6 à T12).

## La reprise par un synonyme ou un parasynonyme

La répétition peut également apparaitre sous la forme d'une expansion synonyme : *le monde dans lequel nous vivons/le monde d'aujourd'hui*. Il s'agit alors de reprise sans véritable changement **de sens**. La **reprise** par un **synonyme** ou un **parasynonyme** est un moyen d'éviter une répétition. Dans un texte documentaire ou scientifique, cela peut permettre de rendre plus clair un propos. Enfin, le choix d'un terme **synthétique** (ou résumant) est souvent utile pour remplacer un passage, une phrase ou une partie de texte par un terme général; il est précédé d'un déterminant défini, article ou même d'un adjectif comme *tel* ou *pareil*. Certains de ces termes sont relativement neutres, comme *ces faits, cette question, ces facteurs, cette situation, ce message, ce phénomène, l'évènement, le moyen, un tel résultat*, d'autres, comme on le verra, peuvent donner une certaine orientation au texte.

## Autres formes de reprise

Un ensemble d'adverbes[25], de conjonctions et de locutions diverses (*là, aussi, ainsi, pareillement, non plus, sinon, malgré cela, sans quoi, à ce moment-là*, etc.) peuvent également se substituer à une partie de texte plus ou moins importante: *Il faudra prévenir tes parents,* **sinon** *(= si tu ne les préviens pas) ils s'inquièteront*. Certains d'entre eux jouent un double rôle; ils contiennent une reprise tout en étant des connecteurs ou des organisateurs textuels.

**ACTIVITÉ 12.5** **Rôle des synonymes et des termes synthétiques dans la cohérence d'un texte**

**OBJECTIF:** Constater l'emploi approprié et le rôle des synonymes ou des termes synthétiques dans la cohérence du texte.

| Question | Réponse |
|---|---|
| 1) Dans T6, repérer l'antécédent de la désignation *les experts* (troisième paragraphe) et indiquer la nature de cette reprise.<br><br> • Par quels autres GN est-ce repris par la suite? | L'antécédent *les spécialistes* est un synonyme.<br><br> • Autres GN: *les experts, les chercheurs* |
| 2) Dans T8, repérer l'antécédent de la désignation *ce dernier cas*.<br><br>Évaluer le rôle de cette reprise.<br><br>Évaluer le rôle de *sinon* dans la première phrase graphique: *L'important, quand on veut décrire* [...] *rien dire de crédible*. | 1) *ce dernier cas* reprend la phrase *cela est vrai* [...] *pour l'astronomie*.<br><br>2) Le mot *cas* est plus général.<br><br>3) *sinon* renvoie à toute la phrase précédente pour la nier (*si non*). |

Un autre moyen d'assurer la continuité est le recours à la **dérivation lexicale**, c'est-à-dire au choix d'un terme de reprise de la même famille de mots que l'antécédent, qui peut s'effectuer sans changement de classe grammaticale (*ski/skieur*) ou avec

---

**25.** L'adverbe considéré dans la grammaire scolaire, notamment, comme une classe de mots est un regroupement tout à fait hétéroclite qui devrait être revu. On peut, dans un premier temps, distinguer les adverbes déictiques (qui remplissent la fonction de complément de P ou de complément indirect du verbe: *maintenant, ici*) des adverbes non déictiques et, parmi ces derniers, ceux qui ont une portée dans les limites d'un groupe de la phrase (dont ceux qui ont la fonction de *modificateur* d'une unité syntaxique: *gentiment, très*) de ceux qui ont une portée textuelle ou discursive (connecteur: *c'est-à-dire, en effet*; modalisateur d'énoncé: *probablement, peut-être*; organisateur textuel: *enfin, deuxièmement*; anaphore: *ainsi, également*). Voir à ce sujet Chartrand et coll., 1999/2011, chap. 22.

changement de classe, soit par le passage du nom à l'adjectif (*attente/attendu*), à l'adverbe (*franchise/franchement*) ou au verbe (*pollution/polluer*), soit l'inverse. La dérivation lexicale peut se réaliser aussi par **nominalisation**, c'est-à-dire par le passage au nom à partir d'un adjectif (*bref/brièveté*), d'un verbe (*ressembler/ressemblance*) ou d'autres classes grammaticales (*vite/vitesse*; *près de/proximité*) et d'une P entière; cela peut se réaliser avec ou sans apport de sens[26].

**ACTIVITÉ 12.6 Identification et emploi des reprises par dérivation**

OBJECTIF : Dans le cadre du travail en classe sur le lexique, repérer/employer les reprises par dérivation, dont le mécanisme de nominalisation.

| Question | Réponse |
|---|---|
| 1) Dans T7, par quelle unité lexicale est repris le GN *le rire humain*? <br><br> Dans T8, repérer par quel terme est repris l'adjectif *cosmique* dans la suite du texte. <br><br> Évaluer la différence de sens s'il y en a une. | T7 : par le verbe *rire* (c'est un changement de classe grammaticale) <br> T8 : par *du cosmos*, à plusieurs phrases de distance, ce qui est possible, car on reste dans le même champ lexical <br><br> *cosmique* est synonyme de *du cosmos*, mais les deux **expressions** ne sont pas synonymes puisqu'elles font référence aux réalités différentes que sont *l'histoire* et *la matière*. |
| 2) Dans le texte qui suit, chercher l'antécédent de l'expression *La France et l'Angleterre*. <br><br> Expliquer la reprise. <br><br> *La rivalité entre les empires français et anglais commence au XVIIe siècle. Des colons anglais s'établissent sur la côte est de l'Amérique du Nord afin d'exploiter et de peupler le territoire. La France et l'Angleterre désirent s'approprier ces territoires aux multiples richesses. Des conflits vont donc éclater*[27]. | 1) *français et anglais*; les adjectifs sont repris par des noms. <br><br> La reprise se fait par la proximité de sens entre les adjectifs *anglais* et *français*, et le nom des pays correspondants. |
| 2) À partir de suites données de deux phrases, faire chercher une reprise possible sous forme de GN (nominalisation). <br><br> *On a mesuré la profondeur des grottes.* <br><br> *La femme paraissait triste.* <br><br> *Le règne de Louis XIV a été très long, plus de 60 ans.* <br><br> *L'entreprise a licencié 50 personnes.* <br><br> *Chacun des témoins essayait de décrire…* | *La mesure de… a été faite récemment.* <br><br> *La tristesse de cette femme…* ou : *Sa tristesse* <br><br> *La longueur*, ou *la durée* ou *La longue durée de ce règne* <br><br> *La protestation contre ces licenciements* <br><br> *… les descriptions des témoins…* |

---

**26.** La nominalisation présente l'avantage de la concision, puisqu'elle réunit en un seul groupe l'information qui était répartie sur une P : *Les dinosaures ont disparu de la terre il y a 65 millions d'années, [ce qui a permis aux mammifères de se développer.]/La disparition des dinosaures il y a 65 millions d'années a permis aux mammifères de se développer.*

**27.** S. Fortin, M. Ladouceur, S. Larose et F. Rose (2007).

Certains verbes renvoient à d'autres verbes. Ils sont peu nombreux à s'employer comme verbes substituts ; il s'agit surtout du verbe *faire* (*Il passe son temps sur le web, c'est tout ce qu'il sait **faire***), mais aussi des verbes *avoir, être, aller*, accompagnés d'un pronom ou d'un adverbe (*Hugo est heureux en ménage ; il n'**en va** (**est**) pas **de même** pour Anna*).

La reprise d'un antécédent peut avoir comme objectif principal de faire le lien d'une phrase à l'autre, sans plus, mais elle peut également être l'occasion d'introduire des significations nouvelles, comme nous allons le voir.

# 3.2. | La reprise avec modification du sens

La reprise est en fait un procédé relativement souple et se prête à l'introduction d'informations nouvelles, parfois très importantes, non seulement du côté du propos de la phrase, où les apports de sens sont les plus facilement repérables, mais aussi du côté du thème. On peut modifier le sens soit en restant dans le domaine de l'objectivité, soit en le teintant d'opinion ou de jugement, autrement dit, en le modalisant. Qu'il s'agisse d'atteindre une compréhension plus fine des textes ou d'en produire, il est du plus grand intérêt de prendre conscience de ces processus dans l'évolution des sens qu'ils portent.

## La reprise d'un groupe nominal modifié de différentes façons

On peut ainsi répéter un groupe nominal (GN) en y ajoutant une ou plusieurs expansions pour en enrichir ou en réorienter le sens : par exemple, *Son père, coureur des bois incorrigible comme lui*, reprise de *son père*. L'apport de sens peut se réaliser par d'autres constructions, comme dans *le navigateur Champlain* reprenant l'antécédent *Champlain* ; on peut considérer qu'il s'agit d'une répétition du nom, mais avec un changement de *sens* important, puisqu'on passe de la personne à la fonction.

On a vu qu'un GN répété peut être abrégé, ce qui n'a pas d'influence sur le sens, le lecteur gardant en mémoire ce qu'avait apporté la désignation précédente. Mais on peut adjoindre à ce groupe abrégé un nouveau complément non synonyme : *des experts en sciences du langage/**les experts**/**les experts européens***.

Ces procédés sont importants, puisqu'ils permettent un apport de sens situé non pas du côté du propos, comme c'est le cas attendu, mais du côté du thème de la phrase qui se trouve, en principe, à la position permettant de faire le lien avec ce qui précède et non pas d'apporter de nouveaux sens : *le Roi des Aulnes décida/le **rusé** roi **au charme trompeur** décida*. Procéder de la sorte peut contribuer à orienter la lecture sans en avoir l'air en présentant l'information nouvelle comme un présupposé, donc non discutable, et ainsi faire adopter le point de vue de l'énonciateur. Une telle façon de faire se rencontre dans le cadre d'une stratégie argumentative ; par exemple, choisir de reprendre une première désignation *le point de vue des juges* par les expressions *ce point de vue **traditionnel*** ou par *ce point de vue **progressiste*** ne suscite pas les mêmes représentations chez le lecteur.

OBJECTIF : Évaluer l'apport au texte des reprises sous forme de GN avec répétition du même nom et ajout ou réorientation de l'information.

| Question | Réponse |
|---|---|
| 1) Observer les formes des reprises et en évaluer l'apport au texte. | |
| Dans T7 : <br> • *la science du rire* ; <br> • *rire.* | • *le rire humain* <br><br> L'adjectif *humain* rappelle que le rire est le «propre de l'homme». <br><br> • *une thérapie par le rire* <br><br> Le verbe est repris par un nom, et le sens est restreint à spécifier le type de thérapie. |
| Dans T11 : *un liquide incolore et inodore.* | *le liquide inconnu* <br><br> L'adjectif *inconnu* fait référence au liquide dont on cherche la nature. |

**Complément d'activités**

L'enseignant propose des activités de synthèse avec les consignes suivantes :

- Dans des genres argumentatifs, repérer des GN désignant tel thème de différentes façons et évaluer l'effet produit.

- Dans la composition d'un texte d'opinion ou d'une lettre ouverte, choisir un des trois adjectifs proposés et compléter la suite de deux P par deux autres P dans l'orientation donnée par l'adjectif : *Certains eurent l'idée d'allumer un grand feu ; cette proposition (bizarre, lumineuse, dangereuse) fut adoptée.*

## La reprise partielle

Un pronom possessif, démonstratif, indéfini ou numéral (*le mien, plusieurs, l'un, d'autres,* etc.) peut renvoyer à un antécédent tout en ne référant pas à la même réalité que celui-ci, soit qu'il la reprenne en partie seulement, d'où le nom de **reprise partielle** (*Tous étaient bien préparés, **peu** ont obtenu une médaille. / Il restait deux pommes, il **en** a pris **une**.*), soit qu'il se réfère seulement à l'idée, au concept représenté par l'antécédent, ce qu'on peut appeler **reprise conceptuelle**, ou reprise de l'idée (*Mon vélo est lourd, **le sien** est léger.*). Certains déterminants démonstratifs jouent le même rôle : *des athlètes…* ; **certains** *athlètes…*[28]. Dans le passage *Le tonnerre des sabots donnait l'impression que des montagnes entières de rochers se fendaient, s'effritaient. Cent, deux cents caribous […] avaient rempli la prairie en un instant*[29], un effet de suspens est créé par le fait que c'est l'antécédent (*sabots*) qui est une partie du tout mentionné par la reprise (*caribous*).

---

28. La distinction pronom/déterminant est délicate, et peu utile, dans un GN dont le nom a été effacé pour éviter la répétition d'un terme identique (*certains auteurs affirment…* ; *d'autres croient…*).

29. T. Highway (2004). *Champion et Ooneemeetoo.* Sudbury : Éditions Prise de parole.

**ACTIVITÉ 12.8** **Emploi et sens de la reprise partielle**

**Objectif :** Interpréter le rapport de sens entre l'antécédent et la reprise partielle (reprise conceptuelle ou de l'idée).

| Question | Réponse |
|---|---|
| 1) Repérer l'antécédent.<br>Commenter la valeur de la reprise. | |
| • Dans T12, l'antécédent de *Certaines plaques s'éloignent...,*<br>*d'autres glissent...* | *ces plaques*<br>Ces deux reprises partielles renvoient à l'idée de plaques. |
| • Dans l'extrait suivant, l'antécédent de *celui-là :*<br>[Il est question d'un chien]<br>*Autant je m'étais attaché à ceux qui l'avaient précédé,*<br>*autant celui-là pouvait disparaître du jour au lendemain*<br>*sans que cela m'affecte le moins du monde*[30]. | • L'antécédent est *ceux*.<br>• Il ne représente pas le(s) même(s) chien(s) que la reprise *celui-là*. |
| 2) Imaginer des reprises partielles, comme dans :<br>*Trois types sont assis là-dedans. J'en connais* <u>*deux*</u>[31]. | |
| • *Cinq comédiens jouaient dans cette pièce, mais... étai(en)*<br>*t vraiment mauvais.* | *l'un, trois, certains, l'un d'eux,* etc. |
| • *Les films américains...* | *certains, la plupart, quelques-uns,*<br>*moins de 10 %,* etc. |
| • *Des milliers de manifestants...* | *une centaine, dix, quelques-uns,* etc. |
| • *Ses deux amis...* | *l'un..., l'autre...* |

## La reprise par association

La **reprise par association** consiste à reprendre un antécédent par seulement un de ses aspects dans une relation de type tout-partie, au sens large. Ainsi, les GN *la porte* et *les fenêtres,* dans le segment *la porte était ouverte... ; aux fenêtres étaient accrochés des rideaux colorés,* sont des reprises qui correspondent à l'antécédent *la maison* dans la P : *la maison avait l'air abandonnée.* La reprise associative est souvent accompagnée d'un déterminant de reprise, c'est-à-dire d'un déterminant possessif ou démonstratif qui la relie clairement à son antécédent : *l'auteur.../sa BD..., ses lecteurs,* même lorsqu'il s'agit d'une métaphore : *le poisson/ce géant.* L'aspect repris peut être plus abstrait : *le roman traitait de.../les personnages..., l'intrigue..., le dénouement...* On est près ici d'une relation qui s'établit par la seule proximité de sens entre l'antécédent et la reprise appartenant au même champ lexical[32] : *Il avait beaucoup plu ;*

---

**30.** J.-P. Dubois (2006). *Tous les matins, je me lève.* Paris : Seuil, coll. « Points ».

**31.** D. Pennac (1987). *La fée carabine.* Paris : Gallimard, coll. « Folio ».

**32.** Le champ lexical dans un texte ou une partie de texte est l'ensemble des mots ou expressions qui se rapportent à un même thème.

*l'humidité pénétrait tout*, ce qui nous rapproche de l'inférence. La connaissance de la matière abordée par le texte est donc cruciale pour la compréhension des reprises par association[33].

## ACTIVITÉ 12.9  Identification et rôle de la reprise par association

**Objectifs :** Reconnaitre un champ lexical ; repérer les reprises par association, évaluer leur intérêt pour l'avancement du sens du texte.

| Question | Réponse |
|---|---|
| 1) Dans T2, T3 et T7, rassembler les termes relevant de mêmes champs lexicaux. | **T2 :** champ lexical de la pêche (*poisson, hameçon, chair froide, mer, eau*) <br> **T3 :** champ lexical de la famille (*mère, père, sœur, aîné, enfants, frère, mari, élever*) <br> **T7 :** champ lexical de la maladie (*remède, thérapie, douleur, maladie*) |
| 2) Dans les textes suivants : <br> • repérer les reprises par association ; <br> • évaluer leur apport au sens du texte. | |
| Dans T4 : *le jeune homme… la jeune demoiselle.* | *leurs bouches…, leurs yeux…, leurs genoux…, leurs mains…* (avec déterminant possessif) |
| Dans T6 : … *que les adultes portent sur la tête.* | *le crâne* |
| | Ces reprises dans T4 et T6 permettent de travailler le lexique en développant un champ dans le domaine soit littéraire (indices d'émotion amoureuse : bouches, yeux, etc.), soit scientifique (tête/crâne ; définition : ville/habitants). Possibilité de travailler les notions de *dénotation* et de *connotation*. |

### Complément d'activités

L'enseignant propose une activité de synthèse avec la consigne suivante :

• À partir de phrases données (ou de GN identifiés), repérer les reprises par association (indiquer la reprise et l'antécédent, ainsi que leur rôle dans l'avancement du texte).

## La reprise par un terme générique

Pour éviter une répétition, la reprise d'un antécédent s'effectue souvent par l'emploi d'un terme **générique** (**hyperonyme**), c'est-à-dire un terme plus général dont le sens englobe celui de l'antécédent (et désignant l'ensemble d'une classe d'objets, d'êtres ou de notions)[34]. Cela permet d'introduire une information nouvelle par un effet

---

33. Le choix du terme de reprise peut permettre à l'auteur de colorer le texte selon son intention (ici, en qualifiant le poisson de *géant*).

34. Ces termes renvoient à des notions relatives : *Minou* est un terme spécifique par rapport à *chat*, mais *chat* est un spécifique par rapport à *félin* et un générique par rapport à *Minou*.

de classification: *le coléoptère* repris par *l'insecte*. L'inverse, passer du générique au spécifique, est rare, sauf pour produire des effets particuliers dans le domaine littéraire[35]. Par ailleurs, la dérivation lexicale qui, comme on l'a vu, peut être utilisée pour la reprise sans apport sémantique, peut également servir de base à un apport de sens lorsque lui sont adjoints des compléments ayant diverses formes syntaxiques: groupe prépositionnel (préposition + GN), GN détaché ou non, GAdj, phrase subordonnée relative: *On décida de nationaliser l'électricité… Cette nationalisation d'envergure, cette nationalisation indéfendable.*

**ACTIVITÉ 12.10** **Identification et rôle de la reprise par un terme générique ou spécifique**

**Objectifs:** Dans le cadre du travail sur le lexique, observer le procédé de reprise par un terme générique ou spécifique et évaluer l'apport au sens qu'il permet.

| Question | Réponse |
|---|---|
| 1) Dans les textes suivants, trouver les reprises soit par un terme plus général, soit par un terme plus spécifique. | |
| Dans T4: *Candide.* | *le jeune homme* (plus général) |
| Dans T6: *Kevin Terris et sa classe.* | *le groupe, guidé par deux paléontologues* (plus général) |
| Dans T9: *Mylène Paquette.* | *la Québécoise de 35 ans* (plus général) |
| Dans l'extrait suivant, rechercher une reprise par un terme plus général et une reprise par un terme plus spécifique (hyponyme). *Oui, le chien est revenu. Je me suis levé et j'ai effectivement découvert l'animal couché à sa place habituelle. Ça faisait huit jours qu'il avait disparu […]. Ce cocker avait trois défauts que je ne lui pardonnais pas: il était intelligent, hypocrite et méchant[36].* | *l'animal* (plus général) reprend *le chien.* <br><br> *ce cocker* (plus spécifique) reprend *l'animal.* |
| 2) Trouver l'hyperonyme de chaque série: <br><br> 1) *guitare, piano, bandonéon, saxophone;* <br><br> 2) *musicien, peintre, sculpteur, écrivain;* <br><br> 3) *carmin, azur, bourgogne, grenat, indigo, vermillon;* <br><br> 4) *manoir, chaumière, pavillon, maison, bungalow, cabane.* | 1) *instrument de musique* <br><br> 2) *artiste* <br><br> 3) *couleur* <br><br> 4) *habitation* |
| 3) Classer les termes suivants du plus général au plus spécifique: <br><br> 1) *poisson, animal, vertébré, être vivant, requin;* <br><br> 2) *œuvre, roman, genre littéraire, Madame Bovary.* | 1) *être vivant, animal, vertébré, poisson, requin* <br><br> 2) *genre littéraire, œuvre, roman, Madame Bovary* |

---

**35.** « Le directeur l'a invitée à s'asseoir avant de lui offrir un verre d'**un liquide rouge** […] Au lieu de boire ses **protéines liquides** d'un coup […] ». F. Gravel (2012). *Hô*. Montréal: Québec Amérique.

**36.** J.-P. Dubois (2006). *Tous les matins, je me lève*. Paris: Seuil, coll. « Points », p. 121.

| Question | Réponse |
|---|---|
| 4) Trouver des hyponymes pour chacun des termes suivants [et employer les deux termes dans deux phrases successives] : | |
| • vêtement ; | manteau, maillot de bain |
| • chanteur ou chanteuse populaire ; | Francis Cabrel, Céline Dion |
| • légume, sport d'équipe, jeu vidéo. | concombre, céleri |

**Complément d'activités**

L'enseignant propose des activités de synthèse avec les consignes suivantes :

• Une phrase est donnée dans laquelle est soulignée un mot ; créer une autre phrase qui fera suite à la première en utilisant un terme plus général pour ne pas répéter le mot donné.

• Repérer et commenter les désignations qui, dans un texte scientifique, sont plus précises ou moins précises selon qu'il s'agit d'un générique ou d'un spécifique.

## La reprise par une périphrase

La **périphrase**, qui est une reprise par une structure différente, plus développée, présente l'avantage de permettre l'introduction d'une reformulation, soulignant ainsi certaines caractéristiques : *Rimbaud* repris par *l'auteur du Bateau ivre*. Le procédé est présent aussi bien dans les genres documentaires ou à caractère scientifique, où il permet d'introduire une définition ou une explication neutres, que dans les genres argumentatifs ou littéraires, où il peut influencer positivement ou négativement le lecteur : *Alex tentait de faire face à la situation ; mais* **le pauvre imprudent** *ne comprenait rien à ce qui se passait*. Soulignons que ce procédé fait appel aux référents culturels du lecteur et du scripteur.

## Autres possibilités de reprises

On a vu qu'un procédé textuel fréquent pour construire la cohérence consiste à employer un terme synthétique qui reprend toute une partie de phrase ou même plusieurs P en les résumant. Le choix du terme de reprise est loin d'être toujours neutre, il introduit souvent un biais qui révèle la position de l'énonciateur (*le problème soulevé/ce défi, cette erreur*). De plus, ce terme peut être accompagné d'une expansion qui renforce cette position : *cette conclusion inquiétante*.

La reprise est également possible, mais plus rare, par le **contraste**, l'**opposition** (antonymie) de deux termes ou deux expressions qui appartiennent au même champ lexical : *Beaucoup des participants aux compétitions espéraient remporter une médaille ; en fait, bien* **peu** *ont réussi à réaliser leur rêve. / On assiste à une baisse des arrivées ; par contre, la forte hausse des immigrants provenant de…*

**Objectifs :** Observer, employer des reprises par périphrase, terme résumant ou contraste et évaluer leur apport au sens (interpréter le choix).

| Question | Réponse |
|---|---|
| 1) Repérer les reprises, les comparer à l'antécédent et commenter leur rôle dans l'avancement du texte. | |
| Dans T7 : *la rigologie*. | *la science du rire* (définition) |
| Dans T8 : *ce dernier cas*. | Résume la dernière partie de la phrase précédente (GPrép *pour l'astronomie*). |
| *Ces vestiges du passé.* | Résume les deux dernières phrases du paragraphe précédent (avec déterminant démonstratif). |
| 2) Dans T9, repérer l'antécédent de la désignation *ces conditions difficiles*. | Reprend toute la phrase précédente, accompagnée d'une évaluation. |
| 3) Dans le passage suivant, imaginer une autre périphrase pour remplacer celle qui est soulignée : *Yno était désormais face à l'Everest ; l'effrayant géant des neiges le défiait de sa masse étincelante.* | par exemple : *le plus haut sommet du monde ; la montagne majestueuse* |

En terminant ce survol des formes de reprise en relation avec les sens véhiculés, il est nécessaire de relever que les classifications sont approximatives et non exclusives. Ainsi, dans le texte intitulé *Fais-moi rire* (voir l'annexe de ce chapitre), *rire* est repris par *une thérapie par le rire*, à la fois par dérivation lexicale, puisqu'un nom est substitué à un verbe, et avec une réorientation du sens, car *le rire* dans l'expression *thérapie par le rire* n'a pas une portée aussi générale que *rire*, puisqu'il spécifie le type de thérapie. De même, une périphrase inclut parfois un noyau sous la forme d'un hyperonyme, comme c'est le cas dans *le baobab/**l'arbre** géant d'Afrique*.

## Conclusion

Il est du plus grand intérêt pour les élèves de travailler le rôle spécifique des reprises dans la cohérence et même la progression du texte afin qu'ils puissent mieux repérer les sens véhiculés par ces différentes formes et développer ainsi une meilleure compréhension des textes et une plus grande maitrise de l'expression écrite. Une des difficultés, pour un scripteur novice, est d'apprendre à évaluer comment employer les ressources de la langue selon la capacité du lecteur à décoder les indices de cohérence dans un texte, ce qui revient à assumer sa part de responsabilité dans la communication, sans oublier la question de la distance entre la reprise et son antécédent, ni celle de l'harmonisation des traits morphologiques entre les deux termes. L'éventail des procédés de reprise sera introduit en classe selon les possibilités offertes par les textes travaillés et la préparation antérieure des élèves, qui peut varier considérablement d'une situation scolaire à l'autre selon le pays et la relative nouveauté de ce domaine d'étude.

Les reprises s'emploient en combinaison avec les autres moyens mobilisés, notamment les connecteurs, avec lesquels elles constituent l'un des deux plus importants procédés d'organisation du texte. Mais il est important de toujours avoir en tête que l'organisation d'un texte n'est pas le résultat mécanique de la combinaison des connecteurs et des reprises : la pertinence des thèmes et des propos est également nécessaire.

Faut-il rappeler que le choix des formes de reprise est étroitement associé au genre textuel ou discursif dont relève le texte, chacun de ces genres sollicitant des ressources langagières qui peuvent différer ou être employées dans des proportions variables. Ainsi les textes à caractère scientifique, qu'ils soient à dominante descriptive, explicative ou argumentative, manipulent généralement plusieurs thèmes simultanément ; les répétitions de groupes nominaux y sont indispensables par souci de clarté et de précision. Ce n'est pas le cas des récits littéraires, où les répétitions concernent surtout des pronoms, de première ou de troisième personne, renvoyant au personnage principal qui est aussi le thème principal. Soulignons aussi que la plupart des procédés de reprise sont une extraordinaire occasion de travailler le lexique ainsi que bien des figures de style dans un contexte significatif.

## Références bibliographiques de base

Chartrand, S.-G., Aubin, D., Blain, R. et Simard, C. (1999/2011, 2e éd.). *Grammaire pédagogique du français d'aujourd'hui*. Boucherville : GRAFICOR/Montréal : Chenelière Éducation (chapitre 4).

Dumortier J.-L., Dispy, M. et Van Beveren, J. (2013). *Les savoirs langagiers. Glossaire. Fédération Wallonie-Bruxelles*. Namur : Presses universitaires de Namur.

Paret, M.-C. (2009). Une ressource pour la compréhension et l'écriture des textes : la grammaire textuelle. *Québec français,* numéro hors série, p. 84-89. En ligne : www.mcparet.com/articles-et-travaux

Reichler-Béguelin, M.-J. (1988). *Écrire en français*. Neuchâtel/Paris : Delachaux et Niestlé.

## Autres références bibliographiques

Fortin, S., Ladouceur, M., Larose, S. et Rose, F. (2007). *Fresques. Manuel A. Histoire et éducation à la citoyenneté*. Montréal : GRAFICOR, p. 78.

MELS (2011). *Progression des apprentissages en français au secondaire* ; en ligne : www1.mels. gouv.qc.ca/progressionSecondaire/domaine_langues/FLE/index.asp

Portail pour l'enseignement du français : voir les séquences didactiques traitant de la reprise de l'information (à reprise) ; en ligne : www.enseignementdufrancais.fse.ulaval.ca/fichiers/ site_ens_francais/modules/document_section_fichier/fichier__be1c10ac6e5a__SD_ lecture_coherence_unite_texte_doc.pdf et

www.enseignementdufrancais.fse.ulaval.ca/fichiers/site_ens_francais/modules/document_ section_fichier/fichier__04ff8e7c0970__SD_lecture_grammaire_textuelle_doc.pdf

### T1 – *L'écume des jours*[37]

Colin monta l'escalier, vaguement éclairé par des vitraux immobiles, et se trouva au premier étage. Devant lui, une porte noire tranchait sur la pierre froide du mur. Il entra sans sonner, remplit une fiche et la remit à l'huissier, qui la vida, en fit une petite boule, l'introduisit dans le canon d'un pistolet tout préparé et visa soigneusement un guichet pratiqué dans la cloison voisine. Il pressa la gâchette, en se bouchant l'oreille droite avec la main gauche et le coup partit. Il se remit posément à charger son pistolet pour un nouveau visiteur.

Colin resta debout jusqu'à ce qu'une sonnerie ordonnât à l'huissier de l'introduire dans le bureau du directeur.

### T2 – *Tous les matins, je me lève*[38]

[*Le narrateur est à la pêche avec son ami Thomas Lipsky*]

– Tu vas tenir le poisson avec le tissu et je vais essayer de lui retirer l'hameçon […]. Quand Lipsky a senti cette chair froide vivre et battre sous la toile, il a eu un mouvement de recul puis, rassemblant tout son courage, a immobilisé le poisson. Avec d'infinies précautions, j'ai essayé de lui enlever cette saloperie de fer qui lui déchirait le museau. Quand j'y suis parvenu, je me suis senti mieux. J'avais encore sur les doigts le parfum de sa bouche. J'ai dit à Thomas : « Balance-le à la mer. » Il l'a jeté aussi loin qu'il a pu. Au contact de l'eau, le poisson a frétillé comme un glaçon dans un verre de Martini et a disparu retrouver sa famille. « Il s'en tirera avec une mauvaise cicatrice », a dit Thomas.

### T3 – *Les misérables*[39]

Jean Valjean était d'un caractère pensif sans être triste, ce qui est le propre des natures affectueuses. Somme toute, pourtant, c'était quelque chose d'assez endormi et d'assez insignifiant, en apparence du moins, que Jean Valjean. Il avait perdu en très bas âge son père et sa mère. Sa mère était morte d'une fièvre de lait mal soignée. Son père, émondeur comme lui, s'était tué en tombant d'un arbre. Il n'était resté à Jean Valjean qu'une sœur plus âgée que lui, veuve, avec sept enfants, filles et garçons. Cette sœur avait élevé Jean Valjean, et tant qu'elle eut son mari elle logea et nourrit son jeune frère. Le mari mourut. L'aîné des sept enfants avait huit ans, le dernier un an. Jean Valjean venait d'atteindre, lui, sa vingt-cinquième année. Il remplaça le père, et soutint à son tour sa sœur qui l'avait élevé. Cela se fit simplement, comme un devoir, même avec quelque chose de bourru de la part de Jean Valjean.

---

**37.** B. Vian (1963), Paris : Pauvert, coll. « 10/18 », p. 120.

**38.** J.-P. Dubois (2006), Paris : Seuil, coll. « Points », p. 98.

**39.** V. Hugo (1967), Paris : GF-Flammarion, p. 110.

### T4 – *Candide, ou l'Optimisme*[40]

[Candide rencontre Cunégonde, la fille du baron]

Elle rencontra Candide en revenant au château, et rougit ; Candide rougit aussi ; elle lui dit bonjour d'une voix entrecoupée, et Candide lui parla sans savoir ce qu'il disait. Le lendemain après le dîner, comme on sortait de table, Cunégonde et Candide se trouvèrent derrière un paravent ; Cunégonde laissa tomber son mouchoir, Candide le ramassa, elle lui prit innocemment la main, le jeune homme baisa innocemment la main de la jeune demoiselle avec une vivacité, une sensibilité, une grâce toute particulière ; leurs bouches se rencontrèrent, leurs yeux s'enflammèrent, leurs genoux tremblèrent, leurs mains s'égarèrent. M. le baron de Thunder-ten-tronckh passa auprès du paravent, et voyant cette cause et cet effet, chassa Candide du château à grands coups de pied dans le derrière ; Cunégonde s'évanouit ; elle fut souffletée par madame la baronne dès qu'elle fut revenue à elle-même ; et tout fut consterné dans le plus beau et le plus agréable des châteaux possibles.

### T5 – *L'étranger*[41]

C'est un jour que j'étais agrippé aux barreaux, mon visage tendu vers la lumière, qu'un gardien est entré et m'a dit que j'avais une visite. J'ai pensé que c'était Marie. C'était bien elle.

J'ai suivi pour aller au parloir un long corridor, puis un escalier et pour finir un autre couloir. Je suis entré dans une très grande salle éclairée par une vaste baie. La salle était séparée en trois parties par deux grandes grilles qui la coupaient dans sa longueur. Entre les deux grilles se trouvait un espace de huit à dix mètres qui séparait les visiteurs des prisonniers. J'ai aperçu Marie en face de moi avec sa robe à raies et son visage bruni.

### T6 – *Un ado découvre un bébé dinosaure*[42]

En 2009, alors qu'il avait 17 ans, Kevin Terris et sa classe participent à des fouilles archéologiques dans l'ouest des États-Unis.

Le groupe, guidé par deux paléontologues, passe devant un rocher sans rien remarquer. Kevin, lui, voit un objet dépasser d'un rocher. Intrigué, il prévient les spécialistes qui se mettent à creuser… et découvrent un os du crâne d'un dinosaure !

Plus tard, les experts sont retournés sur le site pour déterrer le squelette entier. Après 1 300 heures de travail, ils ont réussi à extraire le fossile de la roche et à le nettoyer. Le dinosaure dont ils ont retrouvé le fossile appartient au groupe des dinosaures à bec de canard. C'est le spécimen le plus jeune (moins d'un an) et le plus complet de son genre.

---

**40.** Voltaire (1960), Paris : Garnier Frères, p. 139.

**41.** A. Camus (2000), Paris : Gallimard, coll. « Folio Plus », p. 74.

**42.** M.-C. Ouellet, *Les débrouillards*, lesdebrouillards.com, 29 octobre 2013.

Cette espèce se distingue par la crête que les adultes portent sur la tête. En étudiant le crâne découvert par Kevin, les chercheurs ont été surpris d'apercevoir une petite bosse annonçant la croissance de la crête. Jusque-là, ils croyaient que celle-ci se développait plus tard dans la vie de l'animal.

### T7 – *Fais-moi rire*[43]

La rigologie, ou rirologie si vous préférez, c'est sérieux. La science du rire nous rappelle que se dilater la rate est un gage de santé tant mentale que physique. Le rire humain est hérité des mimiques de jeux de combat des chimpanzés. D'où l'expression « drôle comme un singe ». Rire est un remède efficace contre le stress, l'anxiété et même la timidité. Une thérapie par le rire accroît la production d'anticorps, nous protégeant des virus, et provoque la sécrétion d'endorphines, atténuant ainsi la douleur. La popularité grandissante des clowns à l'hôpital fait oublier la maladie. En somme, rire c'est la santé ! Quoique… un homme mort de rire a dû être enterré dans une enveloppe : il était plié en quatre !

### T8 – *Réflexions sur quelques interrogations de la cosmologie contemporaine*[44]

L'important quand on veut décrire un chapitre du passé, c'est d'avoir des fossiles provenant de la période correspondante, sinon on ne peut rien dire de crédible. Cela est vrai aussi bien pour la préhistoire humaine que pour l'astronomie. Dans ce dernier cas, ce sera par exemple des rayonnements émis à certaines périodes de la vie de l'univers ou encore des variétés d'atomes engendrés dans certains événements cosmiques. Ils ont laissé des traces qu'on peut encore identifier aujourd'hui.

Comme les fossiles des préhistoriens, ces vestiges du passé vont jouer un rôle de « preuves à l'appui » pour la crédibilité de l'histoire cosmique que nous essayons de décrypter. On pourrait dire que l'univers se comporte comme un immense gaz dont les galaxies seraient les particules. Les observations d'*Edwin Hubble* nous montrent que ce gaz est en expansion. *Albert Einstein*, par ses travaux théoriques, en conclut qu'il se refroidit. Cela veut dire que dans le passé, l'univers était plus brillant. Plus on recule dans le temps, plus la matière du cosmos était chaude et lumineuse.

### T9 – *Mylène Paquette réussit son exploit*[45] !

Elle est la première Nord-Américaine à traverser l'Atlantique à la rame en solitaire ! [...]

La Québécoise de 35 ans a entrepris ce périple pour sensibiliser le public à la beauté et à la fragilité du fleuve Saint-Laurent et des océans.

À bord d'une petite embarcation à rames – sans voile, ni moteur – Mylène a vécu un séjour mouvementé : elle a affronté des vents violents et d'énormes vagues, chaviré

---

**43.** D. Monté, *L'itinéraire*, 15 novembre 2013, p. 41.

**44.** H. Reeves, site officiel, www.hubertreeves.info/ecrits/reflexions.html

**45.** M.-C. Ouellet, *Les débrouillards*, www.lesdebrouillards.com, 13 novembre 2013.

10 fois, a eu du matériel brisé sans parler de sa santé (bleus, intoxication au monoxyde de carbone, infection urinaire, etc.). À cause de ces conditions difficiles, la navigatrice a failli abandonner son pari… mais elle a tenu bon !

Pour survivre en mer durant 4 mois, Mylène s'est nourrie d'aliments déshydratés et a utilisé un dessalinisateur pour obtenir de l'eau potable à partir de l'eau de mer. Pour l'électricité, elle disposait d'une éolienne et de panneaux solaires. Elle s'est orientée avec un système de localisation GPS.

### T10 – *Les éléments : des atomes différents*[46]

Les éléments sont les briques qui permettent de construire l'Univers. Un élément représente tous les atomes qui ont le même nombre de protons. Le nombre de protons est donc une propriété caractéristique des éléments. Les atomes d'un même élément peuvent se distinguer par le nombre de neutrons. […]. L'hydrogène est l'élément le plus simple. […] Il a aussi la propriété d'être très explosif. À l'état liquide, on s'en sert comme carburant pour les fusées.

### T11 – *L'identification des substances inconnues*[47]

La connaissance des propriétés caractéristiques de la matière permet d'identifier plusieurs substances pures. Supposons qu'on soit en présence d'un liquide incolore et inodore. S'agit-il d'eau ou d'autre chose ? Pour le savoir, il suffit d'effectuer quelques tests. Si le liquide inconnu bout à 100 °C, gèle à 0 °C, possède une masse volumique de 1,0 g/ml et colore un papier de dichlorure de cobalt en rose, il s'agit probablement d'eau.

Il est possible d'identifier une substance en comparant ses propriétés caractéristiques avec les données d'un tableau de propriétés qui répertorie *les* propriétés de plusieurs substances. On en trouve un à l'annexe 1 de ce manuel (« Les propriétés de substances courantes »). Le tableau 1.32, à la page suivante, présente quelques extraits de ce tableau. On y montre que l'eau et la glycérine sont deux liquides incolores et inodores. On peut cependant les distinguer par leurs propriétés caractéristiques.

### T12 – *Le séisme, une menace qui gronde*[48]

La Terre est un peu comme un oignon, faite de plusieurs couches, dont trois principales. Il y a d'abord le noyau, cette masse solide au centre de la Terre, puis le manteau, la couche intermédiaire faite de roches en fusion et enfin, la croûte terrestre, l'enveloppe externe solide qui recouvre la planète.

La croûte terrestre est elle-même composée de plusieurs morceaux qui s'imbriquent les uns dans les autres, un peu comme un casse-tête. Ce sont les plaques tectoniques. Ces plaques flottent sur le manteau et se déplacent constamment en raison

**46.** I. Escriva, C. Ouellette, D. Pinsonnault et M. Zarif (2005). *Explorations. Science et technologie. 1er cycle du secondaire. Manuel A.* Montréal : Graficor, p. 208.

**47.** R. Lalonde (dir.), M.-D. Cyr et J.-S. Verreault (2007). *Observatoire. L'humain.* Montréal : ERPI, p. 25.

**48.** Cours Géographie, 1er cycle du secondaire, Laurin, S. (2005). *Territoires, Manuel 1.* Montréal : ERPI, p. 69.

des mouvements provoqués par le magma en fusion. Certaines plaques s'éloignent les unes des autres, d'autres glissent les unes sur les autres allant même jusqu'à entrer en collision.

À force de s'étirer ou de se comprimer, les plaques tectoniques finissent par se casser et par former ce que l'on appelle des « failles ». Lorsque cela se produit, le choc est si brutal qu'il dégage une grande quantité d'énergie, ce qui provoque de fortes vibrations. Ce sont des ondes sismiques. Ces dernières voyagent en cercles concentriques jusqu'à la surface de la Terre. C'est ce qu'on appelle un « séisme » ou un « tremblement de terre ».

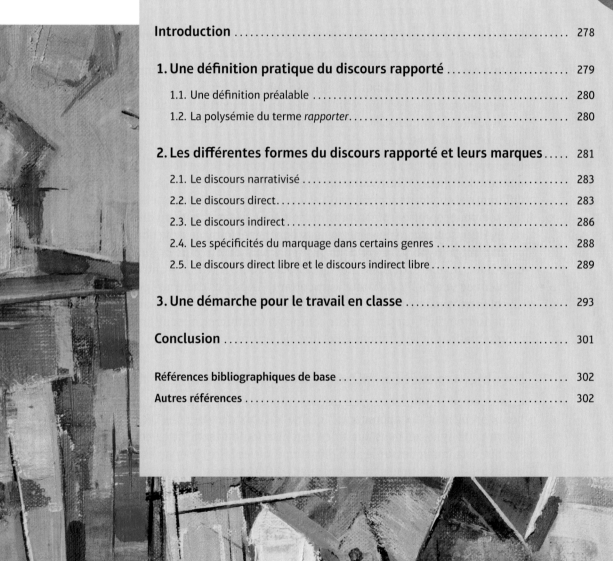

# L'enseignement des diverses formes et valeurs du discours rapporté au secondaire

**FRANCIS GROSSMANN** ET **LAURENCE ROSIER**

CHAPITRE **13**

# Introduction

> Il s'est assis sur le lit et m'a expliqué qu'on avait pris des renseignements sur ma vie privée. On avait su que ma mère était morte récemment à l'asile. On avait alors fait une enquête à Marengo. Les instructeurs avaient appris que «j'avais fait preuve d'insensibilité» le jour de l'enterrement de maman. «Vous comprenez, m'a dit mon avocat, cela me gêne un peu de vous demander cela. Mais c'est très important. Et ce sera un gros argument pour l'accusation, si je ne trouve rien à répondre.»
>
> Albert Camus, *L'étranger*, Œuvres complètes, tome I, Gallimard, Bibliothèque de la Pléiade, p. 178.

Identifier ou rapporter le discours d'autrui pose des difficultés aux élèves, tant en raison de l'effort de décentrement qu'exige cette opération qu'à cause de la complexité syntaxique et énonciative et de la diversité des formes qu'elle implique, comme l'illustre la citation de Camus mise en exergue. La maitrise des discours rapportés en lecture comme en écriture représente un enjeu important de la classe de français, parce qu'elle fournit des clés indispensables à la compréhension, à l'interprétation et à la production des textes.

Nous appréhenderons ici le discours rapporté comme l'ensemble des procédés permettant de signaler, d'introduire un discours, écrit ou oral, émis par un énonciateur différent de l'énonciateur principal[1]. Ce dernier signale qu'il rapporte le discours d'autrui soit pour conforter son propre dire, soit pour se démarquer du discours d'autrui ou l'évaluer, soit encore pour mettre en scène un personnage de fiction. L'expression *discours rapporté* ne se réfère donc pas seulement au discours cité, mais aussi aux différentes manières de présenter un discours comme attribué à autrui. La question du point de vue de l'énonciateur «rapportant» le propos d'autrui – propos qui peut très bien ne jamais avoir été tenu, comme lorsqu'on imagine ce que quelqu'un aurait pu penser ou dire – apparait alors comme un point crucial pour faire évoluer les représentations et les pratiques scolaires de lecture et d'écriture.

## Un objet textuel complexe, encore insuffisamment didactisé

L'insertion ou l'interprétation du discours rapporté (DR) dans un texte pose de nombreux problèmes aux apprenants. Comme le choix d'insérer des DR dans un texte relève de la syntaxe, mais aussi de l'organisation du texte, de sa cohérence et de son but, cela implique, sur le plan didactique, de les faire observer et analyser dans des genres dans desquels ils fonctionnent différemment. Les marques du DR sont nombreuses et interviennent à différents plans de l'énoncé: marques syntaxiques (verbes introducteurs et la structure qu'ils commandent, par exemple les phrases subordonnées complétives, compléments directs du verbe), marques énonciatives

---

1. L'énonciateur principal ne se confond pas toujours avec le producteur empirique du discours: dans un roman, le narrateur, qu'on ne doit pas confondre avec l'auteur, peut rapporter le discours ou le point de vue d'un personnage, comme c'est le cas dans l'extrait de *L'étranger* de Camus ci-dessus.

(personnes grammaticales et modes-temps verbaux), marques de ponctuation (deux-points, tiret), marques de typographie (italique, guillemets).

Malgré des progrès indiscutables[2], les pratiques d'enseignement du DR actuelles demeurent perfectibles, notamment parce que les exercices canoniques de transposition (passer du discours direct au discours indirect et vice versa) restent encore souvent cantonnés dans le cadre de la phrase, ce qui empêche une véritable réflexion sur ce qui peut motiver le choix des différentes formes de DR. De plus, dans la plupart des moyens d'enseignement, on s'en tient encore aux objectifs d'identification et d'emploi des trois types « classiques » de DR (discours direct, indirect et indirect libre), sans que soit suffisamment observée la diversité de ses formes, de ses usages et des effets produits, dans la perspective d'un continuum[3]. Au-delà du repérage nécessaire de ces trois types de DR, il faut sensibiliser les élèves aux autres formes que celui-ci peut prendre, qu'il soit introduit par *selon* ou adopte certaines formes de discours direct libre, très présentes dans plusieurs genres de discours[4]. Il s'agit également de leur montrer les variations du marquage du DR. Si l'on accepte cette perspective, deux démarches didactiques d'ensemble peuvent être adoptées. Une démarche classique consiste, dans un premier temps, à expliciter une norme simple, « théorique », puis à passer aux complications présentes dans les usages réels. La seconde démarche, plus inductive, procède de l'observation de ces usages dans des discours de différents genres afin d'amener à une découverte des différents moyens disponibles, en explicitant au passage les normes de l'écrit scolaire ou académique. Les propositions formulées ici, tout en privilégiant la seconde démarche, peuvent être adaptées à la première[5].

Dans la première partie du chapitre, après avoir montré la complexité du phénomène, nous présentons une définition large du DR. Nous détaillons ensuite, dans la deuxième partie, ses principales formes et marques, tout en présentant également des propositions d'activité. Enfin, dans la troisième partie, nous proposons à titre d'exemple une démarche didactique expérimentée en deuxième année du secondaire en France (élèves de 12-13 ans).

# 1. Une définition pratique du discours rapporté

Nous commencerons par définir le DR, puisque cette expression, qui renvoie à un phénomène aux multiples facettes (syntaxique, énonciative, textuelle et discursive), est la source de plusieurs malentendus.

**2.** Voir les prescriptions et référentiels en Belgique (Denyer, Rosier et Thyrion, 2003), au Québec (MELS, 2011) et l'ouvrage pionnier d'É. Genevay (1994) en Suisse romande. Voir aussi É. Genevay et J. Authier-Revuz (1998).

**3.** Voir les arguments en faveur d'une telle perspective dans Rosier (2008). Ce point de vue implique la prise en compte de formes « mixtes » ainsi qu'un plus grand souci de la diversité des usages.

**4.** Voir, par exemple, Chartrand, Émery-Bruneau et Sénéchal (2015, 2e éd.).

**5.** Les auteurs remercient G. Legros d'avoir attiré leur attention sur ce point important.

## 1.1. | Une définition préalable

Le DR désigne l'ensemble des procédés qui permettent à l'énonciateur, à l'oral comme à l'écrit, de rapporter le discours produit par un ou plusieurs autres énonciateurs. Il peut le faire de plusieurs façons :

- en signalant et en identifiant la source autre, par exemple un énonciateur individuel (*Il dit…*) ou un énonciateur collectif (*On dit…*) ;
- en omettant la source : par exemple, dans la phrase *Le président aurait annoncé la trêve*, l'énonciateur, grâce au conditionnel dit «journalistique», signale qu'il s'agit d'un propos rapporté, mais n'utilise pas de verbe introducteur du type *il dit/on dit* ;
- en précisant son degré d'adhésion ou son attitude face au discours produit, notamment grâce au choix des verbes introducteurs (*il **prétend** que, il **insinue** que…*) ou d'adverbes de modalisation (*Il a rappelé, **à juste titre**, que…*) ; c'est donc toute la question de la modalisation qui est en jeu dans le DR.

## 1.2. | La polysémie du terme *rapporter*

Le participe *rapporté* dans l'expression *discours rapporté*, traduite de l'anglais (*reported speech*), a plusieurs significations. Selon les situations et le genre, un énonciateur peut se montrer plus ou moins fidèle à la source des propos qu'il rapporte, comme l'illustrent les différentes situations décrites ci-dessous.

- Situation 1 – L'énonciateur est une avocate. Durant sa plaidoirie, elle lit une lettre envoyée par un témoin. Elle rapporte **exactement** la forme et le contenu de la lettre.
- Situation 2 – L'énonciateur est un journaliste. Il est venu interviewer une personnalité du monde du sport. Il enregistre leurs échanges. Plus tard, lorsqu'il doit rédiger son article, il va choisir des extraits de l'interview et les intégrer dans un texte qu'il rédigera lui-même. Il a rapporté **en partie** les propos du sportif interviewé, car il doit les résumer pour que son article tienne dans les pages consacrées à ce sportif.
- Situation 3 – Deux amis, Sylvain et Marc, discutent du match de foot qu'ils viennent de jouer et de perdre. Le premier dit à l'autre : «Quand on est vraiment dans un match, il faut être un homme à tout faire.» Le second, un peu piqué, lui répond : «Est-ce que tu sous-entends que je suis un bon à rien sur le terrain?» Marc **interprète** les paroles de Sylvain qui, explicitement, n'a rien dit de tel.
- Situation 4 – L'énonciateur est une écrivaine. Elle veut raconter dans un roman l'histoire de ses parents qui ont vécu pendant la Seconde Guerre mondiale. Elle se base sur ses souvenirs, sur ce que ses parents lui ont raconté, mais elle invente aussi des dialogues pour rendre son roman vivant, dialogues qu'elle va rendre sous une forme entre guillemets, comme s'ils avaient réellement eu lieu. Dans ce cas-là, on parle aussi de DR même si l'écrivaine **imagine** les propos ou les pensées de ses personnages.

Suivant les situations, en particulier la fonction professionnelle ou le statut social de l'énonciateur et le but de son discours, le terme *rapporter* peut signifier :

1. rapporter exactement (situation 1) ou en partie (situation 2) des propos antérieurs ;
2. interpréter des propos antérieurs (situation 3) ;
3. imaginer des paroles ou des pensées (situation 4).

*Rapporter* ne veut donc pas toujours dire qu'il y a eu effectivement un énoncé antérieur, mais *on fait comme si*. On peut aussi présenter sous une forme rapportée des paroles qui n'ont pas été dites. Par exemple, lorsqu'on emploie des expressions comme *tu aurais dû lui dire, tu ne dois pas lui dire que…, vous me direz sans doute que…* Ces expressions permettent de présenter un pseudo-discours rapporté. Elles sont utilisées dans des discours de reproche, dans des situations de conflits où l'on argumente, par exemple.

# Les différentes formes du discours rapporté et leurs marques

Nous présenterons d'abord l'ensemble des formes du DR auxquelles l'élève peut être confronté dans les différents genres de discours qu'il lit ou qu'il doit écrire, entre autres pour l'école, afin qu'il les identifie à partir de ses différentes marques et comprenne qui parle et qui est responsable des propos ou des pensées rapportés. Ensuite, nous mettrons en évidence les liens entre la production de ces formes et des genres scolaires (résumé, exposé oral, synthèse, récits…) et indiquerons celles qu'il convient de privilégier en vertu de règles de fidélité (reprendre au plus près la parole d'autrui), de concision de l'écriture (reformuler pour synthétiser), ou pour susciter l'intérêt du lecteur (paroles des personnages de fiction).

Comme un même genre, par exemple le récit de fiction ou l'interview médiatique, comporte généralement une alternance de narration et de DR, on doit tenter de passer de l'un à l'autre de façon harmonieuse sur les plans textuel (emploi de connecteurs) et linguistique (changements possibles de l'ancrage énonciatif des temps et des personnes). Tantôt on peut interrompre une narration par l'insertion de discours directs, marqués ou non typographiquement, tantôt on peut intégrer à des degrés divers les séquences rapportées dans la narration (grâce à l'emploi de formes indirectes). Le DR se présente donc sous différentes formes : on les distinguera selon qu'elles se caractérisent par la présence ou l'absence d'un verbe introducteur et/ou la présence ou l'absence d'un subordonnant (marqueur de subordination) et/ou la présence ou l'absence d'une marque de ponctuation ou de typographie (guillemets ou italique)[6].

Nous présentons d'abord le discours narrativisé (section 2.1), puis les formes les plus classiques et les plus courantes que sont le discours direct (section 2.2) et le discours indirect (section 2.3) ; ensuite, nous abordons des formes plus spécifiques à des genres particuliers :

---

**6.** Dans ce qui suit, nous englobons sous le terme *marquage typographique* l'ensemble des marqueurs graphiques du DR : deux-points, guillemets, tirets, italique.

le discours direct avec subordonnant, le discours indirect avec marques typographiques (section 2.4), le discours direct libre et le discours indirect libre (section 2.5).

Si les formes rencontrées sont variées, cela ne doit pas faire oublier que, selon les genres, cette variété est plus ou moins admise : dans un roman, l'auteur peut, à des fins stylistiques, prendre des libertés avec la ponctuation ou les marques typographiques du DR, alors que, dans un article de journal, il est obligatoire d'indiquer typographiquement les extraits repris de façon littérale, de manière à garantir la traçabilité des sources. Il sera intéressant d'explorer avec les élèves cette diversité et cette pluralité des normes. On pourra également leur préciser que certaines productions ne sont pas exemptes de ratés ou d'incohérences dans le signalement du DR.

**TABLEAU 13.1 Les principales formes de discours rapporté**

| Discours narrativisé | |
|---|---|
| *Il l'agonit d'injures parce qu'elle avait fouillé dans son courrier.* | |
| **Discours direct** | **Discours indirect** |
| *Il demanda, indigné : « Qui t'a permis de fouiller dans mon courrier ? »* | *Indigné, il lui demanda qui lui avait permis de fouiller dans son courrier.* |
| **Discours direct libre** | **Discours indirect libre** |
| *Il était indigné. Qui t'a permis de fouiller dans mon courrier !* | *Il était indigné. Elle avait fouillé dans son courrier. Qui le lui avait permis ?* |

La première activité propose une exploration du rôle des verbes introducteurs du DR ; elle peut servir à amorcer le travail sur les DR.

**ACTIVITÉ 13.1 Identification des marqueurs du discours rapporté**

ÂGE DES ÉLÈVES : 11-15 ans

OBJECTIF : Repérer les verbes de parole utilisés pour marquer la source d'un DR.

CONSIGNE : Dans l'article suivant, soulignez les verbes utilisés pour signaler un DR. À quelle place sont-ils généralement situés dans la phrase ? Qu'est-ce qui, selon vous, peut expliquer cette préférence ? Voyez-vous des exceptions ? Qu'est-ce qui les justifie ?

### Un bébé de Noël dans le métro de Philadelphie

*Une jeune femme, aidée par deux policiers, a donné naissance jeudi à un petit garçon dans le métro de Philadelphie (est des États-Unis), joli cadeau de Noël un peu précipité. Les deux officiers des transports avaient été appelés en urgence après que la jeune femme eut perdu les eaux dans la rame, en plein centre-ville.*

*Des photos prises avec un téléphone portable montrent l'un des policiers quittant le métro, avec l'enfant emmailloté dans ses bras. « J'espérais une journée de travail calme », a raconté le sergent Daniel Caban. « Mais c'était une belle expérience », a-t-il dit sur la chaîne locale NBC 10.*

*Il a admis avoir eu un peu peur. « Au fond de moi, je priais pour qu'une équipe médicale arrive », a-t-il ajouté. « Mais c'était une bénédiction, durant les fêtes, un bébé de Noël. »*

> *« Tout s'est passé très vite, c'était extraordinaire »*, <u>*a commenté*</u> *son collègue Darrell James*, <u>*racontant que*</u> *la mère avait immédiatement voulu « prendre le bébé », le père proposant, lui, sa chemise pour réchauffer son fils. « C'est le plus beau Noël que j'ai jamais eu »,* <u>*a-t-il ajouté*</u>*.*
>
> *L'enfant et la mère, immédiatement transportés à l'hôpital, se portent bien. Les policiers se sont également bien remis de leurs émotions.*
>
> *Et le chef de la police des transports de Philadelphie (SEPTA), Thomas J. Nestel III, leur a* <u>*fièrement rendu hommage*</u> *sur Twitter.* <u>*Il a salué*</u> *ce merveilleux « cadeau de Noël » en retweetant la photo des deux hommes.*
>
> L'hebdo, Suisse, mis en ligne le 27 décembre 2014.

**Réponse** : Dans l'extrait, les verbes de parole se situent en général après le passage en DR. Cela s'explique par le fait que le journaliste met en avant – au discours direct – la parole des témoins du fait divers pour donner plus de vivacité à son récit. On remarque cependant que, par définition, les verbes introduisant le discours indirect (p. ex., <u>*Il a admis* avoir eu un peu peur</u> ; <u>*racontant*</u> que la mère avait immédiatement voulu « *prendre le bébé* ») sont placés avant le DR. Dans ce dernier exemple, il y a en outre un ilot citationnel (« *prendre le bébé* »), caractéristique du style journalistique, qui vise à créer un effet de vérité (voir la dernière phrase pour un autre exemple du même type).

# 2.1. | Le discours narrativisé

Le discours narrativisé est une forme de DR totalement intégrée à la narration[7]. On rapporte en effet des paroles ou des pensées, mais sans aller jusqu'à donner la place à la parole de l'autre. Le discours narrativisé consiste donc en l'évocation succincte par l'énonciateur premier d'un acte de parole ou d'une pensée, éventuellement caractérisé par la charge sémantique des mots utilisés pour l'évoquer, comme dans les phrases suivantes : *Il l'agonit d'injures. César harangua ses troupes. Elle lui confia son secret. Toute la nuit, ils se chuchotèrent des mots tendres.* Voici un exemple de discours narrativisé issu d'un roman contemporain :

> Il n'a pas envie de parler. Ça fait trois jours qu'il **répond à des questions**. Ils mangent, **parlent de ce qu'il y a dans leurs assiettes**.
>
> C. Angot, *Les petits*, Flammarion, 2011, p. 113.

Le discours narrativisé a une double fonction, résumante et introductive : il permet d'introduire le DR direct ou indirect. Il se rencontre dans tous les genres de discours.

# 2.2. | Le discours direct

Le discours direct (DD) est annoncé, dans sa forme la plus commune, par un **verbe introducteur** et des marques de ponctuation, les **deux-points**, ou des signes typographiques, les **guillemets**. Il existe plusieurs façons de signaler un discours cité, notamment :

---

**7.** Cette forme a été intégrée dans les grammaires scolaires par Tomassone (1996).

a) l'emploi des guillemets seuls :

> J'ai fermé les persiennes et levé mon fils couché pour sa sieste dans la chambre à côté. « Grand-père fait dodo. »
>
> A. Ernaux, *La place*, Gallimard, 1983, p. 15.

b) la mise en italique (ou entre tirets, dans un dialogue) :

> La voix de Robert Smith dit : *I'm alive, I'm dead…*
>
> L. Binet, *La septième fonction du langage*, Gallimard, 2015, p. 92.

c) la combinaison de plusieurs formes signalant sa présence (discours direct dit surmarqué) :

- guillemets, italique et incise :

> « *On a marché 25 km par jour en moyenne* », raconte Hugo, 17 ans, les mains rougies et abîmées par le froid.
>
> *Le Monde*, 26 janvier 2015.

- verbe introducteur, deux-points et tiret :

> J'avais à peine commencé lorsqu'il s'est collé à mon oreille et m'a dit : – Laisse-moi t'aider, je vois bien que tu as du mal. Regarde comment je fais. Il m'a expliqué le problème dans les moindres détails.
>
> P. Johnson, *Comment éduquer ses parents*, Gallimard, 2004, p. 51.

Mais d'autres variantes existent. Tout d'abord, le verbe introducteur – généralement un verbe de parole (ou de discours) comme *dire, s'écrier*, ou un verbe auquel on fait jouer ce rôle – ne précède pas toujours le DD. À l'écrit, il peut se trouver au milieu du discours qu'on rapporte (on a affaire alors à une incise : *dit-il/elle*) ou à la fin de la séquence (incise conclusive). L'incise, qu'elle soit médiane ou conclusive, permet parfois de marquer une distance ou de l'ironie vis-à-vis des propos rapportés, surtout quand elle est renforcée par le choix du verbe ou par la forme que revêt la dénomination de l'énonciateur :

> On dort aussi bien dans la journée, **assurent les bons apôtres**. Ce n'est pas vrai.
>
> A.L. Dominique, *Le gorille et le barbu*, « Série Noire », Gallimard, 1955, p. 4.

On peut ensuite, dans certains contextes, notamment littéraires, ne pas recourir systématiquement à la ponctuation ni aux signes typographiques qui signalent habituellement le DR. Dans la chanson, la poésie ou le roman contemporain, entre autres, il arrive ainsi fréquemment que la ponctuation ou le marquage typographique habituel soit volontairement ignoré au profit d'autres combinaisons. Les normes en la matière ne sont pas toujours rigoureuses, comme l'illustre l'exemple b) ci-après, où l'usage des tirets n'est pas systématisé devant les DD. Voici des exemples de présentation du DD :

a) avec seulement un verbe introducteur :

> Elle me **dit**[8]
>
> Écris une chanson contente
>
> Pas une chanson déprimante
> Une chanson que tout le monde aime
>
> Mika, chanson *Elle me dit*.

> Je m'en vais, **dit** Ferrer, je te quitte. Je te laisse tout mais je pars.
>
> Incipit du roman de J. Echenoz, *Je m'en vais*, Éditions de Minuit, 1999.

b) avec des tirets et un verbe dans une phrase incise en conclusion :

> J'allais retraverser le boulevard quand une dame m'a tapé sur l'épaule.
>
> Tu attends quelqu'un ?
>
> – Non.
>
> – Tu n'attends personne ?
>
> J'ai pensé que cette dame avait un problème, un problème de folie et je n'ai pas voulu la vexer. Alors j'ai répondu.
>
> – C'est ça. Je n'attends personne.
>
> C'est une grande force, **a-t-elle déclaré**. Quel âge as-tu ?
>
> – Dix ans, enfin, presque dix ans.
>
> A. Desarthe, *Comment j'ai changé ma vie*, L'école des loisirs, 2004, p. 18.

c) avec un verbe introducteur et l'italique :

[La mère de l'auteure explique à la voisine pourquoi elle n'a pas révélé à sa fille la mort de sa grande sœur.]

> Elle **dit** de moi *elle ne sait rien, on n'a pas voulu l'attrister.*
>
> A. Ernaux, *L'autre fille*, NiL éditions, 2011, p. 16.

d) avec les deux-points et l'italique :

> Alors qu'elle vient d'apprendre la mort de son fils dans un accident, la mère s'oblige à demander des nouvelles des autres passagers de la voiture.
>
> Elle hausse les épaules et sa bouche se déforme **: *et vous ? Les garçons ?***
>
> M. de Kerangal, *Réparer les vivants*, Verticales-Phase deux, 2014, p. 68.

---

**8.** Le gras, dans ce passage et les suivants, est de notre fait.

## 2.3. | Le discours indirect

Le discours indirect (DI) se caractérise par un **verbe introducteur** généralement suivi du **subordonnant *que* sans marque typographique**, comme dans l'exemple suivant :

> […] elle me **dit qu'**elle n'éprouve pas les même sentiments que moi, mais qu'elle ne veut pas **arrêter** notre relation, qu'elle se sent bien avec moi, mais pas prête à s'engager (elle sort d'une rupture)
>
> http://forum.aufeminin.com/forum/psycho2/__f8975_psycho2-Je-lui-dis-que-je-l-aime-et-elle-veut-qu-on-reste-amis-c-est-possible.html

Lorsqu'il s'agit d'une question posée sous une forme indirecte, on parle d'*interrogation indirecte* plutôt que de DD :

> Je demandai **s'il y avait un support sur lequel je puisse écrire**.
>
> J. Dicker, *La vérité sur l'affaire Harry Quebert*, Éditions de Fallois/ L'Âge d'Homme, 2012, p. 208.

Dans ce cas de figure, le subordonnant *que* n'est pas utilisé, mais d'autres subordonnants le sont : *si, où, quoi, qui, pourquoi, ce que*…

On peut rencontrer également un verbe introducteur immédiatement suivi d'un infinitif lorsque l'énonciateur qui rapporte le discours est identique à celui du DR auquel renvoie le verbe à l'infinitif : *Valère dit ignorer où se trouve l'assassin* (= *Valère dit qu'il ignore où se trouve l'assassin*).

Les règles de la transposition du DD au DI s'appliquent à cette catégorie, règles qui permettent de passer d'une question (*Est-ce que tu sais parler anglais ?*) à une question rapportée sous une forme indirecte (*Je lui demande s'il sait parler anglais*). Les marqueurs de l'interrogation directe (l'intonation à l'oral et les signes de ponctuation et l'inversion à l'écrit) disparaissent. Aujourd'hui, on note souvent des passages de l'interrogation indirecte à une question formulée au DD : considéré comme fautif à l'écrit, ce passage se fait souvent à l'oral et dans la littérature, laquelle est parfois une fabrique de discours transgressifs. Ainsi, dans l'exemple suivant, le narrateur commence par une interrogation indirecte (*demander si*), puis passe à l'interrogation directe (*Valérie Borge, il vous faut aussi mon coude ?*) :

> L'institutrice sermonne l'héroïne qui appuie ses coudes sur son banc, contrairement aux règles de bienséance. Ma mère de l'enfant Jésus en fait la remarque en **demandant si** Valérie Borge il vous faut aussi mon coude.
>
> M. Wittig, *L'opoponax*, Éditions de Minuit, 1964, p. 156.

En production, le DI est préféré au DD lorsqu'il faut être concis ou lorsqu'on veut masquer certains aspects du DD. En effet, une des caractéristiques du DI est qu'il permet de prendre de la distance par rapport à la source. Grâce à lui, on peut résumer un propos plus ou moins long en en sélectionnant les éléments pertinents. Le DI permet aussi de prendre des libertés avec la source, en garantissant moins la fidélité du rapport que le DD. Mais, suivant les genres de discours qui le demandent, l'emploi du DI suppose de transposer correctement le discours initial en modifiant les personnes, les temps verbaux et les marques spatiotemporelles. Certaines marques de subjectivité doivent être éliminées (par correction grammaticale), d'autres, marquant une évaluation ou une appréciation, peuvent être mises en exergue grâce aux guillemets (par respect de l'intégrité de la parole de l'autre ou pour marquer une prise de distance).

- **Exemple de gommage des marques de subjectivité**

    a) Il cria sous l'effet de la douleur : « ouille ouille, mince alors, qu'est-ce que ça fait mal ! »

    b) Il cria, sous l'effet de la douleur, qu'il avait très mal. (Gommage des onomatopées et de l'exclamative.)

- **Exemple de mise en exergue grâce aux guillemets**

    Le ministre allemand de l'économie Sigmar Gabriel a lancé une pique mercredi après le discours d'Alexis Tsipras, demandant à la Grèce de se montrer, elle aussi, « juste » envers les Allemands et les Européens, qui ont été « solidaires » des Grecs avec les aides consenties depuis 2010.

    *Le Monde,* 28 janvier 2015.

---

**ACTIVITÉ 13.2** **Emploi des marqueurs des discours direct et indirect**

ÂGE DES ÉLÈVES : 13-15 ans

OBJECTIF : Passer du DD au DI pour reformuler ou synthétiser un discours.

CONSIGNE : Résumez en 120 mots environ l'article de presse suivant, en mettant au DI les passages au DD. Vous éviterez de faire une simple « transposition grammaticale » du type : « A. Cruz affirme que les Québécois ont trop longtemps regardé ailleurs et qu'il est temps de se recentrer. »

Travaillant étroitement avec une cinquantaine de familles d'agriculteurs et de pêcheurs, Société-Orignal développe des produits d'exception issus du terroir québécois : huile de tournesol ou de caméline, sirop d'érable haut de gamme, vinaigre de pommes tardives, baies rares, bière noire… Au printemps, ils ouvriront l'Épicerie Fardoche, un commerce de quartier où les Montréalais trouveront le meilleur de leurs régions. *« Nous avons trop longtemps regardé ailleurs,* affirme Alex Cruz. *Il est temps de se recentrer sur toutes les richesses d'ici ! »* L'historien de la cuisine québécoise Michel Lambert, qui a publié cinq volumes sur le sujet depuis 2006, confirme : *« Notre gastronomie a connu des couches d'influences successives – française, anglaise, asiatique et, bien sûr, américaine – mais notre premier patrimoine est celui des peuples autochtones, iroquoiens et algonquiens. Aujourd'hui, ce qui est exotique, c'est ce qui est ancien et local. Les jeunes chefs veulent redécouvrir leurs racines et déterrent des recettes, des techniques et des produits oubliés pour les retravailler à leur manière. »*

C. Labro, dans *M Le magazine du Monde,* 29 décembre 2014.

**Exemple de résumé**: La Société-Orignal développe des produits issus du terroir québécois. Au printemps, elle ouvrira à Montréal l'Épicerie Fardoche. Alex Cruz regrette que les Québécois aient si longtemps regardé ailleurs et souhaite qu'ils se recentrent sur les richesses de leur pays. Cette opinion est confirmée par l'historien de la cuisine québécoise Michel Lambert. Ce dernier rappelle que la gastronomie québécoise a connu des couches d'influences successives mais que le premier patrimoine est celui des peuples autochtones, iroquoiens et algonquiens. Aujourd'hui, les jeunes chefs retrouvent des recettes et des techniques oubliées pour les recréer à leur façon.

## 2.4. | Les spécificités du marquage dans certains genres

Dans l'écriture scientifique et les médias, d'une part, ainsi que dans la littérature (comme forme de transgression), d'autre part, se rencontrent deux formes particulières de DR.

- Le **DD avec *que*** se caractérise par un verbe introducteur suivi du subordonnant *que* (intégré ou non au segment entre guillemets), ainsi que par la présence des guillemets ou de l'italique[9]. On y garde les marques du DD, même si elles sont a priori incompatibles avec un DI introduit par *que* (comme le présent et les personnes *je/tu*).

> Georges Bidault a souligné devant la fédération MRP du Finistère **« qu'il n'y a pas d'alternative au maintien de la France en Algérie ou, si l'on veut, l'alternative est le suicide pour l'Algérie comme pour la France. Nous ne pouvons pas renoncer au pétrole saharien… »**
>
> *Le Monde*, 1er avril 1958, p. 9.

- Le **DI marqué typographiquement** se caractérise par un verbe introducteur suivi du subordonnant *que* (ou d'autres mots tels que *où, comme quoi, qui, pourquoi…*) et la présence d'une marque typographique. Tout en respectant la transposition des personnes et des temps verbaux, ce discours garde la subjectivité d'un énoncé non transposé (vocabulaire du langage jeune et emploi méprisant dans la bouche du personnage des termes *Juifs* et *francs-maçons*, respectivement, dans les exemples ci-dessous) et l'indique par des guillemets :

> Plus tard une charmante ado de mes amies m'assura que **« ses bios avaient été gigas en lui offrant une toile super méga avec son plouf »**.
>
> *Elle Belgique*, 10 mai 1993, p. 1

> Il protesta d'un ton sec: **« qu'il ne voulait rien demander à ce gouvernement de francs-maçons et de Juifs »**.
>
> F. Mauriac, *Le mystère Frontenac*, Grasset, 1933, p. 70.

---

**9.** Comme le montrent ces exemples, selon les scripteurs, le subordonnant *que* peut être à l'intérieur ou à l'extérieur des guillemets.

Ces formes sont aisément repérables à la lecture. Elles sont, par contre, délicates à employer, car elles dépendent de contextes précis où il faut à la fois citer littéralement un passage et indiquer qu'il y a eu une transposition.

## 2.5. | Le discours direct libre et le discours indirect libre

Passons maintenant en revue les discours direct et indirect libres. Littéraires, ces formes posent parfois des problèmes de compréhension et d'interprétation : il n'est pas toujours aisé d'identifier qui parle ou qui pense ceci ou cela, car elles visent à brouiller les sources énonciatives pour produire un effet esthétique ; elles peuvent ainsi mélanger la voix du narrateur et celles de ses personnages, ou celles des personnages entre elles. Cependant, ces formes de discours existent aussi dans le langage courant, où l'on ne distingue pas toujours clairement qui parle. On les évite dans des genres à dominante informative, où l'identification de la source est primordiale.

### Le discours direct libre

Le discours direct libre (DDL) se caractérise par un verbe introducteur qu'il faut chercher dans le passage qui le précède. Il ne possède pas de marqueurs typographiques, mais est proche du DD en raison de la présence fréquente de marques de subjectivité qui peuvent être identifiées comme propres à l'énonciateur. Avec le DDL, on hésite et on se pose la question : qui parle ? Pour le savoir, il faut regarder l'usage des personnes et/ou du temps, dont l'ancrage spatiotemporel se fait au moment de l'énonciation. On y rencontre en général le présent et les personnes de l'interaction : *je/tu*.

> Elle s'était levée oh descends c'est qu'il me fait mal avec ses pattes il me griffe ses ongles sont durs c'est ça aussi la vieillesse
>
> D. Sallenave, *Un printemps froid*, Gallimard, coll. « Folio », 1985, p. 15.

Quand le DDL occupe une grande partie du texte, voire sa totalité, on parle de *monologue intérieur*. Du point de vue linguistique, le monologue intérieur fait partie des formes plus générales du DR. Utilisé de façon spécialisée pour traduire le rendu du flux spontané et désordonné de la pensée, il permet de ne pas nécessairement respecter l'enchainement logique des idées et d'adopter une syntaxe fluide, voire paratactique[10]. Voici un extrait de ce qui est considéré comme le premier monologue intérieur de l'histoire littéraire, où l'on voit défiler les pensées du personnage sous la forme d'une suite désorganisée :

> Ainsi, je vais dîner ; rien là de déplaisant. Voilà une assez jolie femme ; ni brune ni blonde ; ma foi, air choisi ; elle doit être grande : c'est la femme de cet homme chauve qui me tourne le dos ; sa maîtresse plutôt ; elle n'a pas trop les façons d'une femme légitime ; assez jolie, certes. Si elle pouvait regarder par ici ; elle est presque en face de moi ; comment faire ? A quoi bon ? Elle m'a vu. Elle est jolie ; et ce monsieur paraît stupide ; malheureusement je ne vois

---

10. Le procédé de la parataxe consiste à juxtaposer des phrases sans connecteurs (mots de liaison).

de lui que le dos ; je voudrais bien connaître aussi sa figure ; c'est un avoué, un notaire de province ; suis-je bête ! Et le consommé ? La glace devant moi reflète le cadre doré ; le cadre doré qui est donc derrière moi ; ces enluminures sont vermillonnées, les feux de teintes écarlates ; c'est le gaz tout jaune clair qui allume les murs ; jaunes aussi du gaz, les nappes blanches, les glaces, les verreries. On est commodément ; confortablement. Voici le consommé, le consommé fumant ; attention à ce que le garçon ne m'en éclabousse rien. Non ; mangeons. Ce bouillon est trop chaud ; essayons encore. Pas mauvais. J'ai déjeuné un peu tard, et je n'ai guère faim ; il faut pourtant dîner. Fini, le potage. De nouveau cette femme a regardé par ici ; elle a des yeux expressifs et le monsieur paraît terne ; ce serait extraordinaire que je fisse connaissance avec elle ; pourquoi pas ? Il y a des circonstances si bizarres.

E. Dujardin, *Les lauriers sont coupés*, dans *La revue indépendante*, 1897, p. 299-300.

## Le discours indirect libre

Le discours indirect libre (DIL) peut être annoncé par un verbe introducteur qu'il faut chercher dans le contexte. Il ne possède pas de marques typographiques, la voix du personnage qui s'exprime étant alors repérée en fonction des indices de subjectivité – interjections, adverbes déictiques tels que *aujourd'hui* – qui la caractérisent :

Devant les flammes qui s'effaraient, le vieux continuait plus bas, remâchant des souvenirs. Ah ! bien sûr, ce n'était pas d'hier que lui et les siens tapaient à la veine ! La famille travaillait pour la Compagnie des mines de Montsou, depuis la création ; et cela datait de loin, il y avait déjà cent six ans. Son aïeul, Guillaume Maheu, un gamin de quinze ans alors, avait trouvé le charbon gras à Réquillart, la première fosse de la Compagnie, une vieille fosse aujourd'hui abandonnée, là-bas, près de la sucrerie Fauvelle.

É. Zola, *Germinal*, Les Rougon-Macquart, tome III, Bibliothèque de la Pléiade, Gallimard, p. 1140.

Avec le DIL comme avec le DDL, on hésite et on se demande qui parle. Les personnes grammaticales *(je, tu, il…)* et les temps verbaux sont repérés par rapport au moment de l'énonciation des personnages. On y rencontre l'imparfait et la troisième personne. Entre les formes très intégrées dans la narration et celles qui sont très marquées, il existe des variantes qui reposent toutes sur l'ambiguïté interprétative du segment classé comme DIL :

Il versa de l'eau de Cologne sur sa main blessée, trouva belle l'estafilade, s'ennuya. Alors quoi, elle ne venait pas ? Elle le laissait seul ? Pour s'occuper, il pensa à sa mort […]

A. Cohen, *Belle du Seigneur*, Gallimard, 1968, p. 831.

Si, dans cet exemple, l'introduction des « pensées » du personnage se marque assez aisément à travers les interrogatives, le DIL n'est repérable dans l'exemple qui suit que par une connaissance extratextuelle. Flaubert critique ici le romantisme exacerbé de son héroïne en usant de formules typiques de l'écriture romantique (*pâleur*, *cœur*, *médiocre*), mais seule l'ironie permet de mettre une distance entre les pensées du personnage et le **narrateur**.

> Le bonhomme la crut malade et vint la voir. Emma fut intérieurement satisfaite de se sentir arrivée du premier coup **à ce rare idéal des existences pâles, où ne parviennent jamais les cœurs médiocres**. Elle se laissa donc glisser dans les méandres lamartiniens.
>
> G. Flaubert, *Madame Bovary*, Œuvres complètes, tome 1, Seuil, 1856, p. 587.

Par contre, dans l'exemple ci-dessous, les marqueurs d'oralité et de parler « vulgaire » (mots mis en gras) relèvent du personnage et non du narrateur, d'autant plus que la narration recourt au subjonctif imparfait :

> Cependant, Mes-Bottes, accompagné de ses deux camarades, était venu s'accouder sur la barrière, en attendant qu'un coin du comptoir fût libre. Il avait un rire de poulie mal graissée, hochant la tête, les yeux attendris, fixés sur la machine à soûler. **Tonnerre de Dieu ! elle était bien gentille !** Il y avait, dans ce **gros bedon de cuivre, de quoi se tenir le gosier au frais** pendant huit jours. Lui, aurait voulu qu'on lui soudât le bout du serpentin entre les dents, pour sentir le vitriol encore chaud l'emplir, lui descendre jusqu'aux talons, toujours, toujours, comme un petit ruisseau. **Dame !** il ne se serait plus dérangé, **ça** aurait **joliment** remplacé les dés à coudre **de ce roussin de** père Colombe !
>
> É. Zola, *L'assommoir*, Garnier-Flammarion, 1877, p. 69.

En effet, certains écrivains brouillent les pistes en amenuisant les frontières entre les registres de la narration et ceux des paroles et pensées des personnages. Au XIXᵉ siècle, des critiques (comme le polémiste Léon Bloy) n'ont pas manqué de le reprocher à Émile Zola, accusé de trainer la narration dans la boue et la fange de ses personnages, c'est-à-dire de ne pas respecter la neutralité stylistique du narrateur.

L'imparfait caractérise le DIL littéraire. Mais à l'oral, une tournure comme *Paul vient de me téléphoner. Il est très déprimé*, avec un verbe au présent, peut être envisagée comme relevant du DIL. En réalité, la phrase *Il est très déprimé* est ambiguë. Soit il s'agit d'un commentaire de l'énonciateur qui donne un avis sur l'état de Pierre, et il ne s'agit pas d'un DIL. Soit l'énonciateur rapporte sous une forme indirecte ce que Paul lui a dit (« Je suis très déprimé »), et il s'agit alors d'un DIL au présent.

Il existe encore d'autres formes de reprise du discours d'un énonciateur autre : à côté des formes déclinées à partir du couple DD/DI, on peut identifier des procédés qui permettent de varier les formes du DR. Elles sont fréquentes dans le domaine du journalisme.

- Des procédés de modalisation seconde recourant à des termes tels que *d'après*, *selon* ou *pour* peuvent être utilisés pour avancer sa propre opinion dans un texte.

Le discours qui suit ces mots, ou qui les précède, peut être ou non mis entre guillemets. Il peut également être direct ou indirect, comme dans ces deux exemples :

> **Pour elle**, son compagnon n'est pas bourreau mais victime d'un acharnement judiciaire et d'un sensationnalisme médiatique.
> *Elle*, 25 avril 2014, p. 28.

> Une jeune femme de 25 ans a déposé plainte samedi soir à Guyancourt (Yvelines) pour un viol qui aurait été commis le même jour dans une rame du RER C, entre Paris et Saint-Quentin-en-Yvelines, vers 19 heures, **selon *Le Parisien***.
> www.metronews.fr/paris/yvelines-une-jeune-femme-depose-plainte-pour-viol-dans-un-rer-c/mngv!pEekEj9LbjsNI/, page consultée le 29 décembre 2014.

- D'autres procédés servent à mettre à distance le discours d'un énonciateur autre sans l'identifier, tels que le conditionnel journalistique ou les formes de on-dit (*il paraît que*) :

> **Il paraît que** la couleur du château Mikhaïlovski a pour modèle celle des gants de bal d'Anne Lopoukhina, envoyés par Paul Ier à l'architecte V. Brenna.
> Guide Petit Futé, *Saint-Pétersbourg, Croisière sur la Volga*, Éditions de l'université, 2014, p. 42.

> L'actrice Brittany Murphy, décédée à 32 ans, **aurait été empoisonnée**.
> *Midi libre*, 19 novembre 2013.

L'emploi de ces formes est très fréquent dans la presse, qui doit constamment mêler le discours du ou de la journaliste et ceux des énonciateurs du monde convoqués dans les médias.

---

**ACTIVITÉ 13.3** | **Relation d'un fait divers en s'appuyant sur des témoignages**

ÂGE DES ÉLÈVES : 13-15 ans

OBJECTIF : Utiliser les formes de mise à distance d'un DR (formes en *selon*, *d'après*, conditionnel).

CONSIGNE : Écrivez un article de presse d'une centaine de mots relatant un fait divers en recourant aux formes en *selon*, *d'après*, *pour* ainsi qu'au conditionnel journalistique.

Exemple d'article rédigé par un élève :

> Une jeune lycéenne de 16 ans **aurait disparu** dans la région de Grenoble (Isère, France). **Selon les témoignages de certains membres de son entourage**, cette disparition **remonterait** déjà à plusieurs semaines. Pensant à une fugue sans conséquence, ses parents **n'auraient** pas souhaité prévenir la police aussitôt et ce n'est qu'après deux jours qu'ils **auraient** signalé la disparition de leur fille. **D'après des sources concordantes**, la jeune fille **aurait** été aperçue pour la dernière fois attablée à un café de la ville de Voiron, en compagnie d'un individu de sexe masculin, âgé d'une trentaine d'années. Sans plus de précision.

Comme on l'aura remarqué, les discours ne sont pas rapportés de la même manière selon le genre auquel ils appartiennent. Ainsi, la conversation va contenir du DR si l'on fait état de paroles qui nous ont été dites, et on les rapportera de façon plus ou moins fidèle. Dans la dissertation, en revanche, on se servira de la parole d'autrui pour argumenter, et la fidélité à cette source devra être totale : il faut en effet savoir qui a dit quoi, à tel moment, dans telle situation, dans tel ouvrage. On distinguera donc la fidélité du discours rapportant au contenu du DR (premier cas) et la conformité à l'original, qui implique fond et forme (second cas).

# Une démarche pour le travail en classe

Nous présentons ici des éléments d'une séquence didactique où sont décrites les séances réalisées au cours d'une expérimentation avec des élèves de deux classes de deuxième année du secondaire en France (élèves de 12-14 ans), en nous limitant toutefois principalement aux éléments liés à l'observation d'un corpus[11].

### SÉANCE 1 : Relever la présence de plusieurs voix dans un texte

Il s'agit de faire prendre conscience qu'il peut y avoir plusieurs voix dans un récit, l'énonciation englobante étant porteuse d'éléments qui déterminent fortement la réception et l'interprétation de l'énonciation seconde : les paroles de personnages. Le sens d'un même énoncé varie en fonction du discours englobant le discours cité et donc de l'énonciateur citant et des éléments de la situation énonciative mise en place. Par exemple, un énoncé comme *Oui, j'ai eu peur ce jour-là*, dans la nouvelle *La peur* de Guy de Maupassant[12], ne prend son sens que dans le contexte particulier du récit que fait le commandant à ses hôtes. Les questions posées par l'enseignant sont les suivantes :

- Comment savez-vous que quelqu'un prend la parole ?
- Qui parle exactement ?
- Sur quoi pouvons-nous nous appuyer pour délimiter une prise de parole ?

Les élèves repèrent facilement les frontières du DD grâce à la présence de guillemets ou au passage « brusque » d'une énonciation à l'autre. Le repérage du DI est un peu plus délicat, mais l'ensemble des deux classes a pu, après un moment de réflexion, repérer « où commence » le DI en s'appuyant en particulier sur le mot *que*, dont l'enseignant rappelle le statut grammatical de conjonction de subordination. Par ailleurs, la présence ou l'absence de guillemets fait d'emblée percevoir aux élèves qu'il y a deux types de DR ; les critères d'identification du DD et du DI feront l'objet d'un travail ultérieur.

---

**11.** Par *corpus*, nous entendons ici un ensemble d'énoncés réunis dans la perspective de leur observation et analyse. Le corpus d'étude est formé d'un ensemble de treize courts extraits de récits (romans ou nouvelles), de poèmes et d'article de presse ; cinq d'entre eux ont été utilisés en classe, les huit autres ont servi de support à l'activité de contrôle que les élèves ont effectuée à la maison. Nous reprenons, avec quelques modifications, la présentation effectuée dans Parisi et Grossmann (2009). L'expérimentation a été réalisée par Gérard Parisi dans son travail de master.

**12.** www.gutenberg.org/files/11714/11714-h/11714-h.htm#LA_PEUR

### SÉANCE 2 : Comprendre le rôle de la situation d'énonciation ou de communication

Pour cette séance, l'observation se limite à trois énoncés très courts, fabriqués.

1. *Les gastéropodes se prélassaient ostensiblement près du galandage.*

2. *Le chat dort sur le fauteuil.*

3. *« Le chat dort sur le fauteuil. »*

L'objectif de cette activité orale avec l'ensemble de la classe est de mettre les élèves devant la nécessité de reconstruire une situation d'énonciation en les faisant passer d'une phrase 1 opaque sur le plan lexical à une phrase 2 très simple. Il s'agit ensuite de montrer que la phrase 3, bien qu'identique à la phrase 2, est, tout comme la 1, difficile à comprendre, mais pour des raisons différentes : son interprétation échappe partiellement à l'interprétation en raison des guillemets. Ces derniers jouent en effet le rôle d'indice, signalant qu'on a affaire à des paroles qui ont été prononcées ou écrites par quelqu'un. L'activité est lancée par l'échange suivant, où les réponses des élèves sont anticipées dans les passages en italique :

« Que pensez-vous de la phrase 1 ? » : « *Incompréhensible !* »

« Et de la phrase 2 ? » : « *Beaucoup plus facile à comprendre.* »

« Vous pouvez constater que la phrase 3 est identique à la phrase 2, mais que remarquez-vous dans la phrase 3 ? »

**Réponse :** La présence de guillemets, qui indiquent que cette phrase a été énoncée dans un contexte précis. Par exemple :

– *Je ne vois plus le chat, sais-tu où il est ?*

– *Mais oui, le chat dort sur le fauteuil, c'est sa place préférée, tu le sais bien.*

Grâce à l'intonation induite par la présence des guillemets, les élèves doivent sentir que la phrase 3, en tant que prise de parole, prend place dans un « contexte » plus large. Au fur et à mesure de la réflexion et des réponses des élèves, sont listés au tableau les éléments qui permettent de reconstruire ce contexte et d'enclencher l'activité d'écriture permettant de donner sens à l'énoncé entre guillemets :

**Notes au tableau**

- Qui parle ?

- À qui ?

- Faut-il donner des informations sur le lieu, le moment ?

- Quels types et quelle quantité d'informations donner sur les personnages (descriptions et actions) ?

- Annonce du DR : énonciateur et verbes d'énonciation.

- Quelles raisons expliquent la prise de parole ?

- Ajouter d'autres DR ?

Les élèves, par groupes de deux ou trois, ont pour consigne d'imaginer par écrit, en s'appuyant sur les indications de la définition donnée, un court récit englobant la phrase 3. Les élèves prennent conscience qu'un énoncé rapporté prend un sens particulier selon le discours-cadre dans lequel il s'inscrit.

> **Exemple:** Jeanne et Marc viennent d'emménager dans un nouvel appartement. Jeanne s'écrie tout d'un coup, sur un ton de panique: «Je ne vois plus le chat, sais-tu où il est? Marc lui répond: Mais oui, ne t'inquiète pas, le chat dort sur le fauteuil... je pense que ce sera, que c'est sa place.»

## SÉANCE 3: Étudier les groupes introducteurs du discours rapporté

L'objectif de cette séance de deux heures, répartie sur trois activités, est de faire utiliser et de varier le plus possible, en fonction du contexte, les verbes introducteurs (VI), leurs compléments (GN, GPrép) et leurs modificateurs (GAdv).

La séance s'appuie sur un corpus d'extraits de *L'île mystérieuse* de Jules Verne[13], privés de leurs introducteurs de DR, et sur une liste d'introducteurs donnés dans un ordre aléatoire que les élèves doivent insérer de manière pertinente, tout en justifiant leur choix, dans les extraits lacunaires. L'appui sur un texte unique, mais long, s'est révélé fructueux, étant donné la variété des introducteurs de DR dans le roman.

Pour remplir les lacunes dans les phrases qui suivent, utilisez les verbes (ou expressions verbales) introducteurs du DR fournis dans cette liste:

1) [...] ces phoques, excellents nageurs, sont difficiles à saisir dans la mer, tandis que, sur le sol, leurs pieds courts et palmés ne leur permettent qu'un mouvement de reptation peu rapide. Pencroff connaissait les habitudes de ces amphibies, et il _____ d'attendre qu'ils fussent étendus sur le sable, aux rayons de ce soleil qui ne tarderait pas à les plonger dans un profond sommeil.

2) Nous avons nos épieux ferrés, dit Cyrus Smith. Tenons-nous sur nos gardes, et en avant!

   – Cela est de plus en plus intéressant, _____ Gédéon Spilett à l'oreille du marin, qui fit un signe affirmatif.

3) «Ah! Les maladroits! s'écria le marin. Avoir laissé échapper cinquante potages au moins!

   – Mais, Pencroff, répliqua Nab, ce n'est pas notre faute si la bête s'est enfuie, puisque je te dis que nous l'avions retournée!

   – Alors, vous ne l'aviez pas assez retournée! _____ l'intraitable marin. [...]».

4) Le canot accosta la rive. L'ingénieur, s'y embarquant le premier, en saisit l'amarre et s'assura au toucher que cette amarre avait été réellement usée par son frottement sur des roches. «Voilà, lui _____ le reporter, voilà ce que l'on peut appeler une circonstance...

   – Étrange!» répondit Cyrus Smith.

---

**13.** www.gutenberg.org/ebooks/14287

5) Cyrus Smith leur _____ toujours de ménager les munitions, et il prit des mesures pour remplacer la poudre et le plomb qui avaient été trouvés dans la caisse, et qu'il voulait réserver pour l'avenir. Savait-il, en effet, où le hasard pourrait jeter un jour, lui et les siens, dans le cas où ils quitteraient leur domaine? Il fallait donc parer à toutes les nécessités de l'inconnu, et ménager les munitions, en leur substituant d'autres substances aisément renouvelables.

6) Enfin, le 25 août, on entendit la voix de Nab qui _____ ses compagnons.

«Monsieur Cyrus, Monsieur Gédéon, Monsieur Harbert, Pencroff, venez! Venez!»

7) Allons, Pencroff, dit Nab, ne te fais pas si méchant que cela! Un de ces malheureux serait ici, devant toi, à bonne portée de ton fusil, que tu ne tirerais pas dessus…

– Je tirerais sur lui comme sur un chien enragé, Nab, _____ Pencroff.

8) Quant à cette caverne que les colons exploraient alors, s'étendait-elle donc jusqu'au centre de l'île? Depuis un quart d'heure, le canot s'avançait en faisant des détours que l'ingénieur indiquait à Pencroff d'une voix brève, quand, à un certain moment:

«Plus à droite!» _____-t-il.

9) «C'était une frégate anglaise, monsieur, s'écria le capitaine Nemo, redevenu un instant le prince Dakkar, une frégate anglaise, vous entendez bien! Elle m'attaquait! J'étais resserré dans une baie étroite et peu profonde!… il me fallait passer, et… j'ai passé!» Puis _____: «J'étais dans la justice et dans le droit.»

10) «Que pensez-vous de moi, messieurs?»

Cyrus Smith tendit la main au capitaine, et, à sa demande, il _____:

«Capitaine, votre tort est d'avoir cru qu'on pouvait ressusciter le passé, et vous avez lutté contre le progrès nécessaire.»

Expressions verbales à utiliser pour combler les lacunes: *appelait, conseilla, murmura, dit à voix basse, répondit d'une voix grave, riposta plaisamment, recommandait, répondit froidement, commanda, puis d'une voix plus calme.*

**Réponses :** 1) *conseilla* 2) *murmura* 3) *riposta plaisamment* 4) *dit à voix basse* 5) *recommandait* 6) *appelait* 7) *répondit froidement* 8) *commanda* 9) *puis d'une voix plus calme* 10) *répondit d'une voix grave.*

Cette séance, exclusivement consacrée aux introducteurs, a permis de montrer leur lien avec les modalités de l'énonciation, ainsi que l'expression des sentiments et des émotions en fonction du développement du récit. Les élèves ont pris conscience qu'un narrateur, dans un même récit, est très souvent amené à varier les manières d'introduire un DR, en fonction des évènements et des situations que traversent les personnages, et donc de leurs réactions. Il s'agissait aussi d'affiner l'expression en montrant qu'il est possible de tirer profit des différentes modalités syntaxiques d'introduction du DR. En comparant les différentes manières d'introduire un DR, grâce à la liste d'expressions verbales qui leur a été distribuée, les élèves ont pu noter assez aisément les différentes constructions syntaxiques: verbe seul (*s'écria*), verbe accompagné d'un terme ou d'une expression (*dit-il tristement, cria-t-il d'une voix menaçante*), expression ou terme employé sans verbe (*tout bas, tristement*). Ils ont pu constater que les introducteurs ne se limitaient pas aux seuls verbes d'énonciation, tels qu'ils les avaient utilisés lors de la première activité de cette séance : quelques exemples leur ont été rappelés (*dire / riposter / s'écrier / répondre*, etc.). On leur a donc demandé de repérer, dans la liste mise à leur disposition, les différentes manières d'introduire un DR en les classant en trois catégories. Ont été notées, dans un tableau à trois colonnes (ci-dessous), les propositions des élèves (en caractères romains), tableau qu'ils ont ensuite complété à l'aide d'exemples tirés de leur propre fonds (en italique). Ils n'ont eu aucune difficulté à s'apercevoir qu'en plus de verbes utilisés seuls, il était possible d'utiliser, d'une part, des verbes accompagnés d'autres termes qui en précisent ou en enrichissent le sens et, d'autre part, des termes ou des expressions sans verbe conjugué à une forme personnelle.

**TABLEAU 13.2 Différentes façons d'introduire un discours rapporté**

| Verbes introducteurs seuls | Verbes introducteurs + GAdv ou GPrép | GAdv ou GPrép seuls |
|---|---|---|
| • appelait | • dit à voix basse | • puis d'une voix plus calme |
| • conseilla | • répondit d'une voix grave | • *tout bas* |
| • murmura | • riposta plaisamment | • *tristement* |
| • recommandait | • répondit froidement | • *très en colère* |
| • commanda | | • *plaisamment* |
| | | • avec un ton autoritaire |

Le texte lacunaire distribué en début de séance les a incités à raisonner pour trouver le verbe introducteur manquant ; de même, l'obligation de répartir les introducteurs en trois catégories les a amenés à concevoir des critères syntaxiques opératoires.

## SÉANCES 4 et 5 : Percevoir les effets stylistiques du choix de la forme du discours rapporté

Dans la démarche mise en œuvre, l'énonciation seconde (par exemple, *selon X…*) est intégrée à une réflexion plus générale sur la « mise en scène énonciative ». La distinction entre les différents types de DR (ici, DD/DI) ne se limite pas à une analyse et à des exercices de transposition d'ordre syntaxique, elle est aussi liée au choix stylistique de l'énonciateur en fonction des effets apportés par chaque DR dans l'économie du récit. Le corpus est formé, pour cette séance, de onze énoncés tirés de la nouvelle *Une vie* de Guy de Maupassant, mêlant DI et DD ; il vise à faire percevoir aux élèves qu'il existe plusieurs manières de rapporter les paroles de personnages et à leur faire identifier de façon précise les caractéristiques propres à chacune d'elles.

Les élèves ont déjà noté, au cours des séances précédentes, l'existence de deux grands types de DR, notamment par la présence des guillemets en DD. Il s'agit à présent de leur faire percevoir et identifier, à partir d'une lecture à voix haute de courts extraits contenant des DD et des DI, les continuités ou, au contraire, les ruptures qui s'établissent entre la voix du narrateur et celle de son personnage, entre discours citant et discours cité, en fonction du type de DR convoqué.

La lecture orale des extraits de l'activité permet de sensibiliser les élèves au passage (DD) ou non (DI) d'une voix à l'autre : la théâtralisation d'une voix autre en DD ou, à l'inverse, son relatif effacement derrière celle du discours citant en DI donne sens aux procédés de transposition (subordination ou rupture syntaxique donnant directement à entendre la voix du personnage). La présence des deux-points et/ou des guillemets risquant de nuire à la réflexion et d'occasionner un travail mécanique, ils ont été supprimés dans les listes d'énoncés des activités[14]. Le but était, avant tout, de faire remarquer aux élèves que la présence ou l'absence de ponctuation s'explique, en partie, par la rupture ou la continuité des voix en jeu dans le récit : en DI, le narrateur continue à faire entendre sa voix, alors que, en DD, il semble s'effacer derrière celle de son personnage pour lui laisser la parole. Le marquage typographique et la ponctuation sont réintroduits en fin d'activité pour montrer leur rôle de signalement du passage d'une voix à l'autre.

Voici la consigne : dans la liste d'extraits tirés d'*Une Vie* de Guy de Maupassant reproduits ci-dessous, repérez les passages de DR. Ensuite, nous lirons chaque extrait dans sa totalité, à voix haute. C'est à partir de cette lecture que vous essaierez de reconnaitre les principales manières de rapporter un discours. Au fur et à mesure de la lecture, vous classerez ces passages de DR dans les colonnes du tableau mis après ces extraits et vous justifierez votre réponse[15].

1) *Elle sortit, en courant [...] criant par toute la maison Papa, papa ! maman veut bien ; fais atteler les chevaux !*

2) *Le maître du logis se précipita, puis vint annoncer qu'on avait mis les chevaux à l'écurie.*

3) *La baronne, [...] en soufflant beaucoup, [...] murmura Ce n'est vraiment pas raisonnable.*

4) *À tout moment l'un d'eux disait Je ne sais comment cela s'est fait, j'ai dépensé cent francs aujourd'hui sans rien acheter de gros.*

5) *[...] le prêtre demanda la permission de faire un tour dans le jardin [...]*

6) *Jeanne demanda Est-ce beau, maintenant, mon château ?*

7) *Le baron répondit gaiement Tu verras, fillette.*

8) *Alors il avoua qu'elle n'avait point quitté la maison [...]*

9) *Père et Rosalie, [...] portèrent presque la baronne tout à fait exténuée, geignant de détresse, et répétant sans cesse d'une petite voix expirante Ah ! mon Dieu ! mes pauvres enfants !*

10) *Le baron promit de ne pas l'oublier.*

11) *Jeanne dit enfin Comme j'aimerais voyager !*

La correction peut être effectuée sous la forme d'un tableau comme celui-ci :

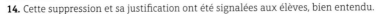

---

**14.** Cette suppression et sa justification ont été signalées aux élèves, bien entendu.

**15.** Voir Chartrand, 2013.

**298** | **PARTIE 2** | Des dispositifs d'enseignement de la grammaire

| N° | Forme de discours rapporté | Justification |
|---|---|---|
| **1** | Discours direct | C'est le personnage qui s'exprime, non le narrateur. On peut imiter sa voix et le faire crier. Le mode-temps n'est plus le passé simple, comme dans la phrase qui introduit le discours, mais le présent. Il n'y a pas de conjonction après le verbe de parole[16]. |
| **2** | Discours indirect | C'est le narrateur qui s'exprime. Le mode-temps, imparfait, est repris dans la subordonnée introduite par *que*. |
| **3** | Discours direct | C'est le personnage qui s'exprime, non le narrateur. On peut imiter sa voix et marquer le souffle de la baronne. Le mode-temps n'est plus le passé simple, comme dans la phrase qui introduit le discours, mais le présent. Il n'y a pas de conjonction après le verbe de parole |
| **4** | Discours direct | C'est un personnage qui s'exprime. On peut marquer son étonnement. Le mode-temps n'est plus l'imparfait, mais le présent et le passé composé. Il n'y a pas de conjonction après le verbe de parole. |
| **5** | Discours indirect | C'est le narrateur qui s'exprime. Il résume le contenu de l'acte de parole du personnage en l'introduisant grâce à une expression verbale suivie de l'infinitif (*demanda la permission de*). |
| **6** | Discours direct | Le narrateur donne la parole à Jeanne, qui pose une question. En lisant, on met une intonation interrogative. |
| **7** | Discours direct | C'est le personnage qui s'exprime, non le narrateur. On peut imiter sa voix en prenant un ton joyeux. Le mode-temps n'est plus le passé simple, comme dans la phrase qui introduit le discours, mais le futur. Il n'y a pas de conjonction après le verbe de parole. |
| **8** | Discours indirect | C'est le narrateur qui s'exprime. La subordonnée est au plus-que-parfait et introduite par *que*. |
| **9** | Discours direct | C'est le personnage qui s'exprime, non le narrateur. On peut imiter sa voix et marquer les geignements de la baronne. Ce qu'elle dit est formé d'exclamatives. Il n'y a pas de conjonction après le verbe de parole. |
| **10** | Discours indirect | C'est le narrateur qui s'exprime. Il résume le contenu de l'acte de parole du personnage en l'introduisant grâce à un verbe suivi de l'infinitif (*promit de*). |
| **11** | Discours direct | C'est le personnage qui s'exprime. On peut marquer l'intonation interrogative correspondant à la question qu'il pose. Il n'y a pas de conjonction de subordination après le verbe de parole. |

---

**16.** Pour la notion de mode-temps verbal, voir le chapitre 9.

Comme attendu, la plupart des élèves ont associé le DD à un « discours-vérité », conception mise en cause, on l'a rappelé, par l'approche adoptée ici. Sans trop approfondir cet aspect à ce niveau scolaire, on a insisté, dans le récapitulatif distribué à l'issue de cette activité, sur le caractère simulé et fictif attaché au DD comme « discours-vrai » dans le discours romanesque : une manière de montrer l'*effet de réel* ou de *présence* recherché en DD par le narrateur.

## SÉANCE 6 : Apprécier les effets stylistiques liés au discours rapporté

Le choix du type de DR est pour partie lié aux effets que chacun d'eux peut avoir dans l'économie du récit. Cette question, déjà amorcée dans les séances 4 et 5, est approfondie dans la séance 6 à partir des problèmes posés par les différents types de DR. La partie du corpus utilisée ici est le texte intégral d'une nouvelle d'Alphonse Daudet, *Le secret de maître Cornille*[17], qui a fait l'objet d'une lecture méthodique en classe visant à faire repérer les effets de sens apportés par chaque type de DR, notamment par le DD. C'est l'occasion d'observer et de tenter de comprendre comment les effets observés sur des énoncés (séances 4 et 5) s'articulent à l'économie générale d'un récit et en fonction de quels choix stylistiques ils sont convoqués. Rappelons la trame de la nouvelle : c'est le récit de la déchéance d'un homme, mais aussi, et surtout, celui de sa révolte face à un destin inéluctable et de son sens de l'honneur : celui d'un être passionné, « enragé de son état », un meunier traditionnel qui refuse de voir se développer les minoteries industrielles. Les DR ponctuent cette passion et la rythment, ils sont l'expression, souvent par la voix même du personnage, d'un individu attaché au passé et caractérisé par sa constance et sa force de caractère. À l'issue des questions de lecture, les élèves ont pu remarquer que la quasi-totalité des énoncés au DR sont attribués au seul personnage qui réagit avec énergie à l'évènement central du récit : l'industrialisation naissante de la meunerie. Ils ont constaté, par ailleurs, que la présence du DD pouvait contribuer à renforcer un effet de dramatisation en théâtralisant les réactions passionnées et exacerbées du personnage :

> – Pauvre de moi ! disait-il. Maintenant, je n'ai plus qu'à mourir...
> Le moulin est déshonoré.

Les élèves, dans leur réflexion, pouvaient donner sens à ce choix stylistique en s'aidant des synthèses des séances précédentes, qui décrivaient de façon précise les effets de l'utilisation du DD dans un récit – effet de présence et expression des émotions –, liés à divers procédés (interjection, types de phrases, discontinuités dans le discours). Autant d'éléments, donc, qui sont repris dans la synthèse faite à la fin de cette séance : les discours des personnages, au même titre que leurs actions et que les évènements de l'histoire, participent de la trame même du récit et contribuent aux effets de dramatisation, et ils sont plus spécifiquement liés aux indices de subjectivité présents en DD en tant que procédés visant à rendre l'expression « vivante » des sentiments et des émotions.

---

17. www.gutenberg.org/files/36780/36780-h/36780-h.htm#page_037

### Évaluation finale

Pour pouvoir évaluer l'efficacité de l'ensemble de la séquence, une production écrite a été demandée aux élèves ; il s'agissait de rédiger la suite d'un conte, en l'occurrence *Le ballon de cristal* (extrait de *Contes chinois*, paru chez Hachette/Fabbri).

Voici la consigne : vous imaginerez le reste du récit en racontant la découverte progressive de cet univers marin par Wang, le héros de cette histoire[18]. Dans votre récit, vous utiliserez les formes du DR, en privilégiant, comme dans *Le secret de maître Cornille*, le DD. Vous pourrez ajouter un dialogue très court (pas plus de deux répliques par personnage).

La consigne vise à ce que les élèves mobilisent les éléments importants qui structurent la progression : articuler DR et récit ; utiliser les caractéristiques, notamment expressives, du DD ; varier les verbes introducteurs. Les critères d'évaluation qui suivent ont donc tenu compte de la capacité des élèves à réinvestir l'ensemble des notions abordées dans la séquence :

> 1) la cohérence du récit en lien avec le texte d'amorce ;
>
> 2) la vraisemblance et la cohérence des DR en lien avec le récit ;
>
> 3) la prise en compte de la consigne : privilégier le DD ;
>
> 4) le réinvestissement des caractéristiques du DD et du DI : pour le DD, parvenir à construire un effet de présence ;
>
> 5) l'utilisation justifiée du DD : expression marquée de la subjectivité associée au développement de l'histoire.

## Conclusion

Plus que bien d'autres, la question du discours rapporté se prête à des travaux d'observation des textes lus en classe et d'écriture de textes : le travail grammatical est ainsi réellement articulé aux pratiques discursives. Aborder le discours rapporté permet de montrer aux élèves que, dans la plupart des discours, d'autres voix que celles de l'énonciateur principal sont données à voir ou à entendre. Une telle démarche d'observation exige que les élèves puissent identifier les différents indices ou marques signalant un discours « autre » et que la classification de ces formes soit construite avec eux, et non imposée a priori, comme une évidence. Par ailleurs, cette démarche suppose de dépasser le simple cadre phrastique grâce à l'observation de textes appartenant à des genres différents. L'observation d'énoncés attestés, fournis sous des formes différentes (exempliers, textes complets, textes lacunaires, etc.), permet d'isoler et de classer les faits grammaticaux observés et de mettre en lumière les principaux types de discours rapporté, ainsi que les fonctions que ces différents types remplissent. Une telle démarche s'appuie également sur la prise de conscience de la diversité des opérations

---

18. Les élèves pouvaient s'aider des « mémos » construits au cours des différentes séances sur le DR.

souvent englobées indifféremment sous l'étiquette *discours rapporté*. Si les dénominations classiques de *discours direct*, *discours indirect* et *discours indirect libre* restent utiles en tant que repères et méritent un travail spécifique d'appropriation du type de celui que nous avons proposé, elles n'ont d'intérêt que si elles sont abordées à travers les effets produits en discours. Il s'agit également de montrer aux élèves l'existence d'autres formes, comme les discours en *selon* ou en *d'après*, qui ont une importance particulière dans les écrits de savoir. Dans les classes du primaire, comme le montrent bien Plane, Rondelli et Vénerin (2013), l'écriture des paroles de personnages dans les récits par les élèves est un moyen efficace pour leur faire prendre conscience des problèmes posés par le discours rapporté; cet aspect peut continuer à être travaillé au début du secondaire. Enfin, l'étude du discours rapporté permet aussi d'aborder des problèmes de type éthique (propriété intellectuelle, manipulation des différentes formes de discours rapporté, etc.), par lesquels l'élève sera sensibilisé au pouvoir, aux effets et à la dimension sociale des discours en circulation.

## Références bibliographiques de base

Chartrand, S.-G. (2013). Enseigner à justifier ses propos de l'école à l'université. *Correspondance*, vol. 18, n° 3, p. 9-11. En ligne : www.enseignementdufrancais.fse.ulaval.ca/document/?no_document=2348

Denyer, M., Rosier, L. et Thyrion, F. (2003). *Français 3e/6e, Langue référentiel*. Coll. « Parcours et références ». Bruxelles : De Boeck.

Genevay, É. (1994). *Ouvrir la grammaire*. Lausanne/Montréal : LEP/La Chenelière.

Parisi, G. et Grossmann, F. (2009). Démarche didactique et corpus en classe de grammaire : le cas du discours rapporté, *Repères*, n° 39, p. 163-185.

## Autres références

Chartrand, S.-G., Émery-Bruneau, J. et Sénéchal, K. (2015, 2e éd.). *Caractéristiques de 50 genres pour développer les compétences langagières*. En ligne : www.enseignementdufrancais.fse.ulaval.ca/document/?no_document=2306

Genevay, É. et Authier-Revuz, J. (1998). Conception et réalisation de manuels dans le canton de Vaud : l'exemple du discours rapporté. *Les Carnets du Cediscor*, n° 5, p. 77-92. En ligne : http://cediscor.revues.org/277

Plane, S., Rondelli, F. et Vénerin, C. (2013). Variations, fidélité, infidélité : la réécriture de discours rapportés par de jeunes scripteurs (p. 219-236). Dans C. Desoutter et C. Mellet, *Le discours rapporté : approches linguistiques et perspectives didactiques*. Berne : Peter Lang.

Rosier, L. (2008). *Le discours rapporté en français*. Paris : Éditions Ophrys.

Tomassone, R. (1996). *Pour enseigner la grammaire*. Paris : Éditions Delagrave.

# La révision-correction de textes en classe: un temps fort de l'activité grammaticale

**JACQUES LECAVALIER, SUZANNE-G. CHARTRAND ET FRANÇOIS LÉPINE**

# Introduction

Convenons que faire de la grammaire à l'école, c'est faire réfléchir les élèves sur le fonctionnement de la langue pour qu'ils en connaissent et en comprennent les principales règles et normes afin d'en tenir compte en situation de communication, plus particulièrement dans leurs écrits scolaires ou personnels et, plus tard, professionnels. Dès lors, s'il est un moment qui devrait être considéré comme un temps fort de l'activité grammaticale en classe, c'est bien celui où les élèves doivent réviser et corriger les aspects relatifs à la grammaire dans leurs textes (syntaxe, ponctuation, orthographe, morphologie verbale).

La classe de français a pour but de développer les compétences langagières des élèves, dont celle de produire des textes de différents genres. Au cours de la scolarité, ces textes doivent peu à peu se rapprocher des normes du français écrit. Pourtant, plusieurs enquêtes et observations montrent que l'écriture n'occupe pas une place suffisante dans le cours de français et que l'enseignement du processus de production d'un écrit est déficient : si la planification est partiellement enseignée, surtout pour la production de textes qui sont objets d'évaluation, les deux autres sous-processus que sont la mise en texte (ou « rédaction ») et la révision-correction, eux, le sont nettement moins (Chartrand et Lord, 2010). Le présent chapitre, qui porte sur la révision-correction, vise à combler en partie cette lacune.

Dans la première partie, après avoir sommairement défini le sous-processus de révision-correction[1], nous traitons des conceptions des élèves et des enseignants concernant la R-C et des activités d'enseignement et d'apprentissage en ce domaine, puis, dans la deuxième, nous nous penchons sur les difficultés constatées dans son enseignement. Dans la troisième partie, nous exposons les processus cognitifs à l'œuvre dans la R-C, desquels découle la nécessité d'un enseignement explicite de ce sous-processus, ce que nous illustrons par deux dispositifs didactiques assez concrets pour qu'il soit possible de les utiliser en classe, avec des élèves des premières années du secondaire, voire avec des élèves plus jeunes ou plus âgés, ainsi que pour la formation des enseignants. Enfin, dans la dernière partie, nous exposons des stratégies expertes que nous recommandons d'enseigner.

# 1. Le sous-processus de révision-correction de textes

De tous les modèles de la production écrite, celui de Hayes et Flower, dont la version initiale de 1980 a été revue en 1987 et en 1996, est sans conteste le plus diffusé en didactique du français[2]. Selon ce modèle, le processus de production de textes n'est pas linéaire : au contraire, la planification, la mise en texte et la révision sont autant de sous-processus qui se déroulent souvent de façon concomitante et répétitive (Heurley, 2006). Le scripteur peut en effet rédiger un paragraphe et procéder

---

**1.** Révision-correction : désormais R-C.

**2.** Pour une présentation de ce modèle, voir Paradis (2012) ; pour le sous-processus de R-C, voir Chartrand (2012) et Paradis (2014).

ensuite à sa R-C, comme il peut considérer que ce paragraphe n'est pas à sa place et replanifier une partie du texte en construction.

Le modèle de révision de textes reproduit à la figure 14.1 montre que le processus de révision consiste à utiliser des connaissances pour mener une série d'opérations : la définition de la tâche, l'évaluation du texte, le choix de stratégies parmi lesquelles se trouve la révision, laquelle conduit à la correction, de sorte que nous préférons appeler ce sous-processus *révision-correction*[3]. Dans le processus de production de textes, le but général du sous-processus de R-C est de modifier le texte pour l'améliorer à tous les points de vue : discursif, textuel, lexical et grammatical. Cependant, cet ouvrage portant sur l'enseignement de la grammaire, nous nous limiterons ici à présenter le travail de R-C strictement de ce point de vue. Comment rendre un texte conforme aux règles et normes de la langue écrite standard, qu'elles relèvent de la syntaxe (chapitre 10), de la ponctuation (chapitre 11), de l'orthographe (chapitre 7) ou de la conjugaison (chapitre 9) ? Tels sont les aspects de la R-C de textes que nous traiterons dans ce chapitre.

**FIGURE 14.1 Un modèle de révision de textes**

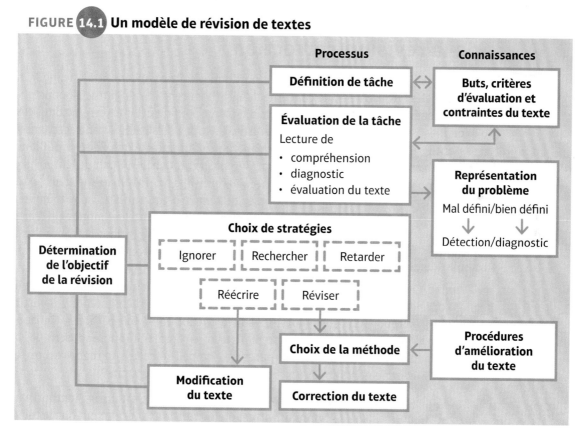

Source : D'après Hayes, Flower, Schriver, Stratman et Carey, 1987, dans Hayes, 2012.

---

**3.** Ce que nous nommons *révision-correction* correspond à ce que des chercheurs en psycholinguistique, en psychologie cognitive, en didactique des langues, dans leurs modèles de l'écriture, appellent diversement *révision* (*reviewing*), *correction*, *édition* (*editing*) ou *mise au point*. Comme l'illustre le modèle, il est nécessaire de distinguer la R-C de la réécriture, laquelle consiste en une réélaboration du texte (sur un ou plusieurs aspects). Il va de soi que le texte ayant fait l'objet d'une réécriture devra lui aussi être révisé et corrigé pour être conforme aux règles et normes du français écrit.

Cette limite ne doit toutefois pas faire perdre de vue que, dans la pratique de la classe, la révision d'un texte doit non seulement porter sur la grammaire, mais aussi prendre en considération le respect de la consigne et du genre de texte, la cohérence et la progression textuelles. C'est pourquoi les deux dispositifs proposés en deuxième partie incluent la R-C du texte et du vocabulaire, même si nous ne développons pas ici ces aspects.

La R-C se déroule en deux étapes, chacune demandant des actions différentes de la part du scripteur. **Réviser**, c'est relire son texte par fragments, en comparant le texte écrit avec le texte projeté, celui qu'on a voulu écrire (et donner à lire à un destinataire) ou qu'on pense avoir écrit, dans le but d'y détecter des problèmes (erreurs ou dysfonctionnements). Quant à l'activité de **correction**, elle consiste à apporter les modifications nécessaires pour rendre le texte conforme aux règles et normes de l'écrit ainsi qu'aux exigences de la tâche ou du projet d'écriture.

# 2. Les conceptions et les pratiques des élèves et des enseignants à propos de la révision-correction

Nombre de recherches européennes et nord-américaines[4] ont montré que, pour la majorité des élèves, la R-C ne concerne que l'orthographe et, à la limite, la ponctuation dans sa dimension syntaxique. Cela dit, même pour détecter les erreurs dans ces domaines, ils manquent de méthode et n'utilisent pas de stratégies efficaces ; aussi passent-ils à côté d'une grande partie des erreurs dans leurs textes. Leurs brouillons leur semblent presque définitifs : ils considèrent souvent qu'ils ont fait de leur mieux et qu'ils n'ont plus suffisamment d'énergie ni de temps pour transformer leur texte ou le corriger. Quand ils disposent d'assez de temps, ils ne l'utilisent pas toujours, par manque de confiance dans leurs habiletés de R-C, surtout si le monde de l'écrit normé, associé à l'école, est encore en partie étranger à leurs pratiques scripturales[5]. En outre, le contexte scolaire amène souvent les élèves à corriger leur texte en vitesse à la toute fin du processus de production, ce qui leur fait plutôt ajouter des erreurs. Il semble que les plus faibles, à mesure qu'ils avancent dans le curriculum, de plus en plus conscients de leur inefficacité dans la R-C des erreurs, rechignent à y investir du temps. Ils répondent donc plutôt mal à l'injonction mille fois répétée : « Relisez-vous et corrigez vos fautes avant de remettre votre copie ! » Si l'on ne souscrit pas à l'idée que la plupart des élèves sont paresseux ou peu soucieux de rendre un texte de qualité, comment expliquer ces attitudes et ces comportements ?

Les chercheurs avancent plusieurs hypothèses. L'adolescence est un âge marqué par le rejet des normes ; or, la grammaire en est pleine. Certains soutiennent que la révision est menée comme la lecture courante, celle qui vise à prendre connaissance du

---

**4.** Pour la liste complète des références bibliographiques, voir le site MonLab consacré à cet ouvrage.

**5.** N'oublions pas que trop peu d'élèves ont l'habitude de s'autocorriger à l'oral et que, même quand les enseignants exercent leur rôle de modèle linguistique, il reste que, dans certains milieux, s'exprimer incorrectement constitue un signe d'appartenance valorisé, alors que, dans d'autres, il s'agit du seul registre connu.

texte d'autrui, au lieu de donner lieu à une autoévaluation qui se concrétiserait par une détection d'erreurs dans le texte et qui exige un plus grand effort cognitif (Olive et Piolat, 2005). Les enquêtes sur les pratiques des maitres montrent par ailleurs que la grammaire s'enseigne encore sans arrimage avec l'écriture. Considérons pour le moment une autre explication : faute d'avoir pu conceptualiser les notions grammaticales sur lesquelles se fondent les règles qu'ils ont mémorisées, les élèves ne connaissent pas assez bien les procédures de la mise en application de ces règles ; celles-ci ne peuvent donc être automatisées[6].

En effet, en orthographe grammaticale, domaine privilégié autant par eux-mêmes que par leurs enseignants lors de la R-C, les élèves, même s'ils construisent au fil de leur scolarité une connaissance de plus en plus assurée de certaines règles, ne parviennent pas à maitriser les conditions de leur application : réciter la règle d'accord du verbe est une chose ; trouver le verbe – surtout à un temps composé – et le nom ou pronom, sujet, avec lequel l'accorder en est une autre. Ils peinent à rattacher les mots à leur classe (ou catégorie) et à identifier les fonctions des groupes ; or, appliquer les règles orthographiques exige à tout le moins de savoir reconnaitre les classes et les deux fonctions syntaxiques (sujet et complément direct du verbe)[7]. La mémorisation de règles ne suffit donc pas et la mise en œuvre d'un accord se heurte à de nombreux obstacles, en particulier l'homophonie de type grammatical (les graphies du son *é*, par exemple). Alors qu'il faudrait au moins dix ans pour atteindre un niveau raisonnable de compétence en orthographe grammaticale dans les conditions socioculturelles actuelles (Brissaud, 2007, p. 219), les prescriptions exigent des élèves qu'ils y arrivent avant la fin du secondaire, bien que le nombre d'heures consacré à la discipline français diminue presque partout.

## 2.1. ▌ Les élèves et la révision-correction de leurs textes

Au moment de la révision, les scripteurs qui éprouvent des difficultés de compréhension en lecture ne parviennent pas à percevoir l'impact des problèmes syntaxiques sur la clarté et la cohérence de leur texte ; ne disposant souvent que d'un répertoire limité de structures syntaxiques, ils sont réellement démunis en ce qui a trait à la correction des erreurs de syntaxe. À cela il faut ajouter que les scripteurs novices se croient parfois meilleurs qu'ils ne le sont en écriture, ce qui les amène à sous-estimer l'ampleur de la R-C que requiert leur texte. Inversement, et plus souvent, on a affaire à des élèves conscients de leur peu de compétence en R-C, conviction acquise par suite des nombreuses « fautes » signalées par les enseignants. Ainsi s'expliquerait la démotivation croissante pour la R-C au cours du curriculum.

Mais ce qui entrave le plus le développement de l'habileté des élèves à réviser et à corriger leurs textes, c'est la faible place qu'occupe l'enseignement explicite de la R-C en classe de français et, à plus forte raison, dans les autres disciplines scolaires. L'enseignement de la grammaire est chronophage et laisse peu de temps pour celui de la R-C, activité complexe qui, elle aussi, exige du temps. Est-ce l'impasse ?

---

6. Sur le processus de conceptualisation, voir le chapitre 4.

7. Voir le système des accords dans Chartrand (2015).

Plutôt qu'opposer ces deux activités, on pourrait considérer que **la R-C est une occasion privilégiée de faire de la grammaire** en amenant les élèves à résoudre de réels problèmes grammaticaux et, ainsi, à améliorer sensiblement la qualité de leurs textes ; cela les aiderait à changer l'image qu'ils ont d'eux-mêmes en tant que scripteurs, ainsi que leur conception de l'écriture et leur rapport au monde de l'écrit. Le travail grammatical mené en classe aurait dès lors plus de chances de contribuer au développement des compétences scripturales et correspondrait davantage aux orientations des prescriptions en français et d'un enseignement rénové de la langue.

## 2.2. ▌ Les enseignants et la correction des textes d'élèves

Quant aux enseignants, ils sont habitués à corriger à leur place les textes de leurs élèves, y étant professionnellement contraints et jugeant ceux-ci peu habiles dans la correction. De plus, au cours des dernières années en Occident, sous le mot d'ordre de la réussite scolaire, l'évaluation a pris une place prépondérante[8]. Autant dans la formation que dans la pratique professionnelle, l'évaluation semble en train de l'emporter sur l'enseignement et l'accompagnement des élèves ; trop d'enseignants n'ont pas appris à guider les élèves dans la mise en œuvre de la R-C et ne disposent pas de suffisamment d'outils concrets pour le faire – les manuels et les instructions officielles s'avérant peu utiles[9]. Comme ils considèrent avoir fait le nécessaire pour les amener à maitriser les règles d'orthographe (surtout au moyen d'exercices sur des phrases décontextualisées et des dictées), ils déplorent que leurs élèves ne « transfèrent pas leurs connaissances[10] » en situation de production de textes. Nombre d'entre eux ont alors tendance à s'en remettre au temps, espérant qu'avec l'âge, les élèves développeront leur habileté à utiliser leurs connaissances grammaticales en contexte d'écriture ainsi qu'à réviser et à corriger leurs textes. Même si d'aucuns y parviennent effectivement, le rôle des enseignants n'est-il pas d'aider ceux pour qui « le temps ne suffit pas » ? Certains enseignants offrent aux élèves des outils comme des grilles d'autocorrection ou d'autoévaluation, des systèmes de marquage du texte, mais sans proposer suffisamment de soutien pour leur utilisation, de sorte que ces moyens restent peu efficaces. En effet, les élèves ne comprennent pas toujours la métalangue utilisée dans ces outils et ne peuvent pas vraiment s'en servir efficacement dans l'analyse de leur texte. On comprend que plusieurs enseignants aient abandonné l'usage des grilles après avoir constaté leur inefficacité, dans un tel contexte.

Comment briser ce cercle vicieux où ce qui est le plus enseigné (les règles d'accord) est aussi ce qui est le moins maitrisé, comme le montrent éloquemment les évaluations

---

**8.** Voir, par exemple, la Charte des programmes de 2014, en France, supervisée par le Conseil supérieur des programmes.

**9.** Mentionnons toutefois deux exceptions : les prescriptions pour un enseignement détaillé et explicite de la R-C dans le *Plan d'études romand* en Suisse (CIIP, 2013) et la *Progression des apprentissages au secondaire* au Québec (MELS, 2011).

**10.** Cela est impossible, car le transfert de connaissances et d'habiletés ne peut pas se faire si le contexte est totalement différent, comme il l'est entre accorder un verbe dans une phrase d'exercice ou une dictée et l'accorder dans son texte (voir Dufour et Chartrand, 2014).

nationales ? Des solutions existent, qui ont été éprouvées et qui s'avèrent efficaces, mais elles sont peu connues. Elles montrent qu'il est possible d'enseigner aux élèves des stratégies efficaces de R-C et de les convaincre d'abandonner celles qui ne le sont pas. Pour s'en persuader, il est toutefois nécessaire de savoir ce qui se passe sur le plan cognitif chez le scripteur au moment de la R-C, ce que nous allons expliquer, schématiquement, bien entendu.

## 3. Qu'implique la révision-correction sur le plan cognitif ?

Lire un texte dont on est l'auteur dans le but d'en réviser et d'en corriger les aspects grammaticaux exige plus de ressources cognitives que lire un texte écrit par autrui afin de le comprendre. La lecture de R-C vise une évaluation du texte qui porte notamment sur ses unités les plus petites : mots, désinences, lettres, signes diacritiques et de ponctuation. La R-C est exécutée pour l'essentiel par la **mémoire de travail** (ou mémoire à court terme), dont la capacité est limitée et varie selon les individus. La mémoire de travail récupère dans la **mémoire à long terme** (communément appelée *la mémoire*) les connaissances nécessaires à la réalisation de la tâche et les maintient actives aussi longtemps que nécessaire.

Des recherches en psycholinguistique ont permis de vérifier expérimentalement la réalité psychologique de trois composantes du modèle de la mémoire de travail : la mémoire visuelle et la mémoire verbale, coordonnées par l'unité de coordination et de gestion. L'attention, cette concentration de l'esprit sur une tâche ou un objet, résulte du travail effectué par l'**unité de coordination et de gestion** de nos ressources cognitives ; c'est la première composante de la mémoire de travail. L'utilisation de nos ressources cognitives se trouve limitée par la faible capacité de la mémoire de travail, de sorte que la gestion consiste non seulement à retrouver des connaissances dans la mémoire à long terme, mais aussi à les éliminer de la mémoire de travail afin de faire place à d'autres connaissances nécessaires pour poursuivre le traitement de l'information. La moindre défaillance peut distraire le correcteur, lui faire commettre des erreurs « d'inattention » et le placer dans une situation de surcharge cognitive qui génère à la longue fatigue et découragement.

Durant la R-C, cette unité de gestion et de coordination de la mémoire de travail ne s'occupe pas directement des règles de grammaire. Elle dispose pour cela de deux systèmes qui l'assistent et qui, tous deux, utilisent de façon complémentaire les connaissances grammaticales de la mémoire à long terme : la **mémoire verbale** et la **mémoire visuelle** (figure 14.2). L'unité de gestion et de coordination doit cependant coordonner et évaluer le travail de ces deux systèmes esclaves, leur allouer les ressources requises et leur fournir les données qu'elle récupère pour eux dans la mémoire à long terme ; cela la tient très occupée durant la R-C, surtout si le correcteur passe souvent d'un système à l'autre.

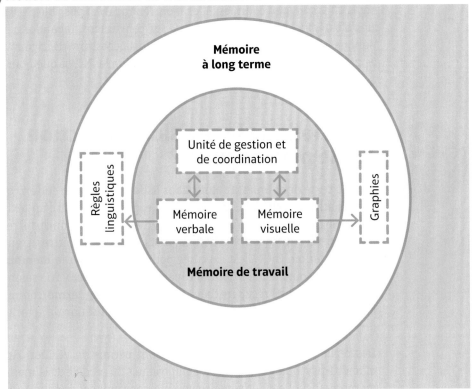

Source : D'après Olive et Piolat, 2005.

La mémoire verbale s'occupe de la langue en général, pas seulement de la R-C. Elle traite les lettres et les sons, elle découpe les mots. En mode de R-C, elle applique les règles et normes de la langue selon la séquence condition → action. Si la condition est respectée, l'action est exécutée. Prenons l'exemple d'une règle d'accord : si tel nom masculin est au pluriel (c'est la condition), alors l'adjectif qui en dépend doit être au masculin pluriel et on doit lui mettre une marque du pluriel, –*s* ou –*x* (c'est l'action). Les ressources de ce système inférentiel peuvent être affectées non seulement à la R-C du texte, mais aussi à la lecture de compréhension ou à la communication orale, ainsi qu'à toute circonstance impliquant une prise de décision.

Pour sa part, la mémoire visuelle consulte habituellement la mémoire à long terme, par l'entremise de l'unité de gestion et de coordination, afin d'en extraire des images d'objets, de personnes, de mouvements et de formes. Pour la R-C d'un texte, elle récupère la graphie des mots conservée dans la mémoire à long terme, du moins dans la mesure où il en existe une trace visuelle, par exemple les deux doublements de consonnes dans *j'appelle*. Lors de la R-C, la mémoire visuelle compare et manipule des graphies, en les faisant varier. Elle permettrait à de bons scripteurs de déterminer « à vue d'œil », grâce au seul souvenir visuel, que la forme -*nt* convient à l'accord du verbe à la sixième personne. Ce type d'automatisme visuel dispense de recourir à la mémoire verbale, à l'application en bonne et due forme de la règle d'accord du verbe. On voit combien son utilisation permet d'économiser des ressources cognitives par rapport à la mémoire verbale. Toutefois, l'attention ne doit pas se relâcher et l'unité de gestion et de coordination doit continuer à évaluer le résultat, car la langue réserve souvent des situations où les réflexes visuels sont déjoués. Ainsi, une erreur comme *il les \*calculs* survient parce que le scripteur, au lieu de procéder à une analyse grammaticale et de choisir la règle d'accord pertinente, puise spontanément dans sa mémoire visuelle les graphies mémorisées les plus fréquentes, ce qui entraine la confusion avec le groupe nominal *les calculs*. De fait, on a pu établir que les individus moins habiles pour retenir les mots d'une phrase prononcée à voix haute, donc dotés d'une plus faible capacité d'attention, ont besoin de plus de ressources cognitives et de plus de temps pour réviser un extrait de texte contenant des erreurs de syntaxe et détectent moins d'erreurs d'orthographe lexicale.

La mémoire visuelle traite surtout (du moins chez les bons scripteurs) les irrégularités orthographiques et grammaticales, tandis que la mémoire verbale, spécialisée dans les règles, analyse les situations régulières. Ainsi, les terminaisons particulières de certains adjectifs au féminin (*–elle*, *–ère*, *–ette*, etc.) sont stockées dans la mémoire visuelle de ces adjectifs : *naturelle*, *fière*, *coquette*, etc. Cependant, il est plus avantageux d'un point de vue cognitif de mémoriser la règle d'accord de l'adjectif, puisqu'il est impossible de mémoriser tous les contextes syntaxiques où elle peut se réaliser : *un acide hydrogéné*, *les huiles hydrogénées*, par exemple. Cette règle, réputée simple, implique en fait trois procédures dont chacune comporte des étapes qui ne peuvent être détaillées ici, mais qui sont toutes susceptibles sinon d'empêcher un scripteur d'effectuer ou de réviser l'accord, du moins de ralentir l'opération : 1) trouver la classe du receveur (adjectif), 2) trouver le donneur (nom), 3) accorder le receveur avec le donneur. Pour réduire la charge cognitive exigée, afin que ces opérations puissent être effectuées par la mémoire à long terme, il faut des notions grammaticales bien conceptualisées, des procédures mémorisées et automatisées. Cependant, des règles bien automatisées ne constituent pas une garantie absolue de qualité : un élève risque encore d'utiliser une règle dans un contexte inapproprié ou de tirer trop vite une conclusion, de se contenter de la première possibilité issue de l'analyse (*des huiles d'olive \*hydrogénée*, par exemple).

En somme, si les recherches en psycholinguistique semblent bien montrer l'utilité de développer les automatismes grammaticaux chez les élèves, elles révèlent aussi les limites d'un travail purement automatique et les risques de confusion de la mémoire de travail. Elles attestent ainsi l'importance que revêt l'unité de gestion et de coordination pour amener le scripteur à utiliser les règles de façon consciente et réfléchie, ce que vise l'enseignement rénové de la langue. L'automatisation des règles ne saurait donc être obtenue au moyen d'exercices routiniers et mécaniques. Il faut plutôt enseigner un petit nombre d'objets à la fois, dans le cadre d'une progression de l'enseignement conçue à long terme (voir le chapitre 5). Les recherches montrent aussi que la pratique scolaire consistant à repousser vers la fin du processus d'écriture la R-C de la syntaxe, de la grammaire et de l'orthographe des textes reste pertinente. Cela évite que les règles de grammaire soient sans cesse chargées, éliminées, puis rechargées dans la mémoire de travail. Chez des scripteurs en apprentissage, la R-C est plus efficace quand elle a lieu pour l'essentiel après la rédaction de la première version du texte.

# Deux dispositifs didactiques pour la classe

**4.**

Un dispositif didactique est le résultat de la planification d'un ensemble d'outils conceptuels et matériels ; il définit les paramètres généraux de l'enseignement et de l'apprentissage : le milieu, le rapport des élèves aux connaissances visées et le guidage d'une situation didactique par l'enseignant. Les dispositifs proposés doivent être adaptés au degré scolaire des élèves et à la tâche d'écriture ; l'enseignant peut les mettre en œuvre progressivement ou les combiner à d'autres.

**TABLEAU 14.1 Caractéristiques des dispositifs didactiques proposés**

| Caractéristique | 1er dispositif | 2e dispositif |
|---|---|---|
| | Procédure de révision-correction à partir d'une grille | Grille de consignation des erreurs dans mes textes |
| Stratégies de R-C mobilisées | Recherche par catégorie d'erreurs | Inventaire des erreurs les plus fréquentes |
| Aspects de la grammaire révisés | 1) syntaxe ; 2) ponctuation ; 3) orthographe grammaticale (accords) ; 4) orthographe lexicale ; 5) conjugaison | |
| Durée en classe | Un tiers du temps consacré à la production écrite | |

## 4.1. | Procédure de révision-correction à partir d'une grille

**But du dispositif**   Amener l'élève à réviser son texte de manière progressive et systématique.

**Stratégie de R-C mobilisée**   Recherche par catégorie d'erreurs

### Présentation de l'outil

La **grille de révision-correction** présentée ci-après se divise en sept parties : 1) texte ; 2) vocabulaire ; 3) syntaxe ; 4) ponctuation ; 5) orthographe lexicale ou d'usage ; 6) orthographe grammaticale (accords) ; 7) conjugaison. Afin de rester facilement utilisable, la grille ne couvre pas toutes les erreurs de langue, mais seulement les plus fréquentes. Après avoir répondu à chaque question, les élèves doivent cocher la case y correspondant dans la grille, tout en veillant à laisser sur leur copie des traces du travail effectué conformes au système de marquage convenu avec l'enseignant.

La grille comportant de nombreuses questions regroupées en sept parties, cela risque de décourager les élèves ; aussi ces questions devraient-elles être abordées partie par partie, et non d'un seul bloc. Certaines pourront être priorisées ou omises selon les prescriptions ou la planification de l'enseignant, ou encore les apprentissages déjà réalisés. Un premier texte (ou une première série de textes) pourrait être révisé seulement des points de vue textuel et lexical ; pour le second, on ajouterait la syntaxe et la ponctuation, et ainsi de suite jusqu'à la partie sur la conjugaison.

## Appropriation de l'outil par l'enseignant

Avant de présenter la grille de révision-correction en classe, l'enseignant doit s'exercer à l'utiliser. Il se rendra compte que certains cas poseront problème aux élèves (par exemple, en syntaxe, le choix de la préposition) et se préparera à consulter avec eux un ouvrage de référence sur la langue (grammaire, code, mémento, notes de cours, etc.).

## Appropriation de l'outil par les élèves guidés par l'enseignant

Il importe aussi d'entrainer les élèves à l'utilisation de l'outil avant de les lancer dans la tâche. La présentation de la grille constitue une occasion de consolider des apprentissages grammaticaux déjà faits ou de sensibiliser les élèves à des apprentissages à venir : il s'agit donc d'**une véritable activité d'enseignement de la grammaire**. L'enseignant utilise le modelage, cette forme de démonstration qui consiste à réfléchir à voix haute sur sa démarche de détection d'erreurs dans un texte d'élève et non à partir d'exemples fabriqués. Auparavant, il s'assure que les termes employés dans la grille sont compris de tous. Il explique pourquoi il faut réviser section par section et dans cet ordre. Il vaut mieux, par exemple, revoir la syntaxe avant l'orthographe : à quoi sert en effet de corriger l'orthographe si l'on transforme la phrase au moment de la détection d'erreurs de syntaxe ?

Dans l'activité de modélisation, il faut s'attendre à des réactions plus nombreuses, plus pertinentes et souvent plus embarrassantes que lors d'un exposé magistral. L'enseignant peut enregistrer son activité de modelage et l'écouter en différé ou encore inviter un collègue en classe, afin de voir comment faire mieux la fois suivante.

## Initiation à la tâche en triade

L'enseignant forme des triades et encadre leur utilisation de la grille. En cas de réponse incorrecte, il ne la signale pas, mais demande plutôt à l'équipe de reconstituer pas à pas le raisonnement grammatical qui a été mené, donc de justifier la correction ; puis, pour leur faire prendre conscience de leur erreur, il interrompt les élèves au moment décisif. Il leur demande de se référer autant que possible à une grammaire, au dictionnaire ou à leurs notes.

De même, lorsqu'il répond aux questions portant sur les règles ou la métalangue, il consulte avec l'équipe un outil de référence pour indiquer où se trouve la réponse à la question. Lorsqu'une triade lui demande de valider une correction, l'enseignant répond par une question : pourquoi doutez-vous de la validité de la réponse ? Il utilise celle-ci pour reconstituer le raisonnement grammatical et y détecter la faille. Si l'équipe repère trop peu d'erreurs et ne s'en aperçoit pas, l'enseignant incite ses membres à douter davantage.

Les élèves pourront ensuite utiliser la grille pour réviser leur texte individuellement ou en équipe.

## Difficultés prévues et remédiation

Les difficultés posées par la grille de révision-correction varient bien sûr en fonction des connaissances grammaticales des élèves (tableau 14.2). L'usage de la grille en classe constitue donc une activité de consolidation des apprentissages grammaticaux et d'évaluation formative à partir du texte de l'élève: il remplace avantageusement des exercices portant sur des énoncés isolés et préfabriqués.

**TABLEAU 14.2 Grille de révision-correction**

### I. Texte (TE)

1) Le texte répond-il à la consigne (genre et but du texte, destinataire, présentation matérielle, critères d'évaluation)?

2) Le texte est-il bien construit?

3) Le texte comporte-t-il une introduction ou une ouverture?

4) Le texte comporte-t-il une conclusion ou une clôture?

5) Le texte est-il divisé en paragraphes (correspondant à des unités de sens)?

6) Les pronoms de reprise (*il/elle/qui*) sont-ils bien employés?

### 2. Vocabulaire (VO)

1) Les mots et les expressions sont-ils employés dans le sens adéquat?

2) Un même mot est-il répété trop souvent?

3) Les mots et les expressions employés appartiennent-ils au français correct?

4) Y a-t-il des expressions ou des mots influencés par une autre langue, mais inexistants en français?

5) Les noms sont-ils employés au bon genre?

### 3. Syntaxe (SY)

1) Chaque phrase syntaxique (ou P) a-t-elle ses deux constituants obligatoires, un sujet et un prédicat[11], placés dans le bon ordre?

2) Dans chaque phrase graphique (de la majuscule au point), y a-t-il plusieurs P? Si oui, sont-elles délimitées par une virgule ou un point-virgule, ou devraient-elles être séparées par un point?

3) Le pronom relatif employé est-il le bon?

4) Les phrases négatives contiennent-elles les deux termes de la négation (*ne… pas/plus/ jamais/rien…*)?

5) La préposition choisie est-elle correcte?

6) L'auxiliaire de conjugaison (*avoir* ou *être*) est-il adéquat?

7) Les structures de certaines phrases sont-elles calquées sur autre langue ou empruntées à l'oral familier?

---

11. Dans la grammaire scolaire actuelle, terme désignant la fonction syntaxique du groupe verbal. Son adoption pour l'enseignement et l'apprentissage de la grammaire permet d'éviter de désigner par un même terme une structure (le groupe verbal) et sa fonction syntaxique (Chartrand, Simard et Sol, 2006; Simard et Chartrand, 2011).

## 4. Ponctuation (PO)

1) Chaque phrase graphique comporte-t-elle une majuscule au premier mot et un point (./?/!/…) après le dernier mot ?

2) Y a-t-il **une** virgule avant le sujet, s'il est précédé d'une unité syntaxique ?

3) **Une** virgule sépare-t-elle les éléments coordonnés, sauf devant les coordonnants *et, ou, ni* ?

4) Toute unité syntaxique qui pourrait être supprimée ou déplacée est-elle encadrée par **deux** virgules, si nécessaire ?

## 5. Orthographe lexicale ou d'usage (OL)

1) Les mots dont l'orthographe n'est pas connue ont-ils été cherchés dans un dictionnaire ?

2) Les noms se terminant par le son *é* ont-ils été vérifiés ?

3) Certaines consonnes simples (*intéressant*) ont-elles été doublées par erreur (*\*intérressant*) ?

## 6. Orthographe grammaticale – accords (OG)

1) Le déterminant et l'adjectif sont-ils accordés avec le nom avec lequel ils sont en relation ?

2) L'adjectif dans un groupe du verbe (attribut du sujet) reçoit-il le genre et le nombre du nom ou du pronom donneur ?

3) Le nom a-t-il la marque du nombre appropriée au sens voulu ?

4) Le verbe est-il accordé en personne et en nombre avec le noyau du groupe nominal ou le pronom remplissant la fonction de sujet ?

5) Les participes passés avec *être* sont-ils accordés correctement ?

6) Les participes passés avec *avoir* sont-ils accordés correctement (quand l'accord est requis) ?

## 7. Conjugaison (CO)

1) Les verbes ont-ils les marques propres à leur mode-temps, en particulier les verbes *être, avoir, faire, dire, pouvoir, aller, voir, venir, vouloir, devoir* ?

2) Les verbes qui se terminent par le son *é* (*trouver/trouvez/trouvé*) ou *i* (*fini, finit, finis*) ont-ils été vérifiés ?

# 4.2. | Grille de consignation des erreurs dans mes textes

**But du dispositif** — Amener l'élève à répertorier et à analyser les erreurs qu'il commet et à réviser ses textes en fonction de ses erreurs les plus fréquentes.

**Stratégie de R-C mobilisée** — Inventaire des erreurs les plus fréquentes

## Présentation de l'outil

La **grille de consignation des erreurs dans mes textes** comporte quinze petites colonnes étroites, pour autant de textes[12], afin que l'élève inscrive le total des erreurs commises dans chacune des sept catégories qui correspondent aux aspects formels de la langue : texte, vocabulaire, syntaxe, ponctuation, orthographe grammaticale, orthographe lexicale et conjugaison, abrégés comme suit : TE, VO, SY, PO, OG, OL, CO. Chaque catégorie se subdivise en plusieurs sous-catégories identifiées par un code (par exemple, SY1 pour « présence et ordre des deux constituants obligatoires : sujet et prédicat dans chaque P »). Comme l'outil ne couvre pas toutes les erreurs possibles[13], les catégories comportent un code « autre », qui permet de signaler une erreur jugée importante qui n'est pas répertoriée dans la grille.

La grille peut être utilisée de manière partielle. L'inventaire pourrait ainsi porter seulement sur les catégories visées par les apprentissages en cours, surtout si les textes comportent beaucoup d'erreurs. On peut aussi définir en premier les sept catégories générales (TE, VO, SY, PO, etc.), en ignorant les codes des sous-catégories, et faire consigner toutes les erreurs relevant d'une même catégorie dans la ligne de titre y correspondant. L'enseignant peut omettre certains codes tant que leur apprentissage n'est pas jugé suffisant et les remplacer par le code de la catégorie.

## Appropriation de l'outil par l'enseignant

Pour que la grille de consignation des erreurs dans mes textes soit efficace, il est nécessaire que les notions auxquelles elle renvoie correspondent à celles qui ont été enseignées au préalable. L'enseignant inscrit le code de chaque erreur dans la marge de la copie, à la hauteur de la ligne où se trouve l'erreur. La figure 14.3 ci-après donne un exemple de texte d'élève codé par l'enseignant (voir la signification des codes au tableau 14.3), tandis que la figure 14.4 illustre le même extrait, corrigé par l'élève au moyen des mêmes codes. Le code constitue un indice métalinguistique pour aider l'élève à trouver lui-même son erreur. L'enseignant doit utiliser les codes de manière fréquente et répétée, voire systématique, et inciter les élèves à corriger leurs erreurs en y recourant. En effet, si la correction est seulement le fait de l'enseignant, cela n'empêchera pas l'élève de commettre les mêmes erreurs dans ses textes ultérieurs ; d'où beaucoup de travail pour fort peu de résultats.

---

**12.** La production de quinze textes par année au secondaire peut sembler exagérée. Il faut comprendre qu'il peut s'agir de plusieurs versions d'un même texte, d'une partie de texte, de courts textes faisant partie d'un projet collectif ou encore de très courts textes (un paragraphe ou deux), comme l'appréciation d'un texte littéraire discuté en classe, des constats après l'étude d'un phénomène grammatical ou la justification de la solution d'un problème de grammaire. Ce ne sont pas toujours des textes faisant l'objet d'une évaluation sommative, loin de là.

**13.** Certaines règles particulières (dont l'accord des adjectifs de couleur et celui des participes passés des verbes pronominaux) ont été volontairement omises afin de cibler les principales erreurs trouvées dans les copies et d'assurer la maitrise des régularités du système linguistique par les élèves de 11 à 15 ans.

FIGURE **14.3** **Extrait d'un texte d'un élève de 12 ans dont les erreurs sont codées par l'enseignant**

| | |
|---|---|
| | *Guillaume le vit dans les yeux de l'Américain. Il décida donc de partir. Une fois parti,* |
| PO44 | *il décida d'en parler à Jean-Guy, son meilleur ami et à sa copine Aude. Ses deux* |
| OG3, OG2, OG1 | *compagnons étaient prêt à chercher d'autre renseignement sur cette croix. Il fallait* |
| OG20, PO44 | *bien entendu que cela reste secret. Il se mirent tous au travail et pendant toutes ces* |
| OG3, SY20 | *recherches, ils étaient sur qu'un trésor était caché en quelque part. Un jour, ils* |
| OL4 | *réussirent à savoir ou était le fameux trésor. Il était caché sous la terre de l'Île* |
| OG4 | *Brion. Ils décidèrent de partir à l'aventure. Mais un seul problème les dérangeaient.* |

FIGURE **14.4** **Extrait d'un texte d'un élève de 12 ans qu'il a lui-même corrigé**

*Guillaume le vit dans les yeux de l'Américain. Il décida donc de partir. Une fois parti, il décida d'en parler*

           PO44                                       OG3

*à Jean-Guy, son meilleur ami, et à sa copine Aude. Ses deux compagnons étaient prêts à chercher*

  OG2           OG1                             OG20

*d'autres renseignements sur cette croix. Il fallait bien entendu que cela reste secret. Ils se mirent tous*

      PO44                          OG3          SY20

*au travail et, pendant toutes ces recherches, ils étaient surs qu'un trésor était caché ~~en~~ quelque part.*

        OL4

*Un jour, ils réussirent à savoir où était le fameux trésor. Il était caché sous la terre de l'Île Brion.*

                               OG4

*Ils décidèrent de partir à l'aventure. Mais un seul problème les dérangeait.*

## Appropriation de l'outil par les élèves guidés par l'enseignant

L'enseignant explique aux élèves les buts de la grille de consignation des erreurs dans mes textes et les familiarise avec son utilisation. L'idéal serait que la grille soit adoptée par l'équipe d'enseignants, du moins par tous ceux d'un même cycle ; ainsi, les élèves pourraient se l'approprier plus facilement. La grille est conçue pour les élèves de 11 à 15 ans, mais elle convient également aux élèves faibles des niveaux supérieurs à la quatrième année du secondaire au Québec, en Belgique et en Suisse romande, et à la classe de seconde en France. Ces dispositifs sont adaptables à des élèves plus jeunes ou plus vieux.

Pour favoriser une utilisation efficace de la grille, l'enseignant la présente d'abord en demandant aux élèves de définir les termes employés dans chaque sous-catégorie, puis de donner des exemples d'erreur pour chacune d'elles. Afin de disposer d'une version de l'outil bien comprise et validée, les élèves prennent des notes directement sur un exemplaire vierge de la grille, qu'ils mettent au propre sur un nouvel exemplaire que l'enseignant corrige. Ce travail sera divisé en deux ou trois étapes, selon le niveau des élèves ; c'est un excellent moyen de vérifier ce qu'ils ont compris des leçons de grammaire.

Lorsque les élèves disposent d'un inventaire de leurs erreurs pour au moins deux textes, ils cernent les catégories de la langue qui requerront le plus leur attention pour la révision de leurs textes ultérieurs. Lors de la R-C du texte suivant, l'enseignant leur fait consulter la grille pour leur rappeler leurs cibles prioritaires. S'ils utilisent déjà la grille de révision-correction (dispositif 1), l'enseignant leur fait mettre en évidence les catégories prioritaires qui correspondent à leur inventaire d'erreurs.

## Difficultés prévues et remédiation

L'avantage de la rétroaction indirecte au moyen d'un code est de proposer aux élèves quelque chose de plus formateur que la «bonne réponse» fournie par le correcteur, entre autres parce qu'elle les amène à utiliser de façon récurrente, pour comprendre leurs erreurs, la terminologie grammaticale appropriée. Mais un effort de compréhension reste nécessaire et la tentation est grande de se contenter de comptabiliser des codes. Or, corriger les erreurs de manière empirique favorise beaucoup moins que la méthode réflexive la conceptualisation des notions grammaticales. C'est l'analyse des erreurs au moyen de la détermination des classes et des fonctions sous-jacentes aux règles qui conduit à la généralisation et à la prévention des erreurs dans les textes ultérieurs. C'est pourquoi, lorsqu'ils utilisent la grille de consignation des erreurs dans mes textes, les élèves devraient se poser les questions suivantes, et y répondre, pour chaque erreur du texte :

- Est-ce que je trouve l'erreur ?
- Est-ce que je comprends bien la correction de l'enseignant ?
- Pourquoi le code décrit-il bien mon erreur ?

L'enseignant circule dans la classe et apporte son soutien aux élèves durant la tâche.

Cette activité devrait faire ressortir les lacunes dans les connaissances grammaticales des élèves ; la compréhension de certaines notions qui semblait adéquate durant l'enseignement s'avérera toujours limitée pendant l'analyse. Ce dispositif didactique constitue ainsi une intervention de consolidation des apprentissages grammaticaux.

**TABLEAU 14.3 Grille de consignation des erreurs dans mes textes**

| TE | TEXTE | T1 | T2 | T3 | T4 | T5 | T6 | T7 | T8 | T9 | T10 | ... |
|----|-------|----|----|----|----|----|----|----|----|----|-----|-----|
| TE1 | conformité à la consigne | | | | | | | | | | | |
| TE2 | construction du texte | | | | | | | | | | | |
| TE3 | introduction ou ouverture du texte | | | | | | | | | | | |
| TE4 | conclusion ou clôture du texte | | | | | | | | | | | |
| TE5 | division en paragraphes (unités de sens) | | | | | | | | | | | |
| TE6 | reprise d'un GN par un pronom (*L'équipe de chercheurs…/Elle…*) | | | | | | | | | | | |
| TE7 | choix du déterminant dans un GN qui reprend un autre GN (*la forêt/cette forêt*) | | | | | | | | | | | |

| | | | T1 | T2 | T3 | T4 | T5 | T6 | T7 | T8 | T9 | T10 | ... |
|---|---|---|---|---|---|---|---|---|---|---|---|---|---|---|
| **TE8** | cohérence dans l'emploi des modes-temps verbaux | | | | | | | | | | | | | |
| **TE20** | autre | | | | | | | | | | | | | |
| **VO** | **VOCABULAIRE** | | T1 | T2 | T3 | T4 | T5 | T6 | T7 | T8 | T9 | T10 | ... |
| **VO1** | sens adéquat du mot ou de l'expression | | | | | | | | | | | | | |
| **VO2** | répétition excessive d'un même mot | | | | | | | | | | | | | |
| **VO3** | variété de langue | | | | | | | | | | | | | |
| **VO4** | mots ou expressions d'une autre langue ou influencés par une autre langue | | | | | | | | | | | | | |
| **VO5** | genre du nom (dictionnaire) | | | | | | | | | | | | | |
| **VO20** | autre | | | | | | | | | | | | | |
| **SY** | **SYNTAXE** | | T1 | T2 | T3 | T4 | T5 | T6 | T7 | T8 | T9 | T10 | ... |
| **SY1** | présence et ordre des deux constituants obligatoires : sujet et prédicat dans chaque P | | | | | | | | | | | | | |
| **SY2** | longue phrase graphique à segmenter en deux phrases graphiques | | | | | | | | | | | | | |
| **SY3** | phrase interrogative | | | | | | | | | | | | | |
| **SY4** | phrase négative | | | | | | | | | | | | | |
| **SY5** | structure de phrase calquée sur une autre langue ou empruntée à l'oral familier | | | | | | | | | | | | | |
| **SY6** | structure de la comparaison (ex. *autant que, pareil à… tel… comme…*) | | | | | | | | | | | | | |
| **SY7** | choix du pronom relatif | | | | | | | | | | | | | |
| **SY8** | choix de la préposition | | | | | | | | | | | | | |
| **SY9** | choix de l'auxiliaire *avoir* ou *être* | | | | | | | | | | | | | |
| **SY20** | autre | | | | | | | | | | | | | |
| **PO** | **PONCTUATION** | | T1 | T2 | T3 | T4 | T5 | T6 | T7 | T8 | T9 | T10 | ... |
| **PO1** **PO11** | **POINTS ET MAJUSCULES** points en fin de phrase (./!/?/…) | | | | | | | | | | | | | |
| **PO12** | majuscule de début de phrase | | | | | | | | | | | | | |
| **PO2** **PO21** | **POINT-VIRGULE (;)** à la fin de chaque élément d'une liste | | | | | | | | | | | | | |

| | | T1 | T2 | T3 | T4 | T5 | T6 | T7 | T8 | T9 | T10 | ... |
|---|---|---|---|---|---|---|---|---|---|---|---|---|
| **PO3** | **DEUX-POINTS (:)** | | | | | | | | | | | |
| **PO31** | avant les paroles d'un discours rapporté ou une citation | | | | | | | | | | | |
| **PO32** | avant une énumération annoncée | | | | | | | | | | | |
| **PO4** | **VIRGULE** | | | | | | | | | | | |
| **PO41** | après une unité syntaxique précédant le sujet | | | | | | | | | | | |
| **PO42** | avant les coordonnants, sauf *et, ou, ni*, à moins qu'ils soient répétés | | | | | | | | | | | |
| **PO43** | avec des éléments juxtaposés (mots, groupes, phrases) | | | | | | | | | | | |
| **PO44** | **double** virgule justifiée pour encadrer une unité syntaxique | | | | | | | | | | | |
| **PO45** | avant *c'est* | | | | | | | | | | | |
| **PO46** | pas de virgule simple entre le sujet et le prédicat | | | | | | | | | | | |
| **PO5** | **TYPOGRAPHIE** (coupures de mots, espacements, guillemets, nombres, etc.) | | | | | | | | | | | |
| **PO20** | autre | | | | | | | | | | | |
| **OL** | **ORTH. LEXICALE (OU D'USAGE)** | T1 | T2 | T3 | T4 | T5 | T6 | T7 | T8 | T9 | T10 | ... |
| **OL1** | mauvaise transcription d'un son (*\*entérieur* pour *antérieur*) | | | | | | | | | | | |
| **OL2** | lettre muette omise ou superflue (*\*musé* pour *musée* ; *\*peure* pour *peur*) | | | | | | | | | | | |
| **OL3** | doublement de consonnes | | | | | | | | | | | |
| **OL4** | accents et autres petits signes (apostrophe, trait d'union, cédille) | | | | | | | | | | | |
| **OL20** | autre | | | | | | | | | | | |
| **OG** | **ORTH. GRAMMATICALE – accords** | T1 | T2 | T3 | T4 | T5 | T6 | T7 | T8 | T9 | T10 | ... |
| **OG1** | nombre du nom (selon le sens exprimé) | | | | | | | | | | | |
| **OG2** | accord du déterminant (genre et nombre) | | | | | | | | | | | |
| **OG3** | accord de l'adjectif (genre et nombre) | | | | | | | | | | | |
| **OG4** | accord du verbe (personne et nombre) | | | | | | | | | | | |
| **OG5** | accord du participe passé avec *être* | | | | | | | | | | | |
| **OG6** | accord du participe passé avec *avoir* | | | | | | | | | | | |
| **OG20** | autre | | | | | | | | | | | |

| CO | CONJUGAISON | T1 | T2 | T3 | T4 | T5 | T6 | T7 | T8 | T9 | T10 | ... |
|---|---|---|---|---|---|---|---|---|---|---|---|---|
| **CO1** | radical | | | | | | | | | | | |
| **CO2** | marque du mode-temps | | | | | | | | | | | |
| **CO3** | finale d'un verbe avec le son *é* ou *i* | | | | | | | | | | | |
| **CO20** | autre | | | | | | | | | | | |

## 5. Deux stratégies d'enseignement pour la mise en œuvre des dispositifs didactiques

La R-C demande un très grand effort cognitif de la part des élèves, ne l'oublions pas. Malgré le support offert par les deux dispositifs didactiques proposés, ils risquent, faute de soutien, de s'épuiser et de se décourager durant leur mise en œuvre. C'est pourquoi nous proposons maintenant deux stratégies d'enseignement ayant fait leurs preuves : la rétroaction directe et la R-C en triade.

### La rétroaction directe

Par **rétroaction directe**, nous entendons une réponse rapide, orale ou écrite, aux besoins affectifs et cognitifs des élèves durant la R-C. L'enseignant leur offre une rétroaction orale simplement en acceptant de répondre aux questions et en se déplaçant dans la classe à cette fin. Il intervient afin de renforcer la confiance en soi des élèves et de prévenir chez eux le stress ou le désintérêt. Sur le plan cognitif, il facilite l'usage des outils (grilles, ouvrages de référence, consignes, etc.). Il s'assure que les procédures recommandées sont suivies. En outre, il peut évaluer sommairement la qualité linguistique d'un texte lorsqu'un élève pense, à tort, avoir terminé sa R-C ou qu'il semble démotivé. Il lui suffit alors d'examiner rapidement les dernières lignes du texte, qui contiennent souvent plus d'erreurs que les premières, et d'en signaler une à l'élève, en ajoutant qu'il y en a d'autres alentour. L'élève est légèrement ébranlé et se remet au travail.

### La rétroaction écrite

La rétroaction directe peut aussi s'effectuer par écrit, à court terme parce qu'elle se produit durant une activité de R-C. Lorsqu'une partie d'un texte a été révisée en classe, l'enseignant recueille les copies afin d'évaluer la qualité de la correction. Il annote les sections révisées, remet les copies au cours suivant et, à la lumière de cette rétroaction, la R-C des élèves reprend. Une variante consiste à faire réviser des textes en équipe, à corriger un extrait de chacun des textes révisés, puis à remettre chaque texte à son auteur pour une R-C individuelle.

## La révision-correction en triade

La R-C en équipe représente, sur le plan pédagogique, une option différente de la R-C individuelle. Chez un scripteur faible, la tâche peut paraitre insurmontable et requérir la présence presque constante de l'enseignant. Même dans une dyade, surtout dans un groupe régulier ou faible, on risque de se trouver en présence de deux élèves en difficulté. Avec des équipes de trois, on augmente les chances d'avoir un scripteur (relativement) fort et on réduit le nombre d'équipes à encadrer. Mais la principale raison de constituer des triades tient à l'intérêt didactique de leur fonctionnement.

### Une équipe soudée

Chaque texte est discuté, critiqué et corrigé tour à tour par les membres de la triade, le temps alloué pour la R-C étant divisé en trois périodes égales. Il faut que les trois élèves travaillent de concert sur un même exemplaire du texte et sur les mêmes aspects en même temps. Idéalement, le texte est saisi à l'ordinateur et affiché sur un écran, mais il est possible pour une équipe de travailler sur un seul texte manuscrit.

Il faut absolument éviter que les tâches soient réparties entre les membres de l'équipe. C'est pourquoi l'enseignant explique aux élèves que la capacité de détection s'améliore quand on est trois à se pencher en même temps sur un problème de grammaire, que la vérification de la condition d'une règle devient plus sure lorsqu'elle est validée après justification par les trois membres de l'équipe ; de même, l'action enclenchée ensuite pour corriger l'erreur sera surement mieux exécutée si les trois élèves suivent ensemble son déroulement. En effet, le contrôle de la procédure cesse d'être à la merci d'une défaillance de la mémoire à court terme d'un seul individu ou d'une application défectueuse de la règle. De surcroit, sur le plan métacognitif, le scripteur qui voit un texte soumis à un tel examen renforce son autonomie de correcteur de même que son apprentissage des notions et des règles : c'est donc un moment fort dans l'apprentissage de la grammaire.

### Les dérives possibles de la révision par les pairs

On le voit, le succès de la révision par les pairs ne va pas de soi. Des dérives sont également possibles, qu'il est important d'éviter. Le premier dérapage se produit chez les élèves qui n'ont pas été formés au travail de R-C qu'on attend d'eux. Ils se livrent à une activité fidèle, hélas, à leur représentation réductrice de la R-C : ils « chipotent » sur des détails, comme l'emploi d'une majuscule, et ils travaillent peu, convaincus d'avoir peu à faire. Il est utile de faire verbaliser les buts et les consignes de l'activité dans chaque équipe au début du travail et de répondre aux questions qui surgissent alors. On peut aussi demander à l'équipe de s'autoévaluer, à mi-parcours et à la fin, relativement à son efficacité et à la qualité de son travail. Les questions d'autoévaluation peuvent porter sur le défi posé par le degré de difficulté de la tâche de R-C, sur l'intérêt suscité par les cas ou les problèmes de grammaire soulevés par les textes, sur la perception du degré de maitrise de la langue, sur l'efficacité de l'équipe ainsi que sur la contribution de chacun de ses membres. L'enseignant devrait, durant le cours, discuter de cette évaluation avec les équipes, du moins celles qui fonctionnent moins bien, et, à la fin du cours, recueillir la grille d'autoévaluation de chaque équipe. Cette grille comporte des questions brèves ou des critères, concernant par exemple ce qui a permis à l'équipe de progresser ou ce qui, au contraire, a fait obstacle ; doivent y figurer une description des stratégies employées, une évaluation de la contribution de chacun des membres, etc.

Un autre risque apparait chez les élèves qui minimisent ou ignorent les critiques que leur adressent leurs pairs. Lorsque la syntaxe ou la ponctuation créent des ambigüités ou des non-sens, ces élèves tendent à les négliger pour éviter d'avoir à les corriger. Quand un pair doute de l'orthographe ou de l'accord d'un mot, l'auteur peut se montrer sûr de son choix et refuser toute remise en question. La correction d'une erreur dans son propre texte, surtout par quelqu'un d'autre, provoque chez l'élève un conflit cognitif, qui se répercute aussi affectivement sur son image publique. La réponse à ce genre de conflit consiste soit à accepter la correction et à tirer la leçon de son erreur, soit à minimiser la critique d'autrui pour éviter le conflit, au détriment d'un nouvel apprentissage. Il faut donc convaincre l'élève de renoncer à cette réaction en faveur de la première. Dans ce cas, l'aide de l'enseignant comporte une dimension stratégique qui vise à créer une relation de confiance dans l'équipe en amenant celle-ci à effectuer des apprentissages et à les valoriser.

Enfin, une autre difficulté de la révision par les pairs peut survenir dans le cas d'élèves particulièrement faibles, qu'ils suivent le cursus scolaire régulier ou spécialisé. Il est probable alors que des pairs peu habiles commettront souvent des erreurs de correction et que des scripteurs plus forts manqueront de confiance à leur égard. Une telle méfiance est d'ailleurs fondée : les élèves faibles peuvent en effet détecter des erreurs là où il n'y en a pas dans les textes des scripteurs plus forts, d'autant plus qu'ils ont tendance à trop se concentrer sur les erreurs moins couteuses en ressources cognitives et à se limiter souvent à l'orthographe lexicale et aux règles d'accord les mieux appliquées. La supervision de l'enseignant est, encore là, cruciale, et, tout aussi essentiel, il doit garder la conviction que tous les élèves, même les plus faibles, quelles que soient les étiquettes qu'on leur accole, peuvent progresser. Il peut en outre se faire aider par des scripteurs forts qui, en plus de participer à une triade, exercent cette vigilance auprès d'équipes faibles. Ils y gagnent d'ailleurs : les élèves forts qui ont révisé des textes d'élèves faibles produisent eux aussi de meilleurs textes. Plus un élève fait de commentaires sur le texte d'un pair, meilleur est le texte qu'il rédige lui-même ensuite[14].

# Conclusion

Nombre de recherches empiriques crédibles[15] montrent que les stratégies proposées ici sont pertinentes et aident réellement les scripteurs novices à mieux corriger leurs textes sur les aspects grammaticaux. La prise en charge de la R-C implique toutefois

**14.** Dans ce chapitre, il n'a été question que de la R-C manuscrite des textes. Or, une fois leur diplôme en poche, les élèves n'écriront plus qu'à l'ordinateur, pour l'essentiel, mais ils risquent de ne pas connaitre les ressources et les limites des correcteurs informatiques. Ceux-ci, entre les mains d'élèves de 12 à 15 ans, ajoutent plus d'erreurs qu'ils n'en corrigent. Quant au correcticiel Antidote, de qualité supérieure, il ne devrait être utilisé que pour ses fonctions d'analyseur syntaxique sous le guidage de l'enseignant, et non comme correcteur. Pour un dispositif didactique de guidage avec Antidote, voir Lecavalier (2015).

**15.** Ces recherches, dont les références sont données dans le site MonLab consacré à cet ouvrage, sont malheureusement en langue anglaise : Philippakos (2012), Presson et Whinney (2012), Lee (2013).

un investissement considérable de la part de l'enseignant, qui accepte de jouer un nouveau rôle : s'approprier la procédure et les stratégies recommandées ; les enseigner et offrir aux élèves un accompagnement pour leur utilisation au moment de la R-C ; donner une rétroaction en cours d'écriture ; amener les élèves à utiliser les mêmes stratégies et les mêmes grilles tout au long de l'année, idéalement sur deux ou trois ans, quitte à laisser certaines connaissances de côté, selon la progression adoptée.

Mais cela ne suffit pas : il faut insérer la R-C dans des projets d'écriture inspirants, susciter des interactions entre les scripteurs ainsi qu'une révision des aspects discursifs et textuels. Il faut rapprocher les élèves de l'écriture, leur trouver des destinataires valorisants et originaux pour la diffusion des travaux, ce que favorisent de plus en plus les passerelles entre les disciplines scolaires et les technologies de l'information et de la communication.

## Références bibliographiques de base

Chartrand, S.-G. (2012). La révision-correction de texte du primaire au collégial. *Correspondance*, vol. 18, n° 2. En ligne : http://correspo.ccdmd.qc.ca/Corr18-2/2.html

Chartrand, S.-G. et Lord, M.-A. (2010). État des lieux de l'enseignement grammatical au secondaire. Premiers résultats de l'enquête ÉLEF. *Québec français*, n° 156, p. 66-67.

Heurley, L. (2006). La révision de texte : l'approche de la psychologie cognitive. *Langages*, vol. 40, n° 164, p. 10-25.

Lecavalier, J. (2015). La révision-correction à l'aide d'Antidote : un problème d'outil ou de méthode ? *Correspondance*, vol. 21, n° 1. En ligne http://correspo.ccdmd.qc.ca/Corr21-1/

Lépine, F. (2016). L'activité de correction de copies d'élèves et d'étudiants. *Correspondance*, vol. 21, n° 2.

Paradis, H. (2012). *Synthèse des connaissances en didactique du français sur l'écriture et le processus scriptural*. Québec : Université Laval, Faculté des sciences de l'éducation, Mémoire de maîtrise en didactique du français.

Paradis, H. (2014). « J'ai fini. – Ah oui ? » : Les obstacles à la révision. *Correspondance*, vol. 19, n° 2. En ligne : http://correspo.ccdmd.qc.ca/Corr19-2/2.html

*Portail pour l'enseignement du français* : www.enseignementdufrancais.fse.ulaval.ca (voir à révision-correction et écriture).

Roussey, J.-Y. et Piolat, A. (2005). La révision du texte : une activité de contrôle et de réflexion. *Psychologie française*, vol. 50, n° 3, p. 351-372.

## Autres références

Brissaud, C. (2007). Acquisition et didactique de l'orthographe du français. Dans É. Falardeau, C. Fischer, C. Simard et N. Sorin (dir.), *La didactique du français. Les voies actuelles de la recherche* (p. 219–234). Québec : Presses de l'Université Laval.

Chartrand, S.-G. (2016). Le nécessaire rapport dialectique entre faire comprendre le fonctionnement de la langue et développer des compétences scripturales dans l'enseignement grammatical. Dans E. Bulea Bronckart et R. Gagnon, *Former à l'enseignement de la grammaire*, Lille : Presses universitaires du Septentrion.

Chartrand, S.-G. (2015). Des outils didactiques pour amener les apprenants à penser la langue française comme un ensemble organisé fait de régularités. *Enjeux. Revue de formation continuée et de didactique du français*, n° 89, p. 3-20.

CIIP – Conférence intercantonale de l'instruction publique de la Suisse romande et du Tessin (2013). *Plan d'études romand.* CIIP : Neuchâtel.

Dufour, M.-P. et Chartrand, S.-G. (2014). J'apprends des règles, puis je les applique : la sempiternelle question du «transfert». *Vivre le primaire*, été, vol. 27, n° 3, p. 20-22. En ligne : http://www.enseignementdufrancais.fse.ulaval.ca/fichiers/site_ens_francais/modules/document_section_fichier/fichier__bbf9d75e9300__VLP_transfert_ete_2014.pdf

Hayes, J.R. (2012). Modeling and Remodeling Writing. *Written Communication*, vol. 29, n° 3, p. 369-388.

Lee, I. (2013). Research into practice : Written corrective feedback. *Language Teaching*, vol. 46, n° 1, p. 108-119.

MELS – Ministère de l'Éducation, du Loisir et du Sport (2011). *Progression des apprentissages au secondaire. Français.* Québec : Gouvernement du Québec.

Olive, T. et Piolat, A. (2005). Le rôle de la mémoire de travail dans la production écrite de textes. *Psychologie française*, vol. 50, n° 3, p. 373-390.

Philippakos, Z.A. (2012). *Effects of reviewing on fourth and fifth-grade student's persuasive writing and revising.* ProQuest, UMI Dissertations Publishing.

Presson, N., MacWhinney, B. et Tokowickz, N. (2014). Learning grammatical gender : The use of rules by novice learners. *Applied Psycholinguistics*, vol. 35, n° 4, p. 709-737.

# Porter un autre regard sur l'enseignement de la grammaire

**DIDIER COLIN**

En cette fin d'ouvrage, il est bon de rappeler, à la suite de B. Schneuwly (1991), J.-F. Halté (1992) et S.-G. Chartrand (2005), l'engagement et le militantisme des didacticiens du français qui s'efforcent, depuis les années 1980, de proposer des voies d'amélioration des pratiques d'enseignement s'inscrivant dans le cadre général de la lutte contre l'échec scolaire et favorisant l'appropriation du français normé par tous les élèves. Ce qui est visé, à travers la transformation de l'école et de l'enseignement, c'est une société plus juste et plus égalitaire. Cette préoccupation fondatrice a rencontré un écho favorable chez tous ceux qui ont compris, à la fin des années 1970, que le volontarisme militant ne pouvait suffire à régler les problèmes du système éducatif. Comme le souligne le didacticien des mathématiques A. Mercier, les problèmes posés par le métier d'enseignant et son évolution ont fait comprendre, au début des années 1980, que les choses ne changent pas seulement parce qu'on le veut, mais parce qu'on se donne les moyens d'agir. Le refus du déterminisme social, position aux résonances idéologiques et philosophiques, est ainsi présent depuis l'origine des didactiques disciplinaires. C'est d'ailleurs dans cette perspective que s'inscrivent les phases du mouvement de rénovation de l'enseignement grammatical qui s'est déployé depuis les années 1970 et qui, désormais, appartient à l'histoire de l'enseignement du français[1].

## Proposer aux enseignants ce qu'ils sont en mesure de réaliser avec leurs élèves

Les enseignants d'aujourd'hui, et cela vaudra plus encore pour ceux de demain, ont besoin de propositions concrètes pour s'engager dans une rénovation qui a été commencée sans eux. Les principes d'une démarche relevant d'une grammaire explicite, introduisant la manipulation dirigée d'énoncés sur la base de laquelle les élèves découvrent progressivement, puis codifient des règles de la langue, sont, à défaut d'être compris et mis en œuvre, connus de nombreux enseignants. Ces principes didactiques ont en effet irrigué certains textes officiels, ont été actualisés dans des manuels et ont guidé leurs formateurs. Ces derniers ont pu trouver, dans des revues de didactique, une confirmation et/ou un approfondissement des savoirs qu'ils diffusaient et, pour certains, une méthode de travail rigoureuse, plus scientifique, s'appuyant sur des références à des ouvrages, à des auteurs, à des écoles ou des courants de pensée. Pourtant, ces avancées dépassent peu le cercle des didacticiens universitaires et se limitent trop

---

**1.** Dans le premier chapitre, J.-P. Bronckart développe cet aspect en rappelant notamment les critiques formulées par Ferdinand Brunot dès les débuts du XXᵉ siècle.

souvent à des déclarations de principe. De nombreux enseignants sont dans l'impossibilité de mettre en place des démarches de type actif et inductif, par exemple, et continuent à ennuyer, voire à démotiver leurs élèves, qui renoncent peu à peu à comprendre le fonctionnement de la langue. On peut donc dire familièrement que « le service après-vente didactique » n'a pas été assuré, que la mise en œuvre des principes didactiques dans le cadre des contraintes quotidiennes d'une classe sur le long cours n'a pas été assez pensée et travaillée par les didacticiens.

Notre ouvrage vise précisément à arriver jusqu'à la classe en proposant des activités concrètes issues de recherches didactiques. Conçu pour accompagner les enseignants et leurs formateurs d'aujourd'hui dans la poursuite de la rénovation entamée par leurs ainés, il présente des activités qui font appel à la réflexion, à la discussion, à la justification de la part des élèves et à l'indispensable phase d'institutionnalisation des savoirs construits. Dans la première partie de l'ouvrage, la critique adressée à la grammaire traditionnelle est explicitée et des aspects fondamentaux et fondateurs de la rénovation sont exposés avec clarté : distinction des niveaux d'analyse ; homogénéité des principes de classification ; rôle des manipulations syntaxiques ; importance de la réflexion grammaticale et de la verbalisation pour le travail de conceptualisation de la part des élèves. C'est dans cette optique que notre approche met en œuvre des démarches qui font réfléchir les élèves sur la langue : ainsi, ils sont amenés à comprendre, au fur et à mesure de leur scolarité, les faits de langue qu'on leur propose d'étudier et à intégrer les procédures qui permettent de les produire dans le contexte approprié.

Dans les chapitres de la deuxième partie, nous avons illustré les fondements que nous avons mis en exergue et montré que, dès maintenant, dans le cadre actuel, sans attendre des changements institutionnels, il est possible de *travailler autrement la grammaire*. Ayant pleinement conscience que les enseignants ne retiennent de la didactique que ce qu'ils peuvent mettre en œuvre[2], nous avons proposé, sans dogmatisme, sans technicité outrancière, ce qu'ils sont en mesure de réaliser dès maintenant dans leurs classes. Les démarches que nous décrivons, notamment dans le domaine de l'orthographe[3] et dans celui de la correction des textes[4], sont des illustrations probantes d'un type d'enseignement dans le droit fil de la rénovation et à la portée des enseignants.

# Relever le défi d'une grammaire rigoureuse et accessible

Nous avons à cœur d'apporter des réponses à cette question fondamentale que se pose tout didacticien : « Comment pourrait-on améliorer les conditions d'enseignement de ce contenu dans un nombre significatif de classes et auprès d'un nombre

---

**2.** D. Manesse (2013).

**3.** Le chapitre 7 porte sur les conditions d'une transformation de l'enseignement de l'orthographe grammaticale et propose des activités accessibles à tous les maitres.

**4.** Le chapitre 14 décrit les possibilités concrètes offertes par la révision-correction des textes.

significatif d'élèves[5] ? » C'est pourquoi nous ne cherchons pas à savoir si nous assurons la promotion d'une grammaire moderne ou nouvelle. Nous proposons une description de la langue française permettant aux enseignants d'y voir plus clair, de mieux appréhender son système et d'y puiser des ressources pour *mieux enseigner la grammaire.* C'est le défi que les dizaines de personnes qui se sont investies dans la production de cet ouvrage ont relevé, en tournant délibérément le dos à un discours de déploration et de défaitisme.

Cet ouvrage appelle à un travail de constitution de savoirs rigoureux, formulés dans des termes à caractère scientifique, parce qu'à nos yeux, l'emploi d'une métalangue précise et cohérente n'est pas un détail : cela conditionne le processus même de conceptualisation que les élèves doivent mener pour mettre la langue à distance, pour en comprendre le fonctionnement, comme le montre éloquemment le chapitre 4. Car une grammaire scolaire doit viser à décrire et à conceptualiser les règles effectives d'organisation de la langue, dans sa variété normée. À l'inverse, comme nous le soutenons, ne pas chercher à décrire d'une manière cohérente les règles du système de la langue et les normes du français se traduit par des pratiques de classe qui perdurent à l'identique, ressemblant souvent à celles avec lesquelles les enseignants ont été eux-mêmes en contact durant leur scolarité et, avant eux, leurs parents.

Les représentations qu'un individu se forge en tant qu'apprenant et en tant qu'enseignant jouent un rôle déterminant dans ses activités d'apprentissage comme dans ses activités d'enseignement. Aussi, la façon dont les enseignants mettent en œuvre les propositions des didacticiens dépend grandement de ce qu'ils sont, de la façon dont la culture scolaire de la discipline français les a forgés. Grâce à la cohérence que nous avons construite entre la mise en texte des composantes scientifiques et la mise en œuvre dans les classes, il nous semble que notre ouvrage est en mesure d'emporter l'adhésion des enseignants et, partant, de modifier peu à peu leurs représentations[6]. En effet, de notre point de vue, donner des connaissances précises sur des notions indispensables – appelées ici *notions-clés* – est un des moyens les plus sûrs de faire entrer les enseignants dans la logique du système grammatical et de lutter contre l'insécurité qu'ils disent éprouver. Pour installer sur le long terme un *nouvel esprit grammatical,* dont il a été question tout au long de cet ouvrage, il est important d'assurer auprès des enseignants la maitrise des contenus identifiés comme essentiels, en distinguant ce que l'élève doit savoir de ce que l'enseignant doit maitriser.

## Identifier des notions-clés à enseigner selon une réelle progression

En France – mais on pourrait facilement généraliser aux autres contextes scolaires –, on constate, depuis au moins les années 1960, des décalages entre les programmes et les itinéraires cognitifs des élèves en orthographe, entre les prescriptions et les

---

**5.** A. Mercier, 2008, p. 36.

**6.** À propos des représentations sur la langue française et son enseignement, voir Yaguello, 1998, et Chartrand, 2015.

capacités de conceptualisation des élèves, par exemple à propos des classes grammaticales[7]. Les injonctions placent ainsi maitres et élèves face à des progressions irréalistes au regard des réalités du terrain. Dans cette perspective, notre ouvrage montre qu'il n'y a pas, dans les programmes actuels, de réelle hiérarchisation des contenus à enseigner et que certains sont surévalués au détriment d'autres, que nous rétablissons dans leur priorité parce qu'ils s'appuient sur des régularités du système de la langue[8]. C'est pourquoi, dans le but d'aider les enseignants dans leurs choix, nous identifions les notions-clés et les phénomènes centraux relevant de ces régularités aux niveaux morphosyntaxique, syntaxique et textuel[9]. Par exemple, les classes grammaticales du nom et du verbe sont plus importantes que celle de l'adverbe, comme les fonctions syntaxiques de sujet et de complément du verbe le sont, comparées à celles de complément du pronom et d'attribut du complément direct du verbe. Nous avons eu sans cesse à l'esprit que la classe de français a pour but de développer les compétences langagières des élèves, dont celle de produire des textes de genres différents selon les normes du français écrit. Pour prendre place dans une culture, les élèves ont besoin d'une approche pleinement explicite des conventions qui organisent la langue et l'écrit. Car c'est bien l'école qui introduit l'élève aux modes particuliers d'utilisation du langage qui ne sont pas systématiquement les siens. Nous défendons l'idée que faire de la grammaire est une occasion de changer l'image qu'on a de soi en tant que scripteur, de modifier la conception de l'écriture et le rapport au monde de l'écrit qu'on s'est construits. Mettre ainsi la grammaire au service du développement des compétences scripturales correspond aux orientations des prescriptions en français et d'un enseignement rénové de la langue.

Pour éviter au fil des années une reprise à l'identique des mêmes contenus, pour enrayer un rabâchage qui démotive les élèves, nous proposons une progression spiralaire que nous jugeons indispensable. Nous allons même plus loin en plaçant dans la dynamique de cet ouvrage les deux ordres d'enseignement, le primaire et le secondaire. Nous cherchons ainsi à rompre avec l'imperméabilité des enseignements et à jeter des passerelles au sein de nos progressions. Et, puisque l'écriture est une aventure langagière où l'individu affronte la langue et se confronte à elle[10], nous répondons aux préoccupations des enseignants, non seulement en proposant des progressions, mais aussi en définissant des articulations entre enseignement grammatical et activités langagières ; à cet égard, le chapitre 13 sur les discours rapportés est exemplaire. Nous voulons que l'orthographe soit envisagée dans une approche globale d'acculturation à l'écrit/ure, que les attentes dans ce domaine y soient réellement mesurées et que les progrès des élèves, d'année en année, soient identifiés, remettant ainsi en cause la croyance selon laquelle les choses stagnent. Pour servir

---

**7.** Voir notamment Elalouf, Cogis et Gourdet (2011).

**8.** En France, les programmes de novembre 2015 insistent, sans les développer, sur les régularités du système qui constituent une priorité d'enseignement.

**9.** Les chapitres 2 et 5 apportent un éclairage décisif sur ces points, tandis que le chapitre 10 l'illustre par le biais du concept de détermination, et le chapitre 12, par l'étude systématique des reprises de l'information dans un texte.

**10.** Voir notamment Authier-Revuz (1995).

les besoins langagiers des élèves[11], nous articulons les activités que nous proposons à des pratiques discursives afin que les zones de difficultés soient traitées en termes d'obstacles à vaincre ou à dépasser. Nous établissons ainsi, dans notre ouvrage, un lien solide entre l'utilisation des ressources langagières et la conceptualisation des faits de langue. C'est une de nos réponses aux problèmes de norme et de maitrise linguistiques si régulièrement et si largement évoqués par nombre d'enseignants, qui posent ainsi la question de l'intercompréhension nécessaire dans une situation de communication différée. Notre objectif est d'aider ces enseignants à placer le respect des normes et des règles à sa juste place et à mieux hiérarchiser leurs exigences.

## Évaluer plus finement l'appropriation de la langue normée

Trop souvent, ne reprenant pas à leur compte la théorie de la variation linguistique, attentifs à la pression sociale, les enseignants considèrent, en juristes, que la langue de l'élève est fautive, déficiente, incompréhensible, et ils n'envisagent pas l'écrit de leurs élèves comme les traces d'une appropriation progressive de la langue normée. Instituer la langue comme système fermé ouvre la voie à une confusion entre ce qui fait système et ce qui est de l'ordre du systématique. Ce n'est pas sans conséquence sur les pratiques des maitres ni sur les compétences langagières des élèves. La variété de langue qu'il convient de maitriser à l'école – faut-il le rappeler ? – n'est pas toujours celle qu'un élève a acquise en milieu naturel (famille, environnement social proche, pairs, médias) ni celle de la communication ordinaire. L'approche de la langue que nous présentons, parce qu'elle est rigoureuse et progressive, rend possible une évaluation plus fine des formes rencontrées dans les écrits lus et/ou produits en classe : formes confirmées, approuvées, adaptées, consacrées ou refusées, sanctionnées, condamnées.

Dans le feuilletage du mot *langue*, différentes valeurs se conjuguent, s'entremêlent et s'entrechoquent : la langue comme support de communication ; la langue comme vecteur de la pensée ; la langue comme outil de réduction normative des usages langagiers ; la langue comme valeur identitaire. Cet ouvrage peut aider à en prendre conscience et à porter un autre regard sur l'enseignement de la grammaire. C'est du moins ce que nous souhaitons.

---

11. Les chapitres 5 et 8 apportent sur ce point un éclairage décisif.

# Références bibliographiques

Authier-Revuz, J. (1995). *Ces mots qui ne vont pas de soi. Boucles réflexives et non-coïncidences du dire*. Paris : Larousse.

Chartrand, S.-G. (2015). La difficile appropriation de la langue française par les francophones: un point de vue *didactique*. Dans Service de la langue française et Conseil de la langue française et de la politique linguistique (dir.), *S'approprier le français. Pour une langue conviviale. Actes du colloque de Bruxelles 2013* (p. 95-100). Bruxelles : De Boeck Supérieur et Duculot.

Chartrand, S.-G. (2005). L'apport de la didactique du français langue première au développement des capacités d'écriture des élèves et des étudiants. Dans J. Lafont-Terranova et D. Colin (dir.), *Didactique de l'écrit. La construction des savoirs et le sujet écrivant* (p. 11-31). Namur : Presses universitaires de Namur.

Elalouf, M.-L., Cogis, D. et Gourdet, P. (2011). Maitrise de la langue à l'école et au collège. *Le Français aujourd'hui*, n° 173, p. 33-44.

Halté, J.-F. (1992). *La didactique du français*. Paris : PUF, coll. « Que sais-je ? ».

Manesse, D. (2013). La grammaire scolaire et ses fantômes. Dans O. Bertrand et I. Schaffner, *Enseigner la grammaire* (p. 229-242). Palaiseau : Éditions de l'École Polytechnique-Ellipses.

Mercier, A. (2008). Pour une lecture anthropologique du programme didactique. *Éducation et didactique*, vol. 2, n° 1. En ligne : http://educationdidactique.revues.org/251

Schneuwly, B. (1991). Qu'est-ce apprendre/enseigner à lire et à écrire aujourd'hui ? *La Lettre de l'Association DFLM (Association internationale pour le développement de la recherche en Didactique du Français Langue Maternelle)*, n° 8, p. 6-10.

Yaguello, M. (1988). *Catalogue des idées reçues sur la langue*. Paris : Seuil.

# Annexe 1 | Glossaire des principaux termes de la métalangue

| Terme de la métalangue (le terme privilégié dans l'ouvrage est en gras) | Définition et références |
|---|---|
| **classe** (de mots ou grammaticale)<br><br>catégorie (de mots) | Ces termes remplacent les *parties du discours* de la grammaire traditionnelle.<br><br>Ils sont équivalents dans R.P.R.; B. et G. utilisent le terme de *catégorie*, et C.1, C.2, P. et T., celui de *classe*.<br><br>B., (4)4; C.1, 37-38; G., 62; R.P.R., 226; P., 49; S., 47; T., 258[1] |
| **complément de P**<br><br>ou complément de phrase | Ce terme, qui désigne une fonction syntaxique, remplace le *complément circonstanciel non lié au verbe* (T.); le complément de P est un constituant de la P.<br><br>B., (2)5; C.1, 121; C.2, 104; C.3*, 110; G., 53; P., 54; S., 168 |
| **complément du nom** | Ce terme, qui désigne la fonction syntaxique d'un GPrép dépendant d'un nom dans la grammaire traditionnelle, est étendu à d'autres unités dépendantes du nom: le GAdj (dit *épithète*) pour B. et G.; alors que C.1, C.2 et T. l'étendent à toutes les expansions du nom: GAdj, GPrép, GN, phrase subordonnée relative ou complétive.<br><br>B., (2)7; C.1, 48; C.2, 115; C.3*, 121; G., 48; S., 58; T., 226 |
| **connecteur** | Ce terme renvoie à certaines unités qui assurent la cohésion du texte, dont les marqueurs de relation et les organisateurs textuels pour G., R.P.R. et T., alors que C.2 n'inclut pas les organisateurs textuels dans les connecteurs.<br><br>C.3*, 238; G., 161; R.P.R., 1043-1045; P., 199; T., 79 |
| **coordonnant**<br><br>ou mots de coordination | Ce terme désigne tous les mots ou locutions (dont les traditionnelles conjonctions de coordination et les adverbes de liaison) qui permettent la coordination; il ne s'agit ni d'une classe (ou catégorie) ni d'une fonction syntaxique, même si le coordonnant joue un rôle syntaxique.<br><br>B., (2)16; C.2, 229; C3*, 235; G., 160; T., 120 |
| **groupe** (de mots/fonctionnel/ syntaxique) | Ce terme emblématique de la grammaire rénovée désigne un ou plusieurs mots formant une unité syntaxique. C.1 distingue les groupes suivants: GN, GV, GAdj, GAdv, GPrép, GVinf, GVpart.<br><br>B., (2)5; C.2, 73; C3*, 78; R.P.R., 213-214; S., 49; T., 114 |
| **modèle P**<br><br>structure de la phrase de base<br><br>structure PHRASE P<br><br>MODÈLE DE BASE<br><br>MODÈLE PHRASE P<br><br>modèle canonique de la phrase | Ces dénominations désignent une représentation abstraite prototypique de la structure d'une phrase définie du point de vue syntaxique. Elle est nommée *structure de la phrase de base* chez B. et T.; *structure PHRASE P* chez G.; *MODÈLE DE BASE* ou *PHRASE P* chez C.2; *modèle canonique* chez R.P.R., et dans cet ouvrage, **MODÈLE P**.<br><br>B., (2)5; T., 115; G., 49; C.2, 63; C.3*, 68; R.P.R., 211 |

---

1. Consultez la liste des ouvrages de référence à la page 334.

| Terme de la métalangue (le terme privilégié dans l'ouvrage est en gras) | Définition et références |
|---|---|
| **morphologie** (lexicale ou grammaticale ou flexionnelle) | Ce terme désigne la partie de la grammaire qui étudie la forme et la construction des mots.<br><br>C.2, 3 ; C.3\*, 3 ; R.P.R., 38 ; P., 15 |
| **organisateur textuel** | Cette désignation correspond à une sous-catégorie de connecteurs pour R.P.R. (connecteurs organisationnels) ; pour C.2, c'est un mot ou un groupe de mots qui segmente les grandes parties d'un texte et qui joue un rôle textuel différent du marqueur de relation ou connecteur.<br><br>C.2, 51 ; C3\*, 51 ; R.P.R., 1045 ; P., 201 |
| **P**<br>phrase de base<br>phrase canonique<br>phrase P | Ces termes ou expressions sont équivalents et visent tous à remplacer le terme de *proposition* de la grammaire scolaire traditionnelle. La phrase de base a trois constituants : deux obligatoires (qui occupent respectivement les fonctions de sujet et de prédicat) et un facultatif et mobile, dont la fonction est complément de P.<br><br>Dans l'ouvrage de Pellat, la phrase de base correspond à une phrase minimale définie comme GN + GV.<br><br>B., (2)3 ; C.2, 72 ; C3\*, 78 ; G., 48 ; R.P.R., 211 ; S., 171 ; T., 116 |
| **prédicat** (grammatical) | Ce terme désigne la fonction syntaxique du groupe verbal (GV) dans une phrase.<br><br>Le terme *prédicat* est entendu dans une acception sémantique seulement dans l'ouvrage de Pellat.<br><br>B., (2) ; C.2, 106 ; C.3\*, 112 ; G., 42 ; R.P.R., 242 ; P., 87 ; S., 167 |
| **subordonnant** | Ce terme désigne tout mot introducteur (conjonction de subordination, pronom relatif, adverbe corrélatif avec *que*) d'une phrase subordonnée, appelé aussi *marqueur d'enchâssement*. Il ne s'agit ni d'une classe ou catégorie ni d'une fonction syntaxique, même si le subordonnant est un élément essentiel d'une phrase subordonnée.<br><br>B., (2)10 ; G., 123 ; C.2, 235 ; C.3\*, 241 ; R.P.R., 787 ; P., 100 ; T., 120 |
| **syntaxe** | Ce terme désigne la partie de la grammaire qui étudie la construction des phrases et des unités qui la structurent et des relations entre ces unités dans la phrase.<br><br>C.2, 60 ; C.3\*, 65 ; G., 47 ; R.P.R., 39 |

**Ouvrages de référence**

**B.**      Bronckart, J.-P. (2001). *Enseigner la grammaire dans le cadre de l'enseignement rénové de la langue*. Genève : DIP, Cahier du secteur des langues, n° 75.

**C.1**    Chartrand, S.-G., Simard, C. et Sol, C. (2006). *Grammaire de base*. Bruxelles : De Boeck.

**C.2**    Chartrand, S.-G., Aubin, D., Blain, R. et Simard, Cl. (1999). *Grammaire pédagogique du français d'aujourd'hui*. Boucherville : GRAFICOR.

**C.3\***  Chartrand, S.-G., Aubin, D., Blain, R. et Simard, Cl. (2011, 2e éd.*). *Grammaire pédagogique du français d'aujourd'hui*. Montréal : La Chenelière.

**G.**      Genevay, É. (1994). *Ouvrir la grammaire*. Lausanne : LEP/Montréal : La Chenelière.

**P.**       Pellat, J.-C. (2009). *Quelle grammaire enseigner à l'école ?* Paris : Hatier.

**R.P.R.** Riegel, M., Pellat, J.-C. et Rioul, R. (2009, 4e éd.). *Grammaire méthodique du français*. Paris : PUF, Quadrige.

**S.**       Simard, C. et Chartrand, S.-G. (2011). *Grammaire de base, 2e et 3e cycle du primaire*. Saint-Laurent : ERPI.

**T.**       Tomassone, R. (1996). *Pour enseigner la grammaire*. Paris : Delagrave.

## Annexe 2 | Tableau des correspondances âge /degré scolaire dans quatre systèmes scolaires francophones

| Âge avant décembre | FRANCE | | | QUÉBEC | | BELGIQUE | | SUISSE ROMANDE | |
|---|---|---|---|---|---|---|---|---|---|
| 6 ans | CP[1] | Cycle 2 – Des apprentissages fondamentaux | PRIMAIRE | 1re primaire | 1er cycle | 1re primaire | 1re étape | 3e | PRIMAIRE |
| 7 ans | CE1 | | | 2e primaire | | 2e primaire | | 4e | |
| 8 ans | CE2 | | | 3e primaire | 2e cycle | 3e primaire | 2e étape | 5e | |
| 9 ans | CM1 | Cycle 3 – De consolidation | | 4e primaire | | 4e primaire | | 6e | |
| 10 ans | CM2 | | | 5e primaire | 3e cycle | 5e primaire | | 7e | |
| 11 ans | 6e | | | 6e primaire | | 6e primaire | | 8e | |
| 12 ans | 5e | Cycle 4 – Des approfondissements | SECONDAIRE : COLLÈGE | 1re secondaire | 1er cycle | 1re secondaire | 3e étape 1er degré | 9e | SECONDAIRE |
| 13 ans | 4e | | | 2e secondaire | | 2e secondaire | | 10e | |
| 14 ans | 3e | | | 3e secondaire | 2e cycle | 3e secondaire | 2e degré | 11e | |

---

1. CP désigne le cours préparatoire, CE, le cours élémentaire, et CM, le cours moyen.

### 1) Grammaires de référence pour les enseignants

Genevay, É. (1994). *Ouvrir la grammaire*, Lausanne/Montréal : LEP/ La Chenelière.

Riegel, M., Pellat, J.-C. et Rioul, R. (1994 ; 4e éd. 2009). *Grammaire méthodique du français*. Paris : PUF.

Tomassonne, R. (1996). *Pour enseigner la grammaire*. Paris : Delagrave.

### 2) Grammaires rédigées par des linguistes et des didacticiens du français à l'attention des élèves

**Primaire**

Chartrand, S.-G., Simard, Cl. et Sol, C. (2006). *Grammaire de base*. Bruxelles : De Boeck.

Sautot, J.-P. et Lepoire-Duc, S. (2010). *Expliquer la grammaire*. Grenoble : CRDP de l'académie de Grenoble.

Simard, Cl. et Chartrand, S.-G. (2011, 2e éd.). *Grammaire de base*. Montréal : ERPI.

**Secondaire**

Chartrand, S.-G., Aubin, D., Blain, R. et Simard, Cl. (1999). *Grammaire pédagogique du français d'aujourd'hui*. Boucherville : GRAFICOR/(2e éd. 2011). Montréal : Chenelière.

Denyer, M., Rosier, L. et Thyrion, F. (2003). *Français 3e/6e, Langue référentiel*. Coll. « Parcours et références ». Bruxelles : De Boeck.

### 3) Sur le mouvement de rénovation de l'enseignement grammatical dans le cadre de l'enseignement du français

Bronckart, J.-P., Bulea, E. et Pouliot, M. (2005). Pourquoi et comment repenser l'enseignement des langues ? Dans J.-P. Bronckart, E. Bulea et M. Pouliot (dir.). *Repenser l'enseignement des langues : comment identifier et exploiter les compétences* (p. 7-40). Lille : Septentrion.

Chartrand, S.-G. (1996, 2e éd.). Pourquoi un nouvel enseignement grammatical ? Dans S.-G. Chartrand (dir.). *Pour un nouvel enseignement de la grammaire. Propositions didactiques* (p. 27-52). Montréal : Logiques. En ligne : www.enseignementdufrancais.fse.ulaval.ca

Dumortier, J.-L. (2011). Pour une rénovation des savoirs langagiers en Belgique francophone. *Enjeux*, no 81, p. 7-31.

### 4) Sur l'enseignement et l'apprentissage de la grammaire rénovée en général

Bronckart, J.-P. (2001). *Enseigner la grammaire dans le cadre de l'enseignement rénové de la langue*. Genève : DIP, Cahier du secteur des langues, no 75.

Chartrand, S. et McMillan, G. (2002). *Cours autodidacte de grammaire française. Activités d'apprentissage et corrigés*. Boucherville : GRAFICOR.

Chartrand, S.-G. (2013a). Quelles finalités pour l'enseignement grammatical à l'école ? Une analyse des points de vue des didacticiens du français depuis 25 ans. *Formation et profession*, vol. 20, no 3. En ligne : www.enseignementdufrancais.fse.ulaval.ca/document/?no_document=2472

Chiss, J.-L. et David, J. (2012). *Didactique du français et étude de la langue*. Paris : Le français aujourd'hui/Armand Colin.

Dumortier J.-L., Dispy, M. et Van Beveren, J. (2013). *Les savoirs langagiers. Glossaire visant à pourvoir d'un bagage de notions communes tous les enseignants de français de la Fédération Wallonie-Bruxelles*. Namur : Presses universitaires de Namur.

Grossmann, F. et Vargas, C. (1996). Pour une clarification du statut des activités grammaticales à l'école. *Repères*, n° 14, p. 3-14.

Manesse, D. (2008). Pour un enseignement minimal et suffisant. *Le français aujourd'hui*, n° 162, p. 103-112.

Nadeau, M. et Fisher, C. (2006). *La grammaire nouvelle. La comprendre et l'enseigner*. Montréal : Chenelière Éducation.

Siouffi, G. et Van Raemdonck, D. (2007). *100 fiches pour comprendre les notions de grammaire*. Levallois-Perret : Bréal.

## 5) Sur les démarches pour la mise en œuvre d'un enseignement rénové de la grammaire

Chartrand, S.-G. (1995). Enseigner la grammaire autrement : animer des démarches actives de découverte. *Québec français*, n° 99, p. 32-35. En ligne : www.enseignementdufrancais.fse.ulaval.ca/document/?no_document=857

de Pietro, J.-F et Wirthner, M. (2004). Repenser l'articulation interne de l'enseignement du français en Suisse romande. Dans É. Falardeau, C. Fisher, Cl. Simard et N. Sorin (dir.). *Le français : discipline singulière, plurielle ou transversale ?* Actes du 9e Colloque international de l'AIRDF [CD-ROM]. Québec : AIRDF/PUL.

Dourojeanni, D. et Quet, F. (2007). *Problèmes de grammaire pour le cycle 3. Enseigner la langue par l'observation, la réflexion et le débat*. Paris : Hatier.

Elalouf, M.-L. et Péret, C. (2009). Pratiques d'observation de la langue en France. Quelles évolutions ? quels obstacles ? Dans J. Dolz et Cl. Simard (dir.), *Pratiques d'enseignement grammatical, point de vue de l'enseignant et de l'élève* (p. 49-72). Québec : Presses universitaires de Laval.

Garcia-Debanc, C. (1993). Enseignement de la langue et production d'écrits. *Pratiques*, n° 77, p. 3-23.

Genevay, É. (1996). « S'il vous plaît… invente-moi une grammaire ! ». Dans S.-G. Chartrand (dir.). *Pour un nouvel enseignement de la grammaire. Propositions didactiques*. Montréal : Logiques. En ligne : www.enseignementdufrancais.fse.ulaval.ca

Paret, M-C. (2000). Enseigner stratégiquement la grammaire. *Québec français*, n° 119, p. 54-59. En ligne : www.mcparet.com/wp-content/uploads/2012/10/Enseignement-stategique-grammaire.pdf

Parisi, G. et Grossmann, F. (2009). Démarche didactique et corpus en classe de grammaire : le cas du discours rapporté. *Repères*, n° 39, p. 163-185.

Tisset, C. (2005). *Observer, manipuler, enseigner la langue au cycle 3*. Paris : Hachette.

*Vivre le primaire* (2013). Dossier grammaire dirigé par S.-G. Chartrand, vol. 26, n° 1, hiver. En ligne : http://aqep.org/

## 6) Sur l'enseignement et l'apprentissage d'un domaine particulier de la grammaire

### Conjugaison

Blanche-Benveniste, Cl. (2002). Structure et exploitation de la conjugaison des verbes en français contemporain. *Le français aujourd'hui*, n° 139, p. 13-22.

Chartrand, S.-G. (2011). L'enseignement de la conjugaison : des fausses évidences. *Correspondances*, vol. 16, n° 2, p. 6. En ligne : www.enseignementdufrancais.fse.ulaval.ca/document/?no_document=1008

Meleuc, S. et Fauchart, N. (1999). *Didactique de la conjugaison. Le verbe « autrement ».* Paris/Toulouse : Bertrand-Lacoste/CRDP Midi-Pyrénées.

## Orthographe

Angoujard, A. (dir., 2007 ; 1re éd. 1994). *Savoir orthographier.* Paris : Hachette Éducation.

Brissaud, C. et Cogis, D. (2011). *Comment enseigner l'orthographe aujourd'hui ?* Paris : Hatier.

Cogis, D. (2005). *Pour enseigner et apprendre l'orthographe. Nouveaux enjeux – Pratiques nouvelles. École/Collège.* Paris : Delagrave.

Fisher, C. (1996). Les savoirs grammaticaux des élèves du primaire. Le cas de l'adjectif. Dans S.-G. Chartrand (dir.). *Pour un nouvel enseignement de la grammaire. Propositions didactiques* (p. 315-340). Montréal : Logiques. En ligne : www.enseignementdufrancais.fse.ulaval.ca

Fisher, C. et Nadeau, M. (2014). Usage du métalangage et des manipulations syntaxiques au cours de dictées innovantes dans des classes du primaire. *Repères,* n° 49, p. 169-191.

Jaffré, J.-P., Massonet, J., Ducard, D., Cogis, D. et Bousquet, S. (1999). Acquisition de l'orthographe et mondes cognitifs. *Revue Française de Pédagogie*, 126, p. 2337. En ligne : www.persee.fr/web/revues/home/prescript/article/rfp_0556-7807_1999_num_126_1_1092

Legros, G. et Moreau, M.-L. (2012). *Orthographe : qui a peur de la réforme ?* Bruxelles : Fédération Wallonie-Bruxelles. En ligne : www.languefrancaise.cfwb.be

Luyat, P. et Brissaud, C. (2006). *Progresser en orthographe, dictées codées.* Scérén/CRDP de Grenoble.

Nadeau, M. et Fisher, C. (2011). Les connaissances implicites et explicites en grammaire : quelle importance pour l'enseignement ? quelles conséquences ?. *Bellaterra Journal of Teaching and Learning Language and Literature*, vol. 4, n° 4, p. 1-31. En ligne : revistes.uab.cat/jtl3/article/view/446/496

Pellat, J.-C. et Teste, G. (dir., 2001). *Orthographe et écriture : pratique des accords.* Strasbourg : CRDP d'Alsace.

## Ponctuation

Bessonnat, D. et Brissaud, C. (2001). *L'orthographe au collège. Pour une autre approche.* Paris : CRDP de Grenoble/Delagrave.

Chartrand, S.-G. (2010). La virgule, ses emplois, son enseignement. *Correspondances*, vol.16, n° 1, p. 21. En ligne : www.enseignementdufrancais.fse.ulaval.ca/document/?no_document=1004

Dufour, M.-P. et Chartrand, S.-G. (2014). Enseigner le système de la ponctuation. *Le français aujourd'hui*, n° 187, p. 91-99. En ligne : www.enseignementdufrancais.fse.ulaval.ca/document/?no_document=2444

Dunand, F., Montessuit-Lance, M.-G. et Tuil-Cohen, C. (2001). *Mémento de la ponctuation à l'usage des élèves.* Genève : Département de l'instruction publique.

## Syntaxe

Chartrand, S.-G. (2013b, 2e éd.). *Les manipulations syntaxiques, de précieux outils pour comprendre le fonctionnement de la langue et corriger un texte.* Montréal : CCDMD. En ligne : www.ccdmd.qc.ca/catalogue/manipulations-syntaxiques-les

Chiss, J.-L. et Meleuc, S. (dir. 2001). Et la grammaire de la phrase ? *Le français aujourd'hui*, n° 135, p. 3-10.

Combettes, B. (2011). Phrase et proposition : histoire et évolution de deux notions grammaticales. *Le français aujourd'hui*, n° 173, p. 11-20.

Le Goffic, P. (2001). La phrase « revisitée ». *Le français aujourd'hui*, n° 131, p. 97-107.

Paret, M.-C. (1996). De l'utilité de la phrase de base. *Québec français*, n° 101, p. 55-56. En ligne : www.mcparet.com/articles-et-travaux

Paret, M.-C. (1996). Une autre conception de la phrase et de la langue pour faire de la grammaire à l'école. Dans S.-G. Chartrand (dir.). *Pour un nouvel enseignement de la grammaire. Propositions didactiques* (p. 109-135). Montréal : Logiques. En ligne : www.enseignement-dufrancais.fse.ulaval.ca

## 7) La terminologie grammaticale et la métalangue

Chartrand, S.-G. et de Pietro, J.-F. (2012). Vers une harmonisation des terminologies grammaticales scolaires de la francophonie : quels critères pour quelles finalités ? *Enjeux*, n° 84, p. 5-31.

Chiss, J.-L. (2013). Terminologie grammaticale et métalangages de la classe de grammaire. Dans O. Bertrand et I. Schaffner (dir.). *Enseigner la grammaire* (p. 53-63). Palaiseau : Éditions de l'École polytechnique.

de Pietro, J.-F. et Chartrand, S.-G. (2010). L'enseignement grammatical dans les pays francophones et perspective d'une harmonisation de la terminologie grammaticale. *La Lettre de l'Association internationale de recherche en didactique du français*, n° 45-46, p. 34-42.

## 8) Sites de ressources didactiques variées

*Portail pour l'enseignement du français* : www.enseignementdufrancais.fse.ulaval.ca

SITE SCOLAGRAM : scolagram.u-cergy.fr

# Index